# В ПУТИ

This highly successful program assists in the development of all the language skills (listening, speaking, reading and writing) by presenting realistic settings, situations and contexts. It consists of 12 chapters and can be used in an intermediate or advanced Russian course. *V Puti* offers conversational exercises, various readings (biographies, poems, literature and historical texts) and grammatical explanations and practice. All of these components reinforce Russian culture and history which enable the students to understand the Russian language in context.

**Olga Kagan** was Professor of Russian at UCLA, USA.

**Frank Miller** was Professor of Russian at Columbia University, USA.

**Anna Kudyma** is a Senior Lecturer in Russian and Ukrainian at the University of California, Los Angeles, USA, and is the academic coordinator of the university's Russian Flagship program.

# В ПУТИ

# Russian Grammar in Context

Second Edition

Olga Kagan, Frank Miller and Anna Kudyma

LONDON AND NEW YORK

Second edition published 2022
by Routledge
2 Park Square, Milton Park, Abingdon, Oxon OX14 4RN

and by Routledge
605 Third Avenue, New York, NY 10158

*Routledge is an imprint of the Taylor & Francis Group, an informa business*



This material was previously published by Pearson Education, Inc.

First edition published by Pearson Education, Inc. 1996
Second edition published by Pearson Education, Inc. 2006
Second edition republished by Routledge 2022

*British Library Cataloguing-in-Publication Data*
A catalogue record for this book is available from the British Library

*Library of Congress Cataloging-in-Publication Data*
Names: Kagan, Olga, author. | Miller, Frank J. (Frank Joseph), 1940–2016, author. | Kudyma, Anna, author.
Title: В пути V puti : Russian grammar in context / Olga Kagan, Frank Miller and Anna Kudyma.
Description: Second edition. | Abingdon, Oxon ; New York, NY : Routledge, 2022. | Includes bibliographical references and index.
Identifiers: LCCN 2021024144 (print) | LCCN 2021024145 (ebook) | ISBN 9781032130040 (hardback) | ISBN 9781032129402 (paperback) | ISBN 9781003227205 (ebook)
Subjects: LCSH: Russian language—Textbooks for foreign speakers—English.
Classification: LCC PG2129.E5 K34 2022 (print) | LCC PG2129.E5 (ebook) | DDC 491.782/421—dc23
LC record available at https://lccn.loc.gov/2021024144
LC ebook record available at https://lccn.loc.gov/2021024145

ISBN: 978-1-032-13004-0 (hbk)
ISBN: 978-1-032-12940-2 (pbk)
ISBN: 978-1-003-22720-5 (ebk)

DOI: 10.4324/9781003227205

Typeset in Minion
by Apex CoVantage, LLC

Access the companion website: www.routledge.com/9781032129402

# СОДЕРЖАНИЕ

## Грамма́тика: говори́те пра́вильно! | Это ва́жно знать

| Те́ма | Обще́ние: о чём мы говори́м и пи́шем | Язы́к в жи́зни: чита́ем, слу́шаем, говори́м |
|---|---|---|

## Глава́ 2. Студе́нческая жизнь 30

| Грамма́тика: говори́те пра́вильно! | Это ва́жно знать |
| --- | --- |

**Грамма́тика: говори́те пра́вильно!** | **Это ва́жно знать**

| Граммáтика: говорúте прáвильно! | Это вáжно знать |
|---|---|
| Instrumental case forms for personal pronouns **116**<br>Instrumental case forms for nouns and modifiers **117**<br>Using the instrumental case to express place **118** | Word formation: Russian equivalents of "one-bedroom apartment" **(однокóмнатная квартúра)** **112**<br>Verbs of position **113**<br>**стоя́ть стáвить/постáвить**<br>**лежáть класть/положúть**<br>**висéть вéшать/повéсить**<br>Using **во-пéрвых, во-вторы́х, в-трéтьих** **114** |
| Using the instrumental case without prepositions **124**<br>Using the instrumental case with prepositions **125** | Using **котóрый** in the instrumental case **126** |
| Using aspect in the future tense **129**<br>Sentence structure: types of simple sentences **130**<br>**Граммáтика в контéксте**<br>«Ренессáнс небоскрёбов» **132**<br>Review of first-conjugation verbs of the following types: **132**<br>**мыть**<br>**класть**<br>**быть** | Word formation: Russian equivalent of "dark blue" **(тёмно-сúний)** **127**<br>Diminutive suffixes for nouns **127**<br>Using the verb **являться** with instrumental case to express "to be" **130** |

**Грамма́тика: говори́те пра́вильно!**



**Это ва́жно знать**

| Граммáтика: говори́те прáвильно! | Это вáжно знать |
|---|---|
| Formation and use of active participles: present and past tense **170** | Names associated with the **Мáлый теáтр: Пу́шкин, Гóголь, Толстóй, Достоéвский, Островский, Чайкóвский** **169** |
| Formation and use of passive participles: present and past tense (long and short forms) **174** | |
| Formation and use of verbal adverbs **178** | |
| Complex sentences with dependent clauses introduced by **то** **181** | |
| **Граммáтика в контéксте** **180** | |
| Д. Кéдрин Стихотворéние «Я»<br>«Импрессáрио Сергéй Пáвлович Дя́гилев»<br>«Худóжник Лев Самóйлович Бакст»<br>«Композитор Игорь Фёдорович Стравúнский» | |

## Глава́ 8. Вокру́г све́та 189

| Грамма́тика: говори́те пра́вильно! | Это ва́жно знать |
|---|---|
| Unprefixed verbs of motion: unidirectional and multidirectional verbs **193**<br>Indicating modes of transportation: use of **в** and **на** (**в авто́бусе** vs. **на авто́бусе**) **196** | Noting the difference between **путеше́ствовать** and **е́здить~е́хать/пое́хать** **190** |
| Types of unidirectional and multidirectional motion **203**<br>Translation of verbs of unidirectional motion **206**<br>**Грамма́тика в конте́ксте**<br>«На́ши клие́нты нам пи́шут» **204** | Reading about geographic position and history of the former Soviet republics: **Узбекиста́н, Украи́на** **199**<br>Learning about **Солове́цкие острова́, Кижи́** **204** |
| Using verbs of unidirectional motion in the past and future tenses **211**<br>Review of negative constructions: **ни**-words **212** | Noting the difference between **стара́ться/постара́ться** vs. **про́бовать/попро́бовать** **207** |

| Грамма́тика: говори́те пра́вильно! | Это ва́жно знать |
| --- | --- |

| Те́ма | Обще́ние: о чём мы говори́м и пи́шем | Язы́к в жи́зни: чита́ем, слу́шаем, говори́м |
|---|---|---|

## Глава 10. Приро́да и мы 257

**Грамма́тика: говори́те пра́вильно!** | **Э́то ва́жно знать**

| Грамма́тика: говори́те пра́вильно! | Это ва́жно знать |
| --- | --- |
| Using aspect in imperative forms **289** | Food names **286**<br>Celebrating housewarming **(новосе́лье) 288**<br>Writing an invitation to a party **288**<br>If someone doesn't recognize you, Russians say **«Бога́тым бу́дешь!»** |
| Third-person imperative: **пусть 296**<br>First-person imperatives: **дава́й/те 297** | Making toasts in Russian **293**<br>Using **ку́шай/те** vs. **е́шь/те 294**<br>The partitive genitive **295** |
| Wanting to do something vs. wanting someone else to do something: the use of **что́бы. 304**<br>Expressing indirect commands **304** | Cooking verbs **300**<br>Russian proverb: **«На вкус и цвет това́рищей нет» 303**<br>Russian equivalents of "to ask," "to request" **проси́ть/попроси́ть** vs. **спра́шивать/спроси́ть 305** |

# Appendix

# ПРЕДИСЛО́ВИЕ

В пути is intended for students who have completed some initial coursework in Russian or who are familiar with basic grammatical concepts and vocabulary. This text is appropriate for students of varying backgrounds in Russian, including some students who grew up in Russian-speaking families.

The goal of В пути is communication. Communication not only means an ability to understand a second or third language or to express one's thoughts, but also to read and write. This program assists in the development of the four language skills: listening, speaking, reading, and writing, all within realistic settings, situations, and contexts. Special attention is given to grammatical accuracy as this is crucial to further progress in one's language acquisition. The fifth skill, culture, is also an integral part of this program.

This second edition of В пути consists of twelve chapters, each organized in a consistent manner.

## New features:

1. The basic themes of most chapters have remained unchanged, but they have been updated with newer reading texts and tasks, such as searching for information on the Internet and giving reports in class, writing e-mails, and designing a web page. There are new themes such as family histories and ecological tourism and new genres such as e-mails, web pages, and Internet forums in various chapters. An entirely new chapter on computers and the Internet has been added.
2. Each chapter is divided into three main parts (Те́ма 1, Те́ма 2, Те́ма 3) and a section entitled Культу́ра и исто́рия. Each main part has texts designed to develop reading skills. These texts are accompanied by pre-reading exercises (including word formation) and post-reading tasks where students are asked to negotiate the meaning both in writing or orally. Культу́ра и исто́рия contains biographies, poems and texts intended to acquaint the student with aspects of Russian culture that are familiar to most educated native speakers of Russian.
3. Grammar explanations are now integrated into each Те́ма. The vocabulary in the grammar explanations and examples is closely correlated with the vocabulary in the chapter.
4. Conversations from the first edition are still included, but they have been transformed into listening-reading exercises to be done before students practice speaking. Mini-dialogues have been added as language models for student conversations.
5. Chapter 7, which treats the formation and use of participles and verbal adverbs, now contains new texts on theater, music and ballet.
6. Exercises on sentence structure appear in both the text and the *Student Activities Manual.*
7. A review chapter based on TV interviews that aired in Moscow on the NTV (НТВ) channel has been added after every third chapter. A review chapter of grammar and vocabulary is included after every two chapters in the *Student Activities Manual.*
8. In each chapter there are specific references to exercises to be done in the *Student Activities Manual.*

One of the primary goals of this text is the development of paragraph-length narration skills, and with this goal in mind, there is a "record yourself" exercise in each Student Activities Manual review chapter designed to help students achieve this goal. We believe that, together with other components, this assignment will help students reach intermediate- or higher-level proficiency.

A system of icons identifies exercises intended for pair work and work in small groups. The icon calls for the participation of the entire class, and the icon designates individual narration. Classroom writing exercises are marked with the icon, and the icon indicates reading exercises. The icon indicates either listening exercises or recorded texts.

# ADDITIONAL PROGRAM COMPONENTS

## Student Activities Manual

The organization of the *Student Activities Manual* supports the classroom text. Each chapter contains pronunciation and intonation exercises as well as listening comprehension exercises for the main themes in each chapter. Every chapter offers reading and writing practice: drills, exercises, and activities. Exercises in the manual are closely correlated with the texts and grammar explanations in the textbook. The student website contains the audio exercises for the *Student Activities Manual* and the videos as well as a wealth of additional exercises. See the website at www.prenhall.com/vputi.

## Audio program

The Audio Program contains recordings of texts and conversations in the textbook and materials that correspond to the listening sections in the *Student Activities Manual.*

## Video program

The video program contains twelve interviews that aired on the NTV (НТВ) TV Channel in Russia. Four of them appear in the review chapters of the textbook. The other videos are on the В пути website. These authentic interviews with Russians living in the United States include a variety of themes, such as family histories, art, sports, food, etc. The people interviewed are of all ages and backgrounds. The interviews can be used in a variety of ways that will be suggested in the *Instructor's Resource Manual.*

## Instructor's Resource Manual

The *Instructor's Resource Manual* is available (to instructors only) online for download (www.prenhall.com/vputi) and contains the texts for the audio, exercises that correspond to the video program, as well as various instructional materials.

## Grammar Reference

A separate reference grammar text with comprehensive explanations for each grammar topic is available for students. It contains specific references to the grammar in В пути, and it is meant to provide an overview of the Russian grammar presented in the textbook.

## ACKNOWLEDGMENTS

В пути is the result of several years work and the collaborative efforts of many persons. We would like to thank Rachel McCoy, Acquisitions Editor at Pearson Prentice Hall, who contracted us for this second edition and her associates Meriel Martinez Moctezuma, Supplements Editor, and Claudia Dukeshire, Production Editor, for their invaluable help in producing this volume. We greatly appreciate all the efforts and patience of Jennifer Crotteau of Interactive Composition Corporation in the final stages of production. We thank Elizabeth McLendon whose illustrations appear throughout the text and Vladimir Paperny for the photograph we used on the cover. Mr. Paperny is also the author of the NTV video supplement, and we are grateful to him and Sergei Diagilev of NTV for their help in making the video supplement possible. The UCLA Office of Instructional Development funded the production of the video supplement and the UCLA Language Materials Project supplied the map of the world for the back inside cover.

В пути would never have been possible without the assistance and support of countless students and colleagues who used the first edition in their courses or who looked at various versions of the second edition and offered various constructive comments and criticisms. We especially appreciate the efforts of Valentina Brougher (Georgetown University), Joan Chevalier (Brandeis University), Mara Kashper (Barnard College), Lisa Little (University of California, Berkeley), Galina Pyadusova (St. Petersburg State University), and Alla Smyslova (Columbia University). We are thankful to Lina Mikhelson in Moscow and Vladimir Sannikov of the Institute of Russian Language who checked the text for its conformation to the norms of present Russian usage.

We are most thankful to the many instructors and coordinators of Russian who used the first edition of В пути and who took time from their busy schedules to review the first edition and give us their comments for improving it. The appearance of their names does not in any way constitute an endorsement of the program or its methodology.

Kathleen Ahern, UNCG, NC
David R. Andrews, Georgetown University, Washington D.C.
Thomas Beyer, Middlebury College, VT
Eloise M. Boyle, University of Washington, WA
Valentina G. Brougher, Georgetown University, Washington D.C.
William J. Comer, University of Kansas, KS
Julie de Sherbinin, Colby College, ME
Susan Kalina, University of Alaska — Anchorage, AK
Larry McLellan, University of California — Santa Barbara, CA
Dasha Culic Nisula, Western Michigan University, MI
Kevin M. F. Platt, University of Pennsylvania, PA
Russell S. Valentino, University of Iowa, IA
Nelly Zhuravlyova, SUNY — Albany, NY

O.K.
F.M.
A.K.

# Глава́ 1

# Дава́йте познако́мимся!

## В э́той главе́...

**In this chapter you will**

- review and expand the vocabulary you need to talk about yourself
- review endings for the accusative, genitive, and prepositional cases
- review how to express где?/куда́?/отку́да?
- review Russian verb conjugations
- learn how to form and use the imperative

# Те́ма 1. www.Ли́чные страни́цы

## Подгото́вка

**1-1. Вы зна́ете э́ти слова́?**

| | |
|---|---|
| выбира́ть/вы́брать что? (факульте́т, специа́льность) | *to declare a major* |
| интересова́ть (*impf.*) > Меня́ интересу́ет что? | *I'm interested in . . .* |
| ока́нчивать/око́нчить что? | *to graduate from* |
| подава́ть/пода́ть заявле́ние куда́? | *to submit an application, apply* |
| получа́ть/получи́ть что? | *to receive* |
| стипе́ндию, дипло́м | *a scholarship/financial aid, a diploma* |
| сте́пень бакала́вра, маги́стра, | *B.A./B.S., M.A. /M.S.* |
| до́кторскую сте́пень | *Ph.D.* |
| поступа́ть/поступи́ть куда́? | *to apply, enroll in* |
| расти́/вы́расти | *to grow up* |
| роди́ться (*pfv.*) где? | *to be born* |

**1-2. Каки́е факульте́ты есть в ва́шем университе́те?** Form adjectives.

*Пра́вило:* исто́рия → <u>истор</u> (-ия) + <u>ическ</u> + <u>ий</u> = истори́ческий
экono... 

**В на́шем университе́те есть:**

биоло́гия (*biology*) —...факульте́т
фи́зика (*physics*) — ...факульте́т
хи́мия (*chemistry*) — ...факульте́т
геогра́фия (*geography*) — ...факульте́т
матема́тика (*mathematics*) — ...факульте́т
геоло́гия (*geology*) — ...факульте́т
филоло́гия (*philology*) — ...факульте́т
те́хника (*engineering, technology*) — ...факульте́т

> *Запо́мните:* *psychology* — факульте́т психоло́гии
> *political science* — факульте́т политоло́гии

**1-3. Факульте́т.** На како́м факульте́те вы у́читесь? На каки́х факульте́тах у́чатся ва́ши друзья́?

**1-4. Ча́сти све́та.** Вы зна́ете э́ти слова́?

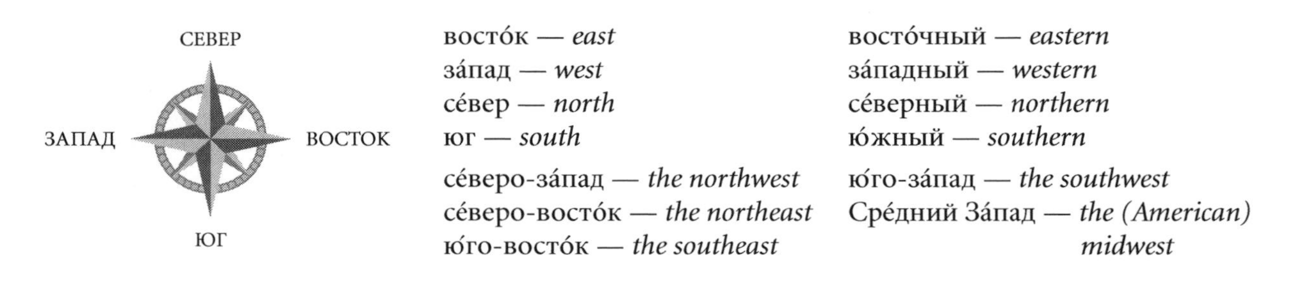


восто́к — *east*
за́пад — *west*
се́вер — *north*
юг — *south*
се́веро-за́пад — *the northwest*
се́веро-восто́к — *the northeast*
ю́го-восто́к — *the southeast*

восто́чный — *eastern*
за́падный — *western*
се́верный — *northern*
ю́жный — *southern*
ю́го-за́пад — *the southwest*
Сре́дний За́пад — *the (American) midwest*

**1-5. Америка́нские города́.** Look at the map of the USA and explain where the following cities are located. Tell each other what state you are from (see vocab, p. 29).

*Приме́р:* — Где нахо́дится Сиэ́тл? — На се́веро-за́паде США.

| | | |
|---|---|---|
| Бо́стон | Лос-Анджелес | Нью-Йо́рк |
| Атла́нта | Чика́го | Мэ́дисон |
| Но́вый Орлеа́н | Остин | Сан-Франци́ско |

**1-6. Росси́йские города́.** Look at the map of Russia and ask your classmates where these cities are located.

Москва́, Петербу́рг, Владивосто́к, Но́вгород, Арха́нгельск, Пермь, Уфа́, Яку́тск, Магада́н, Ирку́тск

**Complete exercises 1-1 through 1-6 in the S.A.M.**

## Язы́к в жи́зни

**1-7. Ли́чные страни́цы.** Read the webpages for Nikita and Lisa and find the answers to the following questions.

| Вопро́сы | Ники́та | Ли́за |
|---|---|---|
| 1. Где роди́лся/родила́сь? | | |
| 2. Где вы́рос/вы́росла? | | |
| 3. Куда́ перее́хал/перее́хала жить? | | |
| 4. Где учи́лся/учи́лась? | | |
| 5. Занима́лся/занима́лась спо́ртом? | | |
| 6. Куда́ поступи́л/поступи́ла? | | |
| 7. В како́м университе́те у́чится, в ча́стном и́ли в госуда́рственном? | | |
| 8. На како́м факульте́те у́чится? | | |
| 9. Каку́ю сте́пень хо́чет получи́ть? | | |
| 10. Где сейча́с живёт? | | |
| 11. Что его́/её интересу́ет? | | |
| 12. Кака́я у него́/у неё после́дняя но́вость? | | |

## Ники́та

***Разреши́те предста́виться:*** **Ершо́в Ники́та**

**О себе́.** Мне 21 год. Я учу́сь в Моско́вском *госуда́рственном* университе́те (МГУ) на пе́рвом ку́рсе, на экономи́ческом факульте́те. Учи́ться бу́ду 5 лет. Когда́ око́нчу университе́т, получу́ дипло́м экономи́ста.

Я роди́лся и вы́рос во Владивосто́ке. Вы зна́ете, где *нахо́дится* Владивосто́к? На Ти́хом океа́не! Там я око́нчил шко́лу №[1] 2. В шко́ле я мно́го *занима́лся спо́ртом.* По́сле шко́лы три го́да рабо́тал, пото́м поступи́л в Моско́вский университе́т и *перее́хал* в Москву́. Сейча́с живу́ в Москве́ и *снима́ю ко́мнату.* Во Владивосто́к, ду́маю, не *верну́сь*.

**Что я хочу́ де́лать.** Хочу́ око́нчить университе́т и получи́ть сте́пень маги́стра. Ещё я о́чень хочу́ *путеше́ствовать по ми́ру.*

**Что меня́ интересу́ет.** Бо́льше всего́ меня́ интересу́ют би́знес и эконо́мика.

***После́дняя но́вость!*** В э́том году́ я по́дал заявле́ние, что́бы учи́ть англи́йский язы́к в Аме́рике, и получи́л стипе́ндию!

**Let me introduce myself**
*возвраща́ться/верну́ться — to come back, return*
*госуда́рственный — state, public (not private)*
*занима́ться (impf.) спо́ртом — to play sports*
*находи́ться (impf.) — to be located*
*но́вость — news*
*переезжа́ть/перее́хать — to move*
*после́дний/яя — last, latest*
*путеше́ствовать — to travel*
*по ми́ру — around the world*
*снима́ть/снять кварти́ру, ко́мнату — to rent an apartment, room*

## Ли́за

**Я.** Меня́ зову́т Ли́за. Мне девятна́дцать лет. Я учу́сь на второ́м ку́рсе в Калифорни́йском университе́те. Я ещё не вы́брала факульте́т, но уже́ зна́ю, что меня́ интересу́ет ру́сский язы́к, исто́рия Росси́и и *други́х стран* Восто́чной Евро́пы. Хочу́ поступи́ть в аспиранту́ру и получи́ть до́кторскую сте́пень.

Я родила́сь в го́роде Фра́нклин. Вы зна́ете, где нахо́дится Фра́нклин? В шта́те Индиа́на, на Сре́днем За́паде. Там я учи́лась в *ча́стной* шко́ле, учи́ла испа́нский язы́к, занима́лась спо́ртом. Моя́ семья́ мно́го переезжа́ла, и тепе́рь роди́тели живу́т на се́веро-восто́ке, а я живу́ на за́паде США, на *берегу́* Ти́хого океа́на. Я живу́ в университе́тском *общежи́тии.*

**Что я люблю́.** Люблю́ учи́ть *иностра́нные* языки́, чита́ть и *рисова́ть.*

**Моя́ после́дняя но́вость!** В э́том году́ я подала́ заявле́ние, что́бы учи́ть ру́сский язы́к в Санкт-Петербу́рге, и получи́ла стипе́ндию!

*бе́рег — coast, seaside*
*друго́й — different, other*
*иностра́нный — foreign*
*общежи́тие — dorm*
*рисова́ть (impf.) — to draw, paint*
*страна́ — country*
*ча́стный — private*

---

[1]№ — но́мер

**1-8. Расскажи́те.** Imagine that you are Nikita or Lisa and tell about yourself. Use the information from the table in 1-7 above.

**1-9. Зва́ть** и **называ́ться.** Read the explanation and answer the questions below.

■ **Зва́ть** употребля́ется, когда́ мы говори́м о лю́дях и́ли о живо́тных.

| | |
|---|---|
| — *Как вас зову́т?* | — *Как зову́т ва́шу соба́ку?* |
| — *Меня́ зову́т Ли́за.* | — *Мою́ соба́ку зову́т Ла́ска.* |

■ **Называ́ться** употребля́ется, когда́ мы говори́м о кни́гах, фи́льмах, города́х и т.д.

| | |
|---|---|
| — *Как называ́ется э́тот го́род?* | — *Петербу́рг.* |

1. Как называ́ется штат, в кото́ром вы́росла Ли́за?
2. Как называ́ется го́род, в кото́ром роди́лся и вы́рос Ники́та?
3. Как называ́ется университе́т, в кото́ром у́чится Ли́за?
4. Как называ́ется университе́т, в кото́рый поступи́л Ники́та?
5. Как называ́ется го́род, в кото́ром вы вы́росли?
6. Как называ́ется штат, в кото́ром вы вы́росли?
7. Как называ́ется университе́т, в кото́ром вы у́читесь?

**1-10. В како́м году́?** Read the following text and note how the year is expressed. Ask each other the questions and jot down the answers.

Пе́тя роди́лся в ты́сяча девятьсо́т во́семьдесят тре́тьем году́. В девяно́стом году́ он пошёл в шко́лу. Он око́нчил шко́лу в двухты́сячном году́. В две ты́сячи пе́рвом он поступи́л в университе́т. Он око́нчил университе́т в две ты́сячи пя́том. А вы? В како́м году́ вы роди́ли́сь? В како́м году́ вы пошли́ в шко́лу? В како́м году́ поступи́ли в университе́т? В како́м году́ вы око́нчите университе́т?

**1-11. Что на́до сде́лать, что́бы поступи́ть в университе́т в Росси́и?** Read the text about entrance procedures for Russian universities and answer the following questions.

1. Мо́жно подава́ть заявле́ние в не́сколько университе́тов?
2. На́до сдава́ть экза́мены, что́бы поступи́ть в университе́т?
3. Каки́е университе́ты принима́ют станда́ртный тест?

Ещё не́сколько лет наза́д, что́бы поступи́ть в университе́т в Росси́и, на́до бы́ло око́нчить шко́лу, получи́ть *аттеста́т* и *сдать экза́мены* в университе́т. Мо́жно бы́ло подава́ть заявле́ние то́лько в оди́н университе́т, и ну́жно бы́ло *сра́зу* вы́брать факульте́т.

Сейча́с в Росси́и есть станда́ртный тест, кото́рый *похо́ж на* SAT, и, как в Аме́рике, мо́жно пода́ть заявле́ние в не́сколько университе́тов. Но ещё не все университе́ты *принима́ют* результа́ты те́ста. *Наприме́р,* что́бы поступи́ть в МГУ, на́до сдать не́сколько экза́менов: иностра́нный язы́к, исто́рию, экза́мен по специа́льности и написа́ть *сочине́ние.* Но други́е университе́ты, и госуда́рственные, и ча́стные, принима́ют станда́ртный тест.

*аттеста́т — high school diploma*
*наприме́р — for example*
*похо́ж на — similar to*
*принима́ть/приня́ть — to accept*
*сдава́ть/сдать экза́мен — to take/pass an exam*
*сочине́ние — essay*
*сра́зу — at once, immediately*

**1-12.** Объясни́те ва́шим ру́сским друзья́м, что на́до сде́лать, что́бы поступи́ть в университе́т в Аме́рике. Use the constructions:

**что́бы** + infinitive — *in order to*
**на́до/ну́жно** + infinitive — *it is necessary to, one has to*

## Разгово́ры

**1-13. Слу́шайте и чита́йте разгово́р.** Insert the missing words and phrases.

**Дава́йте познако́мимся!**

— Дава́йте познако́мимся, меня́ .................... Любо́вь Серге́евна.
— Отку́да вы?
— Я из Москвы́.
— Я из Петербу́рга.
— А я из Ту́лы, но ................. в Москве́.
— Меня́ зову́т Марк Чейс. Я учу́сь на ................................
— На како́м факульте́те?
— На ......................................
— А я на политоло́гии.
— А я ещё не вы́брала ................................
— На како́м .........................................?
— На пя́том.
— На пя́том?
— Да, мы у́чимся шесть лет.
— А я ду́мал, что ты аспира́нтка.
— А ты отку́да?
— Я ......................................... на Сре́днем За́паде.
— А я вы́росла на ......................................... США.
— А я .................................. в Кана́де, ................. в Австра́лии и Но́вой Зела́ндии.

**1-14. Поговори́м немно́го.** Read the following conversations and compose similar ones.
Note the following expressions.

Здра́вствуйте! — *Hello!*
Приве́т! — *Hi!*
Дава́й/те познако́мимся! — *Let's get acquainted!*
Разреши́те предста́виться! — *Let me introduce myself!*
О́чень прия́тно! — *Glad to meet you!*

**А.**

— При́вет! Как тебя́ зову́т?
— Ле́на. А тебя́?
— И́горь.
— О́чень прия́тно.

**А тепе́рь ваш разгово́р...** Use different expressions for meeting people and introducing yourself.

**Б.**

— Где ты у́чишься?
— На истори́ческом факульте́те. А ты?
— На математи́ческом.
— На како́м ку́рсе?
— На четвёртом. В э́том году́ уже́ ока́нчиваю.

**А тепе́рь ваш разгово́р...** Exchange personal information.

**1-15. Ва́ши вопро́сы.** Think of 10 questions you could ask a person you've just met.

**1-16. Дава́й/те познако́мимся!** Познако́мьтесь со студе́нтами свое́й гру́ппы и напиши́те, что вы о них узна́ли. Walk around the room asking the questions you prepared in 1-15 above.

**Complete exercises 1-7 through 1-14 in the S.A.M.**

## Грамма́тика. Говори́те пра́вильно!

### О падежа́х

### Expressing place: answering the question ГДЕ?

**1-17. Ана́лиз.** Read the web pages for Nikita and Lisa (p. 4). Underline all words and phrases that answer the question **где**?

### Noun endings for the prepositional case

- Most nouns take the ending -**E** in the prepositional singular.

| Nominative ЧТО? | Prepositional ГДЕ? |
|---|---|
| за́пад | Они́ живу́т на **за́пад-е** США. |
| музе́й | Мы бы́ли в **музе́-е.** |
| Вдадивосто́к | Этот университе́т нахо́дится во[1] **Владивосто́к-е.** |
| письм-**о́** | Что ты написа́ла в **письм-е́**? |
| библиоте́к-**а** | Она́ рабо́тает в **библиоте́к-е.** |
| семь-**я́** | Мы жи́ли в **семь-е́.** |

- Nouns with nominative singular forms ending in **-ИЙ, -ИЕ, -ИЯ** as well as feminine nouns ending in a soft sign (**-Ь**) take the ending **-И.**

---

[1]**ВО** is a variant of **В** that is used before consonant clusters such as **ВЛ-, ВС-, ФР-, ФЛ-** (*во Флори́де, во Фра́нции, во Вьетна́ме*—**Вь** is considered a consonant cluster).

| **Nominative ЧТО?** | **Prepositional ГДЕ?** |
|---|---|
| кафетéрий | Мы обéдаем в **кафетéри-и.** |
| общежи́ти-**е** | Ли́за живёт в **общежи́ти-и.** |
| Фрáнци-**я** | Он у́чится во **Фрáнци-и.** |
| лéкци-**я** | Мы бы́ли на **лéкци-и.** |
| Сиби́рь (*f.*) | Они́ живу́т в **Сиби́р-и.** |

- Several masculine nouns, which must be memorized, have the prepositional singular ending stressed **-У** in answer to the question **где ?**

| **Nominative ЧТО?** | | **Prepositional ГДЕ?** |
|---|---|---|
| airport | аэропóрт | в аэропорт-**у́** |
| coastline, shore | бéрег | на берег-**у́** |
| forest | лес | в лес-**у́** |
| floor | пол | на пол-**у́** |
| cupboard, closet | шкаф | в/на шкаф-**у́** |

**Note** the special form for **год** in answer to the question **когдá?** > **в э́том году́.**

In the prepositional plural, all nouns, regardless of gender, take the endings **-АХ/-ЯХ.**

| **Nominative ЧТО?** | **Prepositional ГДЕ?** |
|---|---|
| библиотéк-**и** | в библиотéк-**ах** |
| общежи́ти-**я** | в общежи́ти-**ях** |

## Adjective and special modifier endings for the prepositional case

Adjectives and special modifiers for masculine and neuter singular nouns take the endings **-ОМ/-ЕМ.**
Adjectives and special modifiers for feminine nouns take the endings **-ОЙ/-ЕЙ.**
In the plural, the endings are **-ЫХ/-ИХ,** but note the endings for **ВЕСЬ** and **ТОТ.**

| **Prepositional singular** | **Prepositional plural** |
|---|---|
| в нáш-**ем** больш-**óм** университéте | во вс-**ех** больш-**и́х** университéтах |
| в т-**óм** нóв-**ом** общежи́тии | в т-**ех** нóв-**ых** общежи́тиях |
| в нáш-**ей** стáр-**ой** библиотéке | в нáш-**их** стáр-**ых** библиотéках |
| в т-**ой** хорóш-**ей** шкóле | в т-**ех** хорóш-**их** шкóлах |

**Remember** that ordinal numerals (*пéрвый, вторóй, трéтий, etc.*) are adjectives:

Я учу́сь на трéтьем ку́рсе. [*note the spelling of* трéтий]
Я роди́лся/родилáсь в ты́сяча девятьсóт вóсемьдесят вторóм году́.

**1-18. Окончáния.** Working in pairs, supply the missing endings.

1. В как... университéт... ты ýчишься?
2. На как... факультéт... ты ýчишься?
3. Ты ýчишься на трéт... и́ли на четвёрт... кýрс...?
4. Свéта окóнчила университéт в прóшл... год....
5. Онá рабóтает в библиотéк....
6. Я живý в университéтск... общежи́ти....
7. Моя́ кóмната нахóдится на втор... этаж....
8. Джон живёт в больш... америкáнск... гóрод....
9. Одéсса нахóдится на берег... Чёрного мóря.
10. Алексáндр Пýшкин роди́лся в ты́сяча семьсóт девянóсто девя́т... год....
11. Колýмб откры́л Амéрику в ты́сяча четы́реста девянóсто втор... год....

## Verbs that are frequently used in ГДЕ-constructions

| | | | |
|---|---|---|---|
| быть | занимáться | рабóтать | роди́ться |
| жить | находи́ться | расти́/вы́расти | учи́ться |

**1-19. Анáлиз.** Read the text and explain the use of each ending for **котóрый.**

Мы ужé знáем, что семья́ Ники́ты живёт в гóроде, котóрый нахóдится на Ти́хом океáне. Это гóрод, в котóром он роди́лся и вы́рос. Шкóла, в котóрой он учи́лся, нахóдится на той же ýлице, на котóрой стои́т егó дом. Недалекó спорти́вный клуб, в котóром он игрáл в тéннис, и стадиóн, на котóром он игрáл в футбóл.

**The relative pronoun КОТÓРЫЙ**

The English equivalents of **котóрый** are *that, which,* or *who.* **Котóрый** cannot be omitted.
Remember the following:

- It has *adjective* endings.
- It agrees *in gender and number* with the noun it refers to.
- Its case is determined by how it is used in its own clause.

## Prepositions В and НА

The prepositions **В** and **НА** are used with nouns in the prepositional case to denote location of a person or an object. In answer to the question **ГДЕ?**, **В** denotes location *inside of* and **НА** denotes location *on the surface of.*

на столé — *on the table* | на шкафý — *on top of the cupboard*
в столé — *in the table (in a drawer)* | в шкафý — *in the cupboard*

Many nouns are used only with **В** or only with **НА.** Learn the following guidelines for usage.

Use the preposition **В** with the names of cities and countries and with nouns that denote closed or covered spaces.

| **Names of cities and countries** | **Closed or covered spaces** |
|---|---|
| в Росси́и | в шкóле |
| в Амéрике | в библиотéке |
| в Санкт-Петербýрге | в университéте |

Use the preposition **НА** in the following instances.

| **Open spaces** | **Functions or events** | **Points of the compass** | **Names of islands, seas, oceans, rivers, lakes** |
|---|---|---|---|
| на пло́щади | на (футбо́льном) ма́тче | на се́вере | на Ку́бе |
| на стадио́не | на у́жине (за́втраке, обе́де) | на ю́ге | на Во́лге |
| на у́лице | на ле́кции/заня́тии/экза́мене | на восто́ке | на Байка́ле |
| на остано́вке | на конце́рте, на о́пере | на за́паде | на Гава́йях |
| на ста́нции | на фи́льме, на дискоте́ке | | на Ти́хом океа́не |

The following commonly used nouns combine with the preposition **НА.**

| | | |
|---|---|---|
| на ку́рсе | на по́чте | на Аля́ске |
| на факульте́те | на вокза́ле | на Кавка́зе |
| на ка́федре | на (пе́рвом) этаже́ | на Ура́ле |
| | на/в Украи́не[1] | |

**1-20. В *или* НА.** Insert the appropriate preposition.

Кто я? Меня́ зову́т Татья́на. Живу́ ... Петербу́рге. Все зна́ют, что Петербу́рг нахо́дится ... се́веро-за́паде Росси́и, ... Балти́йском мо́ре. Учу́сь ... ча́стном университе́те ... факульте́те иностра́нных языко́в. Сейча́с я ... тре́тьем ку́рсе ... ка́федре ара́бского языка́. Когда́ я учи́лась ... шко́ле, ... деся́том кла́ссе, я год жила́ ... Аме́рике. Я учи́лась ...Сре́днем За́паде, ... го́роде Чика́го, и жила́ ... америка́нской семье́. Ду́маю, что я хорошо́ говорю́ по-англи́йски.
Где я живу́? Живу́ до́ма, с роди́телями. Наш дом нахо́дится ... Не́вском проспе́кте, ... пло́щади Каза́нского собо́ра. Это о́чень краси́вое ме́сто!
Что я люблю́? Люблю́ сиде́ть ... берегу́ Невы́ и рисова́ть, люблю́ игра́ть в те́ннис ... университе́тских ко́ртах, о́чень люблю́ Петербу́рг!

**Спра́вка**

Нева́ — река́, на кото́рой нахо́дится Петербу́рг. Не́вский проспе́кт — гла́вная у́лица Петербу́рга.

Каза́нский собо́р — Kazansky Cathedral. Каза́нский собо́р стро́ился в 1801-1811 года́х. Архите́ктор Андре́й Ники́форович Ворони́хин.

**Complete exercises 1-15 through 1-17 in the S.A.M.**

[1]Some speakers of Russian say *в Украи́не* (*in Ukraine*), while others say *на Украи́не (in the Ukraine)*.

## ) глаго́лах

## 'erbs: Review of conjugations

### 'resent/future endings

ou probably remember that almost all Russian verbs belong to the first or second conjugation. There re just a few irregular verbs. Verb endings that show person (**я, ты, он/она́, мы, вы, они́**) combine ith imperfective verbs to form the present tense and with perfective verbs to form the perfective future ense. We will refer to these endings as Present/Future (P/F) endings.

### irst or second conjugation?

he infinitive does not always indicate if a verb belongs to the first or second conjugation. Therefore, you ıould always memorize the first-person singular (**я**) and the third-person plural (**они́**) forms for each ew verb that you encounter. This way you will learn the stress pattern of the verb and its conjugation type.

| | First conjugation | | | Second conjugation | |
|---|---|---|---|---|---|
| First-person singular | чита́-**ю** | жив-**у́** | пиш-**у́** | говор-**ю́** | смотр-**ю́** |
| Third-person plural | чита́-**ют** | жив-**у́т** | пи́ш-**ут** | говор-**я́т** | смо́тр-**ят** |

### irst conjugation

lost first conjugation verbs have an infinitive that ends in **-АТЬ** or **-ЯТЬ** and are conjugated like

| **чита́ть** to read | | **гуля́ть** to go for a walk | |
|---|---|---|---|
| ита́-**ю** | чита́-**ем** | гуля́-**ю** | гуля́-**ем** |
| ита́-**ешь** | чита́-**ете** | гуля́-**ешь** | гуля́-**ете** |
| ита́-**ет** | чита́-**ют** | гуля́-**ет** | гуля́-**ют** |

›me first conjugation verbs have infinitives that end in **-АТЬ,** but they have a stem change in their ›njugation.

| **дава́ть**-type to give | | **писа́ть**-type to write | |
|---|---|---|---|
| -**ю́** | да-**ём** | пиш-**у́** | пи́ш-**ем** |
| -**ёшь**[1] | да-**ёте** | пи́ш-**ешь** | пи́ш-**ете** |
| -**ёт** | да-**ю́т** | пи́ш-**ет** | пи́ш-**ут** |

**lso includes:** встава́ть, устава́ть, преподава́ть
ote: **-ва** drops before P/F endings

**Also includes:** сказа́ть (**скаж-**), рассказа́ть, показа́ть

| **сове́товать**-type to advise | |
|---|---|
| сове́ту-**ю** | сове́ту-**ем** |
| сове́ту-**ешь** | сове́ту-**ете** |
| сове́ту-**ет** | сове́ту-**ют** |

**Also includes:** интересова́ться, рисова́ть, танцева́ть
Note: **-ова/-ева** become **-у** before P/F endings

> Ё when these endings are stressed.

**1-21. Глаго́лы.** Fill in the missing verb forms. Use Present/Future forms of the verbs in parentheses.

Са́шу о́чень интересу́ет исто́рия, и она́ … (чита́ть) мно́го книг по исто́рии. В э́том году́ она́ … (ока́нчивать) шко́лу и …(получа́ть) аттеста́т. Сейча́с она́ … (выбира́ть) университе́т, в кото́рый она́ пода́ст заявле́ние. Её семья́ в э́том году́ … (переезжа́ть). Они́ бу́дут жить в Москве́! Поэ́тому она́ ...(ду́мать), что бу́дет учи́ться в Моско́вском госуда́рственном университе́те на истори́ческом факульте́те! Ма́ма то́же говори́т, что на́до поступа́ть в э́тот университе́т. А ма́ма … (знать), потому́ что она́ … (преподава́ть) исто́рию в шко́ле. Но что́бы поступи́ть, на́до ещё сдать экза́мены. Са́ша всегда́ … (сдава́ть) экза́мены хорошо́. Поэ́тому она́ … (ду́мать), что посту́пит.

## Other types of first conjugation verbs

**жить**-type
to live

| | |
|---|---|
| жив-**у́** | жив-**ём** |
| жив-**ёшь** | жив-**ёте** |
| жив-**ёт** | жив-**у́т** |

**Also includes:**
плыть — *to swim*

**верну́ть**-type
to return

| | |
|---|---|
| верн-**у́**(сь) | верн-**ём**(ся) |
| верн-**ёшь**(ся) | верн-**ёте**(сь) |
| верн-**ёт**(ся) | верн-**у́т**(ся) |

**Also includes:**
отдохну́ть (*perf.*) — *to relax*
улыбну́ться (*perf.*) — *to smile*

**мочь**-type
to be able

| | |
|---|---|
| мог-**у́** | мо́ж-**ем** |
| мо́ж-**ешь** | мо́ж-**ете** |
| мо́ж-**ет** | мо́г-**ут** |

**Also includes:**
помо́чь (*perf.*) — *to help*
печь (пеку́, печёшь, пеку́т) — *to bake*
стричь (стригу́, стрижёшь, стригу́т) — *to cut, mow*
лечь (*perf.*)(ля́гу, ля́жешь, ля́гут) — *to lie down*

See Appendix pp. 365–368 for more verb types.

**Note:** Use **верну́ть** with a direct object when returning or giving back something, and use **верну́ться** when a person is returning from someone or from somewhere.

| | |
|---|---|
| Когда́ ты мне вернёшь э́ти кни́ги? | *When will you return these books to me?* |
| Когда́ ты сего́дня вернёшься домо́й? | *When will you return home today?* |

**1-22. Жить, знать, ду́мать, верну́ться.** Use the appropriate form of the verbs in parentheses.

Ива́н … (жить) в ма́леньком го́роде на се́веро-за́паде Росси́и. Его́ семья́ … (жить) в э́том го́роде уже́ 100 (сто) лет. Но он хо́чет … (жить) в большо́м го́роде, в кото́ром … (жить) ра́зные лю́ди. Он … (знать), что он перее́дет в Москву́ и́ли в Петербу́рг и уже́ не … (верну́ться) в свой го́род. Его́ друзья́ то́же … (ду́мать), что они не … (верну́ться) в свой го́род. А вы? Вы … (верну́ться) в го́род, где вы роди́ли́сь, когда́ око́нчите университе́т?

**Complete exercises 1-18 through 1-20 in the S.A.M.**

# Те́ма 2. На́ши докуме́нты

## Подгото́вка

**1-23. Каки́е докуме́нты у вас есть?** Расскажи́те свои́м ру́сским друзья́м.

води́тельские права́ — *driver's license*
креди́тная ка́рточка — *credit card*
проездно́й биле́т — *bus/metro pass*
студе́нческий биле́т — *student ID card*
че́ковая кни́жка — *checkbook*
страхо́вка — *insurance*

**1-24.** Посмотри́те на фотогра́фии докуме́нтов и объясни́те, заче́м они́ нужны́. Испо́льзуйте в отве́тах констру́кцию: **что́бы + infinitive — in order to**

*Приме́р:* *Студе́нческий биле́т ну́жен, **что́бы ходи́ть** в библиоте́ку....*

ВОДИТЕЛЬСКОЕ УДОСТОВЕРЕНИЕ
PERMIS DE CONDUIRE
Фамилия Хазов
Имя Наир
Отчество Васильевич
Дата и место рождения 1944 Москва
Местожительство Москва
ААК
№ 553716
Выдано ГАИ МВД — УВД г. Москвы
Действительно до
A
B
C
D
E

води́тельские права́

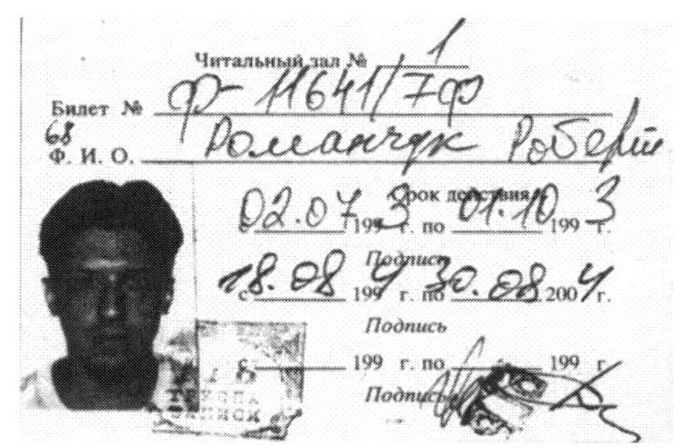
Читальный зал № 1
Билет № Ф-11641/7Ф
Ф. И. О. Романчук Роберт
Срок действия 02.07.93 по 01.10.93
Подпись
с 18.08.94 по 30.08.2004 г.
Подпись
199 г. по 199 г.
Подпись

Читатель обязан строго выполнять Правила пользования РГБ.
За нарушение правил читатель несет ответственность, предусмотренную законодательством страны и Правилами пользования РГБ.
Телефоны:

| | | |
|---|---|---|
| Бюро справок Библиотеки (9—21ч) | | 202-57-90 |
| Прием заказов | 203-21-01, | 202-80-96 |
| | 202-38-21, | 202-03-63 |
| Читальные залы: № 1 | 222-83-50 | |
| № 2 | 222-85-34 | |
| № 3 | 222-83-37 | |
| № 4 | 222-84-46 | |

Последний понедельник каждого месяца — санитарный день.

чита́тельский биле́т

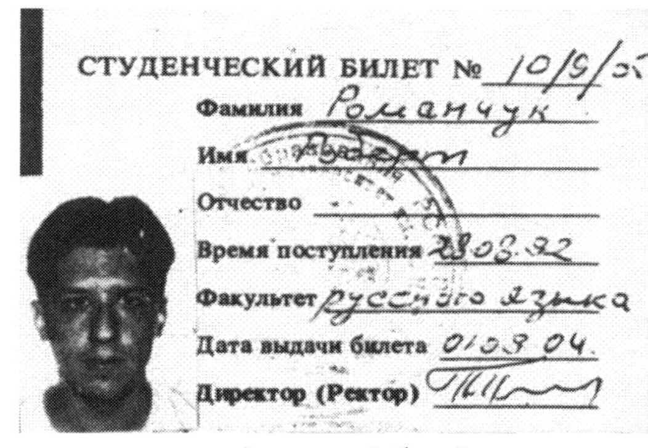
СТУДЕНЧЕСКИЙ БИЛЕТ № 10/9/05
Фамилия Романчук
Имя Роберт
Отчество
Время поступления 28.03.92
Факультет русского языка
Дата выдачи билета 01.09.04
Директор (Ректор)

студе́нческий биле́т

**1-25. Вы зна́ете э́ти слова́?**

кра́сть/укра́сть что? у кого́? — *to steal*
находи́ть/найти́ кого́/что? — *to find*
происходи́ть/произойти́ (Что происхо́дит?) — *to happen (What's happening?)*
случа́ться/случи́ться Что случи́лось? — *to happen What happened? What's the matter?*
теря́ть/потеря́ть что? — *to lose*
электро́нное сообще́ние — *e-mail*
Я рад/ра́да, что... — *I am happy/glad that...*
Я расстро́ен/расстро́ена — *I am upset*

**1-26. Словообразова́ние.** The suffix -**ОСТЬ** forms feminine abstract nouns from adjectives. Form nouns from the following adjectives and give the English equivalent for each noun.

*Приме́р:* неприя́тный (*unpleasant*) — *неприя́т***ность** (*trouble, problem, incident*)

тру́дный (*difficult*)
сло́жный (*complex*)
но́вый (*new*)
ли́чный (*personal*)
ста́рый (*old*)
молодо́й (*young*)
специа́льный (*special*)
национа́льный (*national*)

**Complete exercises 1-21 and 1-22 in the S.A.M.**

## Язы́к в жи́зни

**1-27. Электро́нное сообще́ние.** Прочита́йте, что написа́ла Ли́за. Скажи́те, что пра́вильно.

1. Ли́за пи́шет ма́тери и́ли отцу́?
2. Она́ потеря́ла рюкза́к, и́ли его́ укра́ли?
3. В рюкзаке́ бы́ли ключи́ от ко́мнаты и́ли ключи́ от маши́ны?
4. Ли́за заблоки́ровала креди́тную ка́рточку и́ли нет?
5. Ли́за нашла́ рюкза́к и́ли нет?
6. Рюкза́к был в бюро́ нахо́док и́ли в ко́мнате Ли́зы?

## Электро́нное сообще́ние 1

**Те́ма: потеря́ла…**

---

Ма́мочка!
Я так расстро́ена! У меня́ вчера́ произошла́ така́я неприя́тность. Я где́-то потеря́ла *рюкза́к,* а в нём был *бума́жник. Мо́жет быть,* его́ укра́ли в авто́бусе, когда́ я е́хала на рабо́ту. Я *позвони́ла* в поли́цию, но они́ ничего́ не мо́гут сде́лать. Пото́м позвони́ла в банк, что́бы *заблоки́ровать* креди́тную ка́рточку. Ещё хочу́ позвони́ть в *бюро́ нахо́док.* В рюкзаке́ бы́ли все докуме́нты: студе́нческий биле́т, води́тельские права́, че́ковая кни́жка и, *коне́чно, ключи́* от ко́мнаты. *Де́ньги* то́же бы́ли.
Ты не *мо́жешь присла́ть* мне немно́го де́нег?
Не говори́ па́пе. Ли́за

*блоки́ровать/заблоки́ровать — to cancel*
*бума́жник — wallet*
*бюро́ нахо́док — lost and found*
*где́-то — somewhere*
*де́ньги (pl.) — money*
*звони́ть/позвони́ть кому́? куда́? — to telephone*
*ключ от чего́? — key*
*коне́чно — certainly*
*мо́жет быть — maybe, possibly*
*мочь/смочь — to be able to*
*присыла́ть/присла́ть — to send*
*рюкза́к — backpack*

## Электро́нное сообще́ние 2

**Те́ма:** **нашла́!**

Нашла́! Нашла́! Я так ра́да! Рюкза́к не укра́ли, я его́ *забы́ла* в библиоте́ке. Я позвони́ла в бюро́ нахо́док, и оказа́лось, что *кто́-то* его́ *верну́л*. Но я уже́ заблоки́ровала креди́тную ка́рточку. Так что *всё-таки* пришли́ мне немно́го де́нег. Ли́за

*возвраща́ть/верну́ть что? — to return, give back*
*всё-таки — still, nevertheless*
*забыва́ть/забы́ть что? — to forget, leave behind*
*кто́-то — someone*

**1-28. Отве́т.** Imagine that you are Lisa's mother. Write a return e-mail after Lisa's first or second e-mail.

**1-29. Что случи́лось?** Вы Ли́за. Расскажи́те свои́м друзья́м, как вы потеря́ли и нашли́ рюкза́к.

**1-30. Неприя́тность.** Вы когда́-нибудь теря́ли бума́жник, докуме́нты, де́ньги, креди́тную ка́рточку, води́тельские права́, че́ковую кни́жку? Расскажи́те, как э́то произошло́.

### Разгово́ры

**1-31. Слу́шайте и чита́йте разгово́р.** Insert the missing words and phrases.

**Неприя́тное *происше́ствие*** — *incident, occurrence*

— *Что с тобо́й?* — *What's the matter with you?*
— Что случи́лось?
— Что ........................................................?
— Я потеря́л...............................................
— Что в нём бы́ло?
— ..............................................................?
— Води́тельские права́?
— ..............................................................?
— Че́ковая кни́жка?
— И все мои́ ............... А я *го́лоден как волк.* — *I'm as hungry as a wolf.*
— Дать тебе́ де́нег?
— Большо́е спаси́бо. Я за́втра ...............................

**1-32. Поговори́м немно́го.** Read the following conversations and compose similar ones.

**А.**

— Что произошло́?
— У меня́ укра́ли бума́жник.
— А мо́жет быть, ты его́ потеря́ла? На́до позвони́ть в бюро́ нахо́док!

**А тепе́рь ваш разгово́р…** One of you complains that something was stolen: рюкза́к, де́ньги, води́тельские права́, креди́тная ка́рточка, ключи́, моби́льный телефо́н. Your friend tries to give you advice.

**Б.**

— Что случи́лось?

— Я потеря́л/а води́тельские права́.

— Где?

— Мо́жет быть, в кни́жном магази́не.

— На́до пое́хать в ГАИ[1] получи́ть но́вые права́.

**А тепе́рь ваш разгово́р…** One of you complains about what you've lost and where: рюкза́к, де́ньги, очки́, води́тельские права́, креди́тная ка́рточка, ключи́. Your friend tries to console you.

**1-33. Вот така́я ситуа́ция.** Разыгра́йте. Вы в Росси́и. Вы потеря́ли рюкза́к и́ли бума́жник. Расскажи́те милиционе́ру,[2] что в нём бы́ло, и где вы могли́ его́ потеря́ть.

**Complete exercises 1-23 through 1-25 in the S.A.M.**

## Грамма́тика. Говори́те пра́вильно!

### О падежа́х

### Expressing destination: using the accusative case to answer the question КУДА́?

The prepositions **В** and **НА** are used with inanimate nouns in the accusative case to indicate the destination of a motion. **В** denotes motion *to the inside of,* and **НА** denotes motion *onto the surface of.*

Положи́ докуме́нты на стол!
*Put the papers on the desk!*

Положи́ докуме́нты в стол!
*Put the papers in the desk drawer!*

Nouns used with **В** in the prepositional case are also used with **В** in the accusative case.
Nouns used with **НА** in the prepositional case are also used with **НА** in the accusative case.

Ка́тя рабо́тает в библиоте́ке.
*Katya works in the library.*

Ка́тя идёт в библиоте́ку.
*Katya's on her way to the library.*

Вчера́ ве́чером мы бы́ли на конце́рте.
*We were at a concert last night.*

Сего́дня ве́чером мы идём на конце́рт.
*We're going to a concert tonight.*

**1-34. В и́ли НА?** Insert the preposition in the second sentence.

1. Та́ня живёт в Москве́. Её роди́тели е́дут … Москву́.
2. Анна родила́сь в Ки́еве. Мы пое́дем … Ки́ев.
3. Ни́на сейча́с на рабо́те. Я иду́ … рабо́ту.
4. Оле́г сейча́с на стадио́не. Мы пойдём … стадио́н.
5. Все студе́нты на ле́кции. Ты идёшь … ле́кцию?
6. Их сестра́ сейча́с во Фра́нции. Они́ пое́дут … Фра́нцию.

---

[1]Госуда́рственная автомоби́льная инспе́кция — equivalent of DMV and highway patrol combined.
[2]Policeman in Russia

## Noun endings for the accusative case

Masculine inanimate nouns, neuter nouns, and feminine nouns ending in **-Ь** have *the same form* in the accusative singular as they do in the nominative singular.

| Nominative | Accusative |
|---|---|
| Владивосто́к | Ники́та е́дет во **Владивосто́к.** |
| общежи́тие | Я иду́ в **общежи́тие.** |
| Сиби́рь | Мы пое́дем в **Сиби́рь.** |

Feminine nouns ending in **-А/-Я** take the ending **-У/-Ю** in the accusative singular.

| Nominative | Accusative |
|---|---|
| библиоте́к-**а** | Ты идёшь в **библиоте́к-у**? |
| Фра́нци-**я** | Они е́дут во **Фра́нци-ю**? |
| ле́кци-**я** | Кто идёт на **ле́кци-ю**? |

In the plural, all inanimate nouns have the same form in the accusative as they do in the nominative plural.

| Nominative | Accusative |
|---|---|
| магази́ны | в магази́ны |
| конце́рты | на конце́рты |
| ле́кции | на ле́кции |

## Verbs that are frequently used in КУДА́ constructions

**идти́** (иду́, иду́т) — *to go by foot, be on one's way*
**пойти́** (пойду́, пойду́т) — *to set out (for) by foot*
**е́хать** (е́ду, е́дут) — *to go by vehicle, be on one's way*
**пое́хать** (пое́ду, пое́дут) — *to set out (for) by vehicle*
**ходи́ть** (хожу́, хо́дят) — *to walk (multidirectional)*
**е́здить** (е́зжу, е́здишь) — *to go by vehicle (multidirectional)*
Also: **подава́ть/пода́ть заявле́ние** куда́? — *to turn in an application*
**поступа́ть/поступи́ть** куда́? — *to apply (to), enroll (in)*

**1-35. Ваш вы́бор.** Choose where you would prefer to go. One of you asks the question and everyone else gives one of the answers. Pay attention to stress.

1. Куда́ ты хо́чешь пое́хать? Во Фра́нцию, в Росси́ю, в Герма́нию, в Кита́й, в Япо́нию.
2. Куда́ ты хо́чешь пойти́ сего́дня? В библиоте́ку, в рестора́н, в музе́й, в бассе́йн, на рабо́ту, в кино́, на ле́кцию, на уро́к ру́сского языка́.
3. Куда́ ты хо́чешь перее́хать? На за́пад США, на се́вер Евро́пы, на восто́чный бе́рег, на юг Росси́и.
4. Посмотри́те на ка́рту. Куда́ ты пое́дешь ле́том? На Кавка́з, на Ура́л, на Чёрное мо́ре, на Бе́лое мо́ре, в Крым, в Москву́, во Владивосто́к, на Ти́хий океа́н, на Балти́йское мо́ре.

**Complete exercises 1-26 and 1-27 in the S.A.M.**

## О глаго́лах

## Verbs: Second conjugation

Compare the conjugations of two "typical" first conjugation verbs and two second conjugation verbs. How do they differ? Pay special attention to the third-person plural forms.

| First conjugation | | Second conjugation | |
|---|---|---|---|
| **чита́ть** | **идти́** | **говори́ть** | **звони́ть** |
| чита́-**ю** | ид-**у́** | говор-**ю́** | звон-**ю́** |
| чита́-**ешь** | идё-**шь** | говор-**и́шь** | звон-**и́шь** |
| чита́-**ет** | ид-**ёт** | говор-**и́т** | звон-**и́т** |
| чита́-**ем** | ид-**ём** | говор-**и́м** | звон-**и́м** |
| чита́-**ете** | ид-**ёте** | говор-**и́те** | звон-**и́те** |
| чита́-**ют** | ид-**у́т** | говор-**я́т** | звон-**я́т** |

Most second conjugation verbs have infinitives ending in **-ИТЬ** and are conjugated like **говори́ть.** You probably remember such verbs as **стро́ить** (*to build*), **поступи́ть** (*to enroll*), **око́нчить** (*to finish*), **кури́ть** (*to smoke*), **получи́ть** (*to receive*), **плати́ть** (*to pay*), **купи́ть** (*to buy*), and others.

Second conjugation verbs with a dental consonant or labial consonant before the first-person singular endings have the following consonant alternations:

| **Dental consonant + Ю > husher + У** | | | |
|---|---|---|---|
| **д > ж** | ви́деть | ви́жу | ви́дишь |
| **т > ч** | отве́тить | отве́чу | отве́тишь |
| **з > ж** | вози́ть | вожу́ | во́зишь |
| **с > ш** | проси́ть | прошу́ | про́сишь |
| **ст > щ** | чи́стить | чи́щу | чи́стишь |

| **Labial consonant + Ю > labial + Л + Ю** | | | |
|---|---|---|---|
| **б > бл** | люби́ть | люблю́ | лю́бишь |
| **п > пл** | купи́ть | куплю́ | ку́пишь |
| **в > вл** | гото́вить | гото́влю | гото́вишь |

A few second conjugation verbs have infinitives ending in **-ЕТЬ** and **-АТЬ** or **-ЯТЬ.**

**смотре́ть**-type
to look

| | |
|---|---|
| смотр-**ю́** | смо́тр-**им** |
| смо́тр-**ишь** | смо́тр-**ите** |
| смо́тр-**ит** | смо́тр-**ят** |

**Also includes:** лете́ть (*impf.*) — *to fly*
ви́деть — *to see*
сиде́ть — *sit*

**слы́шать**-type
to hear

| | |
|---|---|
| слы́ш-**у** | слы́ш-**им** |
| слы́ш-**ишь** | слы́ш-**ите** |
| слы́ш-**ит** | слы́ш-**ат** |

**Also includes:** держа́ть — *to hold*
лежа́ть — *to lie*
стоя́ть — *to stand*

The verb **хоте́ть** is irregular. Look at the conjugation and determine what is irregular about it.

| | |
|---|---|
| хоч-**у́** | хот-**и́м** |
| хо́ч-**ешь** | хот-**и́те** |
| хо́ч-**ет** | хот-**я́т** |

**1-36. Мочь** и **хоте́ть.** Use the appropriate form of the verb in parentheses.

— Ты … (мочь) мне рассказа́ть, как поступи́ть в америка́нский университе́т?
— Да, … (мочь). По́сле того́ как челове́к ока́нчивает шко́лу, он … (мочь) подава́ть заявле́ние в не́сколько университе́тов. Когда университе́т вас принима́ет, вы … (мочь) вы́брать, куда́ вы … (хоте́ть) поступи́ть. Поду́майте, где вы … (хоте́ть) жить, и како́й университе́т …(мочь) дать вам стипе́ндию и́ли общежи́тие.

**Complete exercises 1-28 through 1-30 in the S.A.M.**

# Те́ма 3. Как написа́ть письмо́

Ма́рка

Конве́рт

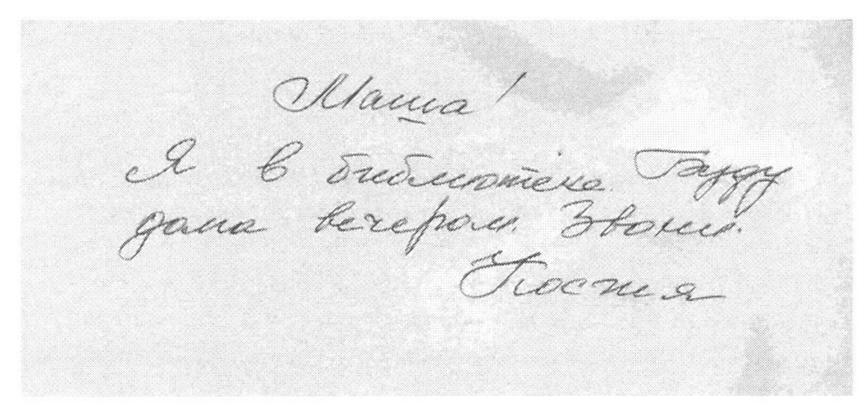
Маша!
Я в библиотеке. Буду дома вечером. Звони.

Запи́ска

## Подгото́вка

**1-37. Вы зна́ете э́ти слова́ и выраже́ния?**

Дорого́й/Ми́лый — *Dear (informal)*
жела́ть всего́ хоро́шего — *best wishes, all the best*
Искренне Ва́ш/а — *Sincerely yours*
обнима́ть/обня́ть — *to hug*
передава́ть/переда́ть приве́т кому́? — *to say "Hi" to*
получа́ть/получи́ть — *to receive*
С уваже́нием — *respectfully yours*
Уважа́емый — *Dear (formal)*
целова́ть/поцелова́ть — *to kiss*

**1-38. Пи́сьма.** Read letters 1 and 2 below and answer the questions.

1. What is the difference between the way we write the date in English and in Russian?
2. Whom could you address as **«дорого́й/дорога́я»**?
3. Whom would you address as **«ми́лый/ми́лая»**?
4. When would you write **«уважа́емый/уважа́емая»**?
5. How would you end a letter to a close friend?
6. How would you end a letter to your professor?

*Письмо́ 1.* 25 а́вгуста 20…

Дороги́е мои́!

Получи́ли ва́ше письмо́ из Эсто́нии. Очень ра́ды, что у вас всё в поря́дке, и что вы смогли́ пое́хать в Приба́лтику, как ка́ждый год. Когда́ вы вернётесь? У нас всё хорошо́. Живём, рабо́таем, у́чимся… Передава́йте всем приве́т. Жела́ем всего́ хоро́шего.

Обнима́ем и целу́ем. Пиши́те! Ва́ши А. и О.

P.S. Посыла́ю на́ши фотогра́фии.

*Письмо́ 2.* 17 февраля́ 20…

Уважа́емая профе́ссор Зе́мская!

Большо́е спаси́бо за кни́гу, кото́рую Вы присла́ли. Я получи́ла её вчера́ и уже́ начала́ чита́ть. Переда́йте, пожа́луйста, приве́т Ва́шей до́чери.

Искренне Ва́ша, Ольга Ка́ган

**1-39. Перечита́йте.** Reread the letters above and translate them into English.

**Notes**

- To show respect for a person, capitalize **Вы, Ваш,** and all the forms of these pronouns. If you address several persons, **вы** is not capitalized. **Ты** is never capitalized (unless, of course, it begins a sentence).
- When writing letters we often use the imperative: **пиши́/те, напиши́/те, расскажи́/те, переда́й/те, приезжа́й/те, позвони́/те, скажи́/те**.

**Complete exercise 1-31 in the S.A.M.**

## Язы́к в жи́зни

**1-40. Прочита́йте и сравни́те.** Compare the two letters below. Can you guess the relationship between the letter writer and the addressee? How can you guess?

**Письмо́ 1**

Ми́лая Ли́за!

Так ра́да была́ получи́ть твоё письмо́. Хорошо́, что в университе́те тебе́ нра́вится и у тебя́ уже́ мно́го друзе́й из *ра́зных* стран. Я, коне́чно, о́чень ра́да, что э́та неприя́тная исто́рия с рюкзако́м так хорошо́ *ко́нчилась*. Как говоря́т, *всё хорошо́*, что хорошо́ конча́ется.

У меня́ *всё в поря́дке*. Рабо́таю, но не о́чень мно́го, так что есть вре́мя чита́ть и рабо́тать в саду́. Ты же зна́ешь, как я э́то люблю́. Переда́й приве́т ма́ме.

Пиши́, пожа́луйста. Целу́ю. Твоя́....

P.S. Же́ня передаёт приве́т. Он вчера́ верну́лся из По́льши.

*всё хорошо́/всё в поря́дке — everything's OK*
*конча́ться/ко́нчиться — to end*
*ра́зный — different, various*

**Письмо́ 2**

Уважа́емый Оле́г Петро́вич!

Вчера́ верну́лся домо́й с рабо́ты и нашёл Ва́ше письмо́. Большо́е спаси́бо! Я бу́ду в Петербу́рге в ию́ле и о́чень хочу́ Вас увúдеть. Наде́юсь, что Вы бу́дете в го́роде, и мы смо́жем *увúдеться*.

Искренне Ваш,....

*ви́деться/уви́деться — to see each other*

**1-41. Запи́ска**

1. Write a short letter to a friend who has recently left to go to college. You have just received a letter and some pictures from him/her.
2. Write a short letter to your professor in which you explain that you have to miss class (не могу́ прийти́ на заня́тие) because you lost your wallet and all its contents.

**Complete exercise 1-32 in the S.A.M.**

## Грамма́тика. Говори́те пра́вильно!

### О падежа́х

### Expressing place from where: using the genitive case to answer the question ОТКУ́ДА?

The prepositions **ИЗ** and **С (СО)** are used with the genitive case to answer the question **отку́да?**

| | |
|---|---|
| Они́ **из** Москвы́. | *They're from Moscow.* |
| Марк **со** Сре́днего За́пада. | *Mark's from the Midwest.* |

**Запóмните:** **ИЗ** is the opposite of **В**
**С** is the opposite of **НА**

| | |
|---|---|
| Они́ приéхали **в** университéт. | *They arrived at the university.* |
| Они́ вернýлись **из** университéта. | *They got back from the university.* |
| Они́ пошли́ **на** стадио́н. | *They went to the stadium.* |
| Они́ вернýлись **со**[1] стадио́на. | *They came back from the stadium.* |

**1-42. ИЗ** и́ли **С(СО).** Choose the correct preposition.

1. Кóстя сейчáс на рабóте. Когдá он вернётся … рабóты?
2. Мари́на занимáется в библиотéке. Онá придёт … библиотéки в 5 часóв.
3. Все ребя́та на стадиóне. Я не знáю, когдá они́ придýт … стадиóна.
4. Профéссор в университéте? Да, он вернётся … университéта в 3 часá.
5. Мои́ роди́тели живýт на сéвере. Они́ приезжáют … сéвера раз в год.
6. Ты вы́рос в Одéссе? Да, я приéхал … Одéссы три гóда назáд.

## Verbs that are frequently used in ОТКУ́ДА constructions

**возвращáться/вернýться** — *to return*
**приходи́ть/прийти́** — *to come back (by foot)*
**приезжáть/приéхать** — *to come back (by vehicle)*

## Noun endings for the genitive case

Masculine and neuter nouns take the ending **-А/-Я.**

| **Nominative** | **Genitive** |
|---|---|
| университéт | Мы вернёмся из **университéт-а** в час. |
| юг | Когдá они́ приéдут с **юг-а**? |
| общежи́ти-**е** | Почемý онá переезжáет из **общежи́ти-я**? |
| музéй | Мы пришли́ из **музé-я.** |
| Севастóполь (*m.*) | Они́ из **Севастóпол-я.** |

Feminine nouns take the ending **-Ы/-И.**

| **Nominative** | **Genitive** |
|---|---|
| шкóл-**а** | Когдá дéти вернýтся из **шкóл-ы**? |
| лéкци-**я** | Когдá вы придёте с **лéкци-и**? |
| Москв-**á** | Кто приезжáет из **Москв-ы́**? |
| Сиби́рь (*f.*) | Когдá онá приéдет из **Сиби́р-и**? |

[1]**СО** is a variant of **С** that is used before consonant clusters such as **СТ** (*со стадио́на, со столá*).

**1-43. Отку́да ты?** Ask each other the following questions:

1. Из како́го ты шта́та?
2. Из како́го ты го́рода?
3. Из како́й страны́ ты прие́хал/а?

## Review: three ways that place can be expressed in Russian

| I. Location | II. Destination | III. Point of departure or origin |
|---|---|---|
| Prepositional case<br>Предло́жный паде́ж | Accusative case<br>Вини́тельный паде́ж | Genitive case<br>Роди́тельный паде́ж |
| ***Где?***<br>в университе́те<br>на рабо́те<br>на ле́кции<br>**Adverbs:**<br>здесь<br>там<br>до́ма | ***Куда́?***<br>в университе́т<br>на рабо́ту<br>на ле́кцию<br>**Adverbs:**<br>сюда́<br>туда́<br>домо́й | ***Отку́да?***<br>из университе́та<br>с рабо́ты<br>с ле́кции<br>**Adverbs:**<br>отсю́да<br>отту́да<br>из до́ма[1] |

**1-44. Ана́лиз.** Read the text and find the adverbs expressing place.

Ми́лые мои́!

Пишу́ из Москвы́. Я в Москве́, где я родила́сь и вы́росла. Но уже́ три́дцать лет я живу́ в Аме́рике! Я прие́хала «домо́й», но, коне́чно, сейча́с здесь всё друго́е. Да́же ру́сский язы́к немно́го друго́й. Очень мно́го иностра́нных слов! Живу́ у бра́та, кото́рый живёт в на́шей ста́рой кварти́ре, т.е. живу́ «до́ма», но, коне́чно, там то́же всё но́вое. Когда́ выхожу́ из до́ма на у́лицу, лю́ди то́же ка́жутся други́ми. Отсю́да пое́ду в Петербу́рг (давно́ хоте́ла туда́ пое́хать), пото́м в Приба́лтику, а отту́да домо́й, в Нью-Йо́рк! Я ра́да, что прие́хала сюда́, но, коне́чно, жить здесь уже́ не могу́.

Обнима́ю и целу́ю,
А.С.

**1-45. Биогра́фия** Use the biographical information below to create a cohesive paragraph about each person. Pay attention to noun and adjective endings.

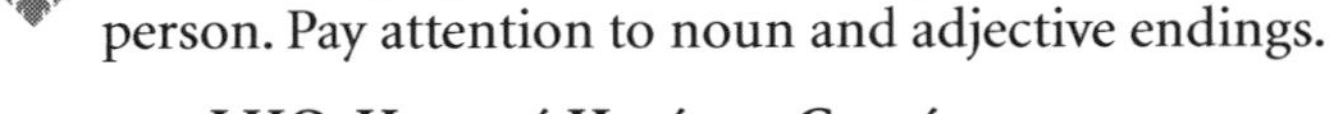

**ФИО: Ильина́ Ната́лья Серге́евна**

Год рожде́ния: 1986
Ме́сто рожде́ния: г. Симферо́поль
Сре́дняя шко́ла: 1992–2003
Рабо́та: 2003–2004
Педагоги́ческий университе́т: 2004–
Факульте́т: истори́ческий

**ФИО: Ба́скин Макси́м Евге́ньевич**

Год рожде́ния: 1983
Ме́сто рожде́ния: г. Екатеринбу́рг
Сре́дняя шко́ла: 1990
Медици́нский институ́т: 2001–2006
Факульте́т: педиатри́я
Рабо́та: де́тская поликли́ника

**Complete exercises 1-33 through 1-36 in the S.A.M.**

[1]Some speakers of Russian say «и́з дому» (*from home*).

### О глаго́лах

### Requests and commands. The imperative

To express command or request, use the verb in the imperative. The imperative has singular and plural forms.

| **ты-form** | **вы-form** |
|---|---|
| чита́й | чита́йте |
| пиши́ | пиши́те |
| скажи́ | скажи́те |
| встань | вста́ньте |

To form imperatives, remove the third-person plural ending. This will give you the imperative stem.

1. Add **-Й/-ЙТЕ** if the imperative stem ends in a vowel.

   чита́ть — чита́-~~ют~~ → чита́-**й**/чита́-**йте**
   рабо́тать — рабо́та-~~ют~~ → рабо́та-**й**/рабо́та-**йте**

2. Add **-И/-ИТЕ** if the imperative stem ends in two consonants or if the first-person singular form of the verb is stressed on the ending. The stress in the imperative is the same as that of the first-person singular.

   зако́нчить — зако́нч-~~ат~~ (зако́нчу) → зако́нч-**и**/зако́нч-**ите**
   писа́ть — пи́ш-~~ут~~ (пишу́) → пиш-**и́**/пиш-**и́те**
   сказа́ть — ска́ж-~~ут~~ (скажу́) → скаж-**и́**/скаж-**и́те**

3. Add **-Ь/-ЬТЕ** if the imperative stem ends in a single consonant and the first-person singular form is not stressed:

   отве́тить — отве́т-~~ят~~ (отве́чу) → отве́т-**ь**/отве́т-**ьте**
   забы́ть — забу́д-~~ут~~ (забу́ду) → забу́д-**ь**/забу́д-**ьте**
   познако́миться — познако́м-~~ят~~ ся (познако́млюсь) → познако́м-**ь-ся**/познако́м-**ьте-сь**

**Note**

- When forming imperatives from reflexive verbs, use -**СЯ** after a consonant, -**Й** and -**Ь**; use -**СЬ** after a vowel.
- Learn the imperative forms for **дава́ть** and **встава́ть:**

  дава́й дава́йте
  встава́й встава́йте

**1-46. Сове́ты.** Use these verbs to give advice. Remember that the stress is the same as in the first-person singular.

*Приме́р:* говори́ть гро́мко — говорю́ — говоря́т → *Говори́/те гро́мко!*

1. поступа́ть в наш университе́т — поступа́ю — поступа́ют
2. око́нчить университе́т — око́нчу — око́нчат
3. получи́ть дипло́м — получу́ — полу́чат
4. переезжа́ть в Калифо́рнию — переезжа́ю — переезжа́ют
5. занима́ться спо́ртом — занима́юсь — занима́ются
6. учи́ть ру́сский язы́к — учу́ — у́чат

**Complete exercises 1-37 through 1-39 in the S.A.M.**

# Культу́ра и исто́рия

## Имена́, кото́рые зна́ют в Росси́и

## Алекса́ндр Серге́евич Пу́шкин (1799–1837)

**1-47. Биогра́фия.** Read Pushkin's biography, answer the questions in parts 1–4, and sum up the rest.

**Часть 1**

1. *Где роди́лся и вы́рос Пу́шкин?*
2. *У него́ бы́ли бра́тья и сёстры?*
3. *Что вы зна́ете о его́ роди́телях?*

Алекса́ндр Серге́евич Пу́шкин роди́лся и вы́рос в Москве́. У него́ была́ ста́ршая сестра́ Ольга и мла́дший брат Лёвушка (Лев). Оте́ц Пу́шкина Серге́й Льво́вич был из дре́внего *дворя́нского ро́да*, а мать Наде́жда Осиповна была́ *вну́чкой люби́мца* Петра́ I ара́па Ганниба́ла.[1] Роди́тели занима́лись детьми́ ма́ло.

*дворя́нского ро́да* — *of the nobility*
*вну́чкой; люби́мца* — *granddaughter; favorite*

**Часть 2**

1. *Кто приходи́л к Пу́шкиным?*
2. *Почему́ э́то ва́жно?*
3. *Кто така́я Ари́на Родио́новна?*
4. *Что Ари́на Родио́новна расска́зывала Алекса́ндру?*

В моско́вском до́ме Пу́шкиных быва́ли изве́стные литера́торы (Н. М. Карамзи́н, В. А. Жуко́вский, К. Н. Ба́тюшков и други́е). *Повезло́* Алекса́ндру и с *ня́ней:* от Ари́ны Родио́новны слы́шал он мно́го замеча́тельных ру́сских *ска́зок.*

*Повезло́; ня́ней* — *was lucky; nanny*
*ска́зок* — *fairy tales*

**Часть 3**

1. *Что тако́е лице́й?*
2. *Чем он занима́лся в лице́е?*
3. *С кем он там познако́мился?*

Мо́жно сказа́ть, что *гла́вным собы́тием* в жи́зни Пу́шкина ста́ло поступле́ние в Царскосе́льский Импера́торский лице́й, кото́рый то́лько что откры́лся. Это была́ шко́ла для ма́льчиков из дворя́нских семе́й. Здесь бу́дущий поэ́т занима́лся языка́ми, *то́чными нау́ками*, полити́ческой филосо́фией и да́же *стихосложе́нием*. Здесь он встре́тил лу́чших свои́х друзе́й — Анто́на Де́львига, Ива́на Пу́щина, Вильге́льма Кюхельбе́кера.

*гла́вным собы́тием* — *main event*
*то́чными нау́ками* — *exact sciences*
*стихосложе́нием* — *versification*

---

[1] Hannibal, the son of an Abyssinian prince, was given to Peter the Great by the Turkish sultan.

**Часть 4**

1. *В каком году́ Пу́шкин напеча́тал своё пе́рвое стихотворе́ние?*
2. *В каком году́ Пу́шкин напеча́тал поэ́му «Русла́н и Людми́ла»?*

В 1814 году́ Пу́шкин *напеча́тал* своё пе́рвое стихотворе́ние в журна́ле «Ве́стник Евро́пы». В 1820 году́ он напеча́тал поэ́му «Русла́н и Людми́ла». Поэ́ма принесла́ Пу́шкину *мгнове́нную сла́ву*.

*published*
*instant fame*

**Русла́н и Людми́ла**

| | |
|---|---|
| У лукомо́рья дуб зелёный; | *By the shores of the bay stands a green oak tree;* |
| Злата́я цепь на ду́бе том; | *On the oak tree there's a golden chain;* |
| И днём и но́чью кот учёный | *And day and night a learned cat* |
| Всё хо́дит по́ цепи круго́м; | *Keeps walking around on the chain;* |
| Идёт напра́во — песнь заво́дит, | *When it goes to the right, it strikes up a song,* |
| Нале́во — ска́зку говори́т. | *When it goes to the left, it tells a tale.* |

А.С. Пу́шкин

**Часть 5**

По материа́лам статьи́ из «Энциклопеди́ческого словаря́ Брокга́уза и Ефро́на» (1890-1907)

Но в то же вре́мя Пу́шкин писа́л *стихи́* и эпигра́ммы про́тив *прави́тельства* и за э́то *был со́слан* в Кишинёв. Там в ма́е 1823 го́да он на́чал писа́ть рома́н в стиха́х «Евге́ний Оне́гин».

Среди́ друзе́й Пу́шкина бы́ло мно́го декабри́стов, кото́рые чита́ли и перепи́сывали его́ стихи́. Узна́в о *Восста́нии* декабри́стов 14 декабря́ 1825 го́да, Пу́шкин хоте́л е́хать в Петербу́рг, но верну́лся, что́бы подожда́ть изве́стий, а когда́ он услы́шал об аре́стах свои́х друзе́й, *сжёг* свои́ тетра́ди.

*poems*
*government; was exiled*
*revolt, uprising*
*burned*

**Часть 6**

В конце́ а́вгуста 1830 го́да Пу́шкин пое́хал в *име́ние* Бо́лдино. *Из-за* холе́ры и каранти́нов, Пу́шкин про́жил там 8 ме́сяцев и дописа́л «Евге́ния Оне́гина», а та́кже написа́л не́сколько ма́леньких траге́дий: «*Скупо́й Ры́царь*», «Мо́царт и Салье́ри», «*Пир во вре́мя чумы́*» и «*Ка́менный гость*». Кро́ме того́, он написа́л о́коло тридцати́ стихотворе́ний.

*estate; because*
*"The Avaricious Knight"*
*"A Feast at the Time of Plague"*
*"The Stone Guest"*

**Часть 7**

В 1831 году́ Пу́шкин жени́лся на Ната́лье Никола́евне Гончаро́вой. «Я жена́т и сча́стлив», — пи́шет он 24 февраля́.

В ию́ле 1831 го́да Пу́шкин *про́сит у царя́ разреше́ния* рабо́тать в архи́вах, что́бы написа́ть исто́рию Петра́ Вели́кого. Так Пу́шкин на́чал писа́ть рома́н «Ара́п Петра́ Вели́кого». Он тут же на́чал ду́мать о но́вом рома́не — исто́рии восста́ния Пугачёва. Этот рома́н «*Капита́нская до́чка*» был напи́сан в 1836 году́.

*asks the tsar for permission*

*"Captain's Daughter"*

**Ча́сть 8**

В 1836 году́ Пу́шкин получи́л анони́мное письмо́ о том, что у его́ жены́ *рома́н* с баро́ном Данте́сом. Пу́шкин вы́звал Данте́са на дуэ́ль, и 27 января́ на Чёрной ре́чке в Петербу́рге произошла́ дуэ́ль Пу́шкина с Данте́сом. Пу́шкин был *смерте́льно ра́нен* и 28 января́ у́мер. Это была́ настоя́щая траге́дия для Росси́и.

*affair*

*mortally wounded*

**1-48. Интерне́т.** To learn more about Pushkin's life and times do a web search for *Пётр Пе́рвый, Ната́лья Гончаро́ва, дуэ́ль Пу́шкина.*

**1-49. Стихотворе́ние «Зо́лото и була́т»** Memorize the poem.

«Всё моё», — сказа́ло зла́то;
«Всё моё», — сказа́л була́т.
«Всё куплю́», — сказа́ло зла́то;
«Всё возьму́», — сказа́л була́т.

А.С. Пу́шкин

зла́то (arch. for зо́лото) — gold
була́т (arch. for меч) — sword

**Complete exercises 1-40 through 1-43 in the S.A.M.**

# Слова́рь

## Существи́тельные (Nouns)

| | |
|---|---|
| аспира́нт/ка | *graduate student* |
| аттеста́т | *high school diploma* |
| бе́рег (на берегу́) | *shore, bank, coast* |
| бума́жник | *wallet* |
| бюро́ нахо́док | *lost and found* |
| води́тельские права́ | *driver's license* |
| восто́к | *east* |
| де́ньги (*pl. only*) | *money* |
| дипло́м | *diploma* |
| докуме́нты | *(official or identification) papers* |
| за́пад | *west* |
| заявле́ние | *application* |
| ключ от чего́? | *key to something* |
| креди́тная ка́рточка | *credit card* |
| курс | *course; year in college* |
| мир | *world* |
| по ми́ру | *around the world* |
| неприя́тность (*f.*) | *trouble, problem, incident* |
| но́вость (*f.*) | *news* |
| общежи́тие | *dormitory* |
| океа́н | *ocean* |
| Атланти́ческий | *Atlantic* |
| Ти́хий | *Pacific* |

| | |
|---|---|
| пло́щадь (*f.*) | *square* |
| проездно́й биле́т | *bus/metro pass* |
| рюкза́к | *backpack* |
| се́вер | *north* |
| семья́ | *family* |
| сочине́ние | *essay* |
| Сре́дний За́пад | *the (American) Midwest* |
| сте́пень бакала́вра, магѝстра, до́кторская сте́пень | *B.A./B.S., M.A./M.S. Ph.D.* |
| стипе́ндия | *scholarship, fellowship* |
| страна́ | *country* |
| страхо́вка | *insurance* |
| студе́нческий биле́т | *ID card, student card* |
| США (Соединённые Шта́ты Аме́рики) | *USA* |
| факульте́т | *department; division* |
| че́ковая кни́жка | *checkbook* |
| штат | *state (one of the fifty American states)* |
| экза́мен | *exam* |
| электро́нное сообще́ние | *e-mail* |
| юг | *south* |

## Глаго́лы (Verbs)

| | |
|---|---|
| блоки́ровать/заблоки́ровать что? | *to cancel (a credit card)* |
| ви́деться/уви́деться | *to see each other* |
| возвраща́ть/верну́ть что? | *to return, give back* |
| возвраща́ться/верну́ться | *to come back* |
| выбира́ть/вы́брать что? | *to choose, pick, select* |
| вы́брать факульте́т | *to declare a major* |
| забыва́ть/забы́ть что? | *to forget* |
| занима́ться (спо́ртом) | *to exercise, work out, play sports* |
| звони́ть/позвони́ть | *to telephone* |
| интересова́ть/заинтересова́ть кого́/что? | *to interest* |
| каза́ться | *to seem* |
| конча́ться/ко́нчиться | *to end, finish* |
| кра́сть/укра́сть что? у кого́? | *to steal* |
| мочь/смочь | *to be able to* |
| находи́ть/найти́ что? | *to find* |
| находи́ться (*impf.*) | *to be located* |
| обнима́ть/обня́ть кого́/что? | *to hug* |
| ока́нчивать/око́нчить (шко́лу, университе́т) | *to graduate from (high school, college)* |
| передава́ть/переда́ть приве́т кому́? | *to say "Hi" to* |
| переезжа́ть/перее́хать куда́? отку́да? | *to move* |
| подава́ть/пода́ть (заявле́ние) куда́? | *to apply, send in an application* |
| получа́ть/получи́ть что? | *to receive* |
| поступа́ть/поступи́ть куда́? | *to apply, enroll* |
| представля́ться/предста́виться | *to introduce oneself* |
| приезжа́ть/прие́хать | *to arrive* |
| принима́ть/приня́ть кого́? куда́? | *to accept* |
| присыла́ть/присла́ть что? | *to send* |
| происходи́ть/произойти́ | *to happen* |
| путеше́ствовать | *to travel* |
| расти́/вы́расти (*Past Tense:* рос/росла́, вы́рос/ла) | *to grow, to grow up* |
| рисова́ть/нарисова́ть | *to draw, paint* |
| роди́ться (*pfv.*) | *to be born* |
| сдава́ть/сдать что? (экза́мен) | *to take/ pass an exam* |
| случа́ться/случи́ться | *to happen* |
| снима́ть/снять кварти́ру, ко́мнату | *to rent an apartment, room* |
| теря́ть/потеря́ть кого́/что? | *to lose* |
| учи́ть что? (ру́сский язы́к) | *to study (Russian)* |
| учи́ться (*impf. only*) где? | *to be a student* |
| целова́ть/поцелова́ть кого́/что? | *to kiss* |

## Прилага́тельные (Adjectives)

| | |
|---|---|
| восто́чный | *eastern* |
| госуда́рственный | *state, federal, governmental* |
| дорого́й | *dear, precious* |
| друго́й | *another, other* |
| за́падный | *western* |
| иностра́нный | *foreign* |
| ми́лый | *dear, darling* |
| после́дний | *last* |
| похо́ж/а на | *similar to* |
| ра́зный | *different, various* |
| се́верный | *northern* |
| уважа́емый (-ая, ые) | *dear (in opening of formal letters)* |
| ча́стный | *private* |
| ю́жный | *southern* |

## Наре́чия (Adverbs)

| | |
|---|---|
| всё-таки | *still, nevertheless* |
| где́-то | *somewhere* |
| коне́чно | *certainly* |
| наприме́р | *for example* |
| сра́зу | *at once, immediately* |

## Выраже́ния (Expressions)

| | |
|---|---|
| Большо́е спаси́бо | *Thank you very much* |
| в э́том году́ | *this year* |
| всё хорошо́/всё в поря́дке | *everything's OK* |
| Дава́йте познако́мимся! | *Let's get acquainted!* |
| Жела́ю всего́ хоро́шего | *best wishes, all the best* |
| Искренне Ва́ш/а | *Sincerely yours* |
| Мне .... лет (год, го́да) | *I am . . . . years old* |
| мо́жет быть | *perhaps, maybe* |
| На како́м (ты/вы) факульте́те? | *What's your major?* |
| На како́м (ты/вы) ку́рсе? | *What year (are you)?* |
| на пе́рвом ку́рсе | *first year* |
| на второ́м ку́рсе | *sophomore* |
| на тре́тьем ку́рсе | *junior* |
| на четвёртом ку́рсе | *senior* |
| Отку́да вы? | *Where do you come from?* |
| Очень прия́тно. | *Glad to meet you.* |
| Познако́мьтесь, пожа́луйста | *I'd like you to meet* |
| Пойти́ (*perf.*) в шко́лу | *to start school* |
| Приве́т! | *Hi!* |
| Разреши́те предста́виться! | *Let me introduce myself!* |
| С уваже́нием | *respectfully yours* |
| Я рад/ра́да | *I'm glad* |
| Я расстро́ен/а | *I'm upset* |

## Соединённые шта́ты Аме́рики[1]

Айдахо
Айова
Алаба́ма
Аля́ска
Аризо́на
Арканза́с
Вайо́минг
Вашингто́н
Вермо́нт
Верги́ния
Виско́нсин
Гава́йи
Де́лавэр
Джо́рджия
Индиа́на
За́падная Верги́ния
Иллино́йс
Калифо́рния
Канза́с
Кенту́кки
Колора́до
Конне́ктикут
Луизиа́на
Массачу́сетс
Мичига́н
Миннесо́та
Миссиси́пи
Миссу́ри
Монта́на
Мэн
Мэ́риленд
Небра́ска
Нева́да
Нью-Дже́рси
Нью-Ме́ксико
Нью-Йо́рк
Нью-Хе́мпшир
Ога́йо
Оклахо́ма
о́круг Колу́мбия
Орего́н
Пенсильва́ния
Род-Айленд
Се́верная Дако́та
Се́верная Кароли́на
Теннесси́
Теха́с
Флори́да
Ю́жная Дако́та
Ю́жная Кароли́на
Юта

**Notes:**

1. Names of states that end in a consonant are masculine and decline like **стол.**
2. Names of states that end in **-а/-я** are feminine and decline like **газе́та.**
3. **Гава́йи** is a plural noun (Они́ живу́т на Гава́йях).
4. States that end in vowels other than **-а/-я** are neuter nouns and do not decline (Ога́йо, Теннесси́).

[1]Names of states are listed according to the *English-Russian, Russian-English Geographical Dictionary,* Moscow, 1993.

# Глава́ 2

# Студе́нческая жизнь

## В э́той главе́…

**In this chapter you will**

- learn new ways to talk about your class schedule, daily routine, and free time
- learn to express destination with animate nouns
- review and learn new time expressions
- review the past tense of verbs

# Те́ма 1. Како́е у вас расписа́ние?

## Подгото́вка

**2-1. Дни неде́ли:** понеде́льник, вто́рник, среда́, четве́рг, пя́тница, суббо́та, воскресе́нье.

**A. Finish the sentences.**

1. Я занима́юсь спо́ртом в …
2. Я рабо́таю в …
3. У меня́ заня́тия в университе́те в …
4. Мы хо́дим в кино́ в …
5. У меня́ ру́сский язы́к в …
6. Я не рабо́таю в …

**Б. Мо́жно сказа́ть так.** If you have a Russian class every Monday and biology every Tuesday, you could say: У меня́ ру́сский язы́к **по понеде́льникам,** а биоло́гия **по вто́рникам.** Talk about your schedule using this construction.

**2-2. Заня́тия.** Вы зна́ете э́ти слова́?

| | |
|---|---|
| броса́ть/бро́сить курс по чему́? (исто́рии) | *to drop a course (history)* |
| гото́виться/подгото́виться к чему́? (фи́зике) | *to prepare for, to study for (physics)* |
| занима́ться | |
| занима́ться ру́сским языко́м, фи́зикой; | 1. *to study a subject ;* |
| занима́ться в библиоте́ке | 2. *to do one's homework, prepare for class* |
| запи́сываться/записа́ться на курс по чему́? | *to register for, sign up for* |
| курсова́я рабо́та по чему́? (литерату́ре) | *term paper (on literature)* |
| оце́нка по чему́? (хи́мии) | *grade (in chemistry)* |
| дво́йка, тро́йка, четвёрка, пятёрка | *F, C, B, A* |
| получа́ть/получи́ть оце́нку | *to get a grade* |
| предме́т | *subject* |
| сдава́ть/сдать экза́мен | *to take/pass an exam* |
| семе́стр/че́тверть (*f.*) | *semester/quarter* |

**2-3. Опро́с.** Conduct a survey to find out what the workload of an average student is. Ask three or four of your classmates. Write down and organize the results before presenting them to the class.

| Спроси́те | Отве́тьте |
|---|---|
| 1. На каки́е ку́рсы ты записа́лся/записа́лась в э́той че́тверти/в э́том семе́стре? | Я записа́лся/записа́лась на курс по … |
| 2. Ты бро́сил/а каки́е-нибу́дь ку́рсы в э́том году́? | Я бро́сил/а …, потому́ что … |
| 3. Каки́е экза́мены ты сдава́л/а в про́шлой че́тверти? | Я сдава́л/а экза́мен по … |
| 4. К каки́м экза́менам вы гото́вились? | Я гото́вился/ась к … |
| 5. Как ты сдал/сдала́? Каки́е оце́нки ты получи́л/а? | Я получи́л/а … |
| 6. По каки́м предме́там ты писа́л/а курсовы́е рабо́ты? | Я писа́л/а курсову́ю рабо́ту по … |

**Complete exercises 2-1 and 2-2 in the S.A.M.**

## Язы́к в жи́зни

**2-4. «Из дневника́ Ли́зы Смит».** Read the text to determine:

1. На каки́е ку́рсы Ли́за записа́лась?
2. Что она́ де́лает по суббо́там?
3. Где она́ рабо́тает и что де́лает на рабо́те?
4. Како́й день у неё свобо́дный?
5. Что она́ де́лала в воскресе́нье?
6. Почему́ Ли́за говори́т: «Воскресе́нье — мой день»?

### Из дневника́ Ли́зы Смит

8 октября́, понеде́льник

Ру́сские говоря́т, что понеде́льник — день *тяжёлый*. Но у меня́ все дни тяжёлые: и понеде́льник, и вто́рник, и сре́да, и четверг, и пя́тница. Коне́чно, я сама́ *винова́та*. Я записа́лась на ру́сский язы́к, астроно́мию, исто́рию Восто́чной Евро́пы и фи́зику. *Наве́рное*, на́до бро́сить оди́н курс. Да, а по суббо́там я обы́чно занима́юсь в компью́терной лаборато́рии.

*Кро́ме того́*, я рабо́таю в медици́нском це́нтре университе́та, *перевожу́* с ру́сского на англи́йский. А вот воскресе́нье — *свобо́дный* день! Мой день! В э́то воскресе́нье я была́ у ба́бушки, а пото́м у подру́ги.

*винова́т/винова́та — at fault, guilty*
*кро́ме того́ — also, besides*
*наве́рное — probably*
*переводи́ть/перевести́ — to translate*
*свобо́дный — free*
*тяжёлый — difficult, hard*

**2-5. «Из дневника́ Ната́ши Кругле́нко».** Read the text and note the similarities and differences between Lisa's and Natasha's schedules.

### Из дневника́ Ната́ши Кругле́нко

5 декабря́, вто́рник

Ну и семе́стр! Как всегда́, ле́кции и *заня́тия* у меня *ка́ждый* день! Но в э́том семе́стре в понеде́льник и сре́ду три *па́ры*. И кро́ме того́, по вто́рникам и четверга́м я хожу́ на семина́ры по филосо́фии, а в пя́тницу на *консульта́ции* к профе́ссору Янко́ву. И всё потому́, что пишу́ *рефера́т* по Бердя́еву. А ещё я рабо́таю в юриди́ческой фи́рме — перевожу́ докуме́нты с англи́йского на ру́сский.

Я уже́ начина́ю *не́рвничать*. Мне ещё на́до сдать не́сколько *перево́дов* и два рефера́та. А пото́м экза́мены. Я зна́ю, что экза́мен по лингви́стике ужа́сно *тру́дный!* Я *по́мню*, что в про́шлом году́ не́сколько челове́к его́ *провали́ли*. И бы́ло мно́го тро́ек. Но, пра́вда, они́ бо́льше *гуля́ли*, чем *гото́вились* к экза́мену. А, вообще́, лингвисти́ка мой *люби́мый* предме́т.

*гото́виться/подгото́вится к чему́? — to study for*
*гуля́ть — (here:) to fool around, goof off*
*заня́тие — class*
*ка́ждый — every*
*консульта́ция — office hour, appointment*
*люби́мый — favorite*
*не́рвничать (impf.) — to be nervous*
*па́ра — a two-hour class*
*перево́д — translation*
*по́мнить/запо́мнить что? — to remember*
*прова́ливать/провали́ть — to fail*
*рефера́т — paper, report*
*тру́дный — difficult*

**Спра́вка.** Никола́й Алекса́ндрович Бердя́ев (1874–1948) — ру́сский религио́зный фило́соф.

**2-6. Расписа́ние Ната́ши (гру́ппа 11).** В Росси́и студе́нты у́чатся в гру́ппах, и у них о́бщее расписа́ние. Посмотри́те на расписа́ние и скажи́те:

1. Каки́е ле́кции (па́ры) у Ната́ши в понеде́льник?
2. Кто преподаёт лингви́стику и за́падную филосо́фию?
3. Како́й семина́р у неё в понеде́льник?

<table>
<tr><th colspan="10">Пятиго́рский госуда́рственный лингвисти́ческий университе́т<br>Факульте́т англи́йского и неме́цкого языко́в. Специа́льность: англи́йский язы́к<br>Расписа́ние</th></tr>
<tr><th colspan="2" rowspan="2">Дни<br>Гру́ппа/часы́</th><th colspan="2">Гру́ппа 10</th><th colspan="2">Гру́ппа 11</th><th colspan="2">Гру́ппа 12</th><th colspan="2">Гру́ппа 13</th></tr>
<tr><th>Предме́т препод.</th><th>Ауд</th><th>Предме́т препод.</th><th>Ауд</th><th>Предме́т препод.</th><th>Ауд</th><th>Предме́т препод.</th><th>Ауд</th></tr>
<tr><td rowspan="4">понед</td><td>9.00–10.35</td><td colspan="7">Введе́ние в лингви́стику<br>Проф. Шайке́вич А.Я.</td><td>Гла́вный зал</td></tr>
<tr><td>10.45–12.20</td><td colspan="7">За́падная филосо́фия<br>Проф. Янко́в А.А.</td><td>Гла́вный зал</td></tr>
<tr><td>13.00–14.35[1]</td><td colspan="7">Физи́ческая культу́ра</td><td>Спортза́л</td></tr>
<tr><td>14.45–16.20</td><td>Фонет.<br>Свири́на<br>А. С.</td><td>307</td><td>Грам.<br>То́вбин<br>Г. Н.</td><td>308</td><td>Морфоло́гия<br>семина́р<br>Антру́шина<br>Т. В.</td><td>309</td><td>Разгово́р<br>Ши́кман<br>Н. М.</td><td>310</td></tr>
</table>

**2-7. Дневники́ Ли́зы и Ната́ши.** Отве́тьте на вопро́сы.

1. На каки́е ку́рсы записа́лась Ли́за в э́той че́тверти? Каки́е ку́рсы слу́шает Ната́ша?
2. Когда́ Ната́ша хо́дит на консульта́ции по филосо́фии к профе́ссору?
3. Почему́ Ли́за ду́мает, что на́до бро́сить оди́н курс? Почему́ Ната́ша не́рвничает?
4. Все сда́ли экза́мен по лингви́стике в про́шлом году́?
5. Каку́ю оце́нку мно́гие студе́нты получи́ли на экза́мене по лингви́стике? Почему́?
6. Ско́лько дней в неде́лю Ната́ша хо́дит в университе́т? Како́й день у Ната́ши свобо́дный?
7. Где рабо́тает Ли́за? Где рабо́тает Ната́ша? Что они́ де́лают на рабо́те?

**2-8. Моё расписа́ние.** Fill in your schedule for this week and tell your classmate about it. For example, you could say: «В понеде́льник у меня́ ле́кции по хи́мии и астроно́мии, а пото́м я рабо́таю. В воскресе́нье у́тром я е́ду к роди́телям, а ве́чером мне на́до занима́ться».

| понеде́льник | вто́рник | среда́ | четве́рг | пя́тница | суббо́та | воскресе́нье |
|---|---|---|---|---|---|---|
| | | | | | | |

[1] A 24-hour clock is used in official schedules.

**2-9. Когда́ мы мо́жем пообе́дать вме́сте?** After completing 2-8, compare your schedule with the schedules of two other students in your class and decide when you could get together for lunch.

## Разгово́ры

**2-10. Слу́шайте и чита́йте разгово́р.** Insert the missing words and phrases.

**Како́е у вас расписа́ние?**

| | |
|---|---|
| — Како́е у вас ........................ в э́той че́тверти? | |
| — *А что?* | *Why do you ask?* |
| — Про́сто интере́сно. | |
| — Я ........................... на *дре́внюю* исто́рию, хи́мию и ру́сский. | *ancient* |
| — У тебя́ есть ........................ по хи́мии? | |
| — Да, два ра́за в неде́лю. И ещё, коне́чно, ........................... | |
| — А у меня́ нет ле́кций, то́лько ..................... | |
| — *Поня́тно.* Ты ................................... | *I see, I understand* |
| — А у меня́ пять ку́рсов. Хочу́ оди́н ................................ | |
| — Како́й? | |
| — Наве́рное, фи́зику. | |
| — А у меня́ фи́зика ...................... предме́т. | |

**2-11. Поговори́м немно́го.** Read the following conversations and compose similar ones. Note the following expressions.

| | |
|---|---|
| **To express happiness:** | Как хорошо́! — *How wonderful!*<br>Я так рад/ра́да! — *I am so glad/happy!* |
| **To express support or consolation:** | Не не́рвничай! — *Don't get upset! Don't worry!*<br>Всё бу́дет в поря́дке! — *Everything will be all right!* |

**А.**

— Ты уже́ сдал/а́ экза́мен?
— Нет ещё. Бу́ду сдава́ть за́втра.
— А ты?
— Я всё сдал/а́.
— Как хорошо́! А я так не́рвничаю!
— Не не́рвничай! Всё бу́дет в поря́дке!

**А тепе́рь ваш разгово́р...** Ask each other if you've finished all your exams, what's left, and when you will be done. Make sure to use some of the expressions given above.

**Б.**

— На каки́е ку́рсы ты записа́лся/записа́лась в э́том семе́стре?
— На исто́рию, мирову́ю эконо́мику и ру́сский язы́к. А ты?
— Ещё не зна́ю. Я рабо́таю в понеде́льник, сре́ду и пя́тницу. Мне нужны́ ку́рсы по вто́рникам и четверга́м.

**А тепе́рь ваш разгово́р...** Discuss the courses you are going to take and your work schedule.

**Complete exercises 2-3 through 2-9 in the S.A.M.**

## Грамма́тика. Говори́те пра́вильно!

## О падежа́х

### Expressing place: answering the question У КОГО́?

The preposition **У** is used with *animate nouns* in the *genitive case* to show the person or persons whose office or place of residence is the place of action and to answer the question **где?/у кого́?**

Сего́дня я был/была́ у **профе́ссора Сергее́вской** на консульта́ции.
*I had an appointment with Professor Sergeevskaya today.*

Вчера́ я занима́лся/занима́лась **у дру́га.**
*I studied at a friend's place yesterday.*

### Expressing place: answering the question ОТКУ́ДА?/ОТ КОГО́?

The preposition **ОТ** is used with *animate nouns* in the *genitive case* to show the person or persons whose office or place of residence is the origin of motion and to answer the question **отку́да?/от кого́?**

Сего́дня я верну́лся/верну́лась **от профе́ссора Сергее́вской** в 4 часа́.
*I got back from Professor Sergeevskaya's at 4 o'clock today.*

Вчера́ я пришёл/пришла́ **от дру́га** в 4 часа́.
*I returned from my friend's at 4 o'clock yesterday.*

**2-12. У кого́?/Где? От кого́?/Отку́да?** Complete the sentences.

1. Ма́ша была́ ...(Све́та). Они́ гото́вились к контро́льной рабо́те по фи́зике.
2. Аня обы́чно занима́ется ...(библиоте́ка), но сего́дня она́ занима́лась ...(Ира).
3. Аспира́нты сего́дня бы́ли...(дека́н).
4. Студе́нты верну́лись...(профе́ссор Янко́в)...(университе́т).
5. Са́ша обы́чно обе́дает ...(университе́тское кафе́), но бо́льше лю́бит обе́дать ...(ба́бушка).

### Expressing destination: answering the question К КОМУ́?/КУДА́?

The preposition **К** is used with *animate nouns* in the *dative case* to show the person or persons whose office or place of residence is the destination of motion.

Сего́дня я иду́ **к профе́ссору Ива́нову** на консульта́цию.
*I'm going to Professor Ivanov's office hour today.*

Я ча́сто хожу́ **к дру́гу** занима́ться.
*I go to my friend's a lot to study.*

## Dative case endings for nouns

Feminine and masculine nouns ending in **-А/-Я** take the ending **-Е**. Feminine nouns ending in a soft sign (**-Ь**) or **-ИЯ** take the ending **-И**.

| **Nominative КТО?** | **Dative К КОМУ́?/КУДА́?** |
|---|---|
| Гали́н-а Васи́льевн-а | Мы идём **к Гали́н-е Васи́льевн-е.** |
| ба́бушк-а и де́душк-а | Она́ е́дет **к ба́бушк-е** и **де́душк-е.** |
| Ната́ль-я Петро́вн-а | Они́ пошли́ **к Ната́ль-е Петро́вн-е.** |
| Мари́-я Петро́вн-а | Они́ е́дут **к Мари́-и Петро́вн-е.** |
| Любо́вь Серге́евн-а | Иди́те **к Любо́в-и Серге́евн-е.** |

Masculine and neuter nouns have ending **-У/-Ю.**

| **Nominative КТО/ЧТО?** | **Dative К КОМУ́/ЧЕМУ́? (КУДА́?)** |
|---|---|
| от\|е́\|ц | Ва́ня пое́хал **к отц-у́.** |
| профе́ссор Ива́нов | Мы идём **к профе́ссор-у Ива́нов-у.** |
| Андре́й и Никола́й | Они́ пошли́ **к Андре́-ю** и **Никола́-ю.** |

In the dative plural, all nouns, regardless of gender, have endings **-АМ/-ЯМ.**

| **Nominative КТО?** | **Dative К КОМУ́? (КУДА́?)** |
|---|---|
| бра́тья и сёстры | Мы е́дем к их **бра́ть-ям** и **сёстр-ам.** |
| роди́тели | Я иду́ к его́ **роди́тел-ям.** |

## Dative case endings for adjectives and special modifiers

Adjectives and special modifiers for masculine and neuter singular nouns have endings **-ОМУ/-ЕМУ.** Adjectives and special modifiers for feminine nouns have endings **-ОЙ/-ЕЙ.** In the plural, the endings are **-ЫМ/-ИМ,** but note the endings for **ВЕСЬ, Э́ТОТ,** and **ТОТ.**

| **Dative singular** | **Dative plural** |
|---|---|
| к мо-**ему́** профе́ссору | к мо-**и́м** профессора́м |
| к т-**ому́** но́в-**ому** преподава́телю | к т-**ем** но́в-**ым** преподава́телям |
| к э́т-**ой** серьёзн-**ой** студе́нтке | к э́т-**им** серьёзн-**ым** студе́нткам |
| к ва́ш-**ей** до́чери | к ва́ш-**им** дочеря́м |
| | ко вс-**е́м** но́в-**ым** учителя́м |

**2-13. К кому́ вы ча́сто хо́дите?** Use singular and plural.

*Приме́р:* мой шко́льный друг → *Я ча́сто хожу́ к* ***моему́ шко́льному дру́гу.***
→ *Я ча́сто хожу́ к* ***мои́м шко́льным друзья́м.***

| | | |
|---|---|---|
| мой ру́сский друг | э́тот профе́ссор | ва́ша подру́га |
| мой преподава́тель | та ру́сская аспира́нтка | наш но́вый студе́нт |

**2-14.** The relative pronoun **КОТО́РЫЙ.** Explain the choice of endings and give English equivalents.

1. Ты идёшь к тому́ профе́ссору, *к кото́рому* я сего́дня ходи́ла на консульта́цию?
2. Ма́ша говори́т о подру́ге, *к кото́рой* она́ сего́дня ходи́ла домо́й.
3. Это мои́ друзья́, *к кото́рым* я ходи́ла вчера́ в общежи́тие.
4. Это наш преподава́тель, на ле́кцию *к кото́рому* мы сейча́с идём.

## Dative case and genitive case forms of personal pronouns

Review the dative and genitive forms of personal pronouns.

| **Nominative** | кто | что | я | ты | он оно́ | она́ | мы | вы | они́ | |
|---|---|---|---|---|---|---|---|---|---|---|
| **Dative** | кому́ | чему́ | мне | тебе́ | ему́ | ей | нам | вам | им | себе́ |
| | к кому́ | к чему́ | ко мне́ | к тебе́ | к нему́ | к ней | к нам | к вам | к ним | к себе́ |
| **Genitive** | кого́ | чего́ | меня́ | тебя́ | его́<br>у него́ | её<br>у неё | нас | вас | их<br>у них | |

**2-15. Спроси́те друг дру́га.** К кому́ вы ходи́ли? У кого́ вы бы́ли? От кого́ вы верну́лись?

| | | | |
|---|---|---|---|
| дека́н факульте́та | преподава́тель | подру́га | друг |
| дире́ктор клу́ба | профе́ссор Пано́в | друзья́ | мы |
| ма́ма | она́ | он | они́ |

**Complete exercises 2-10 through 2-13 in the S.A.M.**

## Using the accusative case in time expressions

1. Use the accusative case in time expressions with **КА́ЖДЫЙ.**

   **Ка́ждый день** у меня́ заня́тия.
   *I have classes every day.*

   У меня́ трениро́вка **ка́ждую сре́ду.**
   *I have (sports) practice every Wednesday.*

2. Use the accusative case to indicate the amount of time spent doing something.

   **Я всю ночь** не спал/á.
   *I didn't (couldn't) sleep all night.*

   Мы **це́лый год** учи́лись в Москве́.
   *We spent a whole year studying in Moscow.*

3. Use the accusative case with the preposition **В** and days of the week or time on the hour.

| | |
|---|---|
| Заня́тия начина́ются **в сре́ду.** *Classes start on Wednesday.* | Я приду́ **в час.** *I'll come over at one o'clock.* |

4. Use **В** and the accusative case of a time word after the word **РАЗ** to indicate the frequency of an action.

Я хожу́ на исто́рию **раз в неде́лю.** *I go to my history class once a week.*

**Запо́мните:**

| | | |
|---|---|---|
| оди́н } раз | два, четы́ре } ра́за | пять, два́дцать } раз |

**2-16. Расскажи́те друг дру́гу, что вы де́лаете.** Describe your everyday life. Think of as many examples as possible.

*Приме́р:* *Я* **ка́ждый день** *хожу́ на заня́тия в университе́т.*

ка́ждый день, понеде́льник, раз в неде́лю, два ра́за в ме́сяц, ка́ждую сре́ду и суббо́ту, вчера́ весь день, ка́ждый год, ка́ждое ле́то.

**Complete exercises 2-14 and 2-15 in the S.A.M.**

# Те́ма 2. День как день[1]

## Подгото́вка

**2-17. Вы зна́ете э́ти слова́ и выраже́ния?**

встава́ть/встать — *to get up*
идти́ на заня́тия/на рабо́ту/в кино́/в кафе́ — *to go to classes/work/the movies/cafe*
ложи́ться спать/лечь спать — *to go to bed*
одева́ться/оде́ться — *to get dressed*
принима́ть/приня́ть душ — *to take a shower*
просыпа́ться/просну́ться — *to wake up*
чи́стить/почи́стить зу́бы — *to brush one's teeth*

Класс **2-18. Что мы де́лаем ка́ждый день?** Use the verbs above to describe your daily routine.

| | |
|---|---|
| В бу́дние дни *(on weekdays)* | у́тром … |
| В выходны́е дни *(on weekends)* | днём … |
| | ве́чером … |

[1]«День как день» — идиомати́ческое выраже́ние, кото́рое зна́чит «обы́чный день».

**2-19. Интере́сный и́ли интере́сно?** Form adverbs from adjectives and complete the sentences.

*Приме́р:* тру́дн|**ый** > тру́дн|**о** Сего́дня был **тру́дный** (*како́й?*) день.
Учи́ться в университе́те **тру́дно** (*как?*)

ра́нний (*early*) > ..................... Сего́дня был ...(*како́й?*) за́втрак.
Вчера́ я лёг/легла́ спать ...(*когда́?*).

по́здний (*late*) > ..................... Сего́дня был ...(*како́й?*) у́жин.
Я встал/а сего́дня ...(*когда́?*).

тяжёлый (*hard*) > ..................... Курс по исто́рии- ...(*како́й?*).
Встава́ть ра́но ...(*как?*).

свобо́дный (*free*) > .................. Воскресе́нье — день...(*како́й?*).
Она́ говори́т по-украи́нски ...(*как?*).

ужа́сный (*terrible*) > ................ Твоя́ курсова́я рабо́та...(*кака́я?*).
Я говорю́ по-францу́зски ...(*как?*).

отли́чный (*excellent*) > .............. Ваш рефера́т ... (*како́й?*).
Вы сда́ли экза́мен ....(*как?*).

**Complete exercises 2-16 through 2-18 in the S.A.M.**

## Язы́к в жи́зни

**2-20. Прочита́йте текст «Из дневника́ Ма́рка Шевцо́ва».** Look over the text below quickly and

1. find what Mark did: **у́тром..., днём..., ве́чером...**
2. determine the meaning of **во-пе́рвых, во-вторы́х, в-тре́тьих**

### Из дневника́ Ма́рка Шевцо́ва

11 октября́, суббо́та

Вчера́ у меня́ был ужа́сный день. Во-пе́рвых, я *ненави́жу опа́здывать,* но опа́здывал весь день. Во-вторы́х, маши́на *слома́лась.* И, в-тре́тьих, я ненави́жу *боле́ть,* но *заболе́л.*

Снача́ла я *проспа́л, так как* позавчера́ до двух но́чи гото́вился к *контро́льной рабо́те* по матема́тике. Просну́лся по́сле восьми́ и да́же не *успе́л* приня́ть душ. На заня́тия опозда́л мину́т на два́дцать и ду́маю, что контро́льную написа́л пло́хо. Пото́м в три часа́ я до́лжен был быть на рабо́те, но у меня́ маши́на слома́лась, и мне *пришло́сь* звони́ть в автосе́рвис. Они́ прие́хали то́лько че́рез час. Маши́ну *почини́ли* дово́льно бы́стро, но на рабо́ту я опозда́л. На рабо́те пришло́сь, коне́чно, *извиня́ться* и рабо́тать до шести́, а не до пяти́, как обы́чно. В пя́тницу! А ве́чером я *заболе́л.*

*боле́ть/заболе́ть — to be sick/to get sick*
*извиня́ться/извини́ться — to apologize*
*контро́льная рабо́та — test*
*лома́ться/слома́ться — to break down*
*ненави́деть + impf. infinitive — to hate to do smth.*
*опа́здывать/опозда́ть — to be late*
*приходи́ться/прийти́сь кому́? + infinitive — someone has to do smth.*
*просыпа́ть/проспа́ть — to oversleep*
*так как — as, because*
*успева́ть/успе́ть + infinitive — to have time to do smth.*
*чини́ть/почини́ть что? — to fix, repair*

**2-21. Перечита́йте.** Reread the text more carefully and complete the sentences.

1. У Ма́рка был ужа́сный день, потому́ что, во-пе́рвых…, во-вторы́х…, в-тре́тьих…
2. Марк проспа́л, потому́ что…
3. Он не успе́л приня́ть душ, так как…
4. Марк пло́хо написа́л контро́льную, так как…
5. Он опозда́л на рабо́ту, потому́ что…
6. А ве́чером Марк…

**2-22. Прочита́йте те́кст «Из дневника́ Ко́ли Ру́бина».**

1. Look over the text quickly and decide whether Kolya had a good or a bad day.
2. Reread the text and mark whether or not the following statements are correct.

**Пра́вильно** ( + ) **Непра́вильно** ( – )

_____ 1. Ко́ля заболе́л.
_____ 2. Он опозда́л к друзья́м.
_____ 3. Друзья́ не жда́ли его́.
_____ 4. Ве́чер был неуда́чный.
_____ 5. Он никогда́ не боле́ет в суббо́ту.
_____ 6. Ко́ля не пойдёт на трениро́вку.

## Из дневника́ Ко́ли Ру́бина

11 октября́, суббо́та

Вчера́ мне не *повезло́*! Во-пе́рвых, я опозда́л к друзья́м. А, во-вторы́х, заболе́л.

По пя́тницам мы обы́чно *собира́емся* часо́в в пять. *Ребя́та жда́ли* меня́ це́лый час и на́чали *волнова́ться*. Ду́мали, что со мной что-то случи́лось. Извиня́лся я до́лго. Но *ве́чер*, как всегда́, *был уда́чный*! Я то́лько не мог *поня́ть*, почему́ я так *уста́л*.

А у́тром я по́нял, что *бо́лен*… Ду́маю, что у меня́ *грипп*. Как всегда́, я заболе́л в суббо́ту. На́до позвони́ть ребя́там, что не приду́ на *трениро́вку*.

*бо́лен/больна́ — (to be) sick*
*волнова́ться (impf.) — to get upset*
*грипп — flu*
*ждать/подожда́ть кого́? — to wait*
*повезло́ кому́? — to be lucky/fortunate*
*понима́ть/поня́ть что? — to realize*
*ребя́та — guys*
*собира́ться/собра́ться — to meet/get together*
*трениро́вка — training, practice*
*уда́чный — successful*
*Ве́чер был уда́чный. — The evening was a success.*
*устава́ть/уста́ть — to be tired*

**2-23. Марк и Ко́ля.** Look over both diary entries and answer the two questions below. Use **во-пе́рвых, во-вторы́х, в-тре́тьих** in your answers.

1. Почему́ у Ма́рка был ужа́сный день?
2. Почему́ Ко́ля пи́шет, что ему́ не повезло́?

**2-24. А тепе́рь поговори́м о вас…** Tell your friends.

1. У вас вчера́ был неприя́тный, ужа́сный день и́ли хоро́ший, замеча́тельный день?
2. Вы говори́те, что у вас был уда́чный день. Расскажи́те о нём.
3. Вы говори́те, что у вас был ужа́сный день. Что случи́лось? Расскажи́те.

## Разговóры

**2-25. Слýшайте и читáйте разговóр.** Insert the missing words and phrases.

**Марк извиня́ется**

— *Простúте*, что .................... не пришёл. — *same as извинúте*
— Что ..........................?
— Что ..........................?
— Почемý ты не ..............................?
— Я *заезжáл* пóсле шестú, а потóм звонúл ........... — *to stop by*
— Нас ужé .......................................
— Но в чём бы́ло ..........................?
— *Дéло в том,* что у меня́ машúна ...................... и
я .................... в автоклýб. — *The fact of the matter is...*
— ...................................... «автоклýб»?
— По-рýсски говоря́т «автосéрвис».
— Ну, лáдно. Что ты ................. дéлать вéчером?
— Хотúте, я *заéду за вáми часá чéрез полторá.* — *pick you up; in about an hour and a half;*
— *Знáчит*, машúну ужé ..............................? — *Does that mean....*
— Починúли.

**2-26. Поговорúм немнóго.** Read the following conversations and compose similar ones.

**А.**

— Извинúте, что я опоздáл/а.
— Что случúлось?
— Машúна сломáлась.
— Почемý ты не позвонúл/а?

**А тепéрь ваш разговóр...** Your friend was late. Ask why and decide whether you believe his/her explanations.

**Б.**

— Мы тебя́ ждáли цéлый час. Почемý ты не пришёл/пришлá?
— Я проспáл/проспалá.
— Но мы звонúли. Тебя́ нé было.
— Я спал/спалá и не слы́шал/а телефóн.

**А тепéрь ваш разговóр...** You didn't show up when your friends were waiting for you. Explain what happened. Be creative!

**Complete exercises 2-19 through 2-26 in the S.A.M.**

## Грамма́тика. Говори́те пра́вильно!

### Выраже́ние вре́мени  Expressing time on the hour

In answer to the question **Кото́рый час?** or **Ско́лько вре́мени?** time on the full hour is expressed by the nominative case of a cardinal[1] numeral and the appropriate form of **час**. One o'clock is expressed by **час** without a qualifier.

| | |
|---|---|
| Сейча́с **час.** | *It's one o'clock.* |
| Сейча́с 2 (3, 4) **часа́.** | *It's two (three, four) o'clock.* |
| Сейча́с 5 (6, 7, 8, 9, 10, 11, 12) **часо́в.** | *It's 5 (6, 7, 8, 9, 10, 11, 12) o'clock.* |

In answer to the questions **Когда́? Во ско́лько? В кото́ром часу́?** time on the full hour is expressed by **в** and the accusative case of the cardinal number plus **час** in the appropriate form.

Соберёмся **в два** или **в три часа́?** — *Should we meet at two (o'clock) or three?*

In everyday speech, Russians usually refer to time by the twelve-hour clock. To indicate a.m. and p.m., use **утра́, дня, ве́чера,** and **но́чи.** In official schedules a 24-hour clock is used.

Я приду́ в 7 часо́в **ве́чера.** — *I'll arrive at 7 p.m.*

**Спра́вка.** **ночь** — *from midnight to 4-5 a.m.*
**у́тро** — *from 4-5 a.m. to noon*
**день** — *from noon to 5-6 p.m.*
**ве́чер** — *from 5-6 p.m. to midnight*

**2-27. Спроси́те друг дру́га.**

*Приме́р:* — *Кото́рый час?*
— ***Оди́ннадцать часо́в утра́.***
— *А во ско́лько (Когда́? В кото́ром часу́?) семина́р по исто́рии?*
— ***Семина́р по исто́рии в двена́дцать!***

| Кото́рый час? Ско́лько вре́мени? | Что? | А во ско́лько? Когда́? В кото́ром часу́? |
|---|---|---|
| 7.00 | Начина́ются заня́тия в университе́те | 8.00 |
| 10.00 | Ле́кция по биоло́гии в аудито́рии 103 | 13.00 |
| 2.00 | Консульта́ция по биоло́гии у профе́ссора | 16.00 |
| 3.00 | Лаборато́рные заня́тия по хи́мии | 17.00 |
| 1.00 | Консульта́ция у профе́ссора Куды́мы. | 14.00 |

[1]Cardinal numerals are *one, two, three four,* etc. Ordinal numerals are *first, second, third, fourth,* etc.

## Expressing "how long"... and "for how long..."

— Ско́лько вре́мени ты де́лал/а дома́шнее зада́ние по ру́сскому языку́?
*"How much time did you spend on your Russian homework?"*

— Я его́ де́лал/а **два часа́!**
*"I spent two hours on it!"*

## Expressing time that precedes the occurrence of an action using ЧЕ́РЕЗ

Я приду́ **че́рез час.** — *I'll come over in an hour.*
Ле́кция начала́сь **че́рез два часа́.** — *The lecture started two hours later.*

**2-28. Ско́лько вре́мени...** Скажи́те, ско́лько вре́мени вы вчера́ ....

1. гото́вились к экза́мену (3 hours);
2. гото́вились к контро́льной рабо́те (40 minutes);
3. переводи́ли текст с англи́йского на ру́сский язы́к (5 hours);
4. писа́ли курсову́ю рабо́ту (1 hour);
5. бы́ли на консульта́ции у профе́ссора (20 minutes).

**2-29. Че́рез...** Say when you will do something.

1. вы пойдёте на рабо́ту;
2. вы бу́дете обе́дать;
3. вы вернётесь домо́й;
4. у вас бу́дет консульта́ция у профе́ссора.

## The prepositions ДО, О́КОЛО, ПО́СЛЕ, С in time expressions

These prepositions are used with the genitive case of a cardinal number when we speak about time by the clock.

| | | |
|---|---|---|
| **до** (*up to, before*) | | ча́са (с ча́су[1]) |
| **о́коло** (*about, around*) | + the genitive case | двух (часо́в) |
| **по́сле** (*after*) | | трёх (часо́в) |
| **с** (*since, from*) | | четырёх (часо́в) пяти́, шести́, семи́, восьми́, девяти́, десяти́, оди́ннадцати, двена́дцати (часо́в) |

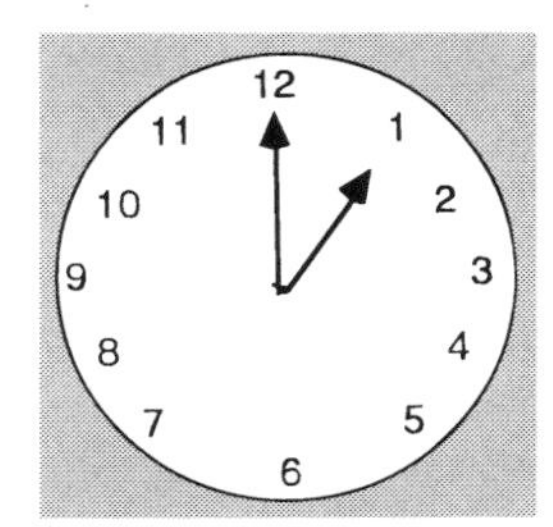

Сейча́с **час.**
Я бу́ду до́ма **до ча́са.**
Я уйду́ **по́сле ча́са.**
Я приду́ **о́коло ча́са.**

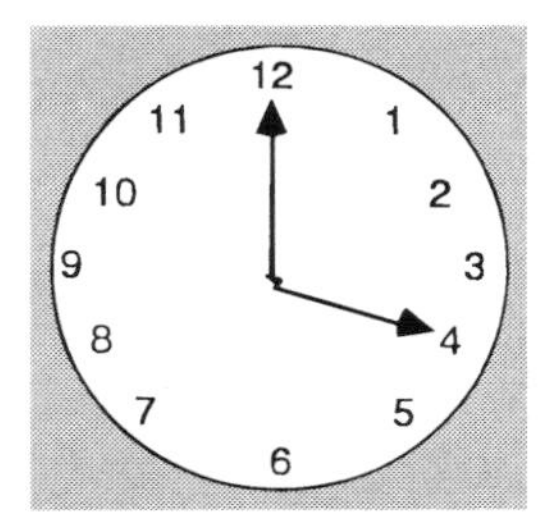

Сейча́с **четы́ре часа́.**
Я бу́ду до́ма **до четырёх** (часо́в).
Я уйду́ **по́сле четырёх** (часо́в).
Я приду́ **о́коло четырёх** (часо́в).

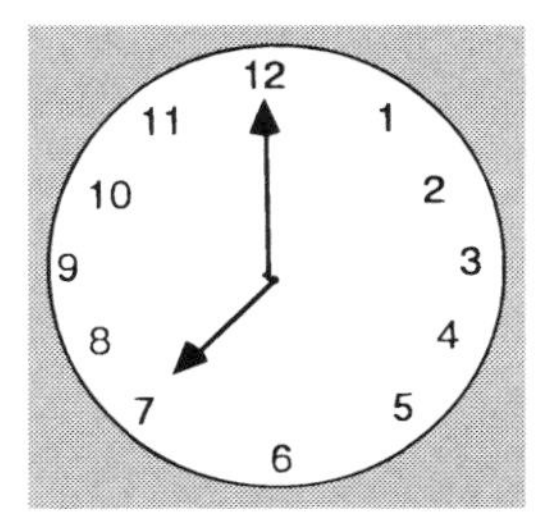

Сейча́с **семь часо́в.**
Я бу́ду до́ма **до семи́** (часо́в).
Я уйду́ **по́сле семи́** (часо́в).
Я приду́ **о́коло семи́** (часо́в).

---

[1]**час** also has an alternate genitive form **ча́су,** which can be used after prepositions.

**2-30. Спроси́те друг дру́га:** «Когда́ бу́дет консульта́ция по исто́рии/биоло́гии/матема́тике/фи́зике?» Use **С…ДО…**

*Приме́р: Консульта́ция по исто́рии бу́дет* ***с двух до четырёх (часо́в).***

А. 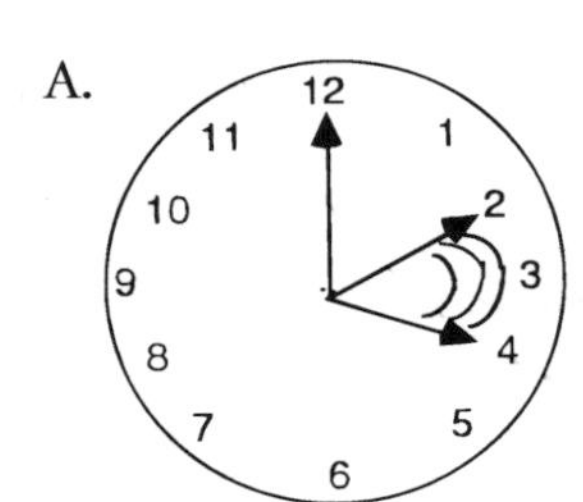

Б. 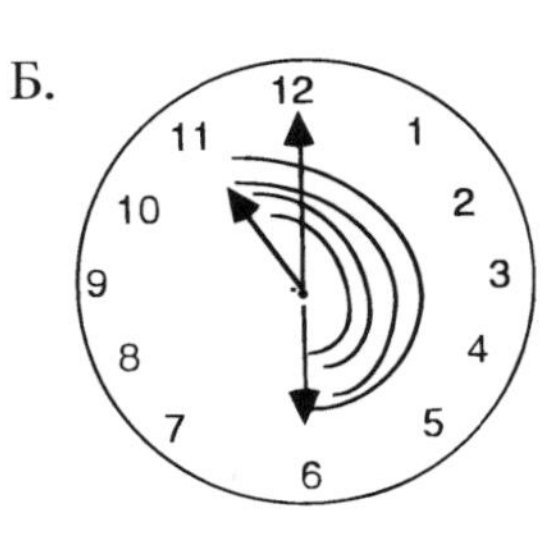

В. 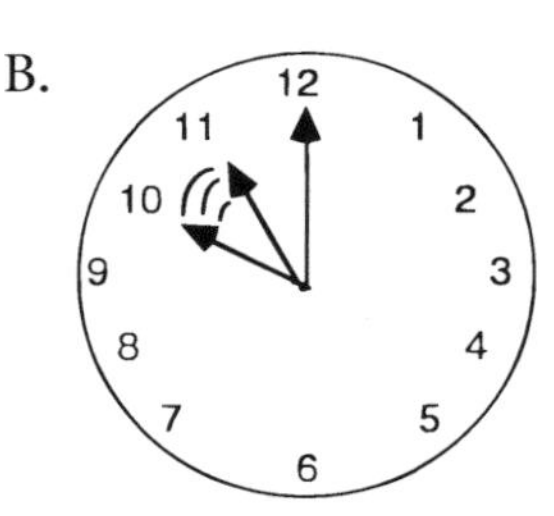

Г. 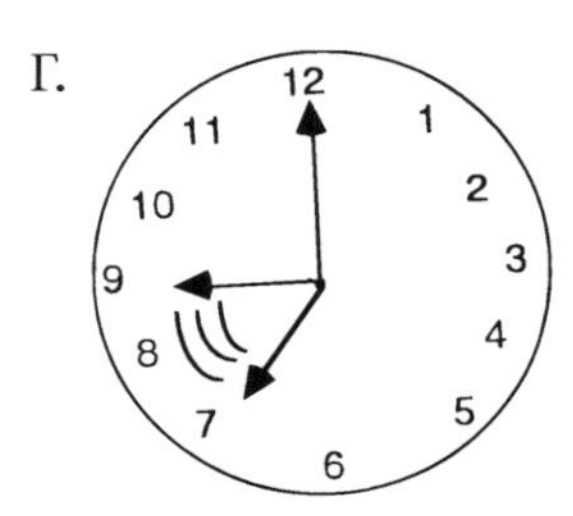

 **2-31. Что вы вчера́ де́лали?** Talk about what you did yesterday.

1. с 9.00 до 10.00;
2. о́коло 4.00;
3. с 12.00 до 1.00;
4. по́сле 8.00;
5. с 1.00 до 2.00;
6. с 3.00 до 6.00;
7. о́коло 10.00;
8. по́сле 5.00.

## How approximate time is expressed in Russian

| **Exact time** | | **Approximate time** | |
|---|---|---|---|
| в четы́ре часа́ | *at four o'clock* | часа́ в четы́ре | *around four o'clock* |
| че́рез полтора́ часа́ | *in an hour and a half* | часа́ че́рез полтора́ | *in about an hour and a half* |
| до трёх часо́в | *until three o'clock* | часо́в до трёх | *until about three o'clock* |

## The genitive case in time expressions

The prepositions **ДО** (up to, before) and **ПО́СЛЕ** (after) are used with the nouns in the genitive case in answer to the question **когда́**? to indicate the time of an action.

| | |
|---|---|
| *До заня́тий* я был/а́ в библиоте́ке. | *I was at the library before class.* |
| *По́сле заня́тий* я пошёл/пошла́ к профе́ссору. | *After class I went to see my professor.* |

**2-32. Спроси́те друг дру́га.**

1. Что вы обы́чно де́лаете по́сле заня́тий?
2. Что вы обы́чно де́лаете до заня́тий?
3. Что вы обы́чно де́лаете по́сле экза́мена?

**Complete exercises 2-27 and 2-28 in the S.A.M.**

## Expressing the date

1. When indicating the day of the month, use the nominative of the ordinal number and the genitive case of the month.

| | |
|---|---|
| — Како́е сего́дня число́? | *"What's today's date?" / "What date is it today?"* |
| — Сего́дня пе́рвое ию́н-**я**. | *"Today's June 1."* |

2. When indicating the date on which an action occurs, use the genitive case of the ordinal number and the genitive case of the month.

| | |
|---|---|
| Экза́мен по хи́мии бу́дет пе́рв-**ого** ию́н-**я**. | *The chemistry exam will be on June first.* |
| Они́ прие́хали в сре́ду, пе́рв-**ого** ию́н-**я**. | *They got here on Wednesday, June first.* |

3. When indicating the day and year when an action occurs, use the genitive case of the ordinal numeral for the date and for the ordinal numeral of the year.

Сестра́ родила́сь пе́рв-**ого** ию́н-**я** ты́сяча девятьсо́т девяно́сто пе́рв-**ого** го́д-**а**.
*My sister was born on June 1, 1991.*

Они́ пожени́лись два́дцать пя́т-**ого** ма́-**я** две ты́сячи тре́ть-**его** го́д-**а**.
*They got married on May 25, 2003.*

**2-33. 12 ме́сяцев.** Review the names of the months and ask each other the questions below.

**Назва́ния ме́сяцев:** янва́рь, февра́ль, март, апре́ль, май, ию́нь, ию́ль, а́вгуст, сентя́брь, октя́брь, ноя́брь, дека́брь.

1. Како́е вчера́ бы́ло число́?
2. Когда́ зака́нчивается э́тот семе́стр?
3. Когда́ экза́мен по ру́сскому языку́?
4. Когда́ ты роди́лся/родила́сь?

По-ру́сски снача́ла пи́шут день, а пото́м ме́сяц: 25.12.2004; 3.IX.2005; 20 ноября́ 2006 г.

| ЯНВАРЬ | | | | | | | |
|---|---|---|---|---|---|---|---|
| | Пн | Вт | Ср | Чт | Пт | Сб | Вс |
| 1 | | | | | | 1 | 2 |
| 2 | 3 | 4 | 5 | 6 | 7 | 8 | 9 |
| 3 | 10 | 11 | 12 | 13 | 14 | 15 | 16 |
| 4 | 17 | 18 | 19 | 20 | 21 | 22 | 23 |
| 5 | 24 | 25 | 26 | 27 | 28 | 29 | 30 |
| 6 | 31 | | | | | | |

**Complete exercises 2-29 and 2-30 in the S.A.M.**

## The prepositional case in time expressions

1. To indicate only the month in which an action occurs, use the preposition **В** and the prepositional case of the month.

| | |
|---|---|
| Я роди́лся/родила́сь в ию́н-**е**. | *I was born in June.* |
| Экза́мен был в апре́л-**е**. | *The exam was in April.* |

2. To indicate only the year in which an action occurs, use the preposition **В** with the prepositional case of the ordinal number and the special prepositional form **году́**.

| | |
|---|---|
| Он роди́лся в ты́сяча девятьсо́т во́семьдесят пе́рв-**ом** год-**у́**. | *He was born in 1981.* |

3. To indicate *this, last,* or *next year, semester, quarter,* use **В** and the prepositional case.

| | |
|---|---|
| Я поступи́л/а в университе́т в про́шл-**ом**/э́т-**ом** год-**у́**. | *I enrolled in the university last/this year.* |
| В бу́дущ-**ем** год-**у́** пое́ду в Росси́ю. | *I'll go to Russia next year.* |
| Я записа́лся/записа́лась на биоло́гию в про́шл-**ом**/в э́т-**ом** семе́стре. | *I registered for biology last/this semester.* |

4. To indicate *this, last,* or *next week,* use **НА** and the prepositional case of **недéля**.

Я сдал/сдалá экзáмен по фи́зике на прóшл-**ой**/на э́т-**ой** недéл-**е**. — *I took/passed my physics exam last/this week.*

Я напишý курсовýю по истóрии на слéдующ-**ей** недéл-**е**. — *I'll write my history term paper next week.*

**2-34. Когдá?** Complete the sentences.

1. Я записáлся/записáлась на три кýрса ... (*next quarter*).
2. Бори́с брóсил два кýрса ... (*this year*).
3. Мы сдáли все экзáмены ... (*in June*).
4. Анна окóнчила университéт... (*last year*).
5. Он приéхал из Росси́и ... (*last week*).
6. Вы поéдете в Канáду ... (*next week*)?
7. Я поéду к роди́телям ... (*this week*).
8. Ли́за былá больнá ... (*this semester*).
9. Онá родилáсь ... (*1987*).

**Complete exercises 2-31 and 2-32 in the S.A.M.**

# Тéма 3. Студéнческая жизнь: свобóдное врéмя (досýг)[1]

## Подготóвка

**2-35. Что вы дéлаете в свобóдное врéмя?** Use the words below to describe how you spend your free time.

занимáться в спорти́вной сéкции — *to participate in a school sports club*
игрáть в студéнческом теáтре — *to participate in a drama group*
петь (пою́, поёшь) в хóре — *to participate in a glee club, a choir*
проводи́ть/провести́ свобóдное врéмя — *to spend free time*
танцевáть в ансáмбле — *to be in a dance group*

**2-36. Словообразовáние.** Form nouns from the following verbs; give their English equivalents and use them in the sentences provided.

*Прáвило:* преподавáть (*to teach*) – ать + ани(е) = преподавáние (*teaching*)
окóнчить (*to graduate*) – ить + ани(е) = окончáние (*graduation*)

| | |
|---|---|
| собрáть (*to gather*) — ............................ | Когдá бýдет нáше ...? |
| задáть (*to assign*) — ............................ | Какóе на зáвтра домáшнее ...? |
| назвáть (*to call, name*) — ...................... | Прочитáйте ... тéкста! |
| окóнчить (*to graduate*) — ..................... | Пóсле ... шкóлы я поступи́л/а в университéт. |
| рисовáть (*to draw*) — ........................... | В э́той чéтверти я записáлась на ... |
| опоздáть (*to be late*) — ......................... | Преподавáтелю не нрáвятся ... студéнтов! |

**Complete exercises 2-33 and 2-34 in the S.A.M.**

[1] «досýг» and «свобóдное врéмя» are synonyms.

## Язы́к в жи́зни

**2-37.** Прочита́йте текст **«Из жи́зни РГУ»** и скажи́те, каки́е се́кции, клу́бы, анса́мбли, ассоциа́ции есть в Росто́вском госуда́рственном университе́те.

**Из жи́зни РГУ**

Жизнь в Росто́вском госуда́рственном университе́те — э́то не то́лько учёба и́ли преподава́ние. Вы не зна́ете, что де́лать в свобо́дное вре́мя? В РГУ мно́го спорти́вных *се́кций* и клу́бов. Есть *да́же* свой анса́мбль *наро́дного та́нца*, кото́рый ча́сто *выступа́ет* в университе́тском *конце́ртном за́ле*.

Вам нра́вится *экстрема́льный спорт*? Мо́жете записа́ться в *се́кцию альпини́зма*. Или вы лю́бите *приро́ду*? Тогда́ для вас есть клуб *тури́зма* РГУ «Росто́к», где вы про́сто *замеча́тельно* проведёте свобо́дное вре́мя!

Вы уже око́нчили Университе́т, получи́ли дипло́м и *скуча́ете* по свои́м студе́нческим друзья́м? Запиши́тесь в ассоциа́цию *выпускнико́в* РГУ, и вы *узна́ете*, когда́ бу́дет *сле́дующая встре́ча* выпускнико́в.

*альпини́зм — mountain climbing*
*встре́ча — informal meeting, get-together*
*выпускни́к — alumnus*
*выпускни́ца — alumna*
*выступа́ть/вы́ступить — to perform*
*да́же — even*
*замеча́тельно — great, wonderful*
*конце́ртный зал — concert hall*
*наро́дный та́нец — folk dance*
*приро́да — nature*
*се́кция — school (sports) club*
*скуча́ть (impf.) по кому́? — to miss*
*сле́дующий — next*
*тури́зм — hiking*
*узнава́ть/узна́ть — to find out*
*экстрема́льный спорт — "extreme sports"*

**2-38. Свобо́дное вре́мя.** Расскажи́те, как прово́дят свобо́дное от учёбы/рабо́ты вре́мя студе́нты и выпускники́ Росто́вского университе́та. Compare this with life on your campus.

**2-39. Ва́ше выступле́ние.** Вы рабо́таете в ассоциа́ции выпускнико́в Росто́вского университе́та. Расскажи́те о своём университе́те. Your goal is to recruit students.

**2-40. Спроси́те друг дру́га.** Како́й спорт ты лю́бишь? Каки́м спо́ртом ты занима́ешься и́ли занима́лся/занима́лась? Во что ты игра́ешь и́ли игра́л/а ра́ньше?

> **Note:** You can use «Я игра́ю в + *accusative*...» only when referring to games: баскетбо́л, те́ннис, бейсбо́л, футбо́л, ша́хматы. For other sports, use «Я занима́юсь...»

альпини́зм — *mountain climbing*
(америка́нский) футбо́л — *American football*
баскетбо́л — *basketball*
бег — *running, jogging*
бейсбо́л — *baseball*
билья́рд — *billiards*
борьба́ — *wrestling*
гимна́стика — *gymnastics*
гольф — *golf*
йо́га — *yoga*
лы́жный спорт — *skiing*
пла́ванье — *swimming*
подво́дное пла́ванье — *scuba diving*
те́ннис — *tennis*
тури́зм — *tourism*
футбо́л (европе́йский) — *soccer*
хокке́й — *hockey*

бег

гольф

футбо́л

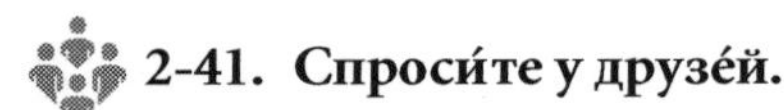

**2-41. Спроси́те у друзе́й.**

1. Ты зна́ешь, каки́е спорти́вные се́кции и клу́бы есть в на́шем университе́те?
2. В каку́ю се́кцию и́ли спорти́вный клуб ты записа́лся/записа́лась в э́том году́?
3. Каки́м спо́ртом ты лю́бишь занима́ться?
4. Каки́м спо́ртом ты хо́чешь занима́ться в свобо́дное вре́мя?

**2-42. Экстрема́льные ви́ды спо́рта.** Что лю́бит Ка́тя и с кем она́ хо́чет познако́миться?

Меня́ зову́т Ка́тя! Я учу́сь в деся́том кла́ссе сре́дней шко́лы № 44 в Ни́жнем Но́вгороде. Мне шестна́дцать лет. Я люблю́ учи́ться, мне нра́вится занима́ться спо́ртом. Я занима́юсь экстрема́льными ви́дами спо́рта: альпини́змом и *скалола́занием*. Я пока́ *ла́заю* не о́чень хорошо́, но я о́чень хочу́ научи́ться. Я хочу́ познако́миться с людьми́, кото́рые лю́бят то, что люблю́ я. Пиши́те, отве́чу всем. Звони́те по тел. 35-35-41.

*ла́зать — to climb*
*скалола́зание — rock climbing*

**2-43. Вы на вэб[1]-са́йте** «Культу́рная жизнь МГУ». Look through it and tell others how MGU students can spend their free time.

**Культу́рная жизнь МГУ**

Ка́мерный орке́стр МГУ
Академи́ческий хор МГУ
Теа́тр стари́нной му́зыки МГУ
Сту́дия инди́йского та́нца «Сарасва́ти»
Моско́вский студе́нческий теа́тр
Сту́дия ба́льного та́нца «Гра́ция-МГУ»
Теа́тр совреме́нного та́нца МГУ «Примадо́нна»

**2-44. Опро́с.** Что зна́чит «хорошо́ провести́ вре́мя»? Conduct a survey to find out what "having a good time" means for your classmates. Write down your conclusions and tell them to the rest of the class.

**2-45. Ва́ше выступле́ние. Вы прие́хали в Росси́ю.** You've been asked to talk about how American students spend their free time. Talk about student clubs, newspapers, various student associations, etc., that one can join on your campus.

**2-46. Интерне́т.** Search the sites of Russian universities and find what activities students can participate in.

---

[1]The word ***web*** is spelled two ways in Russian: ***веб*** or ***вэб.*** The latter spelling represents the current pronunciation.

## Разгово́ры

**2-47. Слу́шайте и чита́йте разгово́р.** Insert the missing words and phrases.

**На чём ты игра́ешь?**

| | |
|---|---|
| — Я сего́дня ужа́сно *за́нят.* | *busy* |
| — У тебя́ опя́ть *репети́ция*? | *rehearsal* |
| — Мы *репети́руем* ка́ждый день .............................. | *to rehearse* |
| — На чём ты ..........................................? | |
| — На саксофо́не. | |
| — А я ра́ньше ..................... на ро́яле, но............... | |
| — Я в де́тстве ...................................... в бале́те. | |
| — А я когда́-то............................................... | |
| — А я оди́н раз ......... в *музыка́льном* спекта́кле. | *a musical* |
| — У вас ско́ро .......................................? | |
| — Я ви́дела *объявле́ние*, что вы .................. в пя́тницу. | *announcement/poster* |
| — ...................................... три конце́рта *подря́д.* | *in a row* |
| — В пя́тницу, в ........................ и в воскресе́нье. | |

**2-48. Поговори́м немно́го.** Read the following conversations and compose similar ones.

**A.**

— На чём ты игра́ешь?

— На роя́ле. А ты?

— В де́тстве я игра́л/а на скри́пке, но бро́сил/а.

**А тепе́рь ваш разгово́р...** Discuss what instruments you play or used to play. Name a variety of instruments.

**Б.**

— В шко́ле я игра́л/а в орке́стре и танцева́л/а. А ты?

— Пел/пе́ла в хо́ре. И сейча́с пою́ в университе́тском хо́ре.

— Когда́ вы выступа́ете?

— Раз в год, в декабре́.

**А тепе́рь ваш разгово́р...** Ask your friend whether he/she has played in an orchestra or sung in a choir.

**Complete exercises 2-35 through 2-41 in the S.A.M.**

## Грамма́тика. Говори́те пра́вильно!

### О глаго́лах

### The past tense of verbs

- In the past tense, verbs do not conjugate, but agree with their subject in number and, in the singular, in gender. To form the past tense for most verbs ending in **-ТЬ.**

1. remove the **-ТЬ**
2. add **-Л**

| | | | |
|---|---|---|---|
| чита́-ть | (*masc.*) | -л | чита́-л |
| говори́-ть | (*fem.*) | -ла | говори́-ла |
| бы-ть | (*neuter*) | -ло | бы́-ло |
| ви́де-ть | (*plural*) | -ли | ви́де-ли |

Remember that...

**кто** always takes masculine singular agreement.
**всё** and **что** always take neuter agreement:

| | |
|---|---|
| Кто тебе́ э́то сказа́л? | *Who told you that?* |
| Что случи́лось? | *What happened?* |
| Всё бы́ло хорошо́. | *Everything was OK/fine.* |

- Some verbs, including those with infinitives ending in **-ЧЬ**, do not have the suffix **-Л** in the masculine singular past tense form. However, the feminine, neuter, and plural forms have **-Л.**

**Note the past-tense forms below and pay attention to stress!**

| Infinitive | Present or Future Tense | Past Tense | | | Examples |
|---|---|---|---|---|---|
| лечь (*pfv.*) | Я ля́гу | Он лёг | Она́ легла́ | Они́ легли́ | Мы легли́ спать по́здно. |
| мочь | Я могу́ | Он мог | Она́ могла́ | Они́ могли́ | Я не мог позвони́ть тебе́. |
| **Запо́мните!** | | | | | |
| сесть (*pfv.*) | Я ся́ду | Он сел | Она́ се́ла | Они́ се́ли | Они́ се́ли в авто́бус. |
| есть | Я ем | Он ел | Она́ е́ла | Они́ е́ли | Она́ е́ла о́чень мно́го. |
| вести́ | Я веду́ | Он вёл | Она́ вела́ | Они́ вели́ | Он вёл маши́ну. |
| идти́ | Я иду́ | Он шёл | Она́ шла | Они́ шли | Я шла в библиоте́ку. |

**2-49. Устный экза́мен.** Put the verbs in the past tense and mark stresses.

Вчера́ я весь ве́чер ... (гото́виться) к экза́мену по исто́рии и ... (лечь) спать в час но́чи. Утром я ... (просну́ться) то́лько в во́семь утра́ и ... (приня́ть душ), а пото́м ... (вы́пить) ко́фе и ...(съе́сть) сэ́ндвич. И, коне́чно, я ... (опозда́ть) к нача́лу экза́мена, хотя́ я ... (хоте́ть) сдава́ть пе́рвым/пе́рвой. Коне́чно, друзья́ ... (спроси́ть), что ... (случи́ться). Что я ... (мочь) сказа́ть? Я ... (сказа́ть), что ... (проспа́ть). Но ... (ответи́ть) я на все вопро́сы хорошо́ и ... (сдать) экза́мен на пятёрку. Пото́м я ... (пойти́) в кафе́ и ...(пообе́дать). По́сле э́того я ... (позвони́ть) Са́ше и Ле́не. Ве́чером мы ... (встре́титься) и ... (пойти́) в кино́. Всё ...(быть) хорошо́. Домо́й я ... (верну́ться) в де́сять часо́в и сра́зу ... (лечь) спать. День ... (быть) уда́чный, хотя́ я о́чень ... (уста́ть)!

## Stress in past tense verb forms

Most verbs have fixed stress in the past tense forms, but you should try to learn the most common verbs that have a shifting stress pattern in the past tense.

1. **НАЧА́ТЬ** (*pfv.*), **ПОНЯ́ТЬ** (*pfv.*), **ПРИНЯ́ТЬ** (*pfv.*), **ВЗЯТЬ** (*pfv.*) The feminine singular ending is stressed. In all other forms, stress is on the first syllable.

| | | |
|---|---|---|
| на́чал | начала́ | на́чали |
| по́нял | поняла́ | по́няли |
| при́нял | приняла́ | при́няли |
| взял | взяла́ | взя́ли |

2. **БЫТЬ, ЖДАТЬ, ЖИТЬ, СПАТЬ БРАТЬ, ДАТЬ** (*pfv.*), **ПИТЬ** The feminine singular ending is stressed. In all other forms, stress is on the stem.

| | | | | | |
|---|---|---|---|---|---|
| был | была́ | бы́ли | But: забы́л | забы́ла | забы́ли |
| ждал | ждала́ | жда́ли | | | |
| жил | жила́ | жи́ли | | | |
| спал | спала́ | спа́ли | | | |
| брал | брала́ | бра́ли | | | |
| дал | дала́ | да́ли | | | |
| пил | пила́ | пи́ли | | | |

3. **РОДИ́ТЬСЯ** is the only second-conjugation verb with a stress shift onto the endings in the past tense: **роди́лся** **родила́сь** **родили́сь**

4. When the verb **БЫТЬ** is preceded by the negative particle **НЕ** in the past tense, stress is on **НЕ** in the masculine, neuter, and plural forms.

| | |
|---|---|
| Я не́ был в библиоте́ке. | Мы не́ были в библиоте́ке. |
| Я не была́ в библиоте́ке. | Его́ не́ было до́ма. |

**2-50. Спроси́те друг дру́га.** Pay attention to stress in past-tense forms.

1. Когда́ вы сего́дня просну́лись?
2. Вы хорошо́ спа́ли?
3. Что вы сего́дня е́ли и пи́ли на за́втрак?
4. Вы сего́дня до́лго жда́ли авто́бус?
5. Где вы вчера́ бы́ли?
6. Когда́ и где вы родили́сь?
7. Где вы жи́ли ра́ньше?
8. Когда́ вы на́чали учи́ть ру́сский язы́к?
9. Вы всё сего́дня по́няли на уро́ке?

**Complete exercises 2-42 through 2-44 in the S.A.M.**

# Культу́ра и исто́рия

## Имена́, кото́рые зна́ют в Росси́и
## Анна Андре́евна Ахма́това (1889–1966)

**2-51. Автобиогра́фия.** Read Anna Akhmatova's autobiography and answer the questions aloud.

1. Когда́ и где Ахма́това родила́сь?
2. Кем был её оте́ц?
3. Где они́ жи́ли?

Я родила́сь 23 ию́ня 1889 го́да *под Оде́ссой*. Мой оте́ц был в то вре́мя *отставно́й* инжене́р-меха́ник *фло́та*. Когда́ мне был год, мы перее́хали на се́вер — в *Ца́рское Село́*. Там я прожила́ до шестна́дцати лет.

о́коло Оде́ссы
на пе́нсии; *Navy*
го́род недалеко́ от Санкт-Петербу́рга

4. Как она́ учи́лась чита́ть?
5. Как она́ вы́учила францу́зский язы́к?
6. Ско́лько ей бы́ло лет, когда́ она́ написа́ла своё пе́рвое стихотворе́ние?

Чита́ть я учи́лась по *а́збуке* Льва́ Толсто́го. В пять лет, слу́шая, как учи́тельница занима́лась со ста́ршими детьми́, я то́же начала́ говори́ть по-францу́зски. Пе́рвое *стихотворе́ние* я написа́ла, когда́ мне бы́ло оди́ннадцать лет. *Стихи́* начали́сь для меня́ не с Пу́шкина и Ле́рмонтова, а с Держа́вина и Некра́сова. Эти ве́щи зна́ла *наизу́сть* моя́ ма́ма.

*primer*
*poem*
*poetry*
*by heart*

7. Где Ахма́това учи́лась?
8. Почему́ она́ око́нчила гимна́зию в Ки́еве?
9. В како́м году́ она́ око́нчила гимна́зию?
10. Куда́ она́ поступи́ла по́сле оконча́ния гимна́зии?

Учи́лась я в Царскосе́льской же́нской *гимна́зии*. Снача́ла пло́хо, пото́м гора́здо лу́чше, но всегда́ *неохо́тно*. В 1905 году́ мои́ роди́тели *развели́сь*, и ма́ма с детьми́ уе́хала на юг. После́дний кла́сс *проходи́ла* в Ки́еве, в Фундукле́евской гимна́зии, кото́рую и око́нчила в 1907 году́. Я поступи́ла на юриди́ческий факульте́т *Вы́сших же́нских ку́рсов* в Ки́еве.

шко́ла
без интере́са
*divorced;* учи́лась
*higher; women's courses*

11. Что произошло́ в 1910 году́?
12. Когда́ роди́лся её сын?
13. Ско́лько дете́й у неё бы́ло?

В 1910 году́ *я вы́шла за́муж* за Н. С. Гумилёва, и мы поéхали на ме́сяц в Пари́ж. В 1912 году́ вы́шел мой пе́рвый *сбо́рник* стихо́в — «Ве́чер». Пе́рвого октября́ роди́лся мой еди́нственный сын Лев.

*got married*
*collection*

14. Где Ахма́това рабо́тала по́сле револю́ции?
15. Чем она́ интересова́лась?

По́сле Октя́брьской револю́ции я рабо́тала в библиоте́ке Агрономи́ческого институ́та. В 1921 году́ вы́шел сбо́рник мои́х стихо́в «*Подоро́жник*», в 1922 году́ — кни́га «Anno Domini». С середи́ны 20-х годо́в я начала́ с больши́м интере́сом занима́ться архитекту́рой ста́рого Петербу́рга и изуче́нием жи́зни и *тво́рчества* Пу́шкина.

*"Plantain"*
*works*

16. Где она́ жила́ во вре́мя Оте́чественной войны́?
17. Что она́ де́лала по́сле войны́?
18. Почему́ Ахма́това была́ сча́стлива?

*Оте́чественная война́* 1941 *заста́ла* меня́ в Ленингра́де. Уже́ во вре́мя блока́ды я вы́летела на самолёте в Москву́, а отту́да — в Ташке́нт. В ию́не 1944 го́да я верну́лась в Ленингра́д. В послевое́нные го́ды я мно́го переводи́ла. Перевожу́ и сейча́с. В 1962 году́ я зако́нчила «Поэ́му без геро́я», кото́рую я писа́ла два́дцать два го́да. Я не *перестава́ла* писа́ть стихи́. Я сча́стлива, что жила́ в э́ти го́ды и ви́дела *собы́тия*, кото́рым не́ было *ра́вных*.

*Patriotic war; found*
*stop*
*events*
*equal*

**2-52. В како́м году́?** Прочита́йте вслух.

1. Анна Ахма́това родила́сь 23 ию́ня 1889 го́да.
2. В 1905 году́ она́ уе́хала из Петербу́рга на юг.
3. В 1907 году́ она́ око́нчила гимна́зию.
4. В 1910 году́ она́ вы́шла за́муж.
5. В 1912 году́ у неё роди́лся сын.
6. В 1941 году́ начала́сь война́ и она́ уе́хала из Ленингра́да.
7. В ию́не 1944 го́да она́ верну́лась в Ленингра́д.
8. В 1962 году́ она́ зако́нчила писа́ть «Поэ́му без геро́я».

**2-53. По́сле чте́ния.** In a few sentences talk about Akhmatova's life. Sum it up in writing.

**2-54. Стихотворе́ние.** Прочита́йте и вы́учите наизу́сть.

| | |
|---|---|
| Он люби́л три ве́щи на *све́те*: | *world* |
| *За вече́рней пе́нье*, бе́лых *павли́нов* | *vespers; peacocks* |
| И *стёртые* ка́рты Аме́рики. | *old, worn out* |
| Не люби́л, когда́ *пла́чут* де́ти, | *to cry* |
| Не люби́л чай с *мали́ной* | *raspberries [here: raspberry jam]* |
| И же́нской исте́рики. | |
| . . . А я была́ его́ жено́й. | |
| А. А. Ахма́това. (1910) | |

**Complete exercises 2-45 through 2-48 in the S.A.M.**

# Слова́рь

## Дни неде́ли

| | |
|---|---|
| понеде́льник (в понеде́льник, по понеде́льникам) | *Monday (on Monday, on Mondays)* |
| вто́рник (во вто́рник, по вто́рникам) | *Tuesday (on Tuesday, on Tuesdays)* |
| среда́ (в сре́ду, по сре́дам и по среда́м) | *Wednesday (on Wednesday, on Wednesdays)* |
| четве́рг (в четве́рг, по четверга́м) | *Thursday (on Thursday, on Thursdays)* |
| пя́тница (в пя́тницу, по пя́тницам) | *Friday (on Friday, on Fridays)* |
| суббо́та (в суббо́ту, по суббо́там) | *Saturday (on Saturday, on Saturdays)* |
| воскресе́нье (в воскресе́нье, по воскресе́ньям) | *Sunday (on Sunday, on Sundays)* |

## Назва́ния ме́сяцев

| | | |
|---|---|---|
| янва́рь | май | сентя́брь |
| февра́ль | ию́нь | октя́брь |
| март | ию́ль | ноя́брь |
| апре́ль | а́вгуст | дека́брь |

### Вре́мя

| | |
|---|---|
| в э́том (про́шлом, бу́дущем) году́ | *this (last, next) year* |
| на э́той (про́шлой, сле́дующей) неде́ле | *this (last, next) week* |
| в э́том (про́шлом, сле́дующем) семе́стре | *this (last, next) semester* |
| в э́той (про́шлой, сле́дующей) че́тверти | *this (last, next) quarter* |

### Оце́нки (Grades)

| | | | |
|---|---|---|---|
| дво́йка | *a grade of "F"* | тро́йка | *a grade of "C"* |
| пятёрка | *a grade of "A"* | четвёрка | *a grade of "B"* |

## Существи́тельные (Nouns)

| | | | |
|---|---|---|---|
| бу́дний день | *weekday* | наро́дный та́н\|е\|ц | *folk dance* |
| встре́ча | *meeting* | оце́нка | *grade* |
| выпускни́к | *alumnus* | па́ра | *a two-hour class* |
| выпускни́ца | *alumna* | перево́д | *translation* |
| выходно́й день | *day off* | предме́т | *subject* |
| грипп | *flu* | приро́да | *nature* |
| дневни́к | *diary, journal* | раз | *time, occasion* |
| дома́шняя рабо́та | *homework* | два ра́за в неде́лю | *twice a week* |
| заня́тие | *a (specific) class* | расписа́ние | *schedule* |
| заня́тия | *classes* | ребя́та (*pl.*) | *guys, kids, boys and girls* |
| консульта́ция | *office hour, appointment* | рефера́т | *paper, report* |
| контро́льная рабо́та по чему́? | *test, exam* | се́кция | *sports club* |
| конце́ртный зал | *concert hall* | семе́стр | *semester* |
| курсова́я рабо́та | *term paper* | трениро́вка | *(sports) training, practice* |
| лаборато́рия | *lab* | хор | *choir* |
| ле́кция | *lecture* | че́тверть (*f.*) | *quarter* |

## Глаго́лы (Verbs)

| | |
|---|---|
| боле́ть/заболе́ть | *to be sick/to get sick* |
| броса́ть/бро́сить что? | *to drop* |
| волнова́ться (*impf.*) | *to be upset* |
| встава́ть/встать | *to get up* |
| выступа́ть/вы́ступить | *to perform* |
| гото́виться/подгото́виться к чему́? | *to prepare, to study (for an exam)* |
| гуля́ть | *here: to goof off, fool around* |
| ждать/подожда́ть кого́? | *to wait for* |
| занима́ться где? | *to do one's homework, study* |
| запи́сываться/записа́ться куда́? на что? | *to register for, sign up for* |
| игра́ть на чём? | *to play a musical instrument* |
| игра́ть во что? | *to play a game, a sports game* |
| извиня́ться/извини́ться за что? | *to apologize* |
| ла́зать (*impf.*) | *to climb* |
| ложи́ться/лечь (спать) | *to go to bed* |
| лома́ться/слома́ться | *to break (down)* |
| ненави́деть+ *impf. infinitive* | *to hate doing something* |
| не́рвничать (*impf.*) | *to be nervous* |
| одева́ться/оде́ться | *to get dressed* |
| опа́здывать/опозда́ть куда́? | *to be late, arrive late* |
| переводи́ть/перевести́ | *to translate* |
| петь/спеть | *to sing* |
| получа́ть/получи́ть оце́нку | *to get a grade* |
| по́мнить/запо́мнить кого́?/что? | *to remember, commit to memory* |
| понима́ть/поня́ть что? | *to understand, to realize* |
| преподава́ть (*impf. only*) что? | *to teach* |
| принима́ть/приня́ть душ | *to take a shower* |
| приходи́ться/прийти́сь кому́? + *infinitive* | *to have to do smth.* |
| прова́ливать/провали́ть (экза́мен) | *to fail (an exam)* |
| проводи́ть/провести́ что? (свобо́дное вре́мя) | *to spend (free time)* |

просыпа́ть/проспа́ть — *to oversleep, to miss, sleep through*
просыпа́ться/просну́ться — *to wake up*
скуча́ть по кому́? — *to miss someone*
собира́ться/собра́ться где? — *to meet, gather*
танцева́ть (танцу́ю) — *to dance*
успева́ть/успе́ть + *pfv. infinitive* — *to have time to do smth.*
устава́ть/уста́ть — *to be/get tired*
узнава́ть/узна́ть — *to find out*
чини́ть/почини́ть — *to fix, repair*
чи́стить/почи́стить (зу́бы) — *to brush (one's teeth)*

## Прилага́тельные (Adjectives)

ка́ждый — *every*
свобо́дный — *free, vacant, unoccupied*
сле́дующий — *next*
спорти́вный — *sports (adj.)*
тру́дный — *difficult*
тяжёлый — *hard*
уда́чный — *successful*
  Ве́чер был уда́чный. — *The evening was a success.*
ужа́сный — *horrible, terrible*
экстрема́льный (спорт) — *extreme (sport, sports)*

## Наре́чия (Adverbs)

да́же — *even*
замеча́тельно — *great, wonderful*
наве́рное — *probably*
пото́м — *then, after that*
ужа́сно — *terribly*

## Сою́з (Conjunction)

так как — *since, as*

## Выраже́ния (Expressions)

Во-пе́рвых — *in the first place, first of all*
  (во-вторы́х, в-тре́тьих) — *in the second place, in the third place*
Всё (бу́дет) в поря́дке. — *Everything is (will be) all right.*
Как хорошо́! — *How wonderful!*
кро́ме того́ — *also, besides*
повезло́ кому́? — *to be lucky/fortunate*
  Мне повезло́! — *I was lucky!*
У меня́ грипп. — *I've got the flu.*
Я бо́лен/больна́. — *I'm sick.*
Я сам/сама́ винова́т/винова́та. — *It's my own fault.*
Я уста́л/а. — *I'm tired.*

# Глава́ 3

# Всё о семье́

## В э́той главе́…

**In this chapter you will**

- expand the vocabulary you need to talk about family and family history
- review the nominative, genitive, and accusative (animate) cases
- review how subjects and objects are expressed
- learn more about time expressions
- study the use of aspect in the past tense

# Те́ма 1. Моя́ семья́

## Подгото́вка

**3-1. Ро́дственники.** Relatives. Check off the vocabulary items that pertain to your family, and talk about your family using these words.

| | |
|---|---|
| ☐ *adopted son/daughter* | приёмный сын/приёмная дочь |
| ☐ *adoptive parents* | приёмные роди́тели |
| ☐ *aunt/uncle* | тётя/дя́дя (*m.*) |
| ☐ *baby, child* | ребён\|о\|к (*pl.* де́ти) |
| ☐ *cousin* | двою́родный брат (*m.*)/двою́родная сестра́ (*f.*) |
| ☐ *cousins* | двою́родные бра́тья и сёстры |
| ☐ *grandchildren* | вну́ки |
| *granddaughter/grandson* | вну́чка/внук |
| ☐ *grandparents* | ба́бушка и де́душка (*m.*) |
| ☐ *half-brother/half-sister* | сво́дный брат/сво́дная сестра́ |
| ☐ *nephew/niece* | племя́нник/племя́нница |
| ☐ *parents* | роди́тели |
| ☐ *sibling* | брат/сестра́ |
| *older/younger sibling* | ста́рший/мла́дший брат; ста́ршая/мла́дшая сестра́ |
| ☐ *stepfather/stepmother* | о́тчим/ма́чеха |
| ☐ *They got married.* | Они́ пожени́лись. |
| ☐ *They got divorced.* | Они́ развели́сь. |
| ☐ *They adopted a son/daughter.* | Они́ усынови́ли/удочери́ли ребёнка. |

**3-2. Дома́шние живо́тные.** Pets. Каки́е дома́шние живо́тные у вас есть и́ли бы́ли? Расскажи́те о них. Каки́х из э́тих живо́тных вы хоти́те име́ть?

**Complete exercises 3-1 through 3-6 in the S.A.M.**

## Язы́к в жи́зни

**3-3. Пе́ред чте́нием.** Вы писа́ли сочине́ния о свое́й семье́, когда́ учи́лись в шко́ле? О ком вы писа́ли?

**3-4. Во вре́мя чте́ния.** Найди́те в те́ксте отве́ты на вопро́сы.

1. Кто воспи́тывал Ка́тю?
2. У Ка́ти есть брат и́ли сестра́?
3. Что Ка́тя написа́ла о свои́х роди́телях?
4. Что Ка́тя написа́ла о свое́й соба́ке?

**Сочине́ние: « Моя́ семья́»**

Ка́тя Смирно́ва. 3-А класс, шко́ла 175, г. Москва́.

**Ба́бушка.** Когда́ я ду́маю о свое́й семье́, я всегда́ ду́маю снача́ла о ба́бушке. Де́душка *у́мер до того́, как* я родила́сь. Роди́тели рабо́тают, а ба́бушка *ушла́ на пе́нсию,* что́бы со мной *сиде́ть* до́ма и меня́ *воспи́тывать.* Она́ мне всегда́ говори́т, что я её люби́мая вну́чка. Все говоря́т, что я на неё *похо́жа.* В *де́тстве* она́ *расска́зывала мне ска́зки,* учи́ла меня́ чита́ть и писа́ть, а сейча́с *помога́ет* де́лать дома́шние зада́ния. Мы с ней хо́дим в *де́тский* музыка́льный теа́тр, на де́тские бале́ты в Большо́й теа́тр. До того́ как я пошла́ в шко́лу, мы с ба́бушкой жи́ли на *да́че* всё ле́то.

**Роди́тели.** И ма́ма, и па́па рабо́тают. Ма́ма — врач. А па́па — профе́ссор. Он преподаёт в университе́те. Когда́ мы с ба́бушкой ле́том жи́ли на да́че, роди́тели приезжа́ли к нам то́лько на *выходны́е дни.* Я, коне́чно, о́чень скуча́ла по роди́телям и всегда́ их ждала́.

**Моя́ соба́ка.** Я *еди́нственный* ребёнок, и в де́тстве я всегда́ хоте́ла *име́ть* бра́та и́ли сестру́, и́ли *хотя́ бы* ко́шку и́ли соба́ку. *Одна́жды* я нашла́ *щенка́.* Сейча́с э́то уже́ *взро́слая* соба́ка. Её зову́т Ла́ска. Никто́ не зна́ет, кака́я э́то *поро́да*, но она́ о́чень больша́я, краси́вая и до́брая. Так что никто́ её не *бои́тся.*

Кого́ я люблю́ *бо́льше всего́? Мне ка́жется,* что я всех люблю́ *одина́ково.*

*бо́льше всего́ — most of all*
*боя́ться кого́?/чего́? — to be afraid of*
*взро́слый — grown-up, adult*
*воспи́тывать/воспита́ть кого́? — to bring up, raise*
*выходны́е дни > на выходны́е дни — for weekends*
*да́ча — summer house, dacha*
*де́тский — child's, children's*
*де́тство > в де́тстве — in one's childhood*
*до того́ как — before*
*еди́нственный ребён|о|к — the only child*
*име́ть — to have*
*каза́ться/показа́ться > Мне ка́жется… — It seems to me…*
*одина́ково — equally*
*одна́жды — once, one day*
*помога́ть/помо́чь кому́? — to help*
*поро́да — (can be any animal) breed*
*похо́ж/а на кого́?/что? — to look like*
*расска́зывать/рассказа́ть ска́зки — to tell stories, fairy tales*
*сиде́ть с кем? — to stay at home with somebody*
*умира́ть/умере́ть (у́мер/умерла́/у́мерли) — to die*
*уходи́ть/уйти́ на пе́нсию — to retire*
*хотя́ бы — at least*
*щен|о́|к — puppy*

**3-5. По́сле чте́ния. А что сейча́с?** Ка́тя wrote her essay when she was nine years old. Now she is 19. What do you think she would say about her family now? Don't forget to use the past tense.

**3-6. Узна́йте всё о семье́ друг дру́га.** Ask each other the following questions.

1. У тебя́ больша́я семья́? Кто тебя́ воспи́тывал? На кого́ ты похо́ж/а?
2. Как зову́т твоего́ отца́ и твою́ мать? Ско́лько им лет? Где они́ рабо́тают? Кто они́?
3. Ты еди́нственный ребёнок в семье́ и́ли у тебя́ есть бра́тья и сёстры? Двою́родные бра́тья и сёстры, сво́дные бра́тья и сёстры? Как их зову́т и ско́лько им лет? Они́ у́чатся и́ли рабо́тают? Где они́ живу́т? У них есть де́ти?
4. У тебя́ есть ба́бушки и де́душки? Как их зову́т? Ско́лько им лет? Что они́ де́лают? У них есть други́е вну́ки?
5. У тебя́ есть тёти и дя́ди? Как их зову́т? Они́ рабо́тают? Где? Кто они́? У них есть де́ти?

**3-7. Ва́ше выступле́ние.** Расскажи́те о свое́й семье́.

## Разгово́ры

**3-8. Слу́шайте и чита́йте разгово́р.** Insert the missing words and phrases.

**Ненави́жу жить в общежи́тии**

— Где ты живёшь?
— В ............................................
— А я ............................ жить в общежи́тии.
— Ты ..................................... кварти́ру?
— А почему́ вы не живёте до́ма у ....................?
— Мои́ ............................ развели́сь.
— А мои́ живу́т в друго́м ....................
— Но *де́ло не в э́том:* мы лю́бим жить *самостоя́тельно.* — *that's not the point*; *independently*
— Да? А я всю жизнь живу́ с ..............................
— В Росси́и мы начина́ем жить *отде́льно* по́сле .......................... университе́та. — *separately*
— Или ............................ начнём рабо́тать.
— ...... по́сле того́ как *же́нимся.* — *to get married (of a man)*
— ...... *вы́йдем за́муж.* — *to get married (of a woman)*

**3-9. Поговори́м немно́го.** Read the following conversations and compose similar ones.

**А.**

— Ты снима́ешь кварти́ру и́ли живёшь у роди́телей?
— Я снима́ю кварти́ру и живу́ отде́льно.
— Твои́ роди́тели живу́т здесь и́ли в друго́м шта́те?
— В друго́м го́роде.

**А тепе́рь ваш разгово́р...** Ask each other where you live, whether your parents live close by, etc.

**Б.**

— Я слы́шал/а, что ты жени́лся.

— Да, я *жена́т*. А ты за́мужем? — *to be married (for a man)*

— Нет, я не *за́мужем* и живу́ у роди́телей. — *to be married (for a woman)*

— А почему́ ты не сни́мешь кварти́ру? Нет де́нег?

— Де́ло не в том. Я ещё учу́сь. По́сле оконча́ния университе́та бу́ду жить отде́льно.

**А тепе́рь ваш разгово́р...** Imagine that you've met an old friend. One of you is married and the other is not. Be creative!

**3-10. Интервью́.** You are journalists preparing to interview a famous Russian musician. Prepare a list of questions you could ask about his/her private life. You may want to go on the Russian Internet and find a person to "interview."

**Complete exercises 3-7 through 3-12 in the S.A.M.**

## Грамма́тика. Говори́те пра́вильно!

### О падежа́х

### The nominative case ◆ Имени́тельный паде́ж

1. Nouns and pronouns in the nominative case denote the subject **(подлежа́щее)** of a sentence or a clause. The *subject* denotes the thing or a person we are speaking about and answers the questions who? (**кто**?) what? (**что**?).

| | |
|---|---|
| *Кто?* **Бо́ря** нам мно́го расска́зывал о тебе́. | *Boris has told us a lot about you.* |
| *Что?* **Его́ ле́кция** бу́дет в четве́рг. | *His lecture will be on Thursday.* |

2. Nouns, pronouns, and adjectives after the unexpressed present tense of the verb **быть** and after the introductory word **э́то** *(this is, that is, these are, those are)* are also in the nominative case.

| | |
|---|---|
| Его́ мать — **юри́ст,** а его́ оте́ц — **врач.** | *His mother's a lawyer, and his father's a physician.* |
| Их дом о́чень **большо́й.** | *Their house is really big.* |
| Это не **мои́ кни́ги.** | *Those aren't my books.* |

**Не забу́дьте!**

**По-ру́сски мы говори́м:**

| | |
|---|---|
| **Кто** ва́ши роди́тели? | **Кто** твой оте́ц/твоя́ мать? |
| *What do your parents do?* | *What does your father/mother do?* |

**3-11. Как сказа́ть по-ру́сски?**

1. Her father is a doctor.
2. Their mother is an engineer.
3. My grandparents are lawyers.
4. Is your sister a teacher?
5. Is your brother a professor?
6. What does her uncle do?
7. What does his aunt do?
8. Her parents are businesspeople.

**3-12. Мно́жественное число́.** Review the endings for the nominative plural forms of nouns. Study the examples and give the rules for nouns that have regular forms in the nominative plural.

| -Ы | -И | -А/-Я | Memorize |
|---|---|---|---|
| стол — столы́ | писа́тель — писа́тели | письмо́ — пи́сьма | друг — друзья́ |
| журна́л — журна́лы | парк — па́рки | мо́ре — моря́ | сын — сыновья́ |
| мужчи́на — мужчи́ны | врач — врачи́ | зда́ние — зда́ния | муж — мужья́ |
| страна́ — стра́ны | музе́й — музе́и | профе́ссор — профессора́ | брат — бра́тья |
| газе́та — газе́ты | подру́га — подру́ги | го́род — города́ | мать — ма́тери |
| **Memorize:** | неде́ля — неде́ли | учи́тель - учителя́ | дочь — до́чери |
| сестра́ — сёстры | семья́ — се́мьи | | и́мя — имена́ |
| жена́ — жёны | дверь — две́ри | | ребён\|о\|к — де́ти |
| | пода́р\|о\|к — пода́рки | | челове́к — лю́ди |
| | щен\|о́\|к — щенки́ | | котён\|о\|к — котя́та |
| | | | англича́нин — англича́не |

**Не забу́дьте!**
Adjectives in the nominative plural end in -ЫЕ/-ИЕ: **краси́вые лю́ди, хоро́шие кни́ги**

**3-13. Так не быва́ет.** Use plural forms of the nouns in parentheses.

У моего́ дру́га больша́я семья́. Когда́ я прихожу́ к нему́, у него́ всегда́ (гость), и (мужчи́на), и (же́нщина). Это мо́гут быть (его́ брат) и́ли (его́ сестра́), (неве́ста) его́ бра́тьев и́ли (жени́х) его́ сестёр, (дя́дя) и́ли (тётя).

Иногда́ к нему́ прихо́дят (двоюро́дный брат) и́ли (двоюро́дная сестра́), (племя́нник) и́ли (племя́нница), их (хоро́ший друг) и их (подру́га). В до́ме всегда́ (ста́рая ба́бушка) и (ста́рый де́душка), их (сын) и́ли (дочь), их (внук) и́ли их (вну́чка).

У стола́ сидя́т и разгова́ривают (взро́слый челове́к), (ребёнок). В саду́ игра́ют (ма́ленький ма́льчик) и (ма́ленькая де́вочка), гуля́ют (молодо́й челове́к) и (де́вушка), бе́гают (соба́ка) и (ко́шка). У них есть (живо́тное), (большо́е и ма́ленькое): (чёрный щено́к) и (бе́лый котёнок), (канаре́йка), (кро́лик), (попуга́й) и да́же (ло́шадь).

У них ча́сто (сва́дьба) и́ли (день) рожде́ния, и́ли (друго́й пра́здник).

Когда́ я иду́ к ним, я всегда́ не́рвничаю, так как я хочу́ купи́ть (интере́сный пода́рок), но ско́лько пода́рков на́до купи́ть?

## Sentence structure: the subject ◆ Структу́ра предложе́ния : подлежа́щее

Remember that the subject is always in the nominative case. Unlike English word order, Russian word order is not fixed. Russian word order, especially in written Russian, tends to express the "known" (i.e., old information) and then the "unknown" (i.e., new information). Therefore, the subject in a Russian sentence may be at the beginning of a sentence, as in English, or, very frequently, at the end of a sentence. Explain the word order in the following sentences:

В на́шем университе́те у́чатся **студе́нты из мно́гих стран.**
Сего́дня в университе́тском клу́бе выступа́ют **студе́нческие анса́мбли.**

**3-14. Подлежа́щее.** Find the subject in the following sentences.

1. Ба́бушка расска́зывала мне ска́зки.
2. Бо́льше всего́ меня́ интересу́ют би́знес и эконо́мика.
3. К нам на да́чу роди́тели приезжа́ли то́лько в выходны́е дни.
4. Ка́тя, коне́чно, о́чень скуча́ла по роди́телям и ждала́ их.
5. Па́па всю жизнь преподаёт в университе́те, а ма́ма рабо́тает в больни́це.
6. В де́тстве Ка́тя всё́гда хоте́ла име́ть ко́шку и́ли соба́ку.

**Complete exercises 3-13 and 3-14 in the S.A.M.**

## The genitive case ◆ Роди́тельный паде́ж

### Genitive case forms for personal pronouns

| **Nominative** | кто | что | я | ты | он/оно́ | она́ | мы | вы | они́ |
|---|---|---|---|---|---|---|---|---|---|
| **Genitive** | кого́ | чего́ | меня́ | тебя́ | его́<br>у него́ | её<br>у неё | нас | вас | их<br>у них |

**Не забу́дьте!**
Third-person pronoun forms are preceded by **Н-** when they are the object of a preposition. Do not confuse the third-person object pronouns **его́**, **её** and **их** with the special modifiers **его́**, **её**, and **их**, which never change form:

у него́ / у неё / у них } but { у его́ бра́та / у её сестры́ / у их отца́

**3-15. Местоиме́ние.** Insert pronouns.

1. — У Са́ши есть двою́родный брат? — Да, у … есть двою́родные брат и сестра́.
2. — У Ната́ши есть дя́дя и тётя? — Да, у … отца́ есть сестра́.
3. — У Ни́ны есть ба́бушка и де́душка? — Нет, у … то́лько де́душка, ба́бушка умерла́.
4. — У тебя́ есть племя́нница? — Да, у … есть две племя́нницы.
5. — У Лёни есть ста́рший брат? — Да, у … есть ста́рший брат.
6. — У твое́й сестры́ есть ребёнок? — Да, у … дво́е дете́й.

## The genitive case without prepositions

Use the genitive case without prepositions:

1. To indicate absence or lack of something

   У меня́ **нет (не́ было, не бу́дет)** соба́ки. — *I don't (didn't, won't) have a dog.*

2. To show possession and relation

   — Чьи́ э́то кни́ги? — *"Whose books are those?"*
   — Это кни́ги **Ма́рка.** — *"Those are Mark's books."*

3. To qualify other nouns

   Он преподава́тель **ру́сского языка́.** — *He's a Russian language teacher.*
   Моя́ мать ме́неджер **большо́го о́фиса.** — *My mother's the manager of a large office.*

4. With words denoting quantity *(мно́го, ма́ло, немно́го, ско́лько, не́сколько)*

   У меня́ **мно́го (ма́ло)** рабо́ты. — *I have a lot of (not much) work.*

   You will learn more about using the genitive case with numerals and words denoting quantity in Chapter 4.

5. To indicate size or color

   Мой брат **высо́кого ро́ста.** — *My brother is tall.*
   Маши́на Ма́рка **кра́сного цве́та.** — *Mark's car is red.*

6. With certain verbs, e.g., **боя́ться** (*to be afraid of*) and **жела́ть** (*to wish*)

   Зо́лушка боя́лась **ма́чехи.** — *Cinderella was afraid of her stepmother.*
   Жела́ю вам **здоро́вья.** — *I wish you good health.*

7. With abstract complements, e.g., **мир** (*peace*), **поко́й** (*peace and quiet*), **сча́стье** (*happiness*) after the verb **хоте́ть**

   Я то́лько хочу́ **поко́я** в семье́. — *I only want peace in my family.*

## Adjective and special modifier endings for the genitive case

**Masculine and neuter singular: -ОГО/-ЕГО**

У меня́ нет **двоюродн-ого** бра́та.
Это дом **мо-его́** отца́.

**Feminine singular: -ОЙ/-ЕЙ**

У меня́ нет **двоюродн-ой** сестры́.
Это дом **мо-е́й** ма́тери.

**Не забу́дьте!**
The stress is on the last syllable in the genitive singular masculine and neuter forms of the special modifiers **оди́н, тот,** and **весь/всё:**

| **Nominative** | оди́н | тот | весь | всё |
|---|---|---|---|---|
| **Genitive** | одного́ | того́ | всего́ | |

**3-16. Зо́лушка** (*Cinderella*). Put the words in parentheses into the appropriate case.

Вы все зна́ете ска́зку о Зо́лушке. Зо́лушка была́ хоро́шая до́брая де́вушка. Мать …(Зо́лушка) умерла́, и оте́ц жени́лся ещё раз. Же́нщина, на кото́рой он жени́лся, была́ … (высо́кий рост) и о́чень краси́вая, но зла́я. У … (она́) бы́ли …(дочь), кото́рых зва́ли Кари́на и Али́са. Коне́чно, ма́чеха не люби́ла Зо́лушку. У… (Зо́лушка) бы́ло о́чень ма́ло … (вре́мя) для себя́, потому́ что она́ рабо́тала весь день, а ма́чеха и её до́чери ничего́ не де́лали. У … (они́) бы́ло о́чень мно́го … (свобо́дное вре́мя). Зо́лушка о́чень хоте́ла …(любо́вь) и …(сча́стье), но оте́ц боя́лся … (но́вая жена́) и не мог помо́чь до́чери. У … (он) бы́ло мно́го … (рабо́та), и он хоте́л то́лько … (поко́й). Сво́дные сёстры … (Зо́лушка) о́чень люби́ли кра́сный цвет. Ско́ро всё в до́ме бы́ло … (кра́сный цвет). Зо́лушка ненави́дела кра́сный цвет, но она́ жила́ в до́ме … (оте́ц) и ничего́ не могла́ сде́лать. Но вот одна́жды …

**Complete exercises 3-15 through 3-18 in the S.A.M.**

## The genitive case after the prepositions

1. **ИЗ** and **ОТ** *(from)*

   Use **ИЗ** with place names and **ОТ** with people.

   Мы получи́ли письмо́ **из Санкт-Петербу́рга от дру́га.**
   *We got a letter from a friend in St. Petersburg.*

2. **С** *(from, from off of)*

   Переведи́те **с англи́йского** на ру́сский. — *Translate from English into Russian.*
   Возьми́ кни́ги **со стола́.** — *Take the books from the table.*

3. **БЕЗ** *(without)*

   Я не могу́ жить **без тебя́.** — *I can't live without you.*

4. **ВМЕ́СТО** *(instead of, in place of)*

   Что ты хо́чешь **вме́сто ча́я?** — *What would you like instead of tea?*

5. **ИЗ-ЗА** *(because of, on account of)*

   Де́ти не пошли́ гуля́ть **из-за дождя́.** — *The children didn't go for a walk because of the rain.*

6. **ДЛЯ** *(for, for whose benefit, for what purpose)*

   Ей ну́жно купи́ть пода́рок **для вну́ка.** — *She has to buy a present for her grandson.*

**3-17. Како́й предло́г?** Put the words in parentheses into the appropriate case.

1. Я хочу́ перевести́ э́ту кни́гу … *(from Russian)* на англи́йский.
2. Мы не пошли́ к роди́телям … *(because of you).*
3. Я получи́ла письмо́ … *(from Moscow).*
4. Ты мо́жешь э́то сде́лать … *(instead of me)?*
5. Ко́ля получи́л письмо́ … *(from his wife).*
6. Мы купи́ли э́ту кни́гу … *(for you).*
7. Я не могу́ жить … *(without a computer).*

**3-18.** The relative pronoun **КОТО́РЫЙ.** Give English equivalents for the following sentences.

1. Мы нашли́ щенка́, **без кото́рого** тепе́рь не мо́жет жить вся на́ша семья́.
2. Све́та, **от кото́рой** мы узна́ли э́ту но́вость, уже́ пошла́ домо́й.
3. У них ма́ленький ребёнок, **из-за кото́рого** они́ не мо́гут но́чью спать.
4. Подру́га, **от кото́рой** Ка́тя получи́ла письмо́, у́чится в США.
5. Профе́ссор, **у кото́рого** я была́ на консульта́ции, преподаёт матема́тику.
6. Са́ша, **вме́сто кото́рого** я сде́лала всю э́ту рабо́ту, заболе́л.

**Complete exercises 3-19 through 3-23 in the S.A.M.**

# Тéма 2. Свáдьба

## Подготóвка

**3-19. Вы знáете э́ти словá?**

| | |
|---|---|
| свáдьба | *wedding* |
| выходи́ть/вы́йти зáмуж за когó? | *to get married (for a woman)* |
| *Онá вы́шла зáмуж за Андрéя.* | *She married Andrei.* |
| (Онá) зáмужем за кем? | *to be married (for a woman)* |
| жени́ться (*impf. and pfv.*) на ком? | *to get married (for a man)* |
| *Он жени́лся на Лéне.* | *He married Lena.* |
| (Он) женáт на ком? | *to be married (for a man)* |
| жени́х/невéста | *fiancé, groom/fiancée, bride* |
| по/жени́ться | *to get married (when speaking of two persons)* |
| разводи́ться/развести́сь | *to get divorced* |
| *Они́ развели́сь.* | *They got divorced.* |

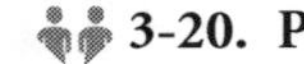
**3-20. Расскажи́те о себé.** Choose the word that is most applicable to you.

1. Я (не) женáт/(не) зáмужем.
2. У меня́ есть невéста/жени́х. У меня́ нет невéсты/женихá.
3. Я (не) хочу́ жени́ться/выходи́ть зáмуж.
4. Мой брáт/моя́ сестрá (не) женáт/(не) зáмужем.
5. Мои́ роди́тели живу́т вмéсте/развели́сь.

**Complete exercises 3-24 through 3-26 in the S.A.M.**

## Язы́к в жи́зни

**3-21. Пéред чтéнием.** Ask each other.

1. Вы когдá-нибу́дь бы́ли на свáдьбе?
2. Это былá большáя свáдьба и́ли нет? Кто жени́лся?

**3-22. Во врéмя чтéния.** Find the answers in the text.

1. За когó вы́шла зáмуж Свéта?
2. Какáя былá свáдьба?
3. Что Свéта говори́т о себé и о своём женихé?
4. Почему́ мáма Свéты волновáлась и дáже плáкала?
5. Каку́ю нóвость сообщи́ла (написáла) Свéта в своём письмé?
6. Почему́ Свéта беспокóится?
7. Почему́ Натáша говори́т, что бóльше не собирáется выходи́ть зáмуж?

**Свáдьба**

1 декабря́

Дорогáя Кáтенька!

Спаси́бо за письмó и за *поздравлéния*. Свáдьба былá замечáтельной. Мнóго *гостéй, цветóв, подáрков*. Все *желáли*

*берéменна — pregnant*
*беспокóиться (impf) — to worry*
*востóрг > быть в востóрге — to be delighted*
*вдруг — suddenly*

сча́стья, здоро́вья, любви́. *Ушли́* то́лько в полови́не второ́го но́чи. Всё бы́ло о́чень уда́чно! *Жаль, что* тебя́ не́ было!

Ма́ма моя́ о́чень *волнова́лась* и *да́же пла́кала*. Я её понима́ю, ведь я еди́нственный ребёнок в семье́. *Вдруг* э́тот ребёнок, ма́ленькая де́вочка, вы́шла за́муж, и у неё своя́ семья́!

Но вре́мя идёт бы́стро, и ко всему́ *привыка́ешь*. Вот и моя́ ма́ма уже́ привы́кла и да́же ра́да. Как ты ду́маешь, чему́ она́ ра́да? Я *бере́менна!* Коне́чно, я *сча́стлива*, но о́чень *беспоко́юсь:* мне ещё на́до око́нчить университе́т. А вот о́бе ба́бушки в *восто́рге!* Одна́ хо́чет вну́чку, а друга́я вну́ка. Мы ещё не зна́ем, кто бу́дет, ма́льчик и́ли де́вочка.

Есть ещё одна́ но́вость. По́мнишь Ната́шу и Оле́га? Они́, как ты зна́ешь, пожени́лись в ию́не, а в октябре́ развели́сь. Вчера́ *встре́тила* в магази́не Ната́шу. Говори́т, что бо́льше никогда́ не *собира́ется* выходи́ть за́муж!

Приве́т от Ко́ли. Мы о́чень скуча́ем по тебе́.

Пиши́ нам. Твоя́ Све́та.

*волнова́ться — to be nervous*
*встреча́ть/встре́тить кого́? — to meet smb.*
*гость (m.) — guest*
*да́же — even*
*жале́ть/пожале́ть — to be sorry >*
*Жаль, что … — It's a pity, that…*
*жела́ть/пожела́ть — to wish*
*пода́р|о|к — gift*
*поздравле́ние — best wishes*
*пла́кать/запла́кать — to cry*
*привыка́ть/привы́кнуть к чему́? — to get used to something*
*собира́ться/собра́ться + inf. — to be going to do something*
*спаси́бо за что? — thanks for*
*(Я)сча́стлив/сча́стлива — (I am) happy*
*уходи́ть/уйти́ — to leave (on foot)*
*цвет|о́|к (pl. цветы́) — flower*

**3-23. Расскажи́те …** Вы, а не Ка́тя, получи́ли письмо́ от Све́ты. Расскажи́те об э́том друзья́м.

**3-24. А тепе́рь поговори́м о Вас…** Спроси́те друг дру́га.

1. В како́м во́зрасте вы хоти́те вы́йти за́муж/жени́ться?
2. У вас есть жени́х/неве́ста?
3. У вас есть друзья́ и подру́ги, кото́рые уже жени́лись/вы́шли за́муж?
4. Как вы ду́маете, хорошо́ ли, что мо́жно разводи́ться?

## Разгово́ры

**3-25. Слу́шайте и чита́йте разгово́р.** Insert the missing words and phrases.

**Сва́дьба**

| | |
|---|---|
| — Где ты была́ ……………………………………? | |
| — Мы ………………………………………. *заходи́ли.* | *stopped by (on foot)* |
| — На сва́дьбе. *Подру́га по шко́ле* …………. | *шко́льная подру́га* |
| — Ско́лько ей ……………? | |
| — Она́ …………… *моло́же* меня́. А её жени́х на пять лет *ста́рше.* | *younger* / *older* |
| — *Оди́н мой друг* то́же собира́ется ………………… Его́ ……………… ру́сская. | *one of my friends* |

**3-26. Слу́шайте и чита́йте разгово́р.** Insert the missing words and phrases.

**Что но́вого?**

— Приве́т, …………………?
— Как дела́?
— Что ………………………?

— Ничéго.
— Всё ............................
— ................ нóвости.
— Какие?
— Получила письмó ...................... Петербýрга. У неё бýдет ..............

3-27. **Поговорим немнóго.** Read the following conversations and compose similar ones. Note the following expressions.

| | |
|---|---|
| **To express happiness:** | Замечáтельно! — *Great! Fantastic! Wonderful!*<br>Отлично! — *Great! Excellent!*<br>Я так рад/рáда! — *I am so happy!*<br>Поздравля́ю! — *Congratulations!* |
| **To express regret:** | Как жаль! — *Sorry to hear that! Too bad!* |

**А.**

— Ну, что? Вы с Жéней собирáетесь пожениться?
— Да, собирáемся.
— Я так рад/рáда! А когдá свáдьба?
— Мы решили пожениться пóсле окончáния университéта.
— Поздравля́ю!

**А тепéрь ваш разговóр...** Узнáйте, когдá вáши друзья́ собирáются пожениться.

**Б.**

— Что нóвого?
— Получил/а письмó от подрýги из Москвы́.
— Что пишет?
— Онá развóдится.
— Как жаль!

**А тепéрь ваш разговóр...** Узнáйте друг у дрýга, что нóвого. Express regret or congratulate your friend.

**Complete exercises 3-27 through 3-32 in the S.A.M.**

## Граммáтика. Говорите прáвильно!

### О падежáх

### Accusative case singular endings for animate nouns

1. Masculine animate nouns that end in a consonant in the nominative case take the endings **-А/-Я.**

| | |
|---|---|
| Это Ромáн и Николáй. | *This is Roman and Nikolai.* |
| Ты знáешь **Ромáн-а** и **Николá-я?** | *Do you know Roman and Nikolai?* |

2. Feminine and masculine nouns that end in **-А/-Я** in the nominative case take the endings **-У/-Ю.**

| | |
|---|---|
| Это Ма́ш**а** и Га́л**я**. | *This is Masha and Galya.* |
| Ты зна́ешь **Ма́ш-у** и **Га́л-ю?** | *Do you know Masha and Galya?* |
| Это его́ дя́д**я** и тёт**я**. | *This is his uncle and aunt.* |
| Ты зна́ешь его́ **дя́д-ю** и **тёт-ю?** | *Do you know his uncle and aunt?* |

3. Feminine nouns that end in a soft sign **-Ь** (**мать, дочь** and proper names like **Любо́вь**) in the nominative singular have the same form in the accusative singular.

| | |
|---|---|
| Это их дочь. | *This is their daughter.* |
| Ты зна́ешь их **дочь?** | *Do you know their daughter?* |

4. **Non-Russian first names.** Men's first names decline if they end in a consonant. Therefore, names like **Джим** and **Джек** decline, but names like **Джи́мми** and **Джо** do not. Women's first names decline if they end in **-А or -Я.** Therefore, names like **Ха́нна** and **Дже́ссика** decline, but names like **Мэ́ри** and **Дже́йн** do not.

| | | | | | |
|---|---|---|---|---|---|
| Кто э́то? | Бо́бби | Не́нси | Джекли́н | Патри́ция | Чарлз |
| Кого́ ты зна́ешь? | Бо́бби | Не́нси | Джекли́н | Патри́ци-**ю** | Ча́рлз-**а** |

## Accusative case singular endings for adjectives and special modifiers

1. Adjectives and special modifiers that qualify animate masculine nouns take the accusative singular endings **-ОГО/-ЕГО.**

| | |
|---|---|
| Это наш но́вый профе́ссор. | *This is our new professor.* |
| Ты зна́ешь **на́ш-его но́в-ого** профе́ссора? | *Do you know our new professor?* |
| — Это мой дя́дя Ва́ня. | *"This is my uncle Vanya."* |
| — Я не зна́ю **тво-его́** дя́дю Ва́ню. | *"I don't know your uncle Vanya."* |

2. Adjectives that qualify feminine nouns take the accusative singular endings **-УЮ/-ЮЮ.** Special modifiers (**моя́, твоя́, на́ша, ва́ша, э́та, та, вся**) that qualify feminine nouns take the accusative singular endings **-У/-Ю.**

| | |
|---|---|
| — Это **мо-я́ двою́родн-ая** сестра́. | *"This is my cousin."* |
| — Я не зна́ю **тво-ю́ двою́родн-ую** сестру́. | *"I don't know your cousin."* |

**3-28.** Complete the sentences.

1. Я вчера́ ходи́ла к Све́те и ви́дела … (Том, его́ неве́ста То́ри и Ка́тя).
2. Де́душка ви́дел …. (своя́ вну́чка и её жени́х).
3. Ба́бушка встре́тила в магази́не … (твой дя́дя и твоя́ тётя).
4. Мы встре́тили в кафете́рии … (Юра, Бо́бби и его́ жена́).
5. Ты зна́ешь … (Никола́й и его́ неве́ста Ба́рби)?
6. На про́шлой неде́ле мы встре́тили … (моя́ подру́га Ле́на и её ма́ма).

**Complete exercise 3-33 in the S.A.M.**

## Sentence structure: direct and indirect objects
## Структу́ра предложе́ния: дополне́ния

You already know that the subject of a Russian sentence is most frequently expressed by a noun or a pronoun in the nominative case. The other cases function as complements or objects (**дополне́ние**) of verbs and/or prepositions. Compare the use of the accusative, dative, and prepositional cases below.

| Use the accusative case to indicate the direct object of a transitive verb: | Use the dative case to denote an indirect object (to show to whom or for whom something is done): | Use the prepositional case with preposition **О** (ОБ, ОБО[1]) to show the person or thing spoken or thought about: |
|---|---|---|
| *Я ви́дел/а* ***Све́ту*** *в кафе́.*<br><br>*Я купи́л/а* ***пода́рок*** *на сва́дьбу.* | *Я пишу́ письмо́* ***Све́те.***<br><br>*Я купи́л/а пода́рок на сва́дьбу* ***Све́те.*** | *Я ду́маю о* ***Све́те.***<br><br>*Я говорю́ о* ***пода́рке*** *на сва́дьбу.* |

**3-29. Пода́рок на сва́дьбу.** Put the words in parentheses into the appropriate case.

На про́шлой неде́ле позвони́ла … (моя́ шко́льная подру́га) Ни́на, что́бы сказа́ть … (я), что у неё че́рез ме́сяц бу́дет сва́дьба. Я могу́ немно́го о … (Ни́на) рассказа́ть. Мы учи́лись в одно́м кла́ссе. Ей 22 го́да, и в э́том году́ она́ ока́нчивает … (университе́т). Выхо́дит за́муж она́ за … (Игорь), кото́рый то́же учи́лся в на́шем кла́ссе. Я до́лго ду́мала, что подари́ть … (мои́ шко́льные друзья́) на сва́дьбу. Подари́ть … (краси́вая ва́за), а мо́жет быть … (цветы́) и́ли про́сто (де́ньги)? Я позвони́ла … (роди́тели и друзья́), что́бы узна́ть, что обы́чно да́рят на сва́дьбу. Сове́товали мно́го. Посове́товали да́же купи́ть … (жени́х и неве́ста) … (маши́на), но игру́шечную. Пото́м я поду́мала о … (ба́бушка). Она́ всегда́ зна́ет, что де́лать! Ба́бушка посове́товала … (я) купи́ть … (краси́вые цветы́) и подари́ть (де́ньги). А что вы посове́туете?

## Accusative, dative, and prepositional case forms for personal pronouns

| **Nominative** | кто/что? | я | ты | он/оно́ | она́ | мы | вы | они́ |
|---|---|---|---|---|---|---|---|---|
| **Accusative** | кого́/что? | меня́ | тебя́ | его́ | её | нас | вас | их |
| **Dative** | кому́/чему́? | мне | тебе́ | ему́ | ей | нам | вам | им |
| **Prepositional** | о ком/о чём? | обо мне́ | о тебе́ | о нём | о ней | о нас | о вас | о них |

**Не забу́дьте!**
The accusative forms **его́, её** and **их,** as the prepositional forms **о нём, о ней, о них** and dative forms **ему́, ей, им,** can refer to both animate and inanimate nouns.

| | |
|---|---|
| Ле́на ви́дела **твою́ сестру́.** | Она́ встре́тила **её** в кафе́. |
| Ко́ля чита́л **э́ту кни́гу.** | Он купи́л **её** в про́шлом году́. |
| Ка́тя расска́зывала о **ба́бушке.** | Она ча́сто ду́мает о **ней** и пи́шет **ей** пи́сьма. |

[1]The preposition **О** occurs before words beginning with consonants and the vowels **е, ё, ю,** and **я. ОБ** occurs before words beginning with the vowels **а, э, и, о, у. ОБО** occurs before the object pronouns **мне, всём,** and **всех.**

**3-30. Спроси́те друг дру́га.** Use the following words:

вы, они́, она́, ты, он, наш оте́ц, на́ша дочь, его́ ма́чеха, твой дя́дя Ко́ля, ваш де́душка, на́ша двою́родная сестра́, их о́тчим, жени́х и неве́ста, твоя́ племя́нница.

*Приме́р:* *мой брат*

| **Вопро́с** | **Отве́т** |
|---|---|
| — Кого́ вы ви́дели? | — Вчера́ я ви́дел/а **моего́ бра́та.** |
| — О ком вы расска́зывали? | — Вчера́ я расска́зывал/а **о моём бра́те.** |
| — Кому́ вы звони́ли? | — Вчера́ я звони́л/а **моему́ бра́ту.** |

**3-31.** The relative pronoun **кото́рый.** Give English equivalents of the following sentences. Determine the case of the relative pronoun **кото́рый.**

1. Серёжа, **кото́рого** мы встре́тили вчера́ в библиоте́ке, е́дет учи́ться в Москву́.
2. Я встре́тила в бассе́йне своего́ ста́рого дру́га, **кото́рого** я зна́ю с де́тства.
3. Моя́ подру́га, **кото́рую** я ви́жу почти́ ка́ждый день, вы́шла за́муж.
4. Я пишу́ письмо́ роди́телям, по **кото́рым** о́чень скуча́ю.
5. Моя́ подру́га, о **кото́рой** я тебе́ писа́ла, перее́хала в Петербу́рг.
6. Са́ша, о **кото́ром** я тебе́ расска́зывал, не жени́лся!
7. Его́ неве́ста, на **кото́рой** он собира́лся жени́ться че́рез ме́сяц, вдруг вы́шла за́муж за его́ дру́га.
8. Она́ говори́т, что наконе́ц встре́тила челове́ка, за **кото́рого** хо́чет вы́йти за́муж.
9. Это фо́то моего́ племя́нника, **кото́рому** я вчера́ купи́ла пода́рок на сва́дьбу.
10. Оказа́лось, что моя́ племя́нница, **кото́рой** я подари́ла щенка́, бои́тся соба́к!

**3-32. Семе́йная фи́рма**

1. Read the advertisement below and identify the case of the underlined noun phrases.
2. What questions do the underlined noun phrases answer?
3. Prepare to talk about Filipp and Midori, paying close attention to cases.

Ру́сско-япо́нская семья́ перево́дит докуме́нты и кни́ги с ру́сского на япо́нский и с япо́нского на ру́сский, а та́кже создаёт персона́льные и корпорати́вные вэб-са́йты.

Мы — молода́я ру́сско-япо́нская семья́. Меня́ зову́т Фили́пп. Я ру́сский, роди́лся и вы́рос в Москве́. Мне 27 лет. Мою́ жену́ зову́т Ми́дори. Она́ моло́же меня́ на два го́да и родила́сь в То́кио. Там око́нчила Toки́йский университе́т по специа́льности «Ру́сский язы́к и литерату́ра». Не́сколько лет она́ жила́ в Нью-Йо́рке, где рабо́тал её оте́ц. Моя́ жена́ перево́дчица. Она́ о́чень лю́бит иностра́нные языки́ и перево́дит кни́ги с ру́сского языка́ на япо́нский, и мы с ней вме́сте перево́дим с япо́нского на ру́сский. Я рабо́таю на фи́рме «ПК», де́лаю вэб-страни́цы и веб-са́йты. Учу́ япо́нский язы́к, изуча́ю культу́ру Япо́нии. Ми́дори о́чень помога́ет мне. Мы лю́бим путеше́ствовать, чита́ть и слу́шать класси́ческую му́зыку.

Мы живём в Петербу́рге. Здесь мы и познако́мились три го́да наза́д на конце́рте Чайко́вского. Пожени́лись че́рез год. Сва́дьба была́ в Япо́нии. На сва́дьбе бы́ли мои́ роди́тели и все ро́дственники Ми́дори. У неё больша́я семья́. Её воспи́тывала тётя, сестра́ отца́, на кото́рую Ми́дори о́чень похо́жа. Ма́ть Ми́дори умерла́, когда́ до́чке бы́ло 2 го́да. Пока́ всё о нас… Если вам ну́жен перево́д и́ли вэб-сайт, звони́те нам.

Конта́ктный телефо́н 327-9876 **www.midorifilipp.ru**

**Complete exercises 3-34 through 3-36 in the S.A.M.**

## Вре́мя ◆ Time on the half hour

| **Ско́лько вре́мени? Кото́рый час?** | Полови́на пе́рвого. (Полпе́рвого.) | Полови́на второ́го. (Полвторо́го) | Полови́на тре́тьего. (Полтре́тьего) | Полови́на двена́дцатого. (Полдвена́дцатого) |
|---|---|---|---|---|
| **Когда́? Во ско́лько? В кото́ром часу́?** | В полови́не пе́рвого. (Полпе́рвого) | В полови́не второ́го. (Полвторо́го) | В полови́не тре́тьего. (Полтре́тьего) | В полови́не двена́дцатого. (Полдвена́дцатого) |

Time on the half hour is expressed as half of the approaching hour.

**Запо́мните!**
в полови́не восьмо́го **утра́** — at 7:30 a.m.
в полови́не восьмо́го **ве́чера** — at 7:30 p.m.
в полови́не тре́тьего **дня** — at 2:30 p.m.
в полови́не пе́рвого **но́чи** — at 12:30 a.m.

**3-33. На сва́дьбе бы́ли го́сти.** Когда́ они́ ушли́? Read the times aloud.

| | | | |
|---|---|---|---|
| 7:30 a.m. | 4:30 p.m. | 3:30 a.m. | 11:30 p.m. |
| 1:00 a.m. | 11:30 a.m. | 2:30 p.m. | 5:30 p.m. |

## Time in the first half hour

Time in the first half hour is expressed as the number of minutes into the approaching hour. Look at the examples below and note that the answers to the questions **Кото́рый час?** and **Когда́?/Во ско́лько?** are the same.

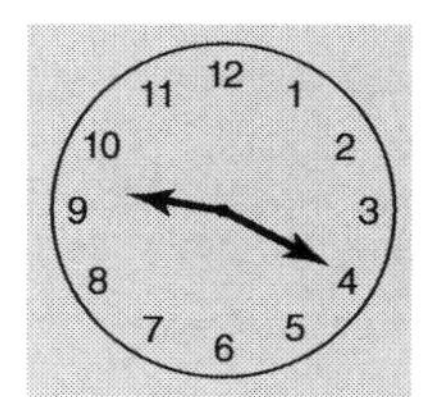  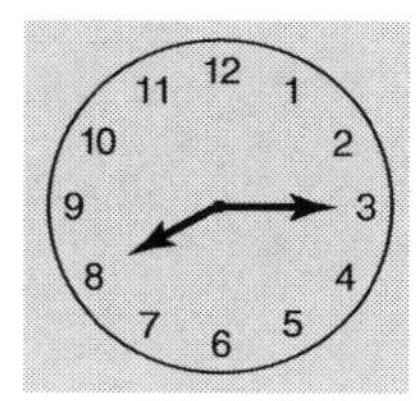 

| | | | | |
|---|---|---|---|---|
| **Ско́лько вре́мени? Кото́рый час?** | Два́дцать мину́т деся́того. | Два́дцать пять мину́т восьмо́го. | Пятна́дцать мину́т девя́того. (че́тверть девя́того) | Пять мину́т деся́того. |
| **Когда́? Во ско́лько? В кото́ром часу́?** | Они́ пришли́ два́дцать мину́т деся́того. | Они́ пришли́ два́дцать пять мину́т восьмо́го. | Они́ пришли́ пятна́дцать мину́т девя́того. (че́тверть девя́того) | Они́ пришли́ пять мину́т деся́того. |

The answers to **Кото́рый час?** and **Когда́?/Во ско́лько?** are the same when giving time in the first half hour. Some speakers, however, use the preposition **В** in their answers to the questions **Когда́?/Во ско́лько?**

— Кото́рый час?
*"What time is it?"*

— Сейча́с де́сять мину́т девя́того.
*"It's ten after eight."*

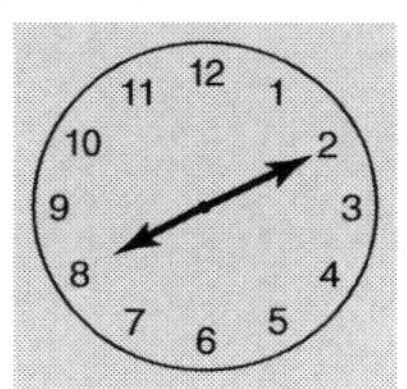

— Когда́ (Во ско́лько) они́ ушли́?
*"When (What time) did they leave?"*

— Они́ ушли́ (в) де́сять мину́т девя́того.
*"They left at ten after eight."*

**3-34. Когда́ вы верну́лись домо́й?** Read the times aloud.

| | | | |
|---|---|---|---|
| 3:15 p.m. | 4:20 p.m. | 1:10 a.m. | 7:05 a.m. |
| 9:10 p.m. | 11:20 a.m. | 12:20 a.m. | 12:20 p.m. |

## Time in the second half hour

Look at the table below and note how time in the second half hour is expressed.

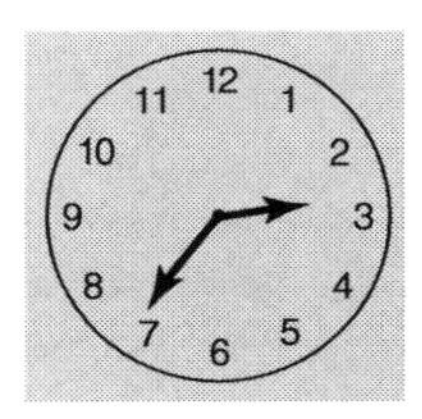  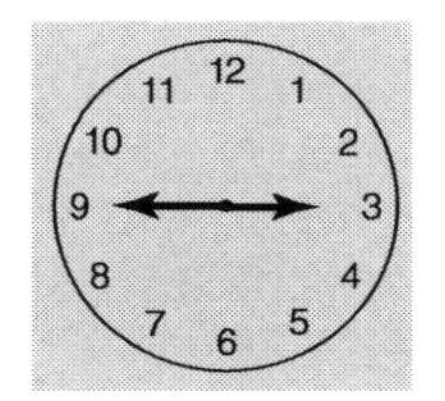 

| | | | | |
|---|---|---|---|---|
| **Ско́лько вре́мени? Кото́рый час?** | Сейча́с без двадцати́ пяти́ три. | Сейча́с без двадцати́ три. | Сейча́с без че́тверти (без пятна́дцати) три. | Сейча́с без пяти́ три. |
| **Когда́? Во ско́лько? В кото́ром часу́?** | Они́ пришли́ без двадцати́ пяти́ три. | Они́ пришли́ без двадцати́ три. | Они пришли́ без че́тверти (без пятна́дцати) три. | Они́ пришли́ без пяти́ три. |

**Не забу́дьте!**

| | |
|---|---|
| 11.56 без четырёх мину́т двена́дцать | 11.58 без двух мину́т двена́дцать |
| 11.57 без трёх мину́т двена́дцать | 11.59 без одно́й мину́ты двена́дцать |

**3-35. День сва́дьбы.** Вале́рия и Серге́й живу́т во Владивосто́ке. Они́ познако́мились по Интерне́ту, но оказа́лось, что они́ живу́т в одно́м до́ме. Че́рез два го́да они́ пожени́лись. Сва́дьба была́ 15 ма́я.

**Зада́ние.** Choose one section of the text, make it into a paragraph and talk about it in class.

*Приме́р:* 7.05 — Посмотре́ла в окно́ — идёт дождь > *Вале́рия вста́ла в семь утра́ и уви́дела, что идёт дождь.*

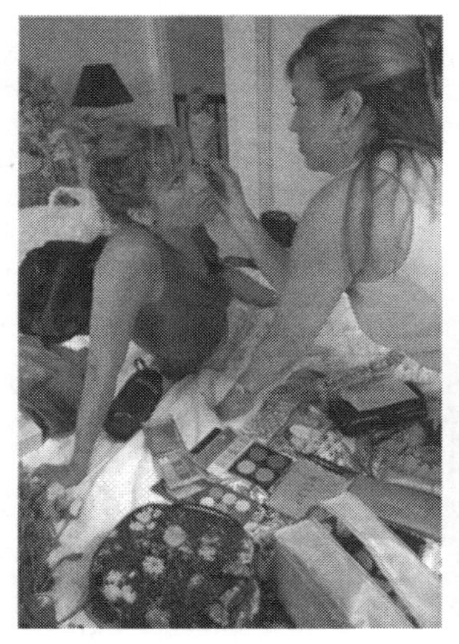

**Из дневника́ Вале́рии.**

**Утром**

7.05 — Посмотре́ла в окно́ — идёт дождь.

8.15 — Парикма́херская (*beauty parlor*).

10.20 — Прие́хал па́па, и мы пое́хали к визажи́сту (*makeup artist*) — ещё на полтора́ часа́. Я сиде́ла и смотре́ла в окно́ и уви́дела, что лю́ди, кото́рые шли по у́лице, закрыва́ли зо́нтики. Дождь ко́нчился!

12.00 — Мне сде́лали макия́ж (*makeup*). Прие́хал па́па, и мы пое́хали домо́й.

12.40 — Я верну́лась домо́й. До́лжен прие́хать жени́х.

**Днём I**

1.15 — Жени́х опа́здывает на полчаса́. Прие́хал.

1.30 — Едем в це́рковь (*church*). Почему́ так мно́го маши́н? Куда́ все е́дут?

1.55 — Опа́здываем. Нет, успе́ли.

2.20 — Начина́ется венча́ние (*church wedding ceremony*).

3.10 — Церемо́ния зако́нчилась.

**Днём II**

3.20 — По́сле церемо́нии пое́хали домо́й отдыха́ть.

4.30 — Прие́хали в рестора́н. Го́сти нас уже́ ждут. Да́ли нам шампа́нское и на́чали крича́ть «Го́рько!». Пода́рков и цвето́в — мо́ре!

**Ве́чером**

6.00 — 11.30 Ужин и та́нцы.

11. 00 — Наш после́дний та́нец. Танцева́ли то́лько мы.

11.45 — Прие́хали домо́й.

> **Спра́вка.** На ру́сской сва́дьбе есть тради́ция крича́ть **«Го́рько!»**, что́бы жени́х и неве́ста поцелова́лись. **Го́рький/го́рько** зна́чит "bitter".

**3-36. Подгото́вка к пра́зднику.**

You work for an event planning company. Working in groups, plan a wedding day or another function. Be very specific about the time.

**Complete exercises 3-37 and 3-38 in the S.A.M.**

# Те́ма 3. Исто́рия мое́й семьи́

## Подгото́вка

**3-37. Эмигра́ция.** Talk about your family history.

Отку́да прие́хала в Аме́рику ва́ша семья́? Когда́? Вы зна́ете, почему́ они́ эмигри́ровали? Обы́чно лю́ди *уезжа́ют* из страны́, где они́ живу́т, и́з-за *войны́, по полити́ческим, религио́зным* и́ли *экономи́ческим причи́нам*. Вы зна́ете, почему́ ва́ша семья́ эмигри́ровала?

*leave (by vehicle)*
*war; for political, religious, economic reasons*

**Complete exercises 3-39 through 3-41 in the S.A.M.**

## Язы́к в жи́зни

**3-38. Исто́рия коре́йской семьи́ в Росси́и**

Анато́лий Ким — росси́йский писа́тель. Он пи́шет по-ру́сски, но его́ семья́ иммигри́ровала в Росси́ю из Коре́и. Прочита́йте исто́рию его́ де́да, кото́рый прие́хал в Росси́ю в 1908 году́.

**Часть 1. 1908 год: иммигра́ция**

1. Кто был дед Анато́лия Ки́ма?
2. В како́м году́ он иммигри́ровал в Росси́ю?
3. Почему́ росси́йское прави́тельство приглаша́ло коре́йцев?
4. Могли́ ли коре́йцы получи́ть росси́йское гражда́нство?
5. Почему́ дед Анато́лия Ки́ма эмигри́ровал из Коре́и?

Дед Анато́лия Ки́ма, Ким Ги-Ен, *бе́дный крестья́нин*, перее́хал в Росси́ю в 1908 году́. В то вре́мя уже́ ты́сячи коре́йских семе́й жи́ли на террито́рии росси́йского Да́льнего Восто́ка и Приаму́рья. Росси́йское *прави́тельство приглаша́ло* коре́йцев в Росси́ю, что́бы колонизи́ровать Да́льний Восто́к, и поэ́тому дава́ло *зе́млю* и ру́сское *гражда́нство* коре́йским иммигра́нтам.

*бе́дный — poor*
*гражда́нство (получа́ть/получи́ть гражда́нство) — citizenship (to become a citizen)*
*земля́ — land*
*крестья́нин/крестья́нка/крестья́не — peasant*
*прави́тельство — government*
*приглаша́ть/пригласи́ть кого́? — to invite*

**Часть 2. Жизнь в Росси́и**

6. Кого́ он оста́вил в Коре́е и почему́?
7. Почему́ он не получи́л зе́млю?
8. У кого́ он рабо́тал?
9. Что сде́лал Ким, когда́ Ко у́мер?

Ким Ги-Ен пришёл в Росси́ю оди́н, без семьи́. В Коре́е он оста́вил жену́ и дете́й и мно́го ро́дственников. Он ду́мал, что они́ прие́дут *по́зже*, когда́ он *зарабо́тает* мно́го де́нег. Ча́сто *мужчи́ны* эмигри́ровали, а *же́нщины* и де́ти *приезжа́ли* по́зже. Ким пи́шет, что дед «был крестья́нином, хоте́л име́ть свою́ зе́млю.» Но к тому́ вре́мени, когда́ он пришёл в Росси́ю, росси́йское прави́тельство *переста́ло* дава́ть коре́йцам зе́млю. Дед на́чал рабо́тать у *бога́того* крестья́нина, фами́лия кото́рого была́ Ко. Че́рез не́которое вре́мя Ко у́мер и оста́вил жену́ и сы́на. Дед Ки́ма жени́лся на *вдове́*. Она́ была́ хоро́шей же́нщиной, и они́ люби́ли друг дру́га. У них родило́сь тро́е сынове́й, оди́н из них оте́ц писа́теля Анато́лия Ки́ма.

*бога́тый — rich*
*вдова́/вдов|е́|ц — widow/widower*
*же́нщина — woman*
*зараба́тывать/зарабо́тать — to earn*
*мужчи́на — man*
*перестава́ть/переста́ть — to stop doing something*
*по́зже — later*
*приезжа́ть/прие́хать отку́да? — to arrive from*

**Часть 3. 1937 год: депорта́ция**

10. Что случи́лось с семьёй в 1937 году́?
11. Куда́ они́ должны́ бы́ли перее́хать?
12. Ско́лько лет они́ не име́ли пра́ва уезжа́ть из Казахста́на?

В 1937 году́, в год са́мых стра́шных ста́линских репре́ссий, коре́йцев депорти́ровали с Да́льнего Восто́ка. Всех коре́йцев, дете́й и взро́слых, на *поезда́х отпра́вили* на за́пад... Почему́ они́ должны́ бы́ли перее́хать с Да́льнего Восто́ка, где они́ жи́ли мно́го лет? Почему́ они́ должны́ бы́ли тепе́рь жить в Казахста́не? Ста́лин *счита́л*, что коре́йцы в чём-то винова́ты, но никто́ не знал в чём. Они́ не *име́ли пра́ва уезжа́ть* из Казахста́на до 1948 го́да.

*име́ть пра́во — to have the right*
*отправля́ть/отпра́вить — to send*
*по́езд (pl. поезда́) — train*
*счита́ть (impf.) — to think, to consider*
*уезжа́ть/уе́хать — to leave*

**Часть 4. Жи́знь по́сле 1948 го́да**

13. Куда́ перее́хали роди́тели Анато́лия Ки́ма, когда́ смогли́ уе́хать из Казахста́на?
14. Где они́ жи́ли?
15. Како́й институ́т око́нчили и кем ста́ли?
16. Кем рабо́тал оте́ц Ки́ма?
17. На како́м языке́ пи́шет Анато́лий Ким?

С 1948 го́да сове́тским коре́йцам *разреши́ли* уе́хать из Казахста́на, и роди́тели Анато́лия реши́ли верну́ться на Да́льний Восто́к. Снача́ла жи́ли на Камча́тке, а пото́м на о́строве Сахали́н. И оте́ц, и мать Ки́ма око́нчили педагоги́ческий институ́т, *ста́ли* учителя́ми. Оте́ц рабо́тал дире́ктором шко́лы. А их сын стал писа́телем.

*станови́тся/стать кем? — to become*

*разреша́ть/разреши́ть кому́? + infinitive — to permit, allow*

**3-39. Расскажи́те.** Using the words below tell the story:

1. of Kim's grandfather

   крестья́нин, прави́тельство, получи́ть зе́млю, получи́ть гражда́нство, зарабо́тать де́ньги, оста́вить семью́, умере́ть, жени́ться, бога́тый, бе́дный

2. of his children

   перее́хать, не име́ть пра́ва, уе́хать, жить, рабо́тать

**3-40. Выступле́ние.** Talk about the history of your family or another family whose life you're familiar with.

**Complete exercises 3-42 through 3-44 in the S.A.M.**

## Грамма́тика. Говори́те пра́вильно!

### О глаго́лах

### Verbal aspect in the past tense

Russian verbs are categorized according to aspect. In the past tense, **imperfective verbs** indicate the occurrence of an action. Information about its duration or how often it is repeated is usually given by accompanying adverbs or adverb phrases. In the past tense, **perfective verbs** almost always denote a one-time action with additional information about that action (i.e., its result, its inception, and its duration). In the past tense, both imperfective and perfective verbs are used to denote one-time actions. Compare:

**Imperfective verbs**

The fact that the **action** has taken place is important.

Вы сего́дня **чита́ли** газе́ту?
*Have you read (looked at) today's paper?*

The action may be a one-time action of **long duration** or a repeated action.

Она́ **спала́** по́сле обе́да.
*She slept after dinner.*
*She would sleep after dinner.*

**Perfective verbs**

The fact that the **result** of an action has taken place is important.

Вы **прочита́ли** газе́ту? Мо́жно её взять?
*Are you through with the paper? May I take it?*

The action is a one-time action of **short duration.** This can be indicated by the prefix prefix **по-.**

Она́ немно́го **поспала́** по́сле обе́да.
*She took a nap after dinner.*

| **Imperfective verbs** | **Perfective verbs** |
|---|---|
| The **inception** of the action **is not indicated.** | The inception of the action **is indicated.** |
| Когда́ мы вошли́, они́ **пе́ли.** | Когда́ мы вошли́, они́ **запе́ли.** |
| *When we walked in, they were singing.* | *When we walked in, they started singing.* |

## Use imperfective verbs:

1. When talking about an action that has taken place but whose result is not mentioned.

   Вчера́ днём я **печа́тал/а** рефера́т в компью́терном це́нтре.
   *I spent yesterday afternoon printing my report in the computer center.*

2. When talking about an action that lasted over a long period of time or that was repeated.

   Мы два часа́ **гото́вились** к контро́льной.
   *We spent two hours preparing for the test.*

   Мы **звони́ли** роди́телям ка́ждый ве́чер.
   *We used to call our parents every night.*

3. When speaking about simultaneous actions.

   Весь ве́чер мы **танцева́ли** и **говори́ли.**
   *We spent the whole evening dancing and talking.*

**Note** that imperfective verbs are used in the following types of questions and answers:

1. You want to know how a person spent his/her time.

   — Что вы **де́лали** вчера́ ве́чером? *"What did you do last night?"*
   — Мы **гото́вились** к экза́мену. *"We studied for our exam."*

2. You want to know whether a person has ever done something.

   — Вы **чита́ли** «Анну Каре́нину» Толсто́го? *"Have you (ever) read Tolstoy's* "Anna Karenina?"
   — Коне́чно, **чита́л/а.** *"Of course I have."*

## Use perfective verbs:

1. When describing the result of an action.

   **Я сдал/сдала́** экза́мен на «пятёрку». *I got an "A" on my test.*

2. When telling or asking someone about an expected action and its result.

   — Ты **купи́л/а** все кни́ги, кото́рые тебе́ нужны́? *"Have you bought all the books you need?"*

3. When describing consecutive actions that happened only one time.

   Марк **пришёл** домо́й, **поу́жинал** и **сел** занима́ться. *Mark came home, had supper, and got down to studying.*

Класс **3-41. Ана́лиз.** Give English equivalents for the following sentences. Determine the aspect of the verbs and state if the verbs indicate consecutive actions, simultaneous actions, repeated actions, or actions that lasted over a period of time.

1. Марк **встал, при́нял** душ и **пое́хал** на заня́тия.
2. Мы **жи́ли** в Москве́ пять лет.
3. Когда́ Ка́тя была́ ма́ленькой, они́ с ба́бушкой **жи́ли** на да́че ка́ждое ле́то.
4. Когда́ он **занима́лся**, он **слу́шал** му́зыку.
5. Они́ це́лый ме́сяц **гото́вились** к сва́дьбе.
6. В де́тстве Бо́ря ча́сто **писа́л** пи́сьма ба́бушке и де́душке.
7. Ка́тя **записа́лась** на курс по исто́рии и в понеде́льник **пошла́** на пе́рвую ле́кцию.
8. В шко́ле она́ ре́дко **получа́ла** плохи́е оце́нки.

Класс **3-42. Как сказа́ть по-ру́сски?** Да́йте ру́сские эквивале́нты.

1. I've already read that magazine. (чита́ть/прочита́ть)
2. I've already told them about my classes. (расска́зывать/рассказа́ть)
3. I've already seen that movie. (смотре́ть/посмотре́ть)
4. I've seen you somewhere before. (встреча́ть/встре́тить)
5. I've already called home today. (звони́ть/позвони́ть)
6. I've already seen Mark's apartment. (ви́деть/уви́деть)

**3-43. В како́м конте́ксте?** Think of a context that would allow you to say the following.

1. Ты смотре́л/а э́тот фильм? — Ты посмотре́л/а э́тот фильм?
2. Ты звони́л/а домо́й сего́дня? — Ты позвони́л/а домо́й сего́дня?
3. Вы чита́ли э́ту кни́гу? — Вы прочита́ли э́ту кни́гу?
4. На про́шлой неде́ле она́ боле́ла. — На про́шлой неде́ле она́ заболе́ла.

## Negation with imperfective and perfective verbs in the past tense

- Use the imperfective aspect to tell someone that you did not do something and that you had no intention of doing it.

— Кто **взял** мои́ кни́ги? — *"Who took (has taken) my books?"*
— Я их не **брал/брала́**. — *"I didn't take them."*

- Use the perfective aspect when describing an expected action or its result that did not take place.

Почему́ ты им **не сказа́л/а** «спаси́бо»? — *Why didn't you thank them?*
Я **не вы́учил/а** все но́вые слова́. — *I didn't learn all the new words.*

**3-44. В како́м конте́ксте?** Think of situations when you could say

1. Я не гото́вил/а у́жин сего́дня. — Я не пригото́вил/а у́жин сего́дня.
2. Я не переводи́л/а э́ти предложе́ния. — Я не перевёл/перевела́ э́ти предложе́ния.
3. Я не учи́л/а э́ти слова́. — Я не вы́учил/а э́ти слова́.
4. Они́ не приходи́ли. — Они́ не пришли́.
5. Я сего́дня ничего́ не де́лал/а. — Я сего́дня ничего́ не сде́лал/а.
6. Я не сдава́л/а э́тот экза́мен. — Я не сдал/сдала́ э́тот экза́мен.

**3-45. Исто́рия одно́й семьи́.** Choose the correct verb and explain your choice of the aspect.

Одна́жды мне (звони́ла/позвони́ла) же́нщина и (проси́ла/попроси́ла) перевести́ на англи́йский язы́к докуме́нты и пи́сьма её семьи́. Я (переводи́ла/перевела́) пи́сьма це́лый ме́сяц. Исто́рия семьи́ была́ интере́сная и необы́чная. Де́душка (приезжа́л/прие́хал) в Росси́ю в 1900 году́ из Фра́нции. Ему́ бы́ло 24 го́да. Он неда́вно (ока́нчивал/око́нчил) университе́т и (начина́л/на́чал) рабо́тать инжене́ром. Ско́ро он (знако́мился/познако́мился) с молодо́й де́вушкой, кото́рой бы́ло тогда́ 15 лет. Она́ учи́лась в гимна́зии. По́сле того́ как она́ (ока́нчивала/око́нчила) гимна́зию, они́ (жени́лись/пожени́лись). У них родили́сь дво́е дете́й. В 1918 году́ из-за револю́ции в Росси́и они́ (уезжа́ли/уе́хали) во Фра́нцию. Де́душка (покупа́л/купи́л) дом на ю́ге Фра́нции, де́ти (росли́/вы́росли) и (поступа́ли/поступи́ли) в университе́т, ста́ршая дочь (выходи́ла/вы́шла) за́муж.

В 30-ые го́ды мла́дший сын Оска́р стал коммуни́стом и (уезжа́л/уе́хал) в Сове́тский Сою́з. В 1939 году́ (начина́лась/начала́сь) война́. Во вре́мя войны́ роди́тели (умира́ли/у́мерли). В 1980 году́ де́ти Оска́ра (переезжа́ли/перее́хали) из Сове́тского Сою́за в США. И тепе́рь его́ вну́чка (находи́ла/нашла́) докуме́нты своéй семьи́ и хоте́ла их перевести́ с францу́зского и ру́сского на англи́йский, что́бы узна́ть исто́рию своéй семьи́ и найти́ ро́дственников во Фра́нции и в Росси́и.

**Complete exercises 3-45 through 3-47 in the S.A.M.**

# Культу́ра и исто́рия

## Имена́, кото́рые зна́ют в Росси́и

### Серге́й Есе́нин (1895–1925)

**3-46. Крестья́нский поэ́т.** Прочита́йте и отве́тьте на вопро́сы.

1. Где и когда́ Есе́нин роди́лся?
2. О чём он писа́л?
3. Почему́ он не́которое вре́мя жил в Аме́рике?
4. Почему́ он развёлся с жено́й?
5. Когда́ и как он у́мер?

Серге́й Алекса́ндрович Есе́нин популя́рный ру́сский поэ́т. Иногда́ его́ называ́ют крестья́нским поэ́том. Есе́нин роди́лся в 1895 году́ в дере́вне *под Ряза́нью.* В свои́х стиха́х он писа́л о приро́де, о любви́, о своéй ма́тери и сестре́, о ру́сской дере́вне. В 1923 году́ он жени́лся на америка́нской танцо́вщице Айсидо́ре Дунка́н. Це́лый год они́ путеше́ствовали вме́сте по Евро́пе и *не́которое* вре́мя жи́ли в США. Есе́нин не говори́л по-англи́йски, а Дунка́н не зна́ла ру́сского, и жить вме́сте им, коне́чно, бы́ло нелегко́. В 1924 году́ они́ развели́сь, и Есе́нин верну́лся в Сове́тский Сою́з. В 1925 году́ он поко́нчил жизнь *самоуби́йством.*

недалеко́ от

*some*

*suicide*

**3-47. По́сле чте́ния.** Reread the text and think…

1. Почему́ Есе́нина называ́ют крестья́нским поэ́том?
2. Найди́те де́сять слов, кото́рые вам нужны́, что́бы говори́ть о Есе́нине.
3. Расскажи́те и́ли напиши́те о жи́зни Есе́нина.

**3-48. Отры́вок из стихотворе́ния С. Есе́нина «Письмо́ ма́тери»** Прочита́йте и вы́учите наизу́сть.

| **ПИСЬМО́ МА́ТЕРИ** | **LETTER TO MOTHER** |
|---|---|
| Ты жива́ ещё, моя́ стару́шка? | *Still around, old dear? How are you keeping?* |
| Жив и я. Приве́т тебе́, приве́т! | *I too am around. Hello to you!* |
| Пусть струи́тся над твое́й избу́шкой | *May that magic twilight ever be streaming* |
| Тот вече́рний несказа́нный свет. | *Over your cottage as it used to do.* |
| | |
| Пи́шут мне, что ты, тая́ трево́гу, | *People write how sad you are, and anxious* |
| Загрусти́ла ши́бко обо мне. | *For my sake, though you won't tell them so,* |
| Что ты ча́сто хо́дишь на доро́гу | *And that you in your old-fashioned jacket* |
| В старомо́дном ве́тхом шушуне́. | *Out onto the highroad often go.* |
| … | … |
| Так забу́дь же про свою́ трево́гу, | *So forget your cares, please. Don't be anxious* |
| Не гру́сти так ши́бко обо мне. | *And for my sake, dear, don't worry so.* |
| Не ходи́ так ча́сто на доро́гу | *Out onto the road in your old-fashioned* |
| В старомо́дном ве́тхом шушуне́. | *Jacket, please do not so often go.* |
| С. А. Есе́нин. (1924) | |

**Complete exercises 3-48 through 3-52 in the S.A.M.**

# Слова́рь

## Существи́тельные (Nouns)

| | |
|---|---|
| вдова́ | *widow* |
| вдов\|е́\|ц | *widower* |
| внук | *grandson* |
| вну́чка | *granddaughter* |
| восто́рг | *delight* |
| быть в восто́рге | *to be delighted* |
| выходны́е дни | *weekend* |
| гость (*m.*) | *guest* |
| гражда́нство | *citizenship* |
| получа́ть/получи́ть гражда́нство | *to become a citizen* |
| да́ча | *summer house, dacha* |
| двою́родная сестра́ | *female cousin* |
| двою́родный брат | *male cousin* |
| де́вочка | *little girl* |
| де́вушка | *teenage girl* |
| де́тство | *childhood* |
| в де́тстве | *in one's childhood* |
| дочь [*gen.* до́чери]/до́чка | *daughter* |
| друг/подру́га по шко́ле | *schoolmate* |
| дя́дя | *uncle* |
| жени́х | *fiancé/groom* |
| же́нщина | *woman* |
| живо́тное | *animal, pet* |
| земля́ | *land* |
| крестья́нин/крестья́нка/крестья́не (*pl.*) | *peasant* |
| ма́льчик | *little boy* |
| мать [*gen.* ма́тери] | *mother* |
| ма́чеха | *stepmother* |
| мужчи́на | *man* |
| неве́ста | *fiancée/bride* |
| от\|е́\|ц | *father* |
| о́тчим | *stepfather* |
| племя́нник | *nephew* |
| племя́нница | *niece* |
| пода́р\|о\|к | *gift* |
| по́езд (*pl.* поезда́) | *train* |
| поздравле́ние | *greeting(s)* |
| поро́да | *breed* |
| прави́тельство | *government* |
| ребён\|о\|к (*pl.* де́ти) | *baby, child* |
| роди́тели (*pl. only*) | *parents* |
| сва́дьба | *wedding* |
| семья́ (*pl.* се́мьи) | *family* |
| ска́зка | *fairy tale* |
| соба́ка | *dog* |
| тётя | *aunt* |
| це́рк\|о\|вь (*f.*) | *church* |
| щен\|о́\|к | *puppy* |

## Глаго́лы (Verbs)

| | | | |
|---|---|---|---|
| беспоко́иться (*impf.*) | *to worry/to be nervous* | помога́ть/помо́чь кому́? | *to help* |
| боя́ться кого́?/чего́? | *to be afraid of* | привыка́ть/привы́кнуть к чему́? | *to get used to* |
| волнова́ться (*impf.*) | *to worry/to be nervous* | приглаша́ть/пригласи́ть кого́? куда́? | *to invite* |
| воспи́тывать/воспита́ть кого́? | *to bring up, raise* | приезжа́ть/прие́хать | *to arrive* |
| встреча́ть/встре́тить кого́? | *to meet* | разводи́ться/развести́сь | *to get divorced* |
| выходи́ть/вы́йти за́муж за кого́? | *to get married (for a woman)* | разреша́ть/разреши́ть кому́? | *to permit* |
| жале́ть/пожале́ть | *to be sorry* | расска́зывать/рассказа́ть кому́? что? | *to tell* |
| Жаль, что… | *It's a pity, that…* | сиде́ть с кем? | *to stay at home with smb.* |
| жела́ть/пожела́ть кому́? чего́? | *to wish* | собира́ться/собра́ться + *infinitive* | *to be going to do something* |
| жени́ться (*impf. and pfv.*) на ком? | *to get married (for a man)* | станови́ться/стать кем? | *to become* |
| жени́ться/пожени́ться | *to get married (for a couple)* | счита́ть (*impf.*) | *to think, to consider* |
| зараба́тывать/зарабо́тать | *to earn* | удочеря́ть/удоче́рить | *to adopt a daughter* |
| име́ть | *to have* | уезжа́ть/уе́хать | *to leave (by vehicle)* |
| име́ть пра́во | *to have the right* | умира́ть/умере́ть (у́мер/умерла́/у́мерли) | *to die* |
| иммигри́ровать куда́? | *to immigrate* | уходи́ть/уйти́ | *to leave (on foot)* |
| каза́ться/показа́ться | *to seem, apear* | усыновля́ть/усынови́ть | *to adopt a son* |
| оставля́ть/оста́вить кого́?/что? | *to leave behind, abandon* | уходи́ть/уйти́ на пе́нсию | *to retire* |
| отправля́ть/отпра́вить | *to send* | эмигри́ровать | *to emigrate* |
| перестава́ть/переста́ть + *impf. infinitive* | *to stop doing something* | | |
| пла́кать/запла́кать | *to cry* | | |

## Прилага́тельные (Adjectives)

| | | | |
|---|---|---|---|
| бе́дный | *poor* | еди́нственный (ребён\|о\|к) | *an only (child)* |
| бере́менная | *pregnant* | мла́дший | *younger* |
| Она́ бере́менна. | *She is pregnant.* | похо́ж/а на кого́?/на что? | *to look like* |
| бога́тый | *rich* | ста́рший | *older* |
| взро́слый | *grown-up, adult* | сча́стлив/сча́стлива | *happy* |
| де́тский | *child's, children's* | | |

## Наре́чия (Adverbs)

| | | | |
|---|---|---|---|
| бо́льше всего́ | *most of all* | одна́жды | *once, one day* |
| вдруг | *suddenly* | отде́льно | *separately, apart* |
| да́же | *even* | по́зже | *later* |
| одина́ково | *equally* | снача́ла | *at first, first; from the beginning* |

## Ра́зное (Various)

о́ба/о́бе — *both*
- о́ба ма́льчика — *both boys*
- о́бе де́вочки — *both girls*

## Выраже́ния (Expressions)

| | | | |
|---|---|---|---|
| до того́ как | *before* | Поздравля́ю! | *Congratulations!* |
| Замеча́тельно! | *Great!* | спаси́бо за что? | *thanks for* |
| Мне ка́жется … | *It seems to me…* | У (кого́) бу́дет ребёнок. | *Someone's going to have a baby.* |
| Отли́чно! | *Great!* | хотя́ бы | *at least* |

## В о́бщем…

## Chapters 1–3 Review

The following exercises are based on an unscripted video-taped interview. They will help you practice and develop the language skills you have acquired in chapters 1–3. You will find the interview on the Video Supplement to the textbook.

### Лори́та Маркси́ти. Америка́нцы в Росси́и

Класс **Зада́ние 1. Что вы узна́ли?** Посмотри́те фильм. О ком расска́зывается в фи́льме? Что интере́сного в их жи́зни?

**Зада́ние 2. Зако́нчите текст.** Посмотри́те нача́ло фи́льма и впиши́те пропу́щенные слова́.

Журнали́ст. Познако́мьтесь, это Лори́та Мила́новна Маркси́ти. Она́ живёт в ………………. Южная Кароли́на. А э́то …………………… Ви́ка с попуга́ем Кипу́ром. А …………………….. Лори́ты Мила́новны, Ве́йланд Родд мла́дший. Он …………………… в Москве́ и никогда́ не́ был в ……………….. Сама́ Лори́та Мила́новна ……………… в го́роде …

Л.М. ………………………, Иллино́йс, поня́тно?

**Зада́ние 3. Что пра́вильно?** Посмотри́те фильм ещё раз и скажи́те, что пра́вильно и что непра́вильно.

_____ Лори́та родила́сь в Аме́рике.
_____ Она́ вы́шла за́муж и уе́хала в Сове́тский Сою́з.
_____ Её семья́ эмигри́ровала в Сове́тский Сою́з во вре́мя «Вели́кой депре́ссии».
_____ Оте́ц Лори́ты уе́хал из Аме́рики, потому́ что он получи́л рабо́ту в Москве́.
_____ Мать Лори́ты умерла́ в Аме́рике.
_____ Лори́та учи́лась в музыка́льной шко́ле.
_____ Она́ познако́милась со свои́м му́жем во вре́мя войны́.
_____ Её муж был актёром и певцо́м.
_____ Муж у́мер в 1954 году́.
_____ У неё есть дочь и сын.
_____ Дочь живёт в Москве́, а сын живёт в Аме́рике.
_____ Лори́та Мила́новна жила́ в Росси́и 52 го́да.
_____ Семья́ реши́ла верну́ться в Аме́рику, потому́ что в Сове́тском Сою́зе была́ ра́совая дискримина́ция.
_____ Лори́та Мила́новна не была́ сча́стлива в Сове́тском Сою́зе.

**Зада́ние 4. Биогра́фия.** Расскажи́те о жи́зни Лори́ты Мила́новны. Испо́льзуйте сле́дующие слова́: роди́ться, вы́расти, эмигри́ровать, поступи́ть в шко́лу, учи́ться, игра́ть на роя́ле, петь, рабо́тать, вы́йти за́муж, война́, де́ти, умере́ть, вдова́, перее́хать, возвраща́ться, сча́стлива.

**Зада́ние 5. Вы — журнали́ст.** Вы хоти́те взять интервью́ у Лори́ты Мила́новны Маркси́ти. Что́бы подгото́виться к интервью́, напиши́те де́сять вопро́сов, кото́рые вы ей зададите.

**Зада́ние 6. Чте́ние.** Прочита́йте, что говори́т дочь Лори́ты Мила́новны Ви́ка. Объясни́те, по каки́м причи́нам она́ реши́ла уе́хать из Сове́тского Сою́за.

<u>Журнали́ст.</u> «Я хоте́ла быть как все, — говори́т Ви́ка. И чтоб меня́ оста́вили в поко́е. Я привы́кла к э́тому. Я создала́ себе́ тако́й неви́димый за́навес, когда лю́ди на меня́ смотре́ли, я э́того про́сто не замеча́ла». Реа́кция сове́тских люде́й постепе́нно меня́лась, и в конце́ концо́в, вся семья́, за исключе́нием Ве́йланда, реши́ла возвраща́ться в Аме́рику. «Я сказа́ла что́-то о това́ре, кото́рый мне не понра́вился, — расска́зывает Ви́ка, — а мне отве́тили: «Если вам здесь не нра́вится, возвраща́йтесь в свою́ страну́». Я вы́скочила отту́да в слеза́х, пойма́ла такси́ и пое́хала пря́мо в америка́нское посо́льство».

**Зада́ние 7. Чте́ние.** Прочита́йте о сы́не Лори́ты Мила́новны. Что вы о нём узна́ли?

РОДД ВЕ́ЙЛАНД (род. 11 декабря́ 1946, Москва́), джа́зовый певе́ц. Оте́ц — америка́нский актёр, в 1938 году́ прие́хал в СССР, зако́нчил Госуда́рственный театра́льный институ́т, рабо́тал в теа́тре у В. Э. Мейерхо́льда, игра́л в кино́. Мать — Паули́на Маркси́ти, piани́стка и компози́тор. Зако́нчила Моско́вскую консервато́рию.

Ве́йланд Родд око́нчил шко́лу в Москве́, занима́лся в музыка́льной шко́ле, учи́лся игра́ть на класси́ческой гита́ре и петь. В 1963 игра́л в фи́льме «Мы вас лю́бим», а в 1970 — «Чёрный, как я» (Мосфи́льм). С 1965 по 1976 Ве́йланд Родд выступа́л с джа́зовыми анса́мблями. В 1977 рабо́тал в Евре́йском теа́тре. С 1989 выступа́ет в со́бственной програ́мме ти́па кабаре́. *По материа́лам Энциклопе́дии джа́за.*

**Зада́ние 8.** Посмотри́те коне́ц фи́льма и запиши́те отве́т Лори́ты Мила́новны.

<u>Журнали́ст.</u> Вы жале́ете, что провели́ 54 го́да в Росси́и?

<u>Л.М.</u> ..............................................................................................

**Зада́ние 9. Напиши́те.**

1. Напиши́те письмо́ Лори́те Мила́новне и́ли её де́тям.
2. Напиши́те об исто́рии семьи́ Маркси́ти.

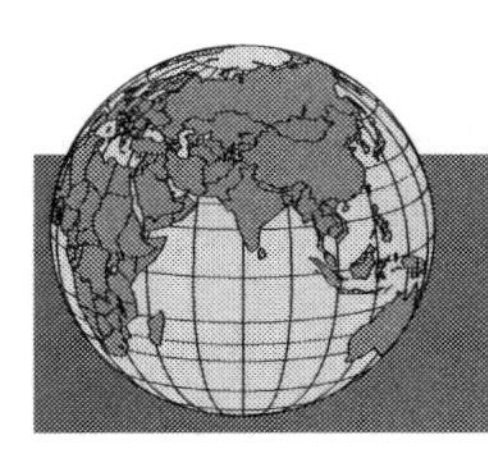

# Глава́ 4

# www.всеми́рная паути́на

## В э́той главе́...

**In this chapter you will**

- ❖ learn to speak about computers and the Internet
- ❖ review the genitive and accusative plural
- ❖ learn about using verbal aspect in the infinitive
- ❖ read about well-known Russian scientists
- ❖ create your own website in Russian

# Те́ма 1. Как по́льзоваться компью́тером

## Подгото́вка

**4-1. Компью́тер.** Look at the pictures, read the words aloud and learn them.

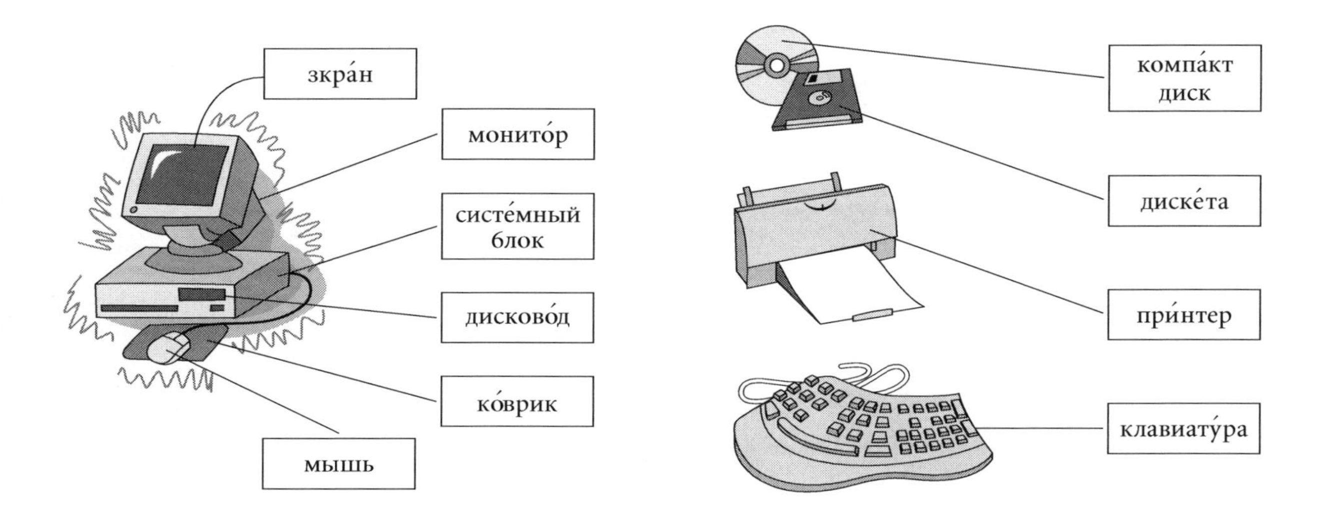


**4-2. Что́бы говори́ть о компью́тере,** вам ну́жно знать э́ти глаго́лы. You need to know the following verbs and expressions to talk about computers:

*to attach (a file)* — прикрепля́ть/прикрепи́ть (файл)
*to close (a file)* — закрыва́ть/закры́ть (файл)
*to copy* — копи́ровать/скопи́ровать
*to delete, trash* — удаля́ть/удали́ть
*to download* — ска́чивать/скача́ть
*to eject (a CD)* — вынима́ть/вы́нуть (компа́кт диск)
*to insert (a diskette)* — вставля́ть/вста́вить (диске́ту)
*to install a font* — устана́вливать/установи́ть шрифт
*to open (a folder)* — открыва́ть/откры́ть (па́пку)
*to point/place a cursor* — подводи́ть/подвести́ курсо́р
*to print* — распеча́тывать/распеча́тать
*to push (a button, a key)* — нажима́ть/нажа́ть на (кла́вишу)
*to restart, reboot (a computer)* — перезагружа́ть/перезагрузи́ть (компью́тер)
*to save (a file)* — сохраня́ть/сохрани́ть (файл)
*to send (an e-mail)* — отправля́ть/отпра́вить (электро́нное сообще́ние)
*to turn off* — выключа́ть/вы́ключить (монито́р)
*to turn on* — включа́ть/включи́ть (компью́тер)
*to type* — печа́тать/напеча́тать
*to use* — по́льзоваться чем? (*impf.*)
*My computer's frozen.* — Компью́тер «виси́т/зави́с».

**4-3. Инстру́кции по по́льзованию компью́тером.** Using the verbs in the list above, create a set of instructions for a beginning computer user. In English such instructions may be called *"Computer Use for Dummies,"* and in Russian it is called «Инстру́кции для ча́йников». Ча́йник is a "tea kettle," and the expression stems from an old joke.

**4-4. Словообразова́ние.** Form nouns from the following verbs and use them to finish the sentences.

сохрани́ть (to save) > я сохраню́ > сохран**<u>е́ние</u>** (saving, preservation)

произноси́ть (to pronounce) > я произношу́ > произнош**<u>е́ние</u>** (pronunciation)

| | |
|---|---|
| 1. сообщи́ть (to inform) > ........................... | Я получи́л/а сего́дня ... |
| 2. удали́ть (to delete) > .............................. | Нажми́те на кла́вишу ... |
| 3. поступи́ть (to enroll) > ........................... | Расскажи́те о своём ... в ко́лледж! |
| 4. заяви́ть (to declare) > ............................. | Вы по́дали ... в университе́т? |
| 5. вы́ступить (to perform) > ........................ | Вчера́ бы́ло ... на́шего анса́мбля. |
| 6. пригласи́ть (to invite) > ........................... | Мы получи́ли ... на сва́дьбу Све́ты. |
| 7. объяви́ть (to announce) > ..................... | Я прочита́ла ва́ше ... |
| 8. сочини́ть (to compose) > ..................... | Напиши́те на э́ту те́му ... |

**Complete exercises 4-1 and 4-2 in the S.A.M.**

## Язы́к в жи́зни

**4-5. Электро́нное сообще́ние.** Skim through the text. Complete the sentences.

1. Ди́ма отпра́вил сообще́ние ... (кому́?)
2. Ди́ма отпра́вил ко́пию сообще́ния ... (кому́?)
3. Те́ма сообще́ния ...

**4-6. Во вре́мя чте́ния.** Найди́те отве́ты на сле́дующие вопро́сы.

1. Почему́ Ди́ма извиня́ется?
2. Ди́ма напеча́тал курсову́ю рабо́ту и́ли не успе́л?
3. Почему́ файл курсово́й рабо́ты не сохрани́лся?
4. Что Ди́ма сде́лал, когда́ его́ компью́тер зави́с?
5. Как Ди́ма хо́чет переда́ть курсову́ю рабо́ту Ири́не Петро́вне?

**Почта@mail.ru**

В Вашем почтовом ящике vitoshkin@mail.ru
3 непрочитанных сообщения

**MAIL.RU > ПО́ЧТА > НАПИСА́ТЬ ПИСЬМО́**

**От:** "Ди́ма Вито́шкин" vitoshkin@mail.ru

**Кому́:** irinavetrova@mail. ru

**Ко́пия:** Lena5@mail.ru

**Те́ма:** Курсова́я рабо́та по эконо́мике

---

Сообще́ние: Уважа́емая Ири́на Петро́вна!

Я хочу́ извини́ться, что не присла́л Вам вчера́ мою́ курсову́ю рабо́ту. Вы не *пове́рите*, но у меня́ *опя́ть* пробле́мы с компью́тером, я напеча́тал всю́ рабо́ту, пото́м хоте́л сохрани́ть э́тот файл, но вдруг компью́тер зави́с. Снача́ла я *про́бовал* перезагрузи́ть компью́тер. Пото́м пришло́сь его́ вы́ключить. Когда́ я его́ включи́л, то по́нял, что файл не сохрани́лся. А пото́м при́нтер то́же *переста́л* рабо́тать. Поня́тно, что мне на́до начина́ть всё снача́ла.

Я не знаю, смогу́ ли[1] я отпра́вить Вам курсову́ю рабо́ту за́втра, но *постара́юсь*. Я могу́ посла́ть её по *электро́нной по́чте* и́ли распеча́тать и оста́вить на ка́федре у секретаря́.

С уваже́нием,
Дми́трий Вито́шкин

*ве́рить/пове́рить кому́? — to believe*

*опя́ть — again*

*перестава́ть/переста́ть + impf. infinitive — to stop doing something*

*про́бовать/попро́бовать + infinitive — to try*

*стара́ться/постара́ться — to try hard*

*электро́нная по́чта — e-mail*

Прикрепить

Отправить

**4-7. По́сле чте́ния.** Вы — Ди́ма. Расскажи́те ва́шему дру́гу, что случи́лось.

**4-8. Электро́нные адреса́.** Read the e-mail addresses aloud.

*Приме́р:* *lena5@mail.ru — ле́на пять соба́ка мэ́йл то́чка ру*

vitoshkin@mail.ru

petrova14@mail.ru

markell@aol.com

[1]**ЛИ** is an interrogative conjunction that is equivalent to the English conjunction *whether* or *if*. Unlike the English conjunctions, **ЛИ** always comes after the word(s) in question.

**4-9. Спроси́те и отве́тьте.** Talk to your partner to see how computer savvy he/she is.

1. Ско́лько тебе́ бы́ло лет, когда́ ты на́чал/а́ по́льзоваться компью́тером.
2. Кто тебя́ научи́л по́льзоваться компью́тером?
3. У тебя́ ча́сто быва́ют пробле́мы с компью́тером? Каки́е?
4. Что ты де́лаешь, е́сли твой компью́тер зави́с?
5. Ты уме́ешь печа́тать по-ру́сски?
6. Кака́я у тебя́ клавиату́ра, ру́сская и́ли англи́йская?
7. У тебя́ есть ру́сский шри́фт? Ты зна́ешь, где мо́жно скача́ть ру́сский шрифт?
8. Ты уме́ешь рабо́тать в Excel? Каки́ми програ́ммами ты уме́ешь по́льзоваться?
9. Каки́е языки́ программи́рования ты зна́ешь?

**4-10. Весёлые исто́рии и шу́тки.** Do you understand what makes these stories funny?

■ Сего́дня прихо́дит ко мне одна́ же́нщина и про́сит помо́чь сде́лать зада́ние по программи́рованию для её до́чери. Я спра́шиваю, на каком языке́ написа́ть програ́мму? Же́нщина до́лго ду́мает, а пото́м говори́т: «На ру́сском...».

■ Вам пора́ переста́ть рабо́тать на компью́тере, когда́
— вы представля́етесь но́вым знако́мым как «Ва́ся @ мэ́йл то́чка ру»;
— у всех ва́ших друзе́й и знако́мых в и́мени есть си́мвол «@»;
— у ва́шей соба́ки есть своя́ ли́чная страни́чка в Интерне́те;
— вы не мо́жете позвони́ть роди́телям, потому́ что у них нет моде́ма;
— вы встаёте в три часа́ но́чи, что́бы прове́рить электро́нную по́чту.

■ Тебя́ мо́жно назва́ть челове́ком XXI-го ве́ка, е́сли:
— для посы́лки письма́ ты не испо́льзуешь конве́рт;
— знако́мство для тебя́ — клик в ча́те;
— хо́чешь, что́бы у твоего́ бо́сса была́ фу́нкция CTRL+ALT+Del;
— о твое́й рабо́те роди́тели говоря́т: «Что-то де́лает с компью́терами»;
— никто́ из твои́х подру́г не бои́тся мыше́й.

## Разгово́ры

**4-11. Поговори́м немно́го.** Read the following conversations and compose similar ones. Note the following expressions.

| | |
|---|---|
| **To express satisfaction:** | — Я о́чень дово́лен/дово́льна! — *I am very pleased!* |
| **To express surprise:** | — Не мо́жет быть! — *Is that right? I don't believe it!* |
| **To express regret:** | — Не повезло́! — *Too bad! Bad luck!* |
| **To express doubt:** | — Не ду́маю, что… — *I don't think that…* |
| | — Мне ка́жется, что… — *It seems that…* |

**А.** — Что случи́лось? Почему́ ты не́рвничаешь?
— У меня́ пробле́мы с компью́тером.
— Что произошло́?
— Файл с рефера́том по ру́сской исто́рии не сохрани́лся.
— Не повезло́!

**А тепе́рь ваш разгово́р…** Скажи́те/спроси́те, каки́е у вас/у ва́шего дру́га пробле́мы с компью́тером. Express surprise or regret.

**Б.** — Ты купи́л/а но́вый компью́тер?

— Нет, то́лько но́вый монито́р, а систе́мный блок ста́рый.

— А клавиату́ра?

— Да, клавиату́ра и мы́шка но́вые. Я о́чень дово́лен/дово́льна!

**А тепе́рь ваш разгово́р...** Вы бы́ли в магази́не «Мой компью́тер» и купи́ли но́вый/но́вую/но́вые.... Express satisfaction.

**В.** — Где ты взя́л/взяла́ эту програ́мму по ру́сскому языку́?

— Купи́л/а.

— Ты мо́жешь скопи́ровать мне её на компа́кт диск?

— Не ду́маю, что я смогу́ её скопи́ровать. Таки́е програ́ммы обы́чно защищены́ (*protected*) от копи́рования.

**А тепе́рь ваш разгово́р...** Попроси́те скопи́ровать файл, информа́цию, рефера́т на диск и́ли диске́ту. Express doubt that it can be done.

**Г.** — Са́ша, како́й у тебя́ электро́нный а́дрес?

— Запиши́, zhivago@mail.ru. А твой?

— bunenko@mail.ru.

**А тепе́рь ваш разгово́р...** Узна́йте электро́нный а́дрес друг дру́га, электро́нный а́дрес преподава́теля.

**Complete exercises 4-3 through 4-9 in the S.A.M.**

# Грамма́тика. Говори́те пра́вильно!

## О падежа́х

## Genitive plural ◆ Роди́тельный паде́ж мно́жественного числа́

## Formation

The genitive plural form of nouns depends on the shape of the nominative singular form.

1. The genitive plural ending is zero for nouns that have a vowel ending in the nominative singular.

| Nominative singular | Genitive plural |
|---|---|
| вэб-страни́ц-**а** | мно́го вэб-страни́ц |
| диске́т-**а** | мно́го диске́т |
| неде́л-**я** | мно́го неде́ль[1] |
| ле́кци-**я** | мно́го ле́кций[2] |
| сообще́ни-**е** | мно́го сообще́ний[2] |
| ме́ст-**о** | мно́го мест |

[1]Soft paired consonant is indicated.

[2]Nouns like **ле́кция** and **зда́ние** have stems ending in **-Й**. Only the vowel sound is dropped:

ле́кций-а > ле́кций-~~а~~

сообще́ний-е > сообще́ний-~~е~~

2. The genitive plural is **-ЕЙ** for nouns with a nominative singular form ending in a "husher" (ш, ж, ч, щ) or **-Ь.** The ending **-ЕЙ** can be stressed or unstressed.

| Nominative singular | Genitive plural |
|---|---|
| врач | мно́го врач-**е́й** |
| това́рищ | мно́го това́рищ-**ей** |
| по́льзователь | мно́го по́льзовател-**ей** |
| дверь | мно́го двер-**е́й** |
| мышь | мно́го мыш-**е́й** |
| мать | мно́го мат-ер-**е́й** |
| дочь | мно́го доч-ер-**е́й** |

3. The genitive plural ending is **-ОВ/-ЕВ** for nouns with a nominative singular form ending in **-Й** or a hard consonant other than a "husher."

| Nominative singular | Genitive plural |
|---|---|
| диск | мно́го ди́ск-**ов** |
| при́нтер | мно́го при́нтер-**ов** |
| америка́н\|е\|ц | мно́го америка́нц-**ев** |
| музе́й | мно́го музе́-**ев** |
| кафете́рий | мно́го кафете́ри-**ев** |

**4-12. Мно́го, ма́ло.** State whether there is a lot of or not enough of the following objects.

*Приме́р:* библиоте́ка — кни́га > *В библиоте́ке* ***мно́го/ма́ло книг.***

университе́т — компью́тер > *В университе́те* ***мно́го/ма́ло компью́теров.***

па́пка — файл, фотогра́фия
компью́терный це́нтр — при́нтер, компью́тер, монито́р
биологи́ческий факульте́т — лаборато́рия
электро́нная по́чта — сообще́ние
компью́тер — програ́мма, шрифт
компью́терный магази́н — диске́та, компа́кт-диск, ко́врик, мышь
Интерне́т — слова́рь, газе́та, журна́л, объявле́ние, рекла́ма
се́рвер — вэб-страни́ца, расписа́ние заня́тий

**The genitive plural forms of the following nouns must be memorized.**

1. **Друг, сын, муж.** Remember that the ending is stressed, and there is no soft sign (**-Ь**) in the genitive plural of these words.

| Nominative singular | Nominative plural | Genitive plural |
|---|---|---|
| друг | друз-**ь-я́** | друз-**е́й** |
| сын | сын-**ов-ь-я́** | сын-**ов-е́й** |
| муж | муж-**ь-я́** | муж-**е́й** |

2. **Брат, стул.** Remember that the ending is unstressed, and there is a soft sign (**-Ь**) in the genitive plural of these words.

| Nominative singular | Nominative plural | Genitive plural |
|---|---|---|
| брат | бра́т-**ь-я** | бра́т-**ь-ев** |
| стул | сту́л-**ь-я** | сту́л-**ь-ев** |

3. **Имя, вре́мя.** Remember that these nouns add **-ЕН-** before all endings and that they have a zero ending in the genitive plural.

| Nominative singular | Nominative plural | Genitive plural |
|---|---|---|
| и́мя | им-**ен-а́** | им-**ён** |
| вре́мя | врем-**ен-а́** | врем-**ён** |

4. **Челове́к, ребёнок, сосе́д (neighbor).** Remember that **сосе́д** becomes a soft-stem noun in the plural. Memorize these forms and pay attention to their stress.

| Nominative singular | Nominative plural | Genitive plural |
|---|---|---|
| челове́к | лю́ди | люд-**е́й** |
| ребён\|о\|к | де́ти | дет-**е́й** |
| сосе́д | сосе́ди | сосе́д-**ей** |

**4-13. Скажи́те наоборо́т!** State the opposite.

*Приме́р:* У меня́ есть друзья́ > *У меня́* ***нет друзе́й.***

1. У Ири́ны Ива́новны есть де́ти.
2. У неё есть бра́тья.
3. У них есть сёстры.
4. У Са́ши е́сть сосе́ди по кварти́ре.
5. У Ле́ны есть подру́ги по шко́ле.
6. У Ива́на Петро́вича есть до́чери.
7. В лаборато́рии сейча́с есть лю́ди.
8. На се́рвере есть имена́ и фами́лии студе́нтов.

## Fill vowels ◆ Бе́глые гла́сные

Fill vowels are inserted in the genitive plural form of nouns that take a zero ending if this form ends in a consonant cluster.

де́ву**шк**-а > де́ву**шек**
**окн**о́ > о́**кон**
**семь**-я́ > **семе́й**

The purpose of a fill vowel is to break up a consonant cluster that is difficult to pronounce. You have already seen fill vowels in the nominative singular of some masculine nouns (**оте́ц, америка́нец, пода́рок**), in the masculine short form of some adjectives (**до́лжен/должна́, бо́лен/больна́**), and in the nominative masculine form of the possessive interrogative **чей/чья/чьё.**

## Remember the following rules:

1. If the consonant cluster contains a velar (**к, г,** or **х**), the fill vowel is **-О-.**

| | | | |
|---|---|---|---|
| остано́**вка** | остано́**вок** | ку́**хня** | ку́**хонь** (soft **н** is indicated) |
| по́**лка** | по́**лок** | **окно́** | **о́кон** |

Spelling rules apply after "hushers" and **й** (unstressed **о** > **е**).

| | | | |
|---|---|---|---|
| де́ву**шка** | де́ву**шек** | копе́**йка** | копе́**ек** |
| де́во**чка** | де́во**чек** | | |

2. Otherwise the fill vowel is **-Е-** (**Ё** if stressed before a hard consonant). A soft sign (**-Ь-**) in the middle of a consonant cluster is replaced with **-Е-.**

| | | | |
|---|---|---|---|
| пи**сьмо́** | пи́**сем** | дере́**вня** (village) | дереве́**нь** (soft **-н-** is indicated) |
| де́**ньги** | де́**нег** | стат**ья́** | ста**те́й** (**-ь-** > **й**; **-е-** inserted before **-й**) |
| сест**ра́** | сест**ёр** | | |

**4-14. Бе́глые гла́сные.** Put the nouns in the nominative plural and genitive plural, paying attention to the fill vowels.

*Приме́р:* де́вушка > *де́вушки* > *мно́го де́вушек*

| | | |
|---|---|---|
| англича́нка | америка́нка | францу́женка |
| вну́чка | де́вочка | письмо́ |
| сестра́ | учи́тельница | це́рковь |
| ме́сто | па́пка | статья́ |
| сло́во | бу́ква | по́лка |

## Use of the genitive case after numerals

1. When a number + noun combination is the subject of a sentence, the number is in the nominative case.

   *nominative* *nominative* *nominative*
   На столе́ лежа́ли **оди́н** журна́л, **две** диске́ты и **де́сять** компа́кт ди́сков.

2. Use the nominative singular of a noun after the special modifier one (**оди́н, одна́, одно́**) and numbers ending in one.

   1 компью́тер (**оди́н** компью́тер)
   1 диске́та (**одна́** диске́та)
   41 диске́та (**со́рок одна́** диске́та)
   101 рубль (**сто оди́н** рубль)

3. Use the genitive singular of a noun after the numbers **2** (**два, две**), **3** (**три**), **4** (**четы́ре**) and numbers ending in **2, 3, 4.**

   2 компью́тера (**два** компью́тера)
   2 диске́ты (**две** диске́ты)
   102 рубля́ (**сто два** рубля́)
   102 диске́ты (**сто две** диске́ты)

4. Use the genitive plural of a noun after all other numbers.

   5 фа́йлов (**пять** фа́йлов)
   11 часо́в (**оди́ннадцать** часо́в)
   20 диске́т (**два́дцать** диске́т)
   100 студе́нтов (**сто** студе́нтов)

5. Use the genitive singular of a noun after **ско́лько** (*how much*), **мно́го** (*much, a lot*), **немно́го** (*a little, some, enough to suffice*), and **ма́ло** (*little, too little, not enough*) for things that are not countable.

   | | |
   |---|---|
   | мно́го рабо́ты | ма́ло вре́мени |
   | немно́го воды́ | мно́го информа́ции |

6. Use the genitive plural of a noun after **ско́лько** (*how many*), **не́сколько** (*several*), **мно́го, немно́го, ма́ло** for things that are countable.

   мно́го компью́теров
   не́сколько диске́т
   ско́лько па́пок

7. Use the special genitive plural form **челове́к** (*persons*) with **ско́лько, не́сколько,** and numbers that require genitive plural forms.

   | | |
   |---|---|
   | — **Ско́лько** там бы́ло **челове́к**? | *"How many people were there?"* |
   | — Там бы́ло[1] то́лько **не́сколько челове́к.** | *"Just a few."* |

   Use the regular genitive plural form **люде́й** (*people*) with **мно́го** and **ма́ло.**

   | | |
   |---|---|
   | Электро́нной по́чтой по́льзуется[1] **мно́го люде́й.** | *A lot of people use e-mail.* |

## Adjectives and special modifiers in the genitive plural

Adjectives and special modifiers take the endings **-ЫХ/-ИХ.** But note the ending **-ЕХ** for the special modifiers **ВЕСЬ** and **ТОТ.**

У вс-**е́х** на́ш-**их** но́в-**ых** иностра́нн-**ых** студе́нтов есть электро́нная по́чта.
У э́т-**их** (т-**е́х**) ру́сск-**их** стажёров ещё нет компью́теров.
У нас нет никак-**и́х** вече́рн-**их** заня́тий.

**4-15. Не́мцы в Росси́и.** Give an English rendition of the following text. Indicate all phrases that are in the genitive case and explain why the genitive case is used.

## Росси́йские не́мцы в Са́нкт-Петербу́рге

На са́йте Санкт-Петербу́ргского региона́льного *отделе́ния* (branch) *О́бщества* (society) росси́йских не́мцев вы найдёте мно́го информа́ции об О́бществе, а та́кже об исто́рии *церкве́й* (church) *Свято́го* (saint) Петра́ и Свято́й Екатери́ны, исто́рии неме́цких гимна́зий Петербу́рга, а та́кже о лютера́нских *кла́дбищах* (cemetery) го́рода. На са́йте мо́жно найти́ *спи́ски* (list) фами́лий и адресо́в не́мцев Петербу́рга, а та́кже но́вости и други́е сообще́ния.

[1]Note neuter singular agreement in constructions of this type.

**4-16.** The relative pronoun **кото́рый.** Give English equivalents for the following sentences and identify the case of **кото́рый.**

1. Вот все электро́нные сообще́ния, **кото́рые** я получи́ла вчера́ от Са́ши.
2. Вот спи́сок книг, **кото́рых** не́ было в на́шей библиоте́ке.
3. Это студе́нты, **у кото́рых** сейча́с нет электро́нной по́чты.
4. В Интерне́те я могу́ найти́ ве́щи, **кото́рых** нет в магази́нах.
5. Это компью́теры, **у кото́рых** нет DVD дисково́да.

## Using adjectives after numerals

When a number + modifier + noun combination is the subject of a sentence, the number is in the nominative case.

1. Use the nominative singular of a modifier after 1 (**оди́н, одна́, одно́**) and numbers ending in **1.**

| | |
|---|---|
| *nominative sg.*<br>оди́н **ру́сский** вэб-са́йт | *nominative sg.*<br>сто оди́н **ру́сский** вэб-са́йт |
| *nominative sg.*<br>одна́ **компью́терная** програ́мма | *nominative sg.*<br>со́рок одна́ **компью́терная** програ́мма |

2. Use the nominative plural of a modifier after the numbers **2** (**две**), **3** (**три**), and **4** (**четы́ре**) and numbers ending in **2** (**две**), **3**, and **4** when they qualify **feminine** nouns.

| | |
|---|---|
| *nom. pl.* *gen. sg.*<br>две **компью́терные** диске́ты | *nom. pl.* *gen. sg.*<br>два́дцать три **компью́терные** диске́ты |

3. Use the genitive plural of a modifier after all other numbers, including **2** (**два**), **3** (**три**), and **4** (**четы́ре**) and numbers ending in **2** (**два**), **3**, and **4** when they qualify **masculine** or **neuter** nouns.

| | |
|---|---|
| *gen. pl.* *gen. sg.*<br>два **ру́сских** вэб-са́йта | *gen. pl.* *gen. sg.*<br>три́дцать три **но́вых** компью́тера |

4. Nouns derived from adjectives (**учёный, ва́нная, контро́льная, столо́вая,** etc.) behave like modifiers after numbers.

| | |
|---|---|
| *gen. pl.* *gen. pl.*<br>2 (**два**), 3, 4 ру́сских **учёных** | 2, 3, 4 Russian scholars (*scientists*) |
| *nom. pl.* *nom. pl.*<br>2 (**две**), 3, 4 студе́нческие **столо́вые** | 2, 3, 4 student cafeterias |
| *gen. pl.* *gen. pl.*<br>5, 40, 100 студе́нческих **столо́вых** | 5, 40, 100 student cafeterias |

5. After **ско́лько, мно́го, немно́го, не́сколько** and **ма́ло,** modifiers agree with the nouns they qualify.

| | |
|---|---|
| *gen. sg.* *gen. sg.*<br>мно́го **тру́дной** рабо́ты | *gen. pl.* *gen. pl.*<br>мно́го **хоро́ших** друзе́й |
| *gen. pl.* *gen. pl.*<br>не́сколько **ру́сских** програ́мм | *gen. pl.* *gen. pl.*<br>ма́ло **хоро́ших** вэб-са́йтов |

**4-17. Как э́то сказа́ть?** Put the phrases in parentheses in the appropriate form and read the text aloud.

**Тверско́й госуда́рственный университе́т**

**Факульте́т вычисли́тельной матема́тики и киберне́тики**

В 2005 году́ на факульте́те откры́ты 2 (но́вый компью́терный класс) на 23 (челове́к). Мы модернизи́ровали 5 (компью́терный класс), в кото́рых мо́гут занима́ться 80 (студе́нт). Всего́ на факульте́те 16 (аудито́рия), где стоя́т 260 (но́вые компью́теры). Есть 8 (компью́терная лаборато́рия) и 15 (ма́ленькая аудито́рия) на 10 (челове́к) ка́ждая. Ещё 50 (су́пер-компью́тер) стоя́т на ка́федрах и в лаборато́риях. На факульте́те есть Интране́т, что даёт возмо́жность защити́ть компью́теры от (ха́кер). Есть до́ступ (access) к почто́вому се́рверу факульте́та с (дома́шний компью́тер) (студе́нт) и (преподава́тель).

**Complete exercises 4-10 through 4-14 in the S.A.M.**

# Те́ма 2. Интерне́т

## Подгото́вка

**4-18. Что́бы говори́ть об Интерне́те...** You need to know the following vocabulary to talk about the Internet.

до́ступ к чему́? — *access to*
иска́ть/поиска́ть — *to search*
подключа́ться/подключи́ться — *to get connected*
поиско́вая систе́ма — *search engine*
прова́йдер — *provider*
сеть (*f.*) — *network*

**4-19. Спроси́те и отве́тьте.** Ask your classmates the following questions and sum up the results to share with the class.

1. У вас есть до́ступ к Интерне́ту?
2. Кто ваш прова́йдер?
3. Како́й поиско́вой систе́мой вы обы́чно по́льзуетесь?
4. Каку́ю информа́цию вы ча́сто и́щете?
5. Како́й поиско́вой систе́мой вы бу́дете по́льзоваться, е́сли вам на́до найти́ информа́цию на ру́сских са́йтах?

**Complete exercises 4-15 through 4-18 in the S.A.M.**

## Язы́к в жи́зни

**4-20. Вспо́мните.** Что вы зна́ете об исто́рии Интерне́та?

**4-21. Во вре́мя чте́ния.** Read the text and answer the questions below.

1. Когда́ в пе́рвый раз появи́лся те́рмин «Интерне́т»?
2. Что ну́жно, что́бы подключи́ться к Интерне́ту?
3. По мне́нию а́втора, каку́ю информа́цию мо́жно найти́ в Интерне́те?

Тéрмин «Интернéт» в пéрвый раз *появи́лся* в 1982 годý. Сейчáс Интернéт *объединя́ет* ты́сячи компью́терных сетéй всех континéнтов.

Подключи́ться к Интернéту легкó. Компью́тер, модéм и *договóр* с провáйдером. Вот и всё.

Éсли вы получи́ли дóступ к Интернéту, вы срáзу *попадáете* в совершéнно осóбый мир — мир виртуáльной реáльности. На кáждой страни́це, котóрую вы открывáете, есть нéсколько *ссы́лок*. Поэ́тому вы мóжете провести́ нéсколько часóв в Интернéте, *хотя́* собирáлись провести́ тóлько нéсколько минýт.

*Не сходя́ с мéста*, мóжно узнáть расписáние самолётов и *цéны* на *билéты*, как зовýт собáку американского президéнта, мóжно прочитáть ромáн Достоéвского, найти́ рабóту, купи́ть субмари́ну (и э́то не *шýтка*) и *объясни́ться в любви́* всемý свéту. Мóжно *задáть любóй вопрóс* и *тут же* получи́ть *отвéт*. Ну и, конéчно, éсли вы не мóжете срáзу найти́ нýжную вам информáцию, не нáдо забывáть о поискóвых систéмах. Напримéр: www.yahoo.com, www.rambler.ru (говори́м: «вэ вэ вэ тóчка я́ху тóчка ком, вэ вэ вэ тóчка рáмблер тóчка ру»).

*билéт — ticket*
*договóр — contract*
*задавáть/задáть вопрóс комý о чём? — to ask a question*
*любóй — any*
*объединя́ть/объедини́ть — to link, unite*
*объясня́ться/объясни́ться в любви́ — to declare your love*
*отвéт — answer, response*
*отвечáть/отвéтить комý? — to answer*
*попадáть/попáсть кудá? — to find oneself*
*появля́ться/появи́ться — to appear*
*ссы́лка — link*
*хотя́ — even though*
*ценá — price, cost*
*шýтка — joke*
**Expressions:**
*не сходя́ с мéста — without leaving your seat*
*тýт же — at once*

**4-22. Расскажи́те друг другý.**

— что такóе Интернéт;
— как подключи́ться к Интернéту;
— что мóжно узнáть, не сходя́ с мéста, по Интернéту.

**4-23. Рáмблер.** What information can you find on the website of the Russian search engine below?

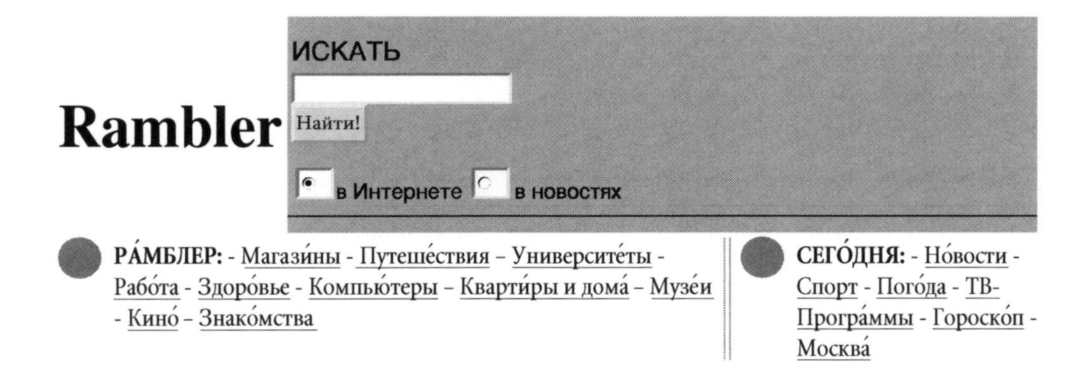


*Примéр:* *На Рáмблере мóжно найти́ информáцию о компью́терах.*

**4-24. Подключи́тесь к Интернéту.** Go to a Russian search engine and see what information you can find. Prepare to talk about it in class.

**4-25. Весёлые исто́рии и шу́тки.** Do you understand what makes these stories funny?

1. Я рабо́таю в прова́йдерской компа́нии. И вот одна́жды звони́т телефо́н, и же́нский го́лос спра́шивает: "Алло́, э́то Интерне́т?" Мину́т пятна́дцать я не мог норма́льно говори́ть...

2. Разгово́р двух ру́сских интерне́тчиков:
— Слы́шишь... www.deneg.net?
— www.kak.vsegda.net!
— www.kak.zhe.ya.domoy.po.edu?
— www.pesh.com!

**4-26. Вы в Интерне́те.** Look over the web page and answer the questions.

На се́рвере Омского университе́та мно́го ли́чных вэб-страни́ц студе́нтов и преподава́телей университе́та. Вы откры́ли ли́чную вэб-страни́цу Серге́я Миха́йлова.

1. Каки́е ру́брики есть на вэб-страни́це Серге́я Миха́йлова?
2. Как вы ду́маете, что мо́жет быть под ру́бриками «ГОСТЕВА́Я КНИ́ГА» и «ЧАТ»?
3. Каки́е ссы́лки есть на вэб-страни́це Серге́я Миха́йлова?
4. Что э́ти ссы́лки говоря́т вам о его́ интере́сах?

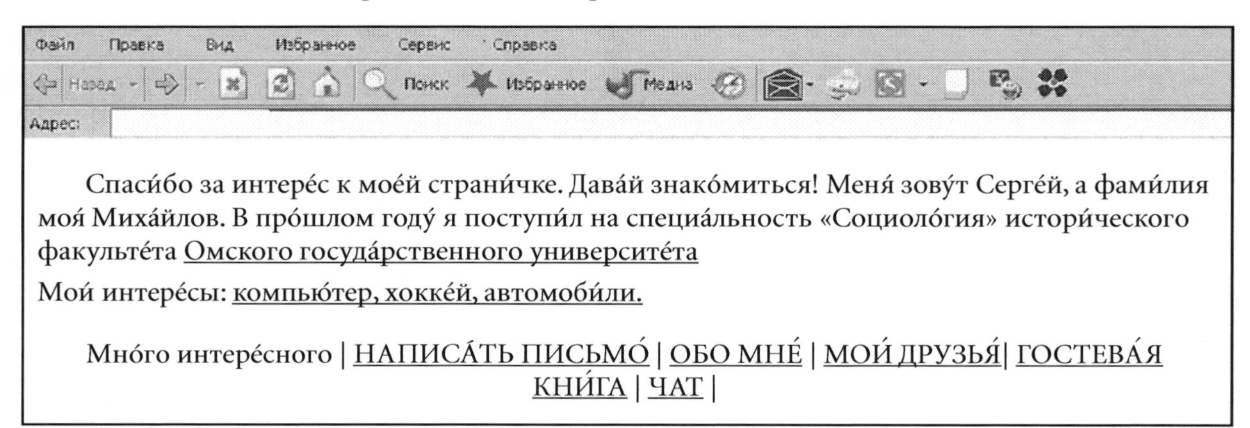


Спаси́бо за интере́с к моéй страни́чке. Дава́й знако́миться! Меня́ зову́т Серге́й, а фами́лия моя́ Миха́йлов. В про́шлом году́ я поступи́л на специа́льность «Социоло́гия» истори́ческого факульте́та Омского госуда́рственного университе́та

Мои́ интере́сы: компью́тер, хокке́й, автомоби́ли.

Мно́го интере́сного | НАПИСА́ТЬ ПИСЬМО́ | ОБО МНЕ́ | МОИ́ ДРУЗЬЯ́ | ГОСТЕВА́Я КНИ́ГА | ЧАТ |

 **4-27. А тепе́рь о Вас...** Tell your classmates about your web page.

1. У вас есть ли́чная вэб-страни́ца на се́рвере университе́та?
2. Како́й а́дрес ва́шей вэб-страни́цы?
3. Каки́е ру́брики есть на ва́шей вэб-страни́це?
4. Каки́е ссы́лки есть на ва́шей вэб-страни́це?

**4-28. Практи́ческое зада́ние.** Сде́лайте ру́сскую ве́рсию ва́шей вэб-страни́цы.

## Разгово́ры

**4-29. Поговори́м немно́го.** Read the following conversations and compose similar ones.

**А.** — У тебя́ есть до́ступ к Интерне́ту?
— Да, я подключи́лся/подключи́лась к Интерне́ту в про́шлом году́.
— А кто твой прова́йдер?
— Компа́ния «Релко́м».
— Почему́ «Релко́м»?
— У них хоро́шие це́ны!

**А тепе́рь ваш разгово́р...** Find out what Internet providers your classmates use and why.

**Б.** — Как ты нашёл/нашла́ рабо́ту?
— По Интерне́ту.
— На каки́х вэб-са́йтах ты иска́л/а?
— Я иска́л/а на www.rabota.ru
— Я о́чень за тебя́ рад/ра́да! Поздравля́ю!

**А тепе́рь ваш разгово́р...** Ask your friends whether they know the best sites to find a job, buy a computer, rent an apartment, etc. Be creative!

**Complete exercises 4-19 through 4-25 in the S.A.M.**

# Грамма́тика. Говори́те пра́вильно!

## О падежа́х

### Accusative plural ◆ Вини́тельный паде́ж мно́жественного числа́

1. All **inanimate** nouns and their modifiers, regardless of gender, have the same forms in the accusative plural that they have in the nominative plural.

| | | |
|---|---|---|
| **Что́?** | Где вы купи́ли **э́ти шрифты́?** | *Where did you buy these fonts?* |
| | Мы уже́ записа́лись на **все ку́рсы.** | *We've already registered for all our courses.* |
| | Где ты потеря́л/а **свои́ уче́бники?** | *Where did you lose your textbooks?* |

2. All **animate** nouns and their modifiers, regardless of their gender in the singular, have the same forms in the accusative plural that they have in the genitive plural.

**Кого́?** Ты зна́ешь **э́тих студе́нтов** и **студе́нток?**
Я о́чень люблю́ **ко́шек** и **соба́к.** Вообще́ я люблю́ **всех живо́тных.**

**4-30. Как сказа́ть?** Complete the sentences.

1. На конфере́нции мы встре́тили...

   на́ши преподава́тели
   иностра́нные учёные

2. Мы пригласи́ли на сва́дьбу...

   на́ши друзья́
   все ро́дственники

3. Мы хорошо́ зна́ем...

   твои́ шко́льные подру́ги
   совреме́нные ру́сские писа́тели
   америка́нские поиско́вые систе́мы
   все провайдеры Интерне́та

**4-31.** The relative pronoun **кото́рый.** Give English equivalents for the following sentences and identify the case of **кото́рый.**

1. Все студе́нты, **кото́рых** мы хорошо́ зна́ем, пое́хали на конфере́нцию.
2. Те компью́терные програ́ммы по ру́сскому языку́, **кото́рые** мы купи́ли в про́шлом году́, не рабо́тают на но́вых компью́терах.
3. Посмотри́те вэб-са́йты, **кото́рые** мы со́здали в э́том году́.
4. Познако́мьтесь с программи́стами, **кото́рых** мы пригласи́ли на рабо́ту в на́шу компа́нию.

## Accusative forms of numbers and words denoting quantity

1. The number 1 (**оди́н, одна́, одно́**) is a special modifier and takes regular special modifier endings.

   Я купи́л/а **оди́н** слова́рь (два́дцать **оди́н** слова́рь).
   Я купи́л/а **одну́** кни́гу (два́дцать **одну́** кни́гу).
   Я ви́дел/а **одного́** студе́нта (два́дцать **одного́** студе́нта).
   Я виде́л/а **одну́** студе́нтку (два́дцать **одну́** студе́нтку).

2. When the numbers **два (две), три** and **четы́ре** qualify **inanimate nouns,** they have the same form in the accusative case that they have in the nominative.

   Я купи́л/а **две** кни́ги и **три** журна́ла.
   Ди́ма написа́л **четы́ре** компью́терные програ́ммы.

3. The numbers **два (две), три** and **четы́ре** have special accusative **animate forms** when they qualify an animate noun: **двух, трёх, четырёх.** The animate noun and modifier are in the **accusative plural** form.

   Мы там ви́дели **двух студе́нток** и **четырёх студе́нтов.**
   Я хорошо́ зна́ю его **трёх бра́тьев** и **трёх сестёр.**
   Все хорошо́ зна́ют э́тих **двух америка́нских программи́стов.**

4. The numbers **пять** and higher (including those that end in **два, три, четы́ре**) as well as the qualifiers **ско́лько, сто́лько, не́сколько, мно́го** do not change form in the accusative case.

   Она́ подава́ла заявле́ние в **пять** университе́тов.
   На конфере́нцию пригласи́ли **два́дцать три** ру́сских программи́ста.
   Я зна́ю **мно́го** хоро́ших люде́й.
   Мы ви́дели на ле́кции **не́сколько** но́вых студе́нтов.

**4-32. Числи́тельные.** Use the correct forms, paying attention to the nouns and adjectives that follow the numbers.

1. В библиоте́ке мы ви́дели … (два/твой но́вые друзья́).
2. Вчера́ я купи́л/а мно́го … (компью́терные диске́ты).
3. Вчера́ я встре́тил/а … (оди́н твой ста́рый знако́мый).
4. Мы купи́ли по Интерне́ту … (оди́н изве́стный фильм).
5. Я уже́ зна́ю не́сколько … (на́ши но́вые ру́сские аспира́нтки).
6. На студе́нческий ве́чер мы пригласи́ли … (четы́ре на́ши люби́мые профессора́).
7. Мы купи́ли … (два/но́вые компью́теры и оди́н при́нтер).
8. В Ча́те я встре́тил/а мно́го … (интере́сные лю́ди).
9. Я ви́жу … (три твои́ ру́сские сосе́ди) ка́ждый день.
10. В э́том семе́стре Ди́ма написа́л … (три компью́терные програ́ммы).
11. Сего́дня в университе́те я ви́дел/а … (два/но́вые профессора́).

**Complete exercises 4-26 and 4-27 in the S.A.M.**

### О глаго́лах

### Asking and answering

**4-33. Спра́шивать и отвеча́ть.** Give English equivalents for the Russian sentences below.

| Asking someone | Answering | Asking a question |
|---|---|---|
| **спра́шивать/спроси́ть**<br>у кого́ что/о чём? | **отвеча́ть/отве́тить**<br>кому́ на что? | **задава́ть/зада́ть вопро́с**<br>кому́? |
| Ка́тя **спроси́ла** у Ле́ны, что ей де́лать?<br>Ба́бушка о те́бе ча́сто **спра́шивает.**<br>**Спроси́те** её/у неё! | Я **отве́тила** на все вопро́сы.<br>Когда́ ты мне **отве́тишь**? | Я хочу́ **зада́ть вопро́с.**<br>Вы всегда́ **задаёте** нам тру́дные **вопро́сы.** |
| With **спра́шивать/спроси́ть** use the accusative case or **у** + genitive to indicate the person being asked. | With **отвеча́ть/отве́тить** use the dative case to indicate the person being answered. | Never say!!!<br>~~спрашивать/спросить вопрос~~ |

**4-34. Глаго́лы: спра́шивать/спроси́ть, отвеча́ть/отве́тить, задава́ть/зада́ть.** Complete the sentences. Add any necessary prepositions.

1. Когда́ Ка́тя … Ле́ну, что случи́лось, она́ …, что её компью́тер зави́с.
2. Сего́дня я получи́ла мно́го электро́нных сообще́ний. У меня́ нет вре́мени на все …
3. О чём вы хоти́те меня́ …?
4. Контро́льная рабо́та по информа́тике была́ о́чень тру́дной. Я не … два вопро́са.
5. По́льзователи Интерне́та ча́сто … вопро́сы в ча́те.
6. Если мне нужна́ информа́ция о компью́терах, кого́ я могу́ …?

**Complete exercises 4-28 and 4-29 in the S.A.M.**

# Те́ма 3. Нау́ка: изве́стные росси́йские учёные

## Подгото́вка

**4-35. Вы зна́ете э́ти слова́?**

де́лать/сде́лать откры́тие — *to make a discovery*
изобрета́тель — *inventor*
изобрета́ть/изобрести́ (изобрёл/изобрела́) — *to invent*
изобрете́ние — *invention*
нау́ка — *science*
учёный — *scientist, scholar*

**4-36. Опро́с.** Conduct a survey to find out if your classmates are interested in science. Think of additional questions. Ask three or four of your classmates. Write down and organize the results before presenting them to the class.

1. Вас интересу́ет нау́ка?
2. Вы чита́ете о но́вых нау́чных откры́тиях?
3. Каки́х учёных вы зна́ете?
4. Что они́ изобрели́?
5. Каки́е откры́тия они́ сде́лали?
6. Вы зна́ете имена́ ру́сских учёных?

**4-37. Словообразова́ние.** Form compound adjectives. Note that the hyphen is usually found between the connecting vowel, usually **о,** and the second stem.

*Приме́р:* чёрн-ый бе́лый > **чёрно-бе́лый** (телеви́зор)
лати́нск-ий ру́сский > **лати́нско-ру́сский** (слова́рь)

**Каки́е есть словари́?**

ру́сск-ий япо́нский >
испа́нск-ий англи́йский >
украи́нск-ий ру́сский >
неме́цк-ий англи́йский >
францу́зск-ий англи́йский >

**Запо́мните:** а́нгло-ру́сский слова́рь

**Complete exercises 4-30 and 4-31 in the S.A.M.**

## Язы́к в жи́зни

### Дми́трий Ива́нович Менделе́ев (1834–1907)

**4-38. Что вы зна́ете о Менделе́еве?**

1. Менделе́ев изве́стен как хи́мик, фи́зик, техно́лог, гео́лог, метеоро́лог. Каки́ми нау́ками он занима́лся? В како́й нау́ке он сде́лал са́мое большо́е откры́тие?
2. Дми́трий Менделе́ев откры́л Периоди́ческую систе́му хими́ческих элеме́нтов. Что вы зна́ете об э́той систе́ме? Вы ви́дели Табли́цу Менделе́ева?

**4-39. Биогра́фия.** Прочита́йте об учёном Дми́трии Ива́новиче Менделе́еве и найди́те сле́дующую информа́цию.

1. Кто тако́й Дми́трий Ива́нович Менделе́ев?
2. Где и когда́ он роди́лся?
3. Ско́лько бра́тьев и сестёр бы́ло у Менделе́ева?
4. Ско́лько сынове́й и дочере́й у него́ бы́ло?
5. Когда́ Менделе́ев откры́л Периоди́ческую систе́му хими́ческих элеме́нтов?

Дми́трий Ива́нович Менделе́ев — вели́кий учёный, хи́мик, фи́зик, техно́лог, гео́лог и да́же метеоро́лог.

Роди́лся в 1834 году́ в Сиби́ри, в го́роде Тобо́льске, и был семна́дцатым ребёнком в большо́й семье́. Он был жена́т два ра́за, у него́ бы́ло тро́е сынове́й и две до́чери. Одна́ из его́ дочере́й была́ за́мужем за вели́ким ру́сским поэ́том Алекса́ндром Бло́ком.

Периоди́ческая систе́ма хими́ческих элеме́нтов, кото́рую Менделе́ев откры́л, когда́ ему́ бы́ло 35 лет, сде́лала его́ *всеми́рно* изве́стным. Откры́тие Периоди́ческой систе́мы *позво́лило* Менделе́еву *предсказа́ть* но́вые элеме́нты и *уско́рило* откры́тие но́вых хими́ческих элеме́нтов други́ми хи́миками.

*всеми́рно — internationally*
*позволя́ть/позво́лить что? — to allow*
*предска́зывать/предсказа́ть что? — to predict*
*ускоря́ть/уско́рить что? — to speed up*

**4-40. По́сле чте́ния.** Give a report.

1. Расскажи́те о Дми́трии Ива́новиче Менделе́еве.
2. Что дало́ откры́тие Периоди́ческой систе́мы хими́ческих элеме́нтов для нау́ки?

## Влади́мир Кузьми́ч Зворы́кин (1889–1982)

**4-41. Пе́ред чте́нием**

**А. Мо́жете ли[1] вы отве́тить на э́ти вопро́сы?**

1. Кто изобрёл телеви́зор? Когда́ э́то произошло́?
2. Когда́ телеви́зор стал популя́рным в Аме́рике?

**Б. Просмотри́те текст.** Look through the paragraph below and give English equivalents for the underlined words.

В 1931 году́ Зворы́кин изобрёл электри́ческий прибо́р, кото́рый фокуси́ровал объе́кт и трансформи́ровал его́ в радиои́мпульсы на экра́не. Своё изобрете́ние он назва́л «электро́нным гла́зом». По́зже он получи́л пате́нт на систе́му цветно́го телеви́дения. По при́нципу Зворы́кина рабо́тают и совреме́нные телеви́зоры.

**В. Значе́ния слов.** Guess what these words mean.

1. «Война́» зна́чит «war». Что зна́чит «вое́нный»?
2. «Вре́мя» зна́чит «time», «со-» зна́чит «with». Что мо́жет зна́чить «совреме́нный»?

**4-42. Биогра́фия.** Прочита́йте об учёном Влади́мире Зворы́кине и найди́те сле́дующую информа́цию.

1. Когда́ роди́лся Влади́мир Кузьми́ч Зворы́кин?
2. Когда́ и где он учи́лся?
3. Когда́ и почему́ Зворы́кин эмигри́ровал из Росси́и в США?
4. Когда́ Зворы́кин сде́лал своё изобрете́ние?
5. Как он назва́л своё изобрете́ние?
6. За что Зворы́кин получи́л пате́нты и ско́лько пате́нтов у него́ бы́ло?
7. Каку́ю меда́ль он получи́л?

Влади́мир Кузьми́ч Зворы́кин роди́лся 30 ию́ня 1889 го́да. В 1906 году́ поступи́л в Петербу́ргский университе́т, пото́м перешёл в Технологи́ческий институ́т, кото́рый зако́нчил в 1912 году́. Был на фро́нте во вре́мя Пе́рвой мирово́й войны́, зате́м верну́лся в Петрогра́д и поступи́л в вое́нную шко́лу. В 1919 году́, по́сле револю́ции в Росси́и, он эмигри́ровал в США.

В 1931 году́ изобрёл электри́ческий прибо́р, кото́рый фокуси́ровал объе́кт и трансформи́ровал его́ в радиои́мпульсы на экра́не. Своё изобрете́ние он назва́л «электро́нным гла́зом». По́зже он получи́л пате́нт на систе́му цветно́го телеви́дения. По при́нципу Зворы́кина рабо́тают и совреме́нные телеви́зоры. Он сде́лал и мно́го други́х изобрете́ний и получи́л 120 пате́нтов. За свои́ изобрете́ния Зворы́кин получи́л Национа́льную меда́ль нау́ки США. Он у́мер в 1982 году́.

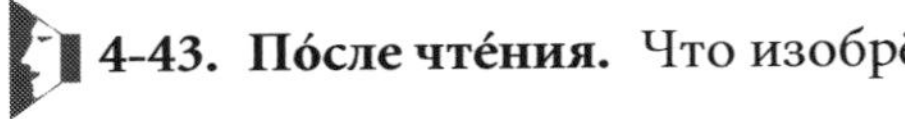

**4-43. По́сле чте́ния.** Что изобрёл Влади́мир Кузьми́ч Зворы́кин?

[1]**ли** is also an interrogative particle used to make questions more polite and slightly more formal.

## Алекса́ндр Степа́нович Попо́в (1859–1906)

**4-44. Зна́ете ли вы…**

1. Кто изобрёл ра́дио?
2. Что зна́чат э́ти слова́?

фи́зико-математи́ческий факульте́т
электроте́хника
офице́рский класс
паралле́льно
электри́чество
демонстри́ровать
факти́чески

**4-45. Биогра́фия.** Прочита́йте об изобрета́теле Алекса́ндре Степа́новиче Попо́ве и найди́те сле́дующую информа́цию.

1. Когда́ и где роди́лся Алекса́ндр Попо́в?
2. Где он учи́лся?
3. Что его́ интересова́ло?
4. Что он де́лал по́сле оконча́ния университе́та?
5. Како́й прибо́р он изобрёл?

Алекса́ндр Степа́нович Попо́в роди́лся 16 ма́рта 1859 го́да на Ура́ле в семье́ *свяще́нника*. В восемна́дцать лет Попо́в прие́хал в Петербу́рг и поступи́л в университе́т на фи́зико-математи́ческий факульте́т. Молодо́го Попо́ва интересова́ла электроте́хника. По́сле оконча́ния университе́та в 1882 году́ Попо́в на́чал преподава́ть в офице́рском кла́ссе в Кроншта́дте, где паралле́льно с преподава́нием вёл нау́чную рабо́ту по электри́честву.

В физи́ческой лаборато́рии Попо́в на́чал *ста́вить* электротехни́ческие *о́пыты* и со́здал *прибо́р*, кото́рый мог *принима́ть* телегра́фные сигна́лы без *проводо́в*. Этот прибо́р А.С. Попо́в демонстри́ровал 7 мая 1895 го́да на конфере́нции Ру́сского фи́зико-хими́ческого *о́бщества* в Петербу́рге. Этот день истори́ческого выступле́ния А.С. Попо́ва факти́чески явля́ется[1] днём рожде́ния ра́дио.

На За́паде ду́мают, что ра́дио изобрёл Марко́ни, а в Росси́и, что его́ изобрёл Алекса́ндр Степа́нович Попо́в. Что пра́вильно? Если вам э́то интере́сно, найди́те информа́цию в Интерне́те и попро́буйте отве́тить на э́тот вопро́с.

*о́бщество — association*
*о́пыт — experiment*
*прибо́р — apparatus*
*принима́ть/при́нять что? — to receive*
*про́вод — wire*
*свяще́нник — priest (the word* **поп** *is also used in Russian, therefore the last name)*
*ста́вить/поста́вить о́пыт — to do an experiment*

**4-46. Ва́ше выступле́ние.** Prepare to talk about Popov.

**4-47. Интерне́т.** Найди́те в Интерне́те информа́цию об изве́стном учёном и подгото́вьтесь рассказа́ть о нём в кла́ссе. Look at the Russian sites, find the information you are interested in, and shorten it. Use the words you know. Do not use more than three new words.

**Complete exercises 4-32 through 4-34 in the S.A.M.**

[1]явля́ться is often used in expository Russian as an equivalent of "to be."

## Грамма́тика. Говори́те пра́вильно!

### О глаго́лах

### Using the infinitive

1. Use the infinitive of an **imperfective verb** after **быть** to form the future tense of imperfective verbs.

   Я **бу́ду рабо́тать** на компью́тере. — *I'm going to work on my computer.*

2. Use **imperfective verbs** after verbs that denote the **beginning** or **end** of an action (e.g., **начина́ть/нача́ть, зака́нчивать/зако́нчить, перестава́ть/переста́ть, стать**).

   Ви́тя **на́чал ска́чивать** информа́цию. — *Victor began to download some data.*
   Алла **зако́нчила отправля́ть** электро́нные сообще́ния ве́чером. — *Alla finished sending her e-mails in the evening.*
   Ты **ста́ла** лу́чше **печа́тать** по-ру́сски. — *You've started to type Russian better.*
   Почему́ ты **переста́л печа́тать?** — *Why did you stop typing?*

3. Use **imperfective** infinitives after **не на́до** and **нельзя́** in contexts indicating that an action is not necessary or is prohibited. Always use an imperfective infinitive after **не хо́чется/не хоте́лось:**

   **Не на́до сохраня́ть** э́ти фа́йлы. — *You don't have to save those files.*
   **Нельзя́ удаля́ть** э́ти фа́йлы. — *You're not supposed to delete these files.*
   **Не хо́чется копи́ровать** все э́ти фа́йлы. — *I don't feel like copying all these files.*

4. Use **imperfective verbs** when expressing requests, decisions or advice **not** to do something.

   Сове́тую тебе́ **не броса́ть** хи́мию. — *I advise you not to drop chemistry.*
   Я проси́л/а тебя́ **не удаля́ть** э́тот фа́йл. — *I asked you not to delete that file.*
   Я реши́л/а **не покупа́ть** э́тот компью́тер. — *I decided not to buy that computer.*

5. Use an **imperfective infinitive** after the adverb **пора́** (*it's time to*) to indicate that an action should be occurring:

   **Пора́ ложи́ться** спать. — *It's time to go to bed.*
   **Пора́ бы́ло идти́.** — *It was time to go.*
   **Пора́ бы́ло встава́ть,** но мне встава́ть не хоте́лось. — *It was time to get up, but I didn't want to get up.*

6. After the verbs **хоте́ть, уме́ть, мочь, собира́ться, проси́ть, сове́товать** as well as the adverbs **на́до, ну́жно, мо́жно,** use the infinitive of **perfective** verbs to denote a one-time action. Use the infinitive of **imperfective** verbs to denote repeated actions or action in general.

7. Use **perfective infinitives** after **забы́ть, успе́ть** (*to have enough time to*), and **уда́ться** (*to succeed in doing something*):

   Я **забы́л/а вы́ключить** компью́тер. — *I forgot to turn off my computer.*
   Я **успе́л/а распеча́тать** всё во́время. — *I managed to get everything printed in time.*
   Мне **удало́сь купи́ть** все ну́жные кни́ги. — *I managed to buy all the books I need.*

**4-48. Инфинити́в.** Explain the aspect use in the examples below and give English equivalents.

1. Я **хочу́ подключи́ться** к Интерне́ту.
2. Я **уме́ю рабо́тать** на компью́тере.
3. Ему́ **на́до перегрузи́ть** компью́тер.
4. Я **могу́ скопи́ровать** э́ту диске́ту.
5. **Сове́тую** тебе́ **ходи́ть** к профе́ссо́ру Петро́ву на консульта́ции.
6. Я **прошу́** вас **вы́ключить** компью́тер.

**4-49. Компью́терные и́гры.** Read the text and explain the use of aspect for each underlined infinitive.

Если вы лю́бите игра́ть в компью́терные и́гры, я приглаша́ю вас зайти́ на мой сайт «Компью́терные и́гры». Здесь вы найдёте популя́рные и́гры, ста́рые и но́вые. Хочу́ предста́вить вам мои́ люби́мые небольши́е компью́терные и́гры, в кото́рые я игра́ю с больши́м удово́льствием! Если у вас есть люби́мые компью́терные и́гры и вы не нашли́ их на са́йте — пиши́те, могу́ включи́ть (to include) их в колле́кцию! А пока́ предлага́ю вам поигра́ть в те и́гры, кото́рые есть.

Скача́ть и́гры мо́жно на ка́ждой страни́це. Для э́того вы должны́ нажа́ть кно́пку ***download.*** На са́йте откры́т фо́рум, в кото́ром мо́жно обсуди́ть ка́ждую из игр. Если вы начина́ете игра́ть и хоти́те узна́ть, как игра́ют други́е лю́ди, я сове́тую вам написа́ть сообще́ние и отпра́вить его́ в фо́рум. Прошу́ вас написа́ть мне, каки́е и́гры вам бо́льше всего́ нра́вятся. Бу́ду рад получи́ть ва́ши пи́сьма и коммента́рии, узна́ть, каки́м вы хоти́те ви́деть э́тот сайт.

Если вы хоти́те испо́льзовать материа́лы э́того са́йта, ну́жно дать ссы́лку на исто́чник информа́ции — http://takegame.com (сайт Компью́терных игр).

**Complete exercises 4-35 and 4-36 in the S.A.M.**

## Структу́ра предложе́ния: подлежа́щее и сказу́емое

## Sentence structure: The subject and the predicate

A typical Russian or English sentence contains a **subject (подлежа́щее) and a predicate (сказу́емое).** You have already learned about the subject in Chapter 3.

**The predicate (сказу́емое)** denotes an action performed by the subject or anything that is said about the subject. It tells what the subject does or who or what the subject is.

> **(Кто?)** Светла́на **(Что сде́лала?)** получи́ла[1] письмо́ по электро́нной по́чте.
> **(Кто?)** Он **(Есть кто?)** программи́ст.

There are two types of predicates: **verbal and nominal.**

1. **Verbal predicate**
   a. **simple verbal predicate**
   A simple verbal predicate is expressed by a verb.
   Он чита́л/чита́ет/бу́дет чита́ть/чита́л бы.
   b. **compound verbal predicate**
   A compound verbal predicate is expressed by an infinitive together with personal forms of verbs, which indicate either the beginning or the end of the action, or intention, obligation, possibility, probability, wish, etc. (see "Using the Infinitive" above).
   Она́ начала́/продолжа́ла/зако́нчила чита́ть э́ту кни́гу. Она́ лю́бит чита́ть.

[1]Russian school students are taught to underline the subject with one line and the predicate with two lines.

2. **Nominal predicates** may be expressed by a noun, an adjective, a numeral, or a pronoun.
   a. **simple – without a link verb** (an auxiliary verb)
      Она студе́нтка. Я программи́ст. Мой брат — юри́ст.
   b. **compound — with a link verb**
      В то вре́мя он **был** студе́нтом. Я **рабо́таю** программи́стом.
      Зворы́кин **явля́ется** изобрета́телем телеви́дения.

   You will learn more about the predicate in Chapter 7.

**4-50. Структу́ра предложе́ния.** Read the text below and find the subject and the predicate in each sentence.

**Письмо́ в журна́л «Нау́ка»**

24/X/2005

Уважа́емый господи́н *реда́ктор*! — *editor*

Мно́го лет тому́ наза́д я изуча́л эспера́нто. Оди́н из эсперанти́стов сказа́л мне, что в Москве́ живёт «оте́ц сове́тской космона́втики» Ари Ште́рнфельд, кото́рый явля́ется эсперанти́стом. Когда́ я прие́хал к нему́, меня́ встре́тил его́ сын, кото́рый сказал, что встре́титься с ним невозмо́жно, так как он рабо́тает в секре́тном институ́те.

Сего́дня в одно́й из газе́т я вдруг уви́дел сле́дующую информа́цию: «Больши́е откры́тия в космона́втике сде́лал до́ктор техни́ческих нау́к Ари Ште́рнфельд (1905–1980). Ещё во времена́, когда́ полёты в ко́смос бы́ли фанта́стикой, он *со́здал* тео́рию для *расчёта* косми́ческих орби́т. Мно́гие учёные счита́ют, что он откры́л челове́честву путь в ко́смос. В 1930 году́ он получи́л междунаро́дную пре́мию по астрона́втике, а в 1962 году́ по космона́втике». — *created; calculations*

Я наде́юсь, что ваш журна́л мо́жет опубликова́ть бо́льше информа́ции об э́том учёном, о кото́ром сейча́с зна́ют *лишь* немно́гие из ва́ших чита́телей. — *only*

С уваже́нием,
Б.В. Брик

**Complete exercises 4-37 and 4-38 in the S.A.M.**

# Культу́ра и исто́рия

## Имена́, кото́рые зна́ют в Росси́и

## Со́фья Ковале́вская (1850–1891) — изве́стный ру́сский матема́тик

**4-51. Прочита́йте текст.** When reading the text, you may not know every word. Try to understand as much as you can without looking words up in the dictionary. Find the answers to the questions below.

1. Где и когда́ Ковале́вская родила́сь?
2. Когда́ и почему́ она́ начала́ изуча́ть вы́сшую матема́тику?
3. Почему́ она́ не могла́ поступи́ть в университе́т в Росси́и?
4. Что она́ должна́ была́ сде́лать, что́бы уе́хать из Росси́и?
5. В како́м университе́те она́ учи́лась?
6. Почему́ она́ уе́хала в Шве́цию?

| | |
|---|---|
| Со́фья Васи́льевна Ковале́вская родила́сь в Москве́ в бога́той семье́ генера́л-лейтена́нта Ко́рвина-Круко́вского. Когда́ ей бы́ло 14 лет, знако́мый отца́, профе́ссор Ты́нов, обрати́л внима́ние роди́телей на математи́ческие спосо́бности де́вочки. Ещё не зна́я тригономе́трии, она́ *пыта́лась* поня́ть тригонометри́ческие фо́рмулы, кото́рые встреча́ла в учё́бнике фи́зики. С пятна́дцати лет она́ ста́ла изуча́ть вы́сшую матема́тику. | *attempted* |
| В то вре́мя в Росси́и же́нщинам *бы́ло запрещено́* учи́ться в университе́тах. Они́ могли́ поступи́ть то́лько в *не́которые* зарубе́жные университе́ты. Но что́бы пое́хать учи́ться за грани́цу, на́до бы́ло вы́йти за́муж. Со́фья *фикти́вно* вы́шла за́муж за молодо́го учё́ного В.О. Ковале́вского. По́зже их брак стал *настоя́щим.* | не разреша́ли; *some*; *fictitiously*; *real* |
| В 1869 году́ они́ уе́хали в Герма́нию, в университе́тский городо́к Гейдельбе́рг. Ка́ждый из них стал занима́ться нау́кой. | |
| В 1870 году́ Ковале́вская перее́хала в Берли́н, что́бы слу́шать ле́кции знамени́того неме́цкого матема́тика К. Вейершта́сса, кото́рый счита́л, что же́нщины не должны́ учи́ться в университе́те, *осо́бенно* на математи́ческом факульте́те. Одна́ко Ковале́вская *доби́лась* того́, что Вейерштра́сс разреши́л ей сдава́ть экза́мен. Она́ *реши́ла* все *зада́чи,* и он *согласи́лся* учи́ть её. | *especially*; *achieved*; *solved; problems*; *agreed* |
| В два́дцать четы́ре го́да она́ получи́ла до́кторскую сте́пень и верну́лась в Петербу́рг. Но *по* ру́сским *зако́нам* же́нщина могла́ преподава́ть то́лько арифме́тику в мла́дших кла́ссах. Поэ́тому в тече́ние не́скольких лет Со́фья Васи́льевна не занима́лась матема́тикой, а писа́ла статьи́ и расска́зы. | *according to law* |
| В 1883 году́ она́ уе́хала в Шве́цию и ста́ла рабо́тать в Стокго́льмском университе́те, где она́ успе́шно прочла́ о́коло двадцати́ ку́рсов по матема́тике. | |
| В 1889 году́ она́ ста́ла *чле́ном-корреспонде́нтом* Петербу́ргской акаде́мии нау́к — она́ была́ пе́рвой же́нщиной, кото́рая ста́ла чле́ном э́той акаде́мии. | *academician* |
| В 1891 году́ С.В. Ковале́вская умерла́. Ей был со́рок оди́н год. | |

**4-52. По-англи́йски.** Sum up those details of the text that you understand and find it difficult to express in Russian. In Russian, write about Kovalevskaya.

**4-53. В како́м году́?** Прочита́йте вслух.

1. Ковале́вская родила́сь в 1850 году́.
2. В 1869 году́ Ковале́вская и её муж уе́хали в Герма́нию.
3. В 1870 году́ она́ перее́хала в Берли́н.
4. В 1833 году́ она́ уе́хала в Шве́цию.
5. В 1889 году́ Ковале́вская ста́ла чле́ном Петербу́ргской акаде́мии наук.
6. В 1891 году́ она́ умерла́.

**Complete exercises 4-39 through 4-42 in the S.A.M.**

# Слова́рь

## Существи́тельные (Nouns)

| | | | |
|---|---|---|---|
| биле́т | *ticket* | прибо́р | *apparatus* |
| догово́р | *contract* | прова́йдер | *Internet provider* |
| до́ступ к чему́? | *access to* | про́вод (*pl.* провода́) | *wire, line* |
| изобрета́тель | *inventor* | програ́мма | *software* |
| изобрете́ние | *invention* | свяще́нник | *priest, minister* |
| ко́пия | *copy* | сеть (*f.*) | *network* |
| нау́ка | *science* | сообще́ние | *message* |
| о́бщество | *association, society* | электро́нное сообще́ние | *e-mail message* |
| о́пыт | *experiment* | сосе́д (*pl.* сосе́ди) | *neighbor* |
| отве́т | *answer, response* | ссы́лка | *link* |
| откры́тие | *discovery* | учёный | *scientist, scholar* |
| поиско́вая систе́ма | *search engine* | флэш-драйв | *flash drive, memory stick* |
| по́чта | *mail* | цена́ | *price, cost* |
| электро́нная по́чта | *e-mail* | шу́тка | *joke* |

## Глаго́лы (Verbs)

| | |
|---|---|
| ве́рить/пове́рить кому́? | *to believe* |
| включа́ть/включи́ть | *to turn on* |
| вставля́ть/вста́вить что? куда́? (диске́ту) | *to insert (a diskette)* |
| выключа́ть/вы́ключить | *to turn off* |
| вынима́ть/вы́нуть что? отку́да? (компа́кт диск) | *to eject (a CD)* |
| де́лать/сде́лать откры́тие | *to make a discovery* |
| задава́ть/зада́ть (вопро́с) | *to ask a question* |
| закрыва́ть/закры́ть (файл) | *to close (a file)* |
| изобрета́ть/изобрести́ | *to invent* |
| иска́ть/поиска́ть | *to search* |
| копи́ровать/скопи́ровать (файл) | *to copy (a file)* |
| нажима́ть/нажа́ть на что?/что? (на кно́пку, кла́вишу) | *to press (a button, a key)* |
| объединя́ть/объедини́ть | *to link, unite* |
| объясня́ться/объясни́ться в любви́ | *to declare one's love* |
| отвеча́ть/отве́тить кому́? | *to answer* |
| открыва́ть/откры́ть (па́пку) | *to open (a folder)* |
| отправля́ть/отпра́вить что? кому́? | *to send* |
| перегружа́ть/перегрузи́ть (компью́тер) | *to restart, to reboot (a computer)* |
| перестава́ть/переста́ть + *impf. infinitive* | *to stop doing something* |
| печа́тать/напе́чатать | *to type, to print* |
| позволя́ть/позво́лить что? | *to allow* |
| подводи́ть/подвести́ (курсо́р) | *to point, place (a cursor)* |
| подключа́ться/подключи́ться | *to get connected* |
| по́льзоваться (*impf.*) чем? | *to use* |
| попада́ть/попа́сть куда́? | *to find oneself (somewhere)* |
| появля́ться/появи́ться | *to appear* |
| предска́зывать/предсказа́ть что? | *to predict* |
| прикрепля́ть/прикрепи́ть (файл) | *to attach (a file)* |

| | |
|---|---|
| пробовать/попробовать + *infinitive* | *to try* |
| распечатывать/распечатать (файл) | *to print (a file)* |
| скачивать/скачать | *to download* |
| сохранять/сохранить (файл) | *to save (a file)* |
| спрашивать/спросить | *to ask* |
| стараться/постараться | *to try hard* |
| удалять/удалить (файл) | *to delete, to trash (a file)* |
| ускорять/ускорить что? | *to speed up* |
| устанавливать/установить шрифт | *to install a font* |

## Прилагательные (Adjectives)

| | |
|---|---|
| любой | *any* |

## Наречия (Adverbs)

| | |
|---|---|
| опять | *again* |
| тут же | *at once* |

## Союзы и союзные слова (Conjunctions)

| | |
|---|---|
| хотя | *even though* |

## Выражения (Expressions)

| | |
|---|---|
| Компьютер «висит/завис». | *My computer's frozen.* |
| Мне кажется, что… | *It seems that…* |
| Не думаю, что… | *I don't think that…* |
| Не может быть | *How could that happen! How can it be!* |
| Не повезло! | *Too bad! Bad luck!* |
| не сходя с места | *without leaving your seat* |
| Я очень доволен/довольна! | *I am very pleased!* |

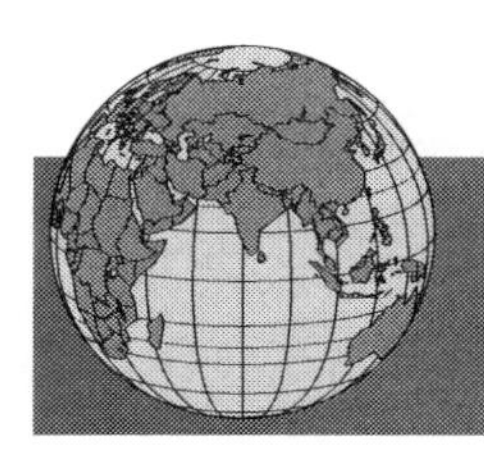

# Глава́ 5

# Дом, в кото́ром мы живём

## В э́той главе́...

**In this chapter you will**

- talk about a house, renting a place for vacation
- review and learn new uses of the instrumental case
- learn about the use of aspect in the future
- learn more about the structure of Russian sentences

# Те́ма 1. Мы сня́ли кварти́ру

## Подгото́вка

**5-1. Это план ва́шей кварти́ры.** Explain to a prospective roommate what rooms you have and how big each room is.

| | |
|---|---|
| холл | *hall, entryway* |
| гости́ная | *living room* |
| спа́льня | *bedroom* |
| гардеро́бная | *walk-in closet* |
| ку́хня-столо́вая | *kitchen with a dining area* |
| ва́нная (с.у.)[1] | *bathroom* |
| туале́т | *toilet* |
| балко́н | *balcony* |

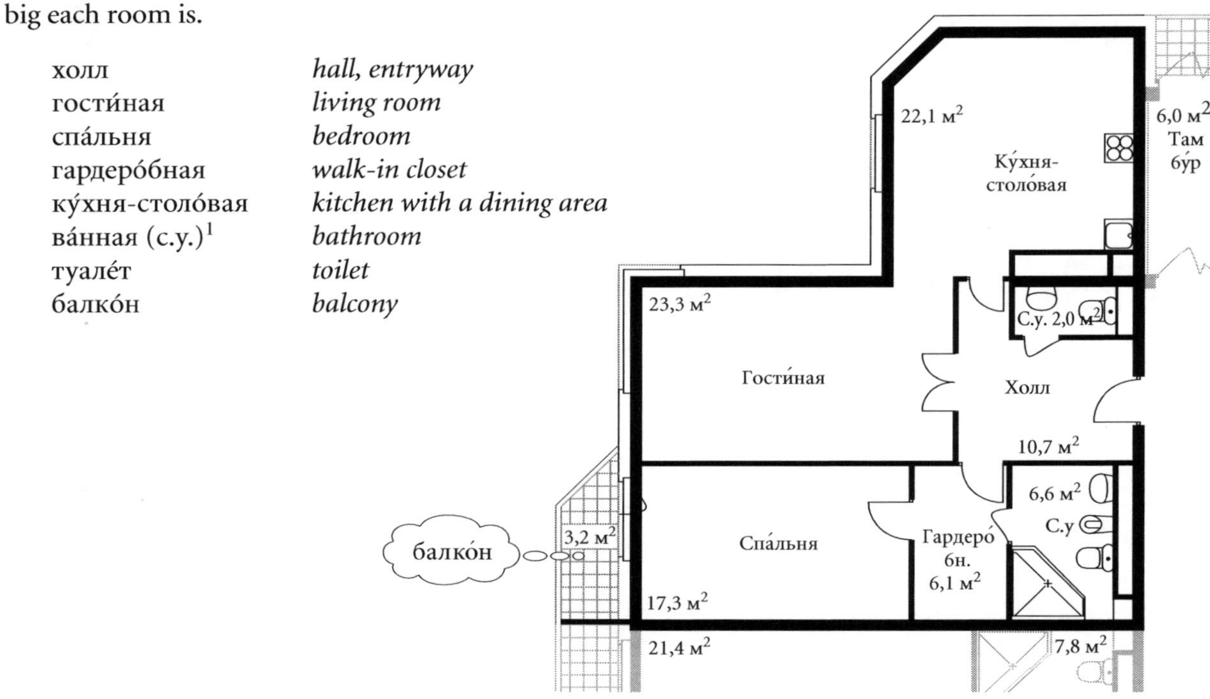


**5-2. Словообразова́ние.** Как сказа́ть по-ру́сски: a one-bedroom apartment, a three-story house?

*Пра́вило:* Combine the cardinal number (два, три, четы́ре, пять, etc.) in the genitive case (двух, трёх, четырёх, пяти́) and the noun to form a compound adjective.

*Приме́р:* две ко́мнаты → **двух + ко́мнат + н + ый**

| | |
|---|---|
| три ко́мнаты | У нас … кварти́ра. |
| четы́ре ко́мнаты | Это … дом. |
| пять ко́мнат | В Росси́и ре́дко быва́ют … кварти́ры. |

*Приме́р:* два этажа́ → **двух + эта́ж + н + ый дом**

| | |
|---|---|
| три этажа́ | У них … дом. |
| четы́ре этажа́ | В университе́те … зда́ния. |
| пять этаже́й | Библиоте́ка в … зда́нии. |

**Запо́мните:** однoко́мнатная кварти́ра, одноэта́жный дом.

---

[1]с.у. (санита́рный у́зел) is the architectural term for a bathroom.

**5-3. Глаго́лы положе́ния.** Verbs that show position. Learn the verbs that show position.

**А.** These verbs are often used in Russian as equivalents of "to be":

| | | |
|---|---|---|
| **стоя́ть** — *to stand* | В ко́мнате стои́т стол. | *There's a table in the room.* |
| **висе́ть** — *to hang* | На сте́нах вися́т карти́ны. | *There are pictures on the walls.* |
| **лежа́ть** — *to lie* | На полу́ лежи́т ковёр. | *There's a carpet on the floor.* |

**Б.** These verbs are used as equivalents of "to put" depending on what kind of an object you are referring to:

| | | |
|---|---|---|
| **ста́вить/поста́вить** | Мы **поста́вили** стол и сту́лья в столо́вой. | *We put the table and chairs in the dining room.* |
| **ве́шать/пове́сить** | Мы **пове́сили** плака́ты на сте́ны. | *We put the posters on the wall.* |
| **класть/положи́ть** | Мы **положи́ли** ковёр на́ пол в спа́льне. | *We put the rug on the bedroom floor.* |

**В. Скажи́те, что стои́т, что виси́т и что лежи́т.**

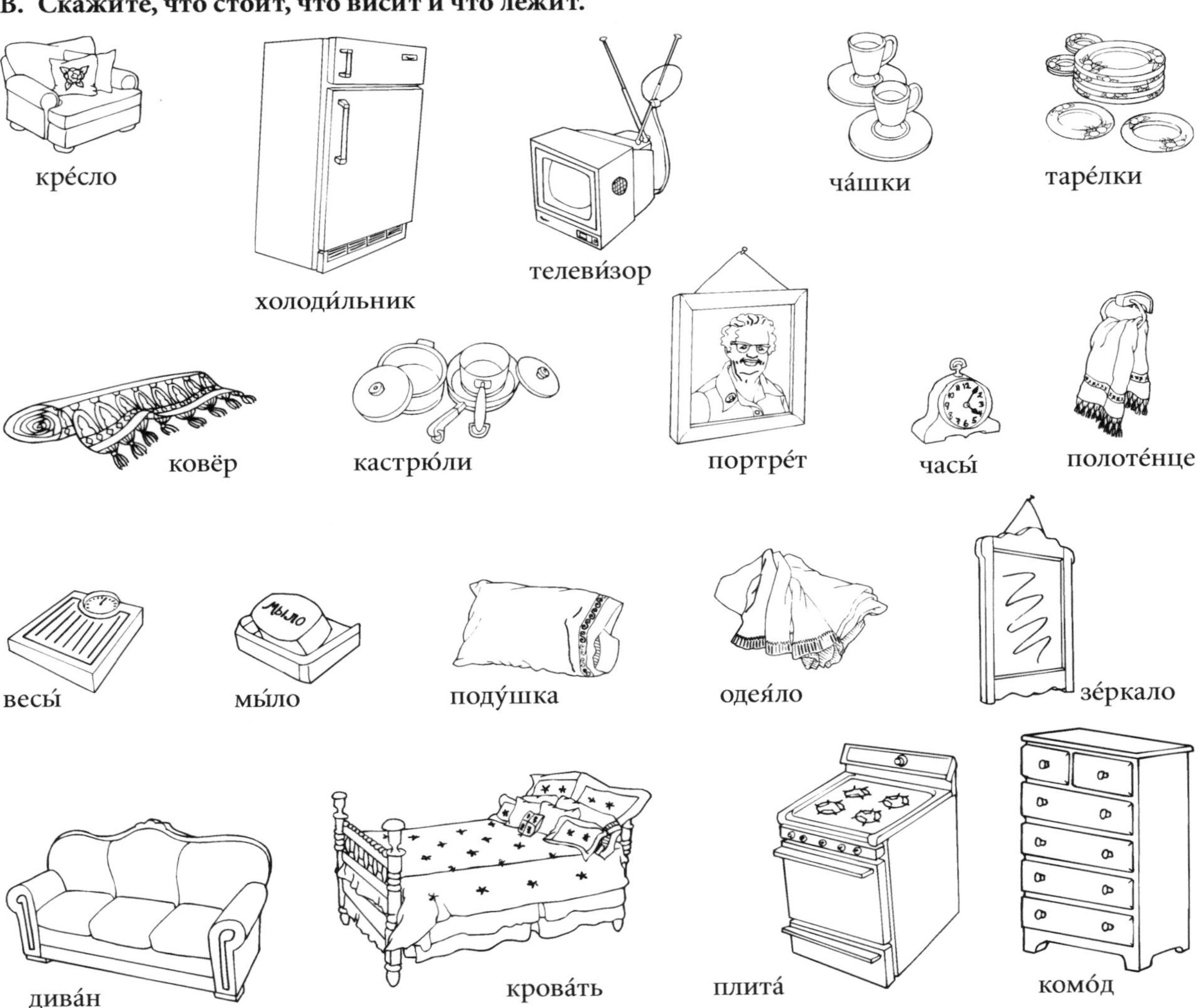


**Complete exercises 5-1 through 5-5 in the S.A.M.**

## Язы́к в жи́зни

**5-4. Но́вая кварти́ра.** Если вы снима́ете но́вую кварти́ру,

- что для вас са́мое ва́жное: где нахо́дится дом, на како́м этаже́ кварти́ра, ско́лько в ней ко́мнат? Что ещё для вас ва́жно?
- что вам ну́жно купи́ть?

**5-5. Письмо́ Ка́ти.** While reading the letter below, find the answers to the following questions.

1. Почему́ Ка́тя и Ли́за сня́ли кварти́ру?
2. Где нахо́дится их но́вая кварти́ра?
3. Каки́е ко́мнаты есть в кварти́ре?
4. Ско́лько у них спа́лен?
5. Есть ли столо́вая в но́вой кварти́ре?
6. Кака́я ме́бель стои́т в спа́льне Ка́ти?
7. Что виси́т в спа́льне Ка́ти?
8. В како́й ко́мнате лежи́т ковёр?
9. Кака́я ме́бель стои́т в гости́ной?
10. Почему́ они́ бы́стро привы́кли к кварти́ре?

20.II

Дорога́я ма́мочка!

Наконе́ц мы с Ли́зой сня́ли кварти́ру! Ты не *представля́ешь*, как я сча́стлива. Ли́за то́же. Ужа́сно *надое́ло* жить в общежи́тии. Кварти́ра нам сра́зу понра́вилась. Она́ о́чень *ую́тная* и *чи́стая, с ме́белью, в ти́хом райо́не.* В ней неда́вно сде́лали *ремо́нт*, и *пла́тим* не о́чень мно́го. Тепе́рь расскажу́ *подро́бно*.

Во-пе́рвых, у нас есть гости́ная и ма́ленькая ку́хня. В гости́ной мы поста́вили дива́н, два кре́сла, журна́льный сто́лик и телеви́зор, положи́ли ковёр. У нас тепе́рь есть *ка́бельное телеви́дение,* и по вечера́м мы смо́трим ру́сские переда́чи. На ку́хне *микроволно́вая печь,* но́вая плита́, дово́льно ста́рый холоди́льник и мно́го вся́ких *шка́фчиков.* Так что есть куда́ ста́вить *посу́ду.* На ку́хне стои́т ещё ма́ленький сто́лик, за кото́рым мы еди́м. Мы о́бе о́чень *дово́льны* ку́хней.

Во-вторы́х, у нас с Ли́зой тепе́рь есть большо́й балко́н, с кото́рого *чуде́сный вид на* весь го́род!

В-тре́тьих, тепе́рь у меня́ есть своя́ спа́льня, своя́ ва́нная и туале́т. В спа́льне я поста́вила крова́ть, коне́чно, комо́д и *пи́сьменный стол,* за кото́рым я занима́юсь. Над комо́дом я пове́сила зе́ркало, а над пи́сьменным столо́м — *ка́рту* ми́ра. По-мо́ему, *получи́лось о́чень хорошо́*! Мы уже́ привы́кли к на́шей но́вой кварти́ре. К хоро́шему бы́стро привыка́ешь!

Ма́мочка, о́чень скуча́ю по всем вам.

Целу́ю и обнима́ю.

Твоя́ Ка́тя

*вид на что? — a view of*
*дово́лен/дово́льна кем?/чем? — pleased, happy with*
*ка́бельное телеви́дение — cable TV*
*ка́рта — map*
*ме́бель (f.) — furniture*
*микроволно́вая печь — microwave*
*надое́сть (pfv.) кому́? > (Мне) надое́ло — I am sick and tired of*
*пи́сьменный стол — desk*
*плати́ть/заплати́ть — to pay*
*подро́бно — in detail*
*посу́да — dishes*
*представля́ть/предста́вить — to imagine*
*райо́н — neighborhood, area*
*ремо́нт — remodeling, repairs*
*ти́хий — quiet*
*ую́тный — cozy*
*шка́ф(чик) — kitchen cabinet*
*чи́стый — clean*
*чуде́сный — wonderful*

**Expression:**

*Получи́лось хорошо́! — It turned out great!*

**5-6. Вы — Ли́за.** Расскажи́те, каку́ю кварти́ру вы сня́ли.

**5-7. Расскажи́те о…**

1. **Где вы живёте?** Describe your room/apartment/house (8–10 sentences).
2. **Где вы хоти́те жить?** Tell each other if you prefer to live in a dorm, with your parents, or to rent an apartment. Explain why (8–10 sentences).

**5-8. Вам нужна́ кварти́ра в Москве́.** The two of you want to share an apartment in Moscow. Decide which of these apartments would meet your needs and explain it to the whole class.

**Вариа́нт № 1**
1200 до́лларов в ме́сяц, метро́ Су́харевская
Ул. Больша́я Спа́сская, 10 мину́т пешко́м до метро́. 5-ый эта́ж 16-эта́жного кирпи́чного до́ма. Сти́льная, ую́тная кварти́ра, сту́дио — 40 кв. м. Ремо́нт. Функциона́льно кварти́ра разби́та на две зо́ны: гости́ная и спа́льня. Небольша́я ку́хня. В до́ме есть ли́ния Интерне́та. Хоро́ший вид из окна́.

**Вариа́нт № 2**
1000 до́лларов в ме́сяц, метро́ Университе́тская
Общая пло́щадь — 45 кв. м. Ку́хня-гости́ная — 19 кв. м., спа́льня — 14 кв. м. Евроремо́нт, замеча́тельный вид из о́кон, гото́ва к прожива́нию. Вся ме́бель, телеви́зор, холоди́льник, телефо́н.

**Вариа́нт № 3**
1500 до́лларов в ме́сяц
***В са́мом це́нтре го́рода!*** Ул. Тверска́я, 6-ой эта́ж ста́линского до́ма. Общая пло́щадь — 65 кв. м., 25 кв. м. — гости́ная-столо́вая, 18 кв. м. — спа́льня, холл — 20 кв. м. В кварти́ре све́жий ремо́нт. Телефо́н есть.

## Разгово́ры

**5-9. Слу́шайте и чита́йте разгово́р.** Insert the missing words and phrases.

**Ко́мната в общежи́тии**

— Кака́я хоро́шая ко́мната!
— Како́й .............. из окна́ ! На весь го́род!
— Но здесь не о́чень ...............
— Да́же мо́жно сказа́ть — *гря́зно.* — *dirty*
— Мы ещё не успе́ли *убра́ть.* — *to clean, tidy up*
— Ско́лько вас тут?
— Дво́е.
— В э́том общежи́тии все *ко́мнаты на двои́х.* — *room for two*
— А где ..........................?
— ................................ одна́ на две ко́мнаты.
— Совсе́м непло́хо.
— Тебе́ ......................................!
— Да… То́лько иногда́ занима́ться ........................
— Быва́ет сли́шком *шу́мно.* — *noisy*

**5-10. Поговори́м немно́го.** Read the following conversations and compose similar ones.

**А.**

— Ты живёшь в общежи́тии и́ли снима́ешь кварти́ру?
— Снял одноко́мнатную кварти́ру. А ты?
— Живу́ в общежи́тии.

— Ско́лько челове́к в ко́мнате?
— Ко́мната на двои́х.
— Ты дово́лен/дово́льна?
— Не о́чень.

**А тепе́рь ваш разгово́р…** Спроси́те друг дру́га: где ты живёшь, с кем ты живёшь, где ты ра́ньше жил/жила́. Скажи́те, нра́вится ли вам, где вы живёте.

**Б.**

— Ну, как? Тебе́ нра́вится но́вая кварти́ра?
— Да, о́чень хоро́шая кварти́ра! А како́й вид из окна́!

— А ско́лько спа́лен?
— Две спа́льни. И одна́ ва́нная.
— Ты дово́лен/дово́льна?
— Да, о́чень.

**А тепе́рь ваш разгово́р…** Узна́йте друг у дру́га: в како́й ко́мнате/кварти́ре ты живёшь.

**5-11. Интерне́т.** Вы е́дете в Москву́ и́ли Петербу́рг на год. Найди́те себе́ кварти́ру. Вы мо́жете плати́ть 600-700 до́лларов в ме́сяц. Найди́те информа́цию в Интерне́те и расскажи́те в кла́ссе, что вы нашли́.

**Complete exercises 5-6 through 5-11 in the S.A.M.**

# Грамма́тика. Говори́те пра́вильно!

## О падежа́х

## The instrumental case ◆ Твори́тельный паде́ж

### Ли́чные местоиме́ния в твори́тельном падеже́

Review the instrumental case endings for personal pronouns:

| **Nominative** | кто | что | я | ты | он/оно́ | она́ | мы | вы | они́ |
|---|---|---|---|---|---|---|---|---|---|
| **Instrumental** | кем | чем | мной | тобо́й | им | ей (ею[1]) | на́ми | ва́ми | и́ми |
| | с кем | с чем | со мно́й | с тобо́й | с ним | с ней | с на́ми | с ва́ми | с ни́ми |

| **Accusative** | себя́ |
|---|---|
| **Instrumental** | собо́й |
| | с собо́й |

**Запо́мните!**
**Мы с тобо́й** means "*you and I.*" **Мы с ним** means "*he and I.*"

[1]The instrumental form of **она́** can be either **ей** or **е́ю.** The form **е́ю** is often used in written Russian or when not preceded by a preposition. The pronouns **я** and **ты** also have alternate instrumental forms **мно́ю** and **тобо́ю,** which also are used in written Russian.

**5-12. Что э́то зна́чит?** Give English equivalents.

1. Мы с Андре́ем сня́ли дом на всё ле́то.
2. Та́ня с Ко́лей е́дут путеше́ствовать.
3. Све́та с Ната́шей перее́хали на но́вую кварти́ру.
4. Мы с Са́шей не хоти́м бо́льше жить в общежи́тии.
5. Мы с ва́ми уже́ ви́делись сего́дня.

## The instrumental case: singular and plural endings for nouns

1. Masculine and neuter nouns take the endings **-ОМ/-ЕМ** in the instrumental case. When stressed the ending **-ЕМ** becomes **-ЁМ.**
2. Nouns ending in **-А/-Я** in the nominative singular take the endings **-ОЙ/-ЕЙ** in the instrumental case. When stressed the ending **-ЕЙ** becomes **-ЁЙ.**
3. Feminine nouns ending in **-Ь** in the nominative singular take the ending **-ЬЮ** in the instrumental case.
4. All nouns take the endings **-АМИ/-ЯМИ** in the instrumental plural.

| Singular | | Plural | |
|---|---|---|---|
| **Nominative** | **Instrumental** | **Nominative** | **Instrumental** |
| **кто? что?** | **кем? чем?** | **кто? что?** | **кем? чем?** |
| вид | ви́д-**ом** | ви́д-**ы** | ви́д-**ами** |
| учи́тель | учи́тел-**ем** | учител-**я́** | учител-**я́ми** |
| слова́рь | словар-**ём** | словар-**и́** | словар-**я́ми** |
| окн-о́ | окн-**о́м** | о́кн-**а** | о́кн-**ами** |
| кварти́р-а | кварти́р-**ой** | кварти́р-**ы** | кварти́р-**ами** |
| ку́хн-я | ку́хн-**ей** | ку́хн-**и** | ку́хн-**ями** |
| семь-я́ | семь-**ёй** | се́мь-**и** | се́мь-**ями** |
| крова́ть | крова́т-**ью** | крова́т-**и** | крова́т-**ями** |

**Notes**

1. Unstressed **о** → **е** after hushers (**ж, ш, ч, щ**) and **ц.**
2. The neuter nouns **вре́мя** and **и́мя** add **-ен-** before all endings: **вре́м-ен-ем, и́м-ен-ем.**
3. The feminine nouns **мать** and **дочь** add **-ер-** before all endings: **ма́т-ер-ью, до́ч-ер-ью.**

**5-13. Чем вы дово́льны? Чем вы недово́льны?** You've moved to a new place. Tell your partner what you like and dislike about it and why. Continue and give your own examples.

*Приме́р:* *Я (не) дово́лен/дово́льна … дом* > ***до́мом***

| | |
|---|---|
| общежи́тие | ку́хня |
| райо́н | стол |
| кварти́ра | сту́лья |
| ме́бель | вид из окна́ |
| сад | ко́мната |

## Endings for adjectives and special modifiers in the instrumental case

Adjectives and special modifiers for **masculine** and **neuter** nouns have the endings **-ЫМ, -ИМ,** or **-ЕМ.**

> Мы познакóмились с нáш-**им** нóв-**ым** рýсск-**им** студéнтом, а с т-**ем** студéнтом мы ещё не познакóмились.
> *We've met our new Russian student, but we haven't met that (other) one yet.*

Adjectives and special modifiers for **feminine** nouns have the endings **-ОЙ** or **-ЕЙ.**

> Мы познакóмились с нáш-**ей** нóв-**ой** рýсск-**ой** студéнтк-**ой**, а с т-**ой** студéнтк-**ой** мы ещё не познакóмились.
> *We've met our new Russian student (female), but we haven't met that (other) one yet.*

Adjectives and modifiers for all plural nouns have the endings **-ЫМИ, -ИМИ,** or **-ЕМИ.**

> Вчéра мы познакóмились со вс-**éми** нáш-**ими** рýсск-**ими** студéнт-**ами.**
> *We met all of our Russian students yesterday.*

**Complete exercise 5-12 in the S.A.M.**

## Using the instrumental case to express place

1. The prepositions **ЗА** (*behind, in the back*), **ПЕ́РЕД** (*in front of*), **НАД** (*over*), **ПОД** (*under*), **МЕ́ЖДУ**(*between*), **РЯ́ДОМ С** (*next to*) are used with the instrumental case in answer to the question **где?**

| | |
|---|---|
| **За дóмом** большóй сад. | *There is a large garden behind the house.* |
| **Над кровáтью** висéла картúна. | *There was a picture hanging over the bed.* |
| **Под столóм** сидéла кóшка. | *A cat was sitting under the table.* |
| **Мéжду домáми** стоя́ла машúна. | *There was a car parked between the houses.* |
| **Ря́дом с нáшим дóмом** мнóго магазúнов. | *There are a lot of stores right next to our house.* |

**Запóмните!**
**Под** + instrumental of the name of a city means not far from the city, in the suburbs.

> У нас дáча **под Москвóй.** *We have a country house not far from Moscow.*

2. The prepositions **ПЕ́РЕД** and **НАД** are also used with the instrumental case in answer to the question **кудá?**

| | |
|---|---|
| Постáвь машúну **пéред дóмом.** | *Park the car in front of the house.* |
| Я повéшу лáмпу **над кровáтью.** | *I'm going to hang a lamp above the bed.* |

3. The prepositions **ЗА** and **ПОД** are used with the instrumental case when answering the question **где?** and with the accusative when answering the question **куда́?** Study the examples below.

**ЗА**

**За стол/за столо́м**

| | |
|---|---|
| Все се́ли **за стол.** | *Everyone sat down at the table.* |
| Все сиде́ли **за столо́м.** | *Everyone was sitting at the table.* |

**За́ город/за́ городом**

| | |
|---|---|
| В воскресе́нье мы е́дем **за́ город.** | *On Sunday we are going to the country.* |
| Его́ роди́тели живу́т **за́ городом.** | *His parents live out of town (in the suburbs).* |

**За грани́цу/за грани́цей**

| | |
|---|---|
| На́ши ро́дственники уе́хали **за грани́цу.** | *Our relatives went abroad.* |
| На́ши ро́дственники живу́т **за грани́цей.** | *Our relatives live abroad.* |

**ПОД**

| | |
|---|---|
| Поста́вь коро́бку **под крова́ть.** | *Put the box under the bed.* |
| Коро́бка стои́т **под крова́тью.** | *The box is under the bed.* |

4. To answer the question **отку́да?** use the prepositions **ИЗ-ЗА** and **ИЗ-ПОД** with the genitive case. Translate the examples into English.

| ГДЕ? Instrumental | КУДА́? Accusative | ОТКУ́ДА? Genitive |
|---|---|---|
| **за грани́цей** | **за грани́цу** | Они́ то́лько что верну́лись **из-за грани́цы.** |
| **за столо́м** | **за стол** | Все вста́ли **из-за стола́.** |
| **под крова́тью** | **под крова́ть** | Доста́нь коро́бку **из-под крова́ти.** |

**5-14. Что она́ здесь де́лает?** Read the story, putting the words in parentheses in the appropriate case. Think up an ending for the story.

Серге́й поста́вил маши́ну пе́ред ... (свой дом) и вошёл в кварти́ру. Вся семья́ сиде́ла на ку́хне за ... (стол). Над ... (они́) висе́ла больша́я си́няя ла́мпа, кото́рую пове́сили над ... (стол) мно́го лет наза́д, когда́ они́ перее́хали в э́ту кварти́ру. На столе́ пе́ред ... (мать) лежа́ли каки́е-то бума́ги. «Сади́сь скоре́е за ... (стол), — сказа́ла она́ Серге́ю. Почему́ так по́здно?» «За ... (го́род) снег на доро́гах,» — на́чал он и останови́лся. Он вдруг заме́тил, что ме́жду ... (оте́ц) и ... (брат) сиди́т его́ бы́вшая[1] жена́, с ... (кото́рая) он развёлся два го́да наза́д. Он хоте́л встать из-за ... (стол) и уйти́, но не встал. «Что она́ здесь де́лает? — поду́мал Серге́й. Она́ вообще́ должна́ быть за ... (грани́ца). Вся её семья́ перее́хала за... (грани́ца) год наза́д. Что произошло́?» А как вы ду́маете, что произошло́?

**Complete exercises 5-13 through 5-15 in the S.A.M.**

[1]former

# Те́ма 2. Дом, в кото́ром хорошо́ отдыха́ть…

## Подгото́вка

**5-15. Вы зна́ете э́ти слова́?**

дом со все́ми удо́бствами — *house with all amenities*
кани́кулы — *vacation*
отопле́ние — *heating*
сдава́ть/сдать — *to rent* (Дом сдаётся — *the house is for rent*)
стро́ить/постро́ить — *to build*
хозя́ин/хозя́йка (*pl.* хозя́ева) — *landlord/landlady*
холо́дная/горя́чая вода́ — *cold/hot water*
гла́дить/погла́дить что? — *to iron*
мыть/вы́мыть посу́ду — *to do the dishes*
пылесо́сить — *to vacuum*
стира́ть/постира́ть/вы́стирать — *to do laundry*
убира́ть/убра́ть (ко́мнату, кварти́ру) — *to clean, tidy up*

**5-16. Сдаётся дом.** Using the words above, ask each other questions.

1. У вас кани́кулы. Вы с друзья́ми хоти́те снять дом на берегу́ океа́на. Хозя́ева до́ма ру́сские. Спроси́те, каки́е удо́бства есть в до́ме, когда́ постро́или дом и так да́лее.
2. Реши́те, кто бу́дет убира́ть, стира́ть и так да́лее.

**Complete exercises 5-16 through 5-20 in the S.A.M.**

## Язы́к в жи́зни

**5-17. Прочита́йте объявле́ние**

### Дом в Ялте

Сдаётся дом со все́ми удо́бствами в двух киломе́трах от це́нтра Ялты, в посёлке Лива́дия о́коло па́рка Ливади́йского *дворца́*, на берегу́ Чёрного мо́ря. Здесь вы смо́жете хорошо́ отдохну́ть и замеча́тельно провести́ вре́мя.

В до́ме две спа́льни, ую́тная гости́ная, больша́я ку́хня, ва́нная, туале́т и гара́ж. В до́ме есть холо́дная и горя́чая вода́, кондиционе́р, телефо́н, телеви́зор, холоди́льник, га́зовая плита́, *посудомо́ечная* и *стира́льная* маши́ны. *Двор* с ви́дом на мо́ре. Во дворе́ мно́го *зе́лени* и *цвето́в*.

О́коло до́ма нахо́дится ти́хий и краси́вый парк, а в десяти́ мину́тах от до́ма — пляж. В посёлке Лива́дия есть *по́чта*, не́сколько *продово́льственных магази́нов*, *апте́ка*, *ры́нок*, два кафе́, рестора́н и дискоте́ка. Дом сдаётся ми́нимум на неде́лю.

Конта́ктная информа́ция

Телефо́нный код Украи́ны: 380
Телефо́н: (0684) 46-91-30

*апте́ка — pharmacy*
*двор — yard*
*двор|е́|ц — palace*
*зе́лень (f.)— vegetation*
*посудомо́ечная маши́на — dishwasher*
*по́чта — post-office*
*продово́льственный магази́н — grocery store*
*ры́н|о|к — farmer's market*
*стира́льная маши́на — washing machine*
*цвет|о́|к (sg.) — a flower*
*цветы́ (pl.) — flowers*

**Спра́вка**
**Ялта** — го́род-куро́рт на берегу́ Чёрного мо́ря, в Крыму́, оди́н из са́мых краси́вых городо́в ми́ра. Ялта — это тёплое мо́ре, со́лнце, го́ры, дома́ о́тдыха, санато́рии, гости́ницы, э́то дворцы́ и па́рки, это морско́й порт... Это фру́кты и вино́... Го́род со́лнца. 2250 часо́в в год оно́ сия́ет над Ялтой. Как в Ни́цце, Ка́ннах, Сан-Ре́мо... — *Из рекла́мы го́рода Ялта.*

**5-18. Прочита́йте объявле́ние.**

**Приезжа́йте к нам на Валда́й!**

Вы хо́тите провести́ кани́кулы в *дере́вне*? У нас тёплый *деревя́нный* дом! У нас свой *дереве́нские* проду́кты! Здесь вы смо́жете *отли́чно* отдохну́ть!

Наш дом стои́т в *лесу́*, на берегу́ *о́зера* Валда́й (до о́зера 50 ме́тров). *Круго́м тишина́* и *поко́й*. Ле́том — о́зеро, *рыба́лка*. Зимо́й — *лы́жи*.

Жить бу́дете в крестья́нской семье́, у вас бу́дет своя́ ко́мната, в кото́рой есть *удо́бная* крова́ть, кре́сло и дива́н. В до́ме есть столо́вая, ря́дом с кото́рой *просто́рная* ку́хня. У нас есть отопле́ние, холо́дная и горя́чая вода́. Ду́ша пока́ нет — стро́им. *Ба́ня* — ря́дом с о́зером, мо́жно *мы́ться* в любо́й день. Телеви́зор принима́ет ОРТ, РТР и НТВ[1], есть видеомагнитофо́н. Убира́ть, стира́ть и *гото́вить* бу́дет моя́ жена́ Люба́ша!

Приезжа́йте к нам! Вы бу́дете дово́льны свои́м о́тдыхом!
Сте́пан Его́ров
Валда́й, дере́вня Лучки́
Телефо́н (81666)39

*ба́ня — Russian sauna*
*гото́вить (impf.) — to cook*
*дереве́нский — village (adj.)*
*дере́вня — village*
*деревя́нный — wooden*
*круго́м — around*
*лес — forest*
*лы́жи (pl.) — skis*
*мы́ться/помы́ться — to wash (oneself)*
*о́зеро — lake*
*отли́чно — very well*
*просто́рный – spacious*
*рыба́лка — fishing*
*стро́ить/постро́ить — to build*
*тишина́ и поко́й — peace and quiet*
*удо́бный — comfortable*

**Спра́вка**
Го́род Валда́й нахо́дится на се́веро-за́паде Росси́и в Новгоро́дской о́бласти в са́мой ю́го-восто́чной её ча́сти на 386-о́м киломе́тре автодоро́ги Москва́ — Са́нкт-Петербу́рг (М10). Населе́ние — о́коло 20.000 челове́к, ле́том — до 30.000 челове́к.

**5-19. Приезжа́йте к нам!**

1. **Вы — хозя́ин/хозя́йка до́ма в Ялте.** Вы хоти́те сдать дом. Расскажи́те о своём до́ме и о том, что нахо́дится ря́дом с до́мом.
2. **Вы живёте в дере́вне Лучки́ на о́зере Валда́й.** У Вас просто́рный дом. Вы хоти́те сдать ко́мнату. Расскажи́те об о́тдыхе на о́зере Валда́й и о своём до́ме.

**5-20. Реше́ние.** You have to decide where to go (***в Ялту и́ли на Валда́й***). Make a list of all pros and cons (***за и про́тив***), then discuss it. The only condition is that you have to choose one location and go together.

[1]ОРТ, РТР и НТВ — Russian TV channels

**5-21. Расскажи́те о…** Talk about your dream house. Mention where you would build it and what it would be like (8–10 sentences).

## Разгово́ры

**5-22. Слу́шайте и чита́йте разгово́р.** Insert the missing words and phrases.

**Ка́тя и Га́ля собира́ются в го́сти**

| | |
|---|---|
| — Вы куда́-нибудь пое́дете на ………………… кани́кулы? | |
| — К ………………… Ти́ма. | |
| — Он нас пригласи́л ………………………………. | |
| — Далеко́? | |
| — В Вермо́нт. У них там *фе́рма.* | *farm* |
| — Красота́! *Поды́шите све́жим во́здухом!* | *You'll get some fresh air!* |
| — Мо́жно спать, *ско́лько уго́дно!* | *as much as you like* |
| — Смо́жете отдохну́ть, *как сле́дует.* | *as you should, really well* |
| — А кака́я у них …………….? | |
| — *Моло́чная.* | *dairy* |
| — *Здо́рово!* | *Great! Fantastic!* |
| — Я бы то́же хоте́л ……………… | |
| — Мо́жет быть, ……………………… Ти́ма? | |
| — Нет, мне *неудо́бно.* | *awkward* |

**5-23. Поговори́м немно́го.** Read the following conversations and compose similar ones. Note the following expressions.

**To express agreement:** Я не возража́ю — *I don't mind*
Я согла́сен/согла́сна — *I agree*

**А.** — Мы собира́емся пое́хать на неде́лю на Валда́й.
— Здо́рово! Смо́жете хорошо́ отдохну́ть.
— Хо́чешь пое́хать с на́ми?
— Я не возража́ю. Если смогу́, пое́ду.

**А тепе́рь ваш разгово́р…** Узна́йте, куда́ ва́ши друзья́ собира́ются пое́хать на кани́кулы.

**Б.** — Куда́ мы пое́дем на кани́кулы?
— Пое́хали в Ялту.
— Согла́сен/согла́сна! Сни́мем большо́й дом на мо́ре.
— Это о́чень до́рого! Мо́жно снять кварти́ру и́ли ко́мнату.

**А тепе́рь ваш разгово́р…** Реши́те с друзья́ми, куда́ пое́хать отдыха́ть и что снять: дом/кварти́ру/ко́мнату…

**5-24. Слу́шайте и чита́йте разгово́р.** Insert the missing words and phrases.

**Том и Джон сня́ли дом вме́сте с ру́сскими студе́нтами**

| | |
|---|---|
| — Ты .............................. занима́ться *хозя́йством*? | *housework* |
| — *Терпе́ть не могу́.* | *I can't stand (tolerate)* |
| — А я люблю́ ................................................... | |
| — Я уме́ю *печь* хлеб. | *to bake* |
| — Я .................................... ходи́ть за поку́пками. | |
| — Кто бу́дет ....................................................? | |
| — Я не ............................................................ | |
| — Я ............................................ *выноси́ть му́сор.* | *to take out garbage* |
| — А где тут мо́жно ........................................? | |
| — А *стричь газо́н* мы то́же ...................................? | *to mow the lawn* |
| — Нет, у ........................................ есть *садо́вник.* | *gardener* |
| — В де́тстве я так .............................................. | |
| — Стриг *траву́*? | *grass* |
| — Я гото́в ........................................................ | |
| — Ну, ка́жется, ................................................ | |

**5-25. Домрабо́тница.** Домрабо́тница (дома́шняя рабо́тница), which literally means a "domestic worker" is a housekeeper. Your host family in Russia is going to interview a *домрабо́тница*. Think what questions you could ask. Then act out the interview. The *домрабо́тница* will agree to do some chores but will not be willing to do some others.

**Нужна́ домрабо́тница**

1. Семья́ из го́рода Хи́мки и́щет ежедне́вно приходя́щую домрабо́тницу, кото́рая бу́дет стира́ть, гото́вить, убира́ть, а та́кже води́ть в де́тский сад двои́х дете́й. 350$ в ме́сяц.
2. Семья́ (муж и жена́) и́щет домрабо́тницу, кото́рая согла́сна жить в до́ме и бу́дет гото́вить, ходи́ть за поку́пками, убира́ть, стира́ть и гла́дить. Зарпла́та 250$ в ме́сяц.

**Complete exercises 5-21 through 5-25 in the S.A.M.**

# Грамма́тика. Говори́те пра́вильно!

## О падежа́х

## More on the instrumental case

### The instrumental case without prepositions

The instrumental case is used without prepositions:

1. to indicate what instrument you use to do something

   Не пиши́те **карандашо́м**. Пиши́те **ру́чкой**. *Don't use a pencil. Use a pen.*

2. after the verbs **быть, станови́ться/стать, явля́ться**

   Я хочу́ **быть архите́ктором.** *I want to be an architect.*

   Она́ **ста́нет инжене́ром-строи́телем.** *She will become a civil engineer.*

   Дом Петра́ **явля́ется еди́нственным деревя́нным зда́нием** в Петербу́рге. *Peter's house is the only wooden building in St. Petersburg.*

3. after the verb **рабо́тать** to show what someone's job is

   **— Кем рабо́тает** твоя́ мать?
   *"What does your mother do? (What kind of work does your mother do?)"*

   — Она́ **рабо́тает аге́нтом** по прода́же недви́жимости.
   *"She is a real estate agent."*

4. after certain verbs, e.g., **интересова́ться/заинтересова́ться, занима́ться**

   Они́ **интересу́ются исто́рией архитекту́ры.** *They are interested in the history of architecture.*

   — **Чем** ты сейча́с **занима́ешься?** *"What are you up to right now?"*
   — Убира́ю дом. *"I am cleaning the house."*

   Они́ **занима́ются диза́йном интерье́ра.** *They're studying interior design.*

**5-26. Поговори́м.** Узна́йте друг у дру́га.

1. Чем вы интересу́етесь?
2. Чем вы занима́етесь?
3. Кем вы хоти́те стать?
4. Кем вы хоте́ли стать в де́тстве?
5. Кем вы хоти́те рабо́тать?

## Глаго́л быть + твори́тельный паде́ж

In the present tense, the verb is omitted and the complement is in the nominati ve.

— Кто ва́ши роди́тели? — *"What do your parents do?"*
— Оте́ц **строи́тель,** а мать **диза́йнер.** — *"My father's a contractor, ar d my mother's an interior decorator."*

Noun and adjective complements are in the instrumental after the **past** and **futu re** tenses of **быть.**

Её мать **была́ архите́ктором,** и она́ то́же **бу́дет архите́ктором.** — *Her mother was an architec , and she's going to be one, too.*

Дом **был просто́рным** и **удо́бным.** — *The house was spacious and comfortable.*

Complements denoting nationality are in the nominative case after the past ten se of **быть.**

Их ба́бушка **была́ ру́сская,** а де́душка **был поля́к.** — *Their grandmother was Rus sian, and their grandfather was Polish.*

**5-27. Твори́тельный паде́ж в конте́ксте.** Use the instrumental case where n ecessary. There are also some other cases you'll need to use as a review.

Мой праде́душка был ... (украи́нец). Они́ с ... (ба́бушка) эмигри́рова ли в ... (Аме́рика) в 1905 году́. Он был ... (фармаце́вт) и откры́л ... (апте́ка) в Чика́го. Де́ душка око́нчил медици́нский факульте́т и ... (вся жизнь) рабо́тал ... (врач). Оте́ц хоте ́л стать ... (хи́мик), а стал ...(учи́тель) матема́тики. Моя́ ба́бушка была́ ... (францу́женка), она́ научи́ла ... (ма́ма) говори́ть по-францу́зски, и ма́ма ста́ла ... (учи́тельница) фран цу́зского и испа́нского языко́в. Я в де́тстве хоте́ла быть ... (о́перная певи́ца), а ста́ну ... (бизн есме́н). А сейча́с я ... (студе́нтка) на ... (экономи́ческий факульте́т).

## The instrumental case with prepositions

- Use the instrumental case with the preposition **С/СО**

  1. to show accompaniment

     Мно́гие пьют ко́фе **с молоко́м.** — *A lot of people take milk wit h their coffee.*
     Я **с ра́достью** помогу́ тебе́. — *I'll be happy to help you. (I' ll help you with joy.)*

  2. after certain verbs, e.g., **знако́миться/познако́миться** (*to meet*), **здор о́ваться/поздоро́ваться** (*to say hello*), **проща́ться/попроща́ться** (*to say good -by*), **поздравля́ть/поздра́вить** (*to congratulate*), **случа́ться/случи́ться** (*to happen*)

  3. after the following short-form adjectives, e.g., **знако́м/знако́ма** (*acqu ainted, familiar with*), **согла́сен/согла́сна** (*in agreement with*)

- Use the instrumental case with the preposition **НАД** after the verbs **рабо́тат ь, смея́ться, ду́мать.**

  Я рабо́таю **над э́тим докла́дом** уже́ неде́лю. — *I've been working on this re port for a week.*
  Почему́ вы смеётесь **надо мно́й?** — *Why are you making fun of me?*
  **Над че́м** ты ду́маешь всё вре́мя? — *What are you thinking abou t all the time?*

■ Use the instrumen tal case with the preposition **ЗА** and a verb of motion to indicate the person or thing to be picked up or fetched.

| | |
|---|---|
| Хо́чешь, мы заé, цем **за тобо́й?** | *Do you want us to stop by for you?* |
| Марк верну́лся д омо́й **за кни́гами.** | *Mark went back home to get his books.* |

Класс **5-28. Предло́г С.** G ive English equivalents for the following sentences.

1. Почему́ ты не **поговори́шь с преподава́телем** об э́том?
2. Ты **знако́м/а** с Любо́вью Сергéевной?**
3. Почему́ вы **со** мно́й не **согла́сны?**
4. **Познако́мь** м еня́ **с ни́ми!**
5. Она́ **со мной** не **здоро́вается.**
6. Мы **попроща́ лись с ни́ми** и уéхали домо́й.
7. Я **с удово́льст вием** расскажу́ вам об э́том.
8. Я забы́ла **позд ра́вить** ма́му **с Днём** ма́тери.

**5-29. Предло́ги.** Us the appropriate preposition.

1. — Чем он так за́нят? — Он рабо́тает ... рефера́том.
2. — Что он сдé лал? Почему́ все смею́тся ... ним?
3. — Когда́ ты бу́дешь у меня́? — Я заéду ... тобо́й в 8.00.
4. — Почему́ ты так расстро́ена? ... кем ты говори́ла?
5. — Почему́ вы не поздоро́вались ... профе́ссором Смирно́вым?
6. — Почему́ Ив а́н так расстро́ен? Что ... ним случи́лось?

**5-30. Кото́рый.** Rea d the text below. Determine the case and explain the use of the relative pronoun **кото́рый.**

**Америка́нцы в Москвé**

Мы с му́жем при éхали в Москву́ и на́чали иска́ть кварти́ру. Мы хотéли снять кварти́ру, в кото́рой бы́ли все уд о́бства и ря́дом с кото́рой бы́ли магази́ны и метро́. Мы бы́стро нашли́ нéсколько кварти́р, ря́дом с кото́рыми бы́ли хоро́шие магази́ны, но кварти́ры бы́ли о́чень дороги́е. Чéрез нéско лько дней мы по́няли, что мы не смо́жем найти́ в цéнтре го́рода дешёвую кварти́ру. Москва́, в кото́рой мы должны́ бы́ли прожи́ть год, оди́н из са́мых дороги́х городо́в в ми́ре! Друзья́, с кото́ рыми мы посовéтовались, сказа́ли, что на́до купи́ть газéту «Кварти́ра». И, пра́вда, в э́той газéте, кото́рая выхо́дит раз в недéлю, оказа́лось мно́го объявлéний, из кото́рых мо́жно бы́ло выбира́ ть.

Мы наконéц сня́ ли двухко́мнатную кварти́ру в до́ме, ря́дом с кото́рым был парк и недалеко́ от кото́рого бы́ли ма гази́ны и ста́нция метро́. Все на́ши друзья́ говори́ли, что нам повезло́. Пробле́ма была́ в том, что в кварти́ре нé было мéбели. Был то́лько большо́й стол, над кото́рым висéла ла́мпа и о́коло кото́рого стоя́ли четы́ре сту́ла. Что дéлать? Но оказа́лось, что э́то не пробле́ма. В Росси́и всегда́ есть друзья́, кото́рые хотя́т вам помо́чь! Нам да́ли всю мéбель, кото́рая нам была́ ну жна́. Нам ещё раз повезло́!

**Complete exercises 5-26 through 5-30 in the S.A.M.**

# Те́ма 3. Дом-музе́й

## Подгото́вка

**5-31. Вы зна́ете э́ти слова́?**

кра́сить — *to paint*
стена́ (*pl.* сте́ны) — *wall*
пол — *floor*
потол|о́|к — *ceiling*

**5-32. Цвета́.** Look through the list of colors and answer the questions below.

1. Како́й цвет вы бо́льше всего́ лю́бите?
2. Како́го цве́та ваш дом?
3. Како́го цве́та сте́ны, пол и потоло́к в ва́шем до́ме?
4. Если вы постро́ите дом, како́го он бу́дет цве́та?

кра́сный — *red*
ора́нжевый — *orange*
жёлтый — *yellow*
зелёный — *green*
голубо́й — *light blue*
си́ний — *navy blue*
фиоле́товый — *purple*
чёрный — *black*
се́рый — *grey*
кори́чневый — *brown*
бе́лый — *white*

**Запо́мните!** You can add **тёмно-** or **све́тло-** to any color. You can say, for example, **тёмно-си́ний** — *dark blue*, **све́тло-зелёный** — *light green.*

**5-33. Словообразова́ние.** Diminutive noun suffixes.

1. In Russian, you can indicate that something is small or dear to you by adding **diminutive** suffixes:

   **а.** **-ИК , -ЧИК, -ОК** (**-ЕК**) for masculine nouns: дом — **до́мик**
   **б.** **-К(А)**, (**-ИЧКА**) for feminine nouns: крова́ть — **крова́тка**

2. Read the following pairs of words and give English equivalents for the ones with diminutive suffixes. Point out the suffix.

   стол — сто́лик
   ко́мната — ко́мнатка
   кварти́ра — кварти́рка
   шкаф — шка́фчик
   дива́н — дива́нчик
   стул — сту́льчик
   ковёр — ко́врик

**Complete exercises 5-31 through 5-33 in the S.A.M.**

## Язы́к в жи́зни

**5-34. Пётр Пе́рвый.** Что вы зна́ете?

Что вы зна́ете о Петре́ Пе́рвом? Чем он знамени́т?

**5-35. До́мик Петра́.** While reading the text, find the answers to the questions below.

1. Когда́ постро́или До́мик Петра́ Пе́рвого?
2. За ско́лько вре́мени его́ постро́или?
3. Из чего́ его́ постро́или?
4. Почему́ дом покра́сили «под кирпи́ч»?
5. Каки́е ко́мнаты бы́ли в До́мике Петра́?
6. Како́го цве́та бы́ли полы́ и потолки́?
7. Каки́е бы́ли потолки́?
8. Почему́ Пётр так недо́лго жил в До́мике?

**До́мик Петра́ Пе́рвого**

До́мик Петра́ Пе́рвого – э́то дом № 1 го́рода Санкт-Петербу́рга. Он нахо́дится на Петрогра́дской стороне́ и *явля́ется* еди́нственным деревя́нным *зда́нием* восемна́дцатого ве́ка в Петербу́рге.

Дом постро́или в 1703 году́ за четы́ре дня, с 24 по 27 ма́я. В одноэта́жном До́мике бы́ло всего́ три ко́мнаты: столо́вая, *кабине́т* и небольша́я спа́льня.

Пётр Пе́рвый хоте́л, что́бы в его́ но́вом го́роде стро́или *ка́менные* дома́. Но ну́жно бы́ло постро́ить дом о́чень бы́стро. Поэ́тому его́ постро́или из де́рева, но сте́ны *покра́сили «под кирпи́ч»*. Пол покра́сили в кори́чнево-кра́сный цвет, а потолки́ в бе́лый. Потолки́ в ко́мнатах бы́ли *невысо́кими* — всего́ два с полови́ной ме́тра, в то вре́мя как *рост* самого́ царя́ был 2 ме́тра 4 сантиме́тра. Но Пётр люби́л жить в небольши́х, ую́тных, *ни́зких* ко́мнатах.

Пётр периоди́чески жил в До́мике с 1703 по 1708 год. По́сле того́ как постро́или Ле́тний и Зи́мний дворцы́, царь уже́ никогда́ в До́мике не жил. Если вы пое́дете в Петербу́рг, *обяза́тельно* зайди́те в До́мик Петра́ Пе́рвого.

*зда́ние — building*
*кабине́т — study*
*ка́менный — of stone*
*кирпи́ч — brick*
*под кирпи́ч — to look like brick*
*кра́сить/покра́сить — to paint*
*невысо́кий — low*
*ни́зкий — low*
*обяза́тельно — make sure to*
*рост — height; 204 см = 6' 9"*
*явля́ться чем? (impf.) — to be, serve as*

**Адрес:** Петро́вская на́бережная, 6

**Режи́м рабо́ты:** ежедне́вно с 10.00 до 18.00, кро́ме понеде́льника и вто́рника

**Входна́я пла́та:** по́лный биле́т — 5 руб., студе́нты, шко́льники, пенсионе́ры — 3 руб., дошко́льники — беспла́тно

**5-36. Экскýрсия.** Предстáвьте себé, что вы в Дóмике Петрá Пéрвого. Think of nine questions that you could ask the tour guide. Be creative!

**5-37. Интернéт.**

1. Find additional information about Peter's house on the Russian Internet.
2. Find information about *Зи́мний дворéц* and *Лéтний дворéц*. Give a presentation in class on one of the topics. When preparing your presentation, use the vocabulary you know. Limit the new vocabulary to five words.

**Complete exercises 5-34 and 5-35 in the S.A.M.**

# Граммáтика. Говори́те прáвильно!

## О глагóлах

### Using aspect in the future tense ◆ Ви́ды глагóла в бýдущем врéмени

Both imperfective and perfective verbs are used to denote actions that will occur in the future. The future tense of imperfective verbs is formed with a conjugated form of the verb **быть** and an imperfective infinitive, and the future tense of perfective verbs is formed by adding non-past endings to a perfective verb stem.

| ***Imperfective future*** | ***Perfective future*** |
| --- | --- |
| Мы **бýдем говори́ть** по-рýсски.<br>*We'll speak Russian.* | Я вам **скажý** э́то по-рýсски.<br>*I'll tell you this in Russian.* |

**Perfective verbs**

The future tense of perfective verbs indicates a one-time action in the future and gives additional information about that action (its result, limited duration, or its inception):

- **Result**

  Я **уберý** квартиру. — *I'll clean the apartment.*

  Ты **вы́моешь** посýду? — *Will (Would) you do the dishes?*

- **Duration.** The action will be of limited duration.

  Я **поговорю́** с хозя́ином квартиры.
  *I'll talk to the landlord/I'll have a talk with the landlord.*

  Я немнóго **порабóтаю,** а потóм приготóвлю ýжин.
  *I'll work a little and then fix supper.*

- **Inception.** The action will begin.

  Через гóд мы опя́ть **захоти́м** поéхать на Валдáй.
  *In a year's time we'll want to go to Valdaj again.*

  Этот фильм **пойдёт** на слéдующей недéле.
  *The movie will start next week.*

**Imperfective verbs**

The future tense of imperfective verbs indicates verbal action that will take place in the future, without any reference to its result.

| | |
|---|---|
| Он сказа́л, что **бу́дет** ка́ждый день **мыть** посу́ду. | *He said he would do the dishes every day.* |
| Если нам понра́вится в Ялте, мы **бу́дем отдыха́ть** там ка́ждое ле́то. | *If we like Yalta, we'll vacation there every summer.* |

**5-38. Во вре́мя кани́кул.**

А. Below is a description of what Katya and Lena did during the summer vacation. Imagine that they will spend their next summer this way. Make the necessary changes of the verbs in bold.

Про́шлым ле́том Ка́тя и Ле́на **пое́хали** на Чёрное мо́ре. Они́ **сня́ли** ма́ленькую двухко́мнатную кварти́ру с ви́дом на мо́ре. Ка́ждый день они́ **встава́ли** в 9 часо́в утра́. Ка́тя **гото́вила** за́втрак, а по́сле за́втрака Ле́на **мы́ла** посу́ду. Пото́м они́ **сиде́ли** на пля́же, **чита́ли, игра́ли** в волейбо́л **и пла́вали.** Часа́ в два они́ **возвраща́лись** домо́й, **обе́дали** и **отдыха́ли** до ве́чера. Ка́тя **смотре́ла** телеви́зор, **чита́ла** электро́нную по́чту, а Ле́на **звони́ла** роди́телям и друзья́м в Москву́ и́ли **спала́.** Ве́чером они́ **гото́вили** у́жин, а по́сле у́жина Ле́на **танцева́ла** до двух часо́в но́чи на дискоте́ке. А Ка́тя **гуля́ла** по па́рку. **Ложи́лись** спать они́ о́чень по́здно, но всё-таки хорошо́ **отдохну́ли.**

Б. **Каки́е у вас пла́ны на ле́тние кани́кулы?** Compose a similar paragraph about what you intend to do next summer. Try to give as many details as you can.

**Complete exercises 5-36 and 5-37 in the S.A.M.**

## О предложе́нии

## Types of simple sentences ◆ Ти́пы просто́го предложе́ния

A simple sentence may have

- both a subject and a predicate (a two-unit sentence)
- only a subject or only a predicate (a one-unit sentence)

**TWO-UNIT SENTENCES**

| *subject* | *predicate* | |
|---|---|---|
| **Мы** | **ходи́ли** | в дом-музе́й Петра́ Пе́рвого. |
| *subject* | *predicate* | |
| **До́мик Петра́** | **явля́ется пе́рвым зда́нием** | Петербу́рга. |

### ONE-UNIT SENTENCES

- **A sentence can contain only the subject.**

| | |
|---|---|
| *subject*<br>Вéчер. | *It's evening.* |
| *subject*<br>«Ночь, ýлица, фонáрь, аптéка …» | *It's a night, there is a street, there is a street light, there is a pharmacy… А. Блок (1912)* |

- **A sentence can contain only the predicate.**

1. The subject is omitted because **it's clear from the form of the verb** and the context.

| | |
|---|---|
| — Что ты дéлаешь? | *"What are you doing?"* |
| — **Убирáю** квартúру. | *"I'm cleaning the apartment."* |

**Я** is omitted because it's clear from the form of the verb and the context.

2. **The third-person plural form** of a verb is often used to indicate a generalized subject of a sentence. In such sentences the focus is on the action itself and not the performer of the action.

*predicate* *predicate* *predicate*
Дом **постро́или** в 1703 годý. Егó **постро́или** из дéрева, но стéны **покрáсили** «под кирпúч».

3. The predicate in **impersonal sentences** may be expressed by

a. an impersonal verb

**Холодáет. Похолодáло.** Скóро **похолодáет.**
*It's getting cold. It got cold. It will get cold soon.*

**Темнéет. Стемнéло.**
*It's getting dark. It got dark.*

b. an adverb (The logical subject is in the dative case; **бы́ло** is used for the past tense)

| | |
|---|---|
| Лéне **нáдо** убрáть квартúру. | *Lena has to clean the apartment.* |
| Первокýрсникам **нельзя́ бы́ло** снимáть квартúры. | *Freshmen were not allowed to rent apartments.* |
| Им **нáдо бы́ло** жить в общежúтии. | *They had to live in the dorm.* |

**5-39. Анáлиз.** Read the sentences and identify the type. Identify the subject and the predicate.

1. — Нáдо вы́мыть посýду.
   — Посýду ужé вы́мыли.
2. Свéта убралá квартúру. Тепéрь чúсто!
3. — Ты помóжешь мне переéхать на нóвую квартúру?
   — Помогý, конéчно!
4. Сдаётся квартúра. Две кóмнаты, вáнная, ую́тная кýхня, телефóн.
5. Эту квартúру ужé сня́ли.
6. Купú продýкты на ры́нке!
7. — Убралá дом?
   — Конéчно! Два часá убирáла.
8. — Ира, тебé звоня́т по телефóну!
   — Идý.
9. Здесь говоря́т по-рýсски.
10. Так не говоря́т.

**5-40. Ренесса́нс небоскрёбов.** Identify the subject and the predicate in each sentence.

В 2009 году́ в Ло́ндоне постро́ят са́мый высо́кий *небоскрёб* в Евро́пе. Шестидесятишестиэта́жное зда́ние высото́й 300 ме́тров бу́дет стоя́ть на ю́жном бере́гу Те́мзы. Этот прое́кт уже́ стал сканда́льным по двум причи́нам. Во-пе́рвых, говоря́т, что небоскрёб *испо́ртит* истори́ческий вид на Та́уэр и *собо́р* Свято́го Па́вла, а во-вторы́х, его́ бу́дет стро́ить италья́нец Ре́нцо Пья́но. Его́ Центр Помпиду́ не лю́бят мно́гие парижа́не. Его́ но́вая рабо́та — небоскрёб в це́нтре Ло́ндона — *часть* о́бщей *градострои́тельной* тенде́нции после́днего вре́мени: ренесса́нс *высо́тного строи́тельства* на За́паде.

Из журна́ла «Огонёк»

*skyscraper (lit. it scrapes the sky/ скребёт не́бо)*
*to spoil; cathedral*
*a part of; urban architechture*
*high-rise construction*

**Complete exercises 5-38 and 5-39 in the S.A.M.**

## Спряже́ние глаго́лов

Learn how to conjugate these first conjugation verbs:

**мыть**-*type*

| | | |
|---|---|---|
| мо́-**ю** | мо́-**ем** | *Also includes:* **закры́ть** (*pfv.*) — *to close, shut* |
| мо́-**ешь** | мо́-**ете** | **откры́ть** (*pfv.*) — *to open* |
| мо́-**ет** | мо́-**ют** | |

**снять**-*type*

| | | |
|---|---|---|
| сни-**му́** | сни́м-**ем** | *Also includes:* **поня́ть** (*pfv.*) — *to understand* (пойму́, пойму́т) |
| сни́м-**ешь** | сни́м-**ете** | **заня́ть** (*pfv.*) — *to borrow, occupy* (займу́, займу́т) |
| сни́м-**ет** | сни́м-**ут** | **приня́ть** (*pfv.*) — *to accept, receive* (приму́, при́мут) |
| | | **взять** (*pfv.*) — *to take* (возьму́, возьму́т) |

**класть**-*type*

| | | |
|---|---|---|
| клад-**у́** | клад-**ём** | *Also includes:* **укра́сть** (*pfv.*) — *to steal* |
| клад-**ёшь** | клад-**ёте** | **упа́сть** (*pfv.*) — *to fall down* |
| клад-**ёт** | клад-**у́т** | **сесть** (*pfv.*) (ся́ду, ся́дут) — *to sit down* |

**быть**-*type*

| | | |
|---|---|---|
| бу́д-**у** | бу́д-**ем** | *Also includes:* **забы́ть** (*pfv.*) — *to forget* |
| бу́д-**ешь** | бу́д-**ете** | |
| бу́д-**ет** | бу́д-**ут** | |

See Appendix pp. 365–368 for more verb types.

# Культу́ра и исто́рия

## Имена́, кото́рые зна́ют в Росси́и

## Фёдор Ива́нович Шаля́пин (1873–1938)

**5-41. Во вре́мя чте́ния.** Прочита́йте текст и найди́те сле́дующую информа́цию.

1. Что писа́л о Ф. Шаля́пине М. Го́рький?
2. Что вспомина́ла о до́ме отца́ дочь Шаля́пина?
3. Когда́ был откры́т Дом-музе́й Шаля́пина?

Фёдор Ива́нович Шаля́пин — вели́кий ру́сский о́перный певе́ц. «В ру́сском иску́сстве Шаля́пин — эпо́ха, как Пу́шкин», — писа́л Макси́м Го́рький.

В Москве́ мно́го мест, кото́рые *свя́заны с* и́менем Шаля́пина: Театра́льная пло́щадь, у́лицы Больша́я Дми́тровка и Садо́во-Спа́сская… Нови́нский бульва́р — после́дний моско́вский а́дрес вели́кого певца́. Здесь он купи́л дом в 1910 году́.

*connected (with)*

Дом был ста́рый, и его́ ну́жно бы́ло ремонти́ровать. Ремо́нтом занима́лась жена́ Шаля́пина Ио́ла Игна́тьевна, кото́рая хоте́ла, что́бы дом вы́глядел по-европе́йски: в нём *появи́лись* ва́нные ко́мнаты, *водопрово́д*, газ и телефо́н.

*appeared; running water*

«Ую́тный был наш до́мик, — вспомина́ла ста́ршая дочь певца́ Ири́на Фёдоровна, — и его́ ча́сто ста́ли *посеща́ть многочи́сленные* друзья́ и знако́мые Фёдора Ива́новича»… Сюда́ приходи́ли знамени́тые музыка́нты С. Рахма́нинов и Л. Со́бинов, изве́стные писа́тели М. Го́рький и И. Бу́нин, замеча́тельные арти́сты теа́тра В. Немиро́вич-Да́нченко и И. Москви́н.

*visit; numerous*

По́сле револю́ции в 1918 году́ дом был *национализи́рован*. В 1922 году́ Шаля́пин уе́хал на *гастро́ли* за грани́цу и бо́льше не верну́лся в Росси́ю. В тече́ние мно́гих лет в до́ме бы́ли коммуна́льные кварти́ры.

*nationalized*
*tour*

В восьмидеся́тые го́ды в до́ме начала́сь реставра́ция, и 23 сентября́ 1988 го́да в до́ме на Нови́нском бульва́ре откры́ли Дом-музе́й Ф. И. Шаля́пина.

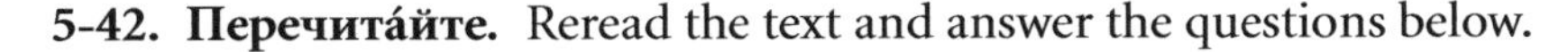

**5-42. Перечита́йте.** Reread the text and answer the questions below.

1. Где и когда́ купи́л дом Фёдор Шаля́пин?
2. Почему́ дом на́до бы́ло ремонти́ровать?
3. Кто занима́лся ремо́нтом до́ма?
4. Что появи́лось в до́ме по́сле ремо́нта?
5. Что бы́ло в доме по́сле револю́ции?
6. Как вы ду́маете, почему́ Шаля́пин в 1922 году́ уе́хал на гастро́ли и не верну́лся в Росси́ю?

Класс **5-43. Структу́ра предложе́ния.** Find the subject and predicate in the sentences in the text.

**Complete exercises 5-40 through 5-47 in the S.A.M.**

# Слова́рь

## Существи́тельные

| | | | |
|---|---|---|---|
| апте́ка | *pharmacy* | плита́ | *range, stove* |
| балко́н | *balcony* | пол | *floor* |
| ва́нная | *bathroom (room with bathtub/shower)* | посу́да | *plates and dishes* |
| вода́ | *water* | посудомо́ечная маши́на | *dishwasher* |
| горя́чая/холо́дная вода́ | *hot and cold water* | потол\|о́\|к | *ceiling* |
| вид на что? | *a view of* | по́чта | *post-office* |
| гости́ная | *living room* | продово́льственный магази́н | *grocery store* |
| двор | *yard* | пылесо́с | *vacuum cleaner (lit. dust sucker)* |
| двор\|е́\|ц | *palace* | райо́н | *neighborhood, area* |
| дере́вня | *village* | ремо́нт | *remodeling, renovation, repairs* |
| зда́ние | *building* | рост | *height* |
| зе́лень (*f.*) | *vegetation* | рыба́лка | *fishing* |
| ка́бельное телеви́дение | *cable TV* | ры́н\|о\|к | *farmer's market* |
| кабине́т | *study, office* | спа́льня | *bedroom* |
| кани́кулы (*pl. only*) | *vacation* | стена́ (*pl.* сте́ны) | *wall* |
| ка́рта | *map* | стира́льная маши́на | *washing machine* |
| кирпи́ч | *brick* | столо́вая | *dining room* |
| ков\|ё\|р (*pl.* ковры́) | *rug* | туале́т | *lavatory, bathroom* |
| кондиционе́р | *air-conditioner* | утю́г | *iron* |
| кре́сло | *armchair* | хозя́ин/хозя́йка (*pl.* хозя́ева) | *landlord/landlady* |
| крова́ть (*f.*) | *bed* | холл | *hall, entryway* |
| ку́хня | *kitchen* | холоди́льник | *refrigerator* |
| лес (*pl.* леса́) | *forest* | цвет (*pl.* цвета́) | *color* |
| лы́жи (*pl.*) | *skis* | цвет\|о́\|к (*pl.* цветы́ ) | *flower* |
| ме́бель (*f.*) | *furniture* | шка́ф(чик) | *closet, kitchen cabinet* |
| микроволно́вая печь | *microwave oven* | | |
| о́зеро (*pl.* озёра) | *lake* | | |
| отопле́ние | *heating* | | |
| пи́сьменный стол | *desk* | | |

## Прилага́тельные

| | | | |
|---|---|---|---|
| высо́кий | *high, tall* | просто́рный | *spacious* |
| дереве́нский | *village (adj.)* | ти́хий | *quiet* |
| деревя́нный | *wooden* | удо́бный | *comfortable* |
| дово́лен/дово́льна кем?/чем? | *pleased, happy with* | ую́тный | *cozy* |
| ка́менный | *stone (adj.)* | чи́стый | *clean* |
| ни́зкий | *low* | чуде́сный | *wonderful* |

## Глаго́лы

| | |
|---|---|
| ве́шать/пове́сить | *to hang* |
| висе́ть | *to hang, be in a hanging position* |
| возража́ть/возрази́ть | *to object* |
| гла́дить/погла́дить | *to iron* |
| гото́вить (*impf.*) | *to cook* |
| класть/положи́ть | *to put (horizontally)* |
| кра́сить/покра́сить | *to paint (a house, room, building)* |
| лежа́ть | *to lie, be in a flat position* |
| мыть/вы́мыть посу́ду | *to do the dishes* |
| мы́ться/помы́ться/вы́мыться | *to wash (oneself)* |
| надое́сть (*pfv.*) кому́? > (Мне) надое́ло | *I am sick and tired of* |
| плати́ть/заплати́ть за что? | *to pay* |
| представля́ть/предста́вить | *to imagine* |
| пылесо́сить (*impf.*) | *to vacuum* |
| сдава́ть/сдать | *to rent* |
| Дом сдаётся. | *house for rent* |
| ста́вить/поста́вить | *to put (vertically)* |
| стира́ть/постира́ть/вы́стирать | *to do laundry* |
| стоя́ть (*impf.*) | *to stand* |
| стро́ить/постро́ить | *to build* |
| убира́ть/убра́ть (ко́мнату, кварти́ру) | *to clean, tidy up* |
| явля́ться чем? (*impf.*) | *to be, serve as* |

## Наре́чия

| | |
|---|---|
| круго́м | *around* |
| обяза́тельно | *make sure to* |
| отли́чно | *very well, great* |
| подро́бно | *in detail* |

## Выраже́ния

| | |
|---|---|
| Дом со все́ми удо́бствами | *house with all amenities* |
| Ко́мната на двои́х (на трои́х, на четверы́х) | *a room for two (three, four) people* |
| Получи́лось хорошо́! | *It looks nice! (It turned out well)* |
| тишина́ и поко́й | *peace and quiet* |
| Я не возража́ю. | *I don't mind.* |
| Я дово́лен/дово́льна. | *I'm pleased, happy.* |
| Я согла́сен/согла́сна. | *I agree.* |

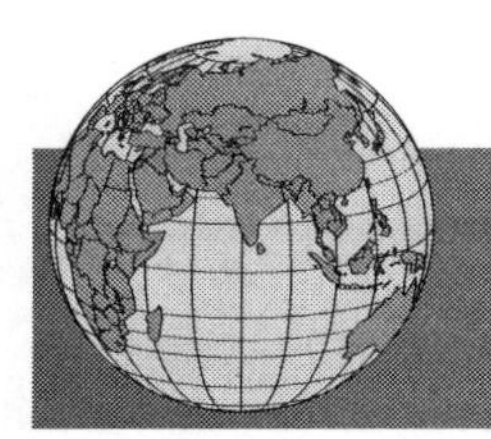

# Глава́ 6

# Что вы за челове́к?

## В э́той главе́…

**In this chapter you will**

- talk about people's appearance and personal qualities
- read about what young people in Russia value in other people
- review some verbs and expressions that take the dative case
- learn about reflexive verbs
- learn about the conditional mood
- learn about Russian superstitions and customs

# Тéма 1. Как описáть человéка

## Подготóвка

**6-1. Как они́ вы́глядят?** What do they look like? Practice these questions and answers.

1. **Какóго он/онá рóста?** — *How tall is he/she?*
   Он/онá высóкого рóста. — *He/she is tall.*
   срéднего (невысóкого) рóста — *average height*
   мáленького рóста — *short*

Посмотри́те на карти́нки и спроси́те/отвéтьте, какóго он/онá рóста.

1. 2. 3. 4.

2. **Каки́е у негó/у неё вóлосы?** — *What kind of hair does he/she have?*
   У негó/у неё ры́жие вóлосы. — *He/she has red hair.*
   тёмные вóлосы — *dark hair*
   свéтлые вóлосы — *blond/light hair*
   седы́е вóлосы — *grey hair*
   дли́нные вóлосы — *long hair*
   корóткие вóлосы — *short hair*
   вьющиеся вóлосы — *curly hair*
   прямы́е вóлосы — *straight hair*
   Он лы́сый. — *He is bald.*

Посмотри́те на карти́нки и спроси́те/отвéтьте, каки́е у негó/у неё вóлосы.

Тáня

Вáля

Сергéй Петрóвич

Свéта

Анна Ивáновна

Жéня

3. **Каки́е у него́/у неё глаза́?** — *What kind of eyes does he/she have?*
   У него́/у неё голубы́е глаза́. — *He/she has blue eyes.*
   - зелёные глаза́ — *green eyes*
   - се́рые глаза́ — *grey eyes*
   - ка́рие[1] глаза́ — *brown eyes*

 Посмотри́те друг на дру́га и скажи́те, каки́е у кого́ глаза́.

4. **Кака́я фигу́ра?**
   - худо́й/-ая (ху́денький/-ая) — *thin, slim*
   - по́лный/-ая — *heavy, stout*
   - У него́/у неё хоро́шая фигу́ра. — *He/she has a good figure.*

5. **Борода́ и усы́:**
   - У него́ (чёрная/ры́жая) борода́. — *He has a (black, red) beard.*
   - У него́ (чёрные/ры́жие) усы́. — *He has a (black, red) moustache.*

Describe these people.

**6-2. Мои́ друзья́.** Describe your friends using the vocabulary in 6-1. Say five to six sentences mentioning the following:

1. Как зову́т ва́шего дру́га/ва́шу подру́гу?
2. Как он/она́ вы́глядит?

**Complete exercise 6-1 in the S.A.M.**

[1]This is a soft-stem adjective that is used when describing the color of eyes.

## Язы́к в жи́зни

**6-3. Во вре́мя чте́ния.** Найди́те отве́ты на вопро́сы.

1. Кого́ Марк пое́хал встреча́ть?
2. Как вы́глядит подру́га Ка́ти?
3. Почему́ Марк опозда́л?
4. Почему́ Марк пи́шет, что ему́ повезло́?

**Всё хорошо́, что хорошо́ конча́ется**

На про́шлой неде́ле со мной произошла́ така́я исто́рия. В сре́ду не́сколько раз звони́ла Ка́тя и оставля́ла сообще́ния на *автоотве́тчике.* Когда́ я верну́лся домо́й и позвони́л ей по телефо́ну, она́ сказа́ла, что у неё ко мне *про́сьба. Прилета́ет* её подру́га из Москвы́, но она́ не мо́жет её *встре́тить*... Не могу́ ли я? Коне́чно, мне не о́чень *хоте́лось* е́хать в аэропо́рт. *Но ничего́ не поде́лаешь!* Мы с Ка́тей друзья́!

Ка́тя *объясни́ла,* что Ле́не 21 год, она́ высо́кого ро́ста, худа́я, у неё коро́ткие ры́жие во́лосы. Я *вы́ехал* из до́ма ра́но, но на *шоссе́* бы́ло тако́е *движе́ние,* что я опозда́л. В аэропорту́ я на́чал иска́ть Ле́ну. Вдруг я уви́дел каку́ю-то де́вушку, не о́чень высо́кого ро́ста и не о́чень худу́ю, но с ры́жими волоса́ми. Я *подошёл* к ней и сказа́л снача́ла по-англи́йски, а пото́м по-ру́сски: «Прости́те, вы не Ле́на?» Она́, ка́жется, не зна́ла ни ру́сского, ни англи́йского. *Что же де́лать?!*

Я уже́ собира́лся звони́ть Ка́те, но вдруг услы́шал, как ря́дом со мно́й дво́е ребя́т говоря́т по-ру́сски. Мне повезло́! Э́то была́ Ле́на и ещё оди́н *па́рень,* кото́рый прилете́л вме́сте с ней. Они́ меня́ жда́ли.

*Действи́тельно,* всё хорошо́, что хорошо́ конча́ется! Но, *че́стно говоря́,* я рад, что пое́хал в аэропо́рт. Ле́на мне *сра́зу* понра́вилась!

*автоотве́тчик — answering machine*
*встреча́ть/встре́тить кого́? — to meet*
*выезжа́ть/вы́ехать — to leave, drive out*
*движе́ние — traffic*
*действи́тельно — really, truly*
*объясня́ть/объясни́ть кому́? — to explain*
*па́р|е|нь — teenager, young man*
*подходи́ть/подойти́ — to approach, walk up to*
*прилета́ть/прилете́ть — to arrive by plane*
*про́сьба — request*
*сра́зу — at once, right away*
*хоте́ться/захоте́ться — to feel like*
*шоссе́ — highway, freeway*
**Expressions:**
*Ничего́ не поде́лаешь! — You can't do anything about it!*
*че́стно говоря́ — frankly, to tell you the truth*
*Что же де́лать? — What can you do about it?*
*У меня́ к тебе́ про́сьба. — Could you do me a favor...*

**6-4. По́сле чте́ния.**

1. Give Mark's story a different title.
2. Tell the story in five sentences.
3. Sum it up in one sentence.

4. Act out a conversation between Mark and Lena when he finally finds her.
5. Act out a conversation between Mark, Katya, and Lena when Mark brings Lena home.

6. Расскажи́те свою́ исто́рию, в конце́ кото́рой мо́жно сказа́ть: «Всё хорошо́, что хорошо́ конча́ется».

Класс **6-5. Как я вас узна́ю?** Imagine that you're going to the airport to meet a person you haven't met before. What do you need to know about this person? Use the words in 6-1.

**6-6. Вы зна́ете э́ти слова́?** Find the Russian equivalents and say them aloud.

1. ears
2. hair
3. feet
4. arms
5. nose
6. back
7. lips
8. stomach

голова́
л|о|б
у́хо (у́ши)
нос
р|о|т
спина́
живо́т
глаз (глаза́)
лицо́
во́лосы
гу́бы
рука́ (ру́ки)
нога́ (но́ги)

9. eyes
10. face
11. forehead
12. head
13. legs
14. hands
15. mouth

**6-7. Ры́жий челове́к.**

1. Give an English rendition of the following story by Daniél Kharms.
2. Write your own story describing a person who doesn't exist or who looks very strange.

**Голуба́я тетра́дь N 10**

Был оди́н ры́жий челове́к, у кото́рого не́ было глаз и уше́й. У него́ не́ было и воло́с, так что ры́жим его́ называ́ли *усло́вно*.

Говори́ть он не мог, та́к как у него́ не́ было рта. Но́са то́же у него́ не́ было.

У него́ не́ было да́же рук и ног. И живота́ у него́ не́ было, и спины́ у него́ не́ было... Ничего́ не́ было! Так что непоня́тно, *о ком идёт речь*.

Уж лу́чше мы о нём не бу́дем бо́льше говори́ть.

***Дании́л Хармс (1937)***

*речь идёт о ком?/о чём? — we are talking about . . .*

*усло́вно — (here) as a figure of speech*

## Разгово́ры

**6-8. Поговори́м немно́го.** Read the following conversations and compose similar ones.

**А.**

— Алло́!
— Марк?
— Да. Я слу́шаю!
— У меня́ к тебе́ про́сьба. Ты не мо́жешь встре́тить моего́ дру́га в аэропорту́?
— А когда́ он прилета́ет?
— За́втра, в три часа́ дня.
— Ла́дно, могу́. А как он вы́глядит?
— Он высо́кого ро́ста, по́лный и с ры́жими уса́ми.
— По́нял. Встре́чу.
— Большо́е спаси́бо!
— Подожди́, а как его́ зову́т?

**А тепе́рь ваш разгово́р…**
Позвони́те ва́шему дру́гу/ва́шей подру́ге и попроси́те встре́тить в аэропорту́/на вокза́ле ва́шего бра́та/ва́шу сестру́, дя́дю/тётю, де́душку/ба́бушку, неве́сту/жениха́.

**Б.**

— Я слу́шаю!
— Мо́жно Све́ту?
— Нет, её нет.
— А вы не зна́ете, где она́?
— Пое́хала в аэропо́рт встреча́ть подру́гу из Москвы́. Что ей *переда́ть?* | *leave a message*
— Спаси́бо, ничего́. Я позвоню́ ей на моби́льный телефо́н. До свида́ния.
— До свида́ния.

**А тепе́рь ваш разгово́р…**
Позвони́те ва́шему дру́гу/ва́шей подру́ге домо́й и узна́йте, где он/она́, куда́ пое́хал/а…

**В.**

— Алло́!
— Здра́вствуйте! Позови́те, пожа́луйста, Ма́рка!
— А куда́ вы звони́те?
— Это 373-05-51?
— Нет. Вы *не туда́ попа́ли!* | *Wrong number!*
— Извини́те.
— Пожа́луйста.

**А тепе́рь ваш разгово́р…**
Вы позвони́ли ва́шему дру́гу/ва́шей подру́ге, но не туда́ попа́ли…

**Complete exercises 6-2 through 6-7 in the S.A.M.**

# Грамма́тика. Говори́те пра́вильно!

## О падежа́х

## The dative case ◆ Да́тельный паде́ж

### The dative case without prepositions

- Use the dative case without prepositions **to express age.**

— Ско́лько лет **твое́й сестре́?**
— **Ей** два́дцать оди́н год.

— Ско́лько лет **твоему́ бра́ту?**
— **Ему́** со́рок лет.

**6-9. Кому́ ско́лько лет?** Make up sentences.

*Приме́р:* Иван — 46 > ***Ива́ну со́рок шесть лет.***

Со́фья — 24; Ни́на — 18; Пётр — 25; ва́ша ба́бушка — 76; его́ де́душка — 90; её мать — 54; Ме́лани — 19; Дави́д — 21; мои́ друзья́ — 33 и 22; их дочь — 23; их сын — 41; Любо́вь Серге́евна — 54; Серге́й Петро́вич — 86.

**Реши́те зада́чу**
Мы все чита́ли ска́зку «Кра́сная Ша́почка». Если (Кра́сная Ша́почка) 10 лет, (её мать) 35 лет, (её ба́бушка) 70 лет, то ско́лько лет (Волк)?

- The dative case is used with the following verbs:

**нра́виться/понра́виться кому́?** — *to like*

| | |
|---|---|
| Ма́рку сра́зу **понра́вилась** Ле́на. | *Mark liked Lena right away.* |
| **Ей не нра́вятся** мои́ друзья́. | *She doesn't like my friends.* |

**хоте́ться/захоте́ться** — *to feel like*

| | |
|---|---|
| **Мне хо́чется** спать (пить). | *I'm sleepy (thirsty).* |
| **Ей** вдруг **захоте́лось** уйти́. | *All of a sudden she felt like leaving.* |

**приходи́ться/прийти́сь** — *to have to*

| | |
|---|---|
| **Ма́рку пришло́сь** пое́хать в аэропо́рт. | *Mark had to go to the airport.* |

**6-10. Как сказа́ть по-ру́сски?**

1. Anna liked David's friend right away.
2. Why do you like this neighborhood?
3. He doesn't like his new apartment.
4. Do you like short hair or long hair?
5. You will have to call me later.
6. I am so sleepy.

**Запóмните!**

**Нрáвиться vs. люби́ть.** Remember to use forms of **люби́ть** when describing your usual or permanent attitude toward someone or something and to use forms of **нрáвиться** when describing your initial impression or feeling at the moment about someone or something. Use past-tense forms of the perfective verb **понрáвиться** when asking or telling about an expected result.

| | |
|---|---|
| Онá **лю́бит** своегó мýжа, хотя́ ей **не нрáвятся** нéкоторые черты́ егó харáктера. | *She loves her husband, although she doesn't like some of his personality traits.* |
| Я вчерá познакóмилась со студéнтами из Росси́и. Они́ мне **понрáвились.** | *I met Russian students yesterday. I liked them.* |
| Я **люблю́** шоколáд, но э́тот шоколáд мне **не нрáвится.** | *I like chocolate, but I don't like this chocolate.* |
| Я **не люблю́** невéжливых людéй. | *I don't like rude people.* |
| Я **не люблю́** смотрéть телеви́зор, я бóльше **люблю́** ходи́ть в кинó. | *I don't like watching TV, I would rather go to the movies.* |

**6-11. Вам нрáвится и́ли вы лю́бите?** Дáйте рýсские эквивалéнты.

1. I really like my old neighborhood.
2. Have you met his fiancée? Do you like her?
3. I don't like short hair.
4. I didn't like the guy I talked to yesterday.
5. She likes red-haired people.
6. Did you like my new apartment?

- The dative case without prepositions is used in **impersonal constructions.** Remember that impersonal constructions do not have a grammatical subject in the nominative case; the logical subject in the following constructions is in the dative case.

**мóжно**

| | |
|---|---|
| **Мóжно Пéте** зайти́ к вам зáвтра? | *Could Peter come to see you tomorrow?* |

**нáдо, нýжно** (*synonymous and interchangeable*)

| | |
|---|---|
| **Ни́не нýжно (нáдо)** убрáть кварти́ру. | *Nina needs to clean her apartment.* |

**нýжно, нýжен, нужнá, нужны́** — *needed, necessary*

| | |
|---|---|
| **Тебé нужны́** дéньги? | *Do you need money?* |
| **Нам нужнá** бýдет вáша пóмощь. | *We'll need your help.* |

**нельзя́**

| | |
|---|---|
| **Вам нельзя́** кури́ть. | *You shouldn't smoke.* |

**порá**

| | |
|---|---|
| **Нам порá** (бы́ло) идти́ домóй. | *It's time (It was time) for us to go home.* |

- Words frequently used in impersonal constructions:

**интерéсно, вéсело, трýдно, скýчно, удóбно, хóлодно, жáрко, прия́тно,** etc.

| | |
|---|---|
| Мне **интерéсно** с ним разговáривать. | *I enjoy talking to him.* |
| Мне **неудóбно бы́ло** спрáшивать её об э́том. | *I felt awkward asking her about this.* |
| Мáрку бы́ло **нетрýдно** встрéтить Лéну. | *Mark didn't mind meeting Lena.* |

**6-12. Скажи́те по-ру́сски.**

1. May I talk to you? (мо́жно)
2. You shouldn't talk on the phone so much. (не на́до)
3. You can't call them now. (нельзя́)
4. It's time to eat dinner. (пора́)
5. You shouldn't say that. (нельзя́)
6. He is new here, he needs friends. (нужны́)
7. It was a pleasure for me to meet you. (прия́тно)
8. It will be hard for us to move to a new apartment. (тру́дно)

- **Impersonal negative constructions** with **не́где, не́куда, не́когда, не́чего** are equivalents of "I have no .... to ...".

| | |
|---|---|
| **Мне не́чего** (бы́ло) де́лать. | *I have (had) nothing to do.* |
| **Мне** (бы́ло) **не́когда.** | *I don't have (didn't have) any time.* |
| **Нам не́чего** (бу́дет) есть. | *We have (will have) nothing to eat.* |
| **Им не́где** жить. | *They have no place to live.* |
| **Мне не́ о чем** с ва́ми говори́ть. | *I have nothing to talk to you about.* |

**Запо́мните!**
To express the opposite, you can say

| | |
|---|---|
| **Мне есть что де́лать!** | *I have lots to do!* |
| **Мне есть о чём** с ним говори́ть! | *I have enough (plenty) to talk to him about.* |

**6-13. Скажи́те по-ру́сски.**

1. I have nowhere to go.
2. I didn't have anything to do last night.
3. I have nothing to eat.
4. They don't have a place to live.
5. He had nothing to say.
6. She won't have anywhere to go on her birthday.

**Complete exercises 6-8 through 6-16 in the S.A.M.**

## The dative case with the preposition ПО

Some English equivalents for the preposition **ПО** are *"according to," "along," "around," "about," "on,"* and *"by."* Precise English equivalents for the preposition **ПО** depend on context. Some examples: **говори́ть по телефо́ну, смотре́ть по телеви́зору, ходи́ть по до́му, ходи́ть по магази́нам, отдыха́ть по суббо́там.**

 **6-14. По...** Give English equivalents for the examples below.

1. Куда́ они́ хо́дят **по вечера́м?**
2. Она́ смотре́ла э́тот фильм **по телеви́зору.**
3. С кем ты говори́ла **по телефо́ну?**
4. Ты слу́шал но́вости **по ра́дио?**
5. **По воскресе́ньям** мы хо́дим в бассе́йн.

**Запо́мните!**

| | |
|---|---|
| 1. Кто твои́ сосе́ди **по ко́мнате?** | *Who are your roommates?* |
| 2. **По моему́ мне́нию** (same as **по-мо́ему**), Ма́ша о́чень краси́вая. А как **по-тво́ему?** | *In my opinion, Masha is quite beautiful. What do you think?* |

**Complete exercise 6-17 in the S.A.M.**

**6-15. Кото́рый.** Put the relative pronoun **кото́рый** in the appropriate form.

Мой ста́рший брат Ко́ля, ... (кото́рый) 36 лет, позвони́л мне и попроси́л за́втра встре́тить в аэропорту́ его́ неве́сту Та́ню. Ко́ля, ... (кото́рый) всегда́ ну́жно быть на рабо́те, не мо́жет пое́хать в аэропо́рт. А мне, по его́ мне́нию, не́чего де́лать! Он всегда́ говори́т: «Это мо́жет сде́лать Ни́на, ... (кото́рая) сего́дня не́чего де́лать». Зна́чит, мне придётся е́хать за́втра в 7 утра́ в аэропо́рт встреча́ть Та́ню. Я не возража́ю. Я ра́да, что мой брат, ... (кото́рый) никто́ ра́ньше не нра́вился, собира́ется жени́ться. Та́ня о́чень симпати́чная де́вушка, ... (кото́рая) всегда́ всё интере́сно. Её роди́тели, к ... (кото́рые) Та́ня е́здила в Москву́ на весе́нние кани́кулы и ... (кото́рые) я оди́н раз ви́дела, ка́жется, о́чень ми́лые и интеллиге́нтные лю́ди.

## The Conjunction КАК ◆ Сою́з КАК

**6-16. Как и что?** Compare the English and Russian sentences.

| | |
|---|---|
| *I saw them dancing.* | Я **ви́дел/а, как** они́ танцева́ли. |
| *I can hear someone singing.* | Я **слы́шу, как** кто-то поёт. |
| *Mark heard Russian being spoken right next to him.* | Марк **услы́шал, как** ря́дом с ним говоря́т по-ру́сски. |

**6-17. Перево́д.** Give an English rendition of the following narrative.

Я не ви́дела, как они́ вошли́ в дом, но слы́шала, как они́ разгова́ривали на ку́хне. Пото́м бы́ло слы́шно, как кто́-то звони́т по телефо́ну и хо́дит по ко́мнате. По́сле э́того я слы́шала, как откры́лась дверь и бы́стро закры́лась. Когда́ я подошла́ к окну́, я уви́дела, как они́ се́ли в маши́ну. Мно́гие лю́ди, кото́рые в э́то вре́мя шли по у́лице, ви́дели, как три челове́ка сади́лись в маши́ну, но никто́ не ви́дел, как ещё оди́н мужчи́на, небольшо́го ро́ста, с седы́ми волоса́ми и в тёмных очка́х, вы́шел из до́ма и то́же сел в маши́ну. Когда́ мили́ция задава́ла вопро́сы о том, ви́дел ли кто́-нибудь э́того челове́ка, никто́ не мог ничего́ сказа́ть.

**Complete exercise 6-18 in the S.A.M.**

# Те́ма 2. Скажи́ мне, кто твой друг, и я скажу́ — кто ты

## Подгото́вка

**6-18. Положи́тельные черты́ хара́ктера.** Positive qualities. Go over the list and decide what qualities are most important: 1) in a friend; 2) in parents; 3) in professors. What qualities do you have? And what qualities would you like to have?

| | |
|---|---|
| ☐ ве́жливый | *polite* |
| ☐ весёлый | *cheerful* |
| ☐ внима́тельный | *considerate* |
| ☐ до́брый | *kind* |
| ☐ интеллиге́нтный | *well mannered, cultured* |
| ☐ и́скренний | *sincere* |
| ☐ прия́тный | *pleasant* |
| ☐ общи́тельный | *sociable* |
| ☐ откры́тый | *open* |
| ☐ симпати́чный | *nice, pleasant* |
| ☐ справедли́вый | *fair* |
| ☐ спосо́бный | *smart* |
| ☐ че́стный | *honest* |
| ☐ у́мный | *smart, intelligent* |
| ☐ У него́/у неё есть чу́вство ю́мора. | *He/She has a good sense of humor.* |

**6-19. Интеллиге́нтный челове́к.** Find out the difference between Russian **интеллиге́нтный** and English **intelligent.** Use a dictionary if necessary.

Тру́дно сказа́ть то́чно, что зна́чит сло́во «интеллиге́нтный», но ру́сские хорошо́ э́то понима́ют и ча́сто су́дят так о лю́дях: интеллиге́нтный и́ли неинтеллиге́нтный. Интеллиге́нтный зна́чит образо́ванный, воспи́танный, культу́рный, т.е. челове́к, кото́рый уме́ет себя́ вести́, хорошо́ и гра́мотно говори́т, че́стный, прия́тный… Ру́сские мо́гут посмотре́ть на челове́ка и сра́зу сказа́ть, интеллиге́нтный он и́ли нет. Отку́да они́ зна́ют? Если вы ещё не по́няли, спроси́те свои́х ру́сских знако́мых. В одно́м вы мо́жете быть уве́рены: интеллиге́нтный не перево́дится как “intelligent”.

**6-20. Отрица́тельные черты́ хара́ктера.** Negative qualities. The adjectives in 6-18 can be made negative if you add **не-**.

*Приме́р:* ве́жливый — неве́жливый polite — impolite

Using this model, make a list of negative qualities and say which ones you find most disagreeable: 1) in a friend; 2) in your parents; 3) in your professors.

**Complete exercises 6-19 through 6-21 in the S.A.M.**

## Язы́к в жи́зни

**6-21. Фо́рум в Интерне́те. Те́ма обсужде́ния:** «Каки́е черты́ вам нра́вятся и́ли не нра́вятся в ва́шем хара́ктере и в хара́ктере други́х люде́й!?»

**Во вре́мя чте́ния.** Note the adjectives that the participants use repeatedly.

### Фо́рум

| **Автор** | **Сообще́ние** |
|---|---|
| **Ира:** | Вот мне ли́чно нра́вятся весёлые, до́брые и и́скренние, откры́тые лю́ди. Мне не нра́вятся *жа́дные* и *гру́бые* лю́ди. Не люблю́ люде́й *глу́пых* и нече́стных!!! И не люблю́ люде́й, с кото́рыми не́ о чем говори́ть. О себе́ я могу́ сказа́ть, что в моём хара́ктере мне не нра́вится то, что я о́чень *дове́рчивая* и *оби́дчивая.* И са́мое гла́вное, я ненави́жу в себе́, что я така́я *скро́мная!* А что мне в себе́ нра́вится? То, что я *пре́данная*, общи́тельная и такти́чная. И как все говоря́т, у меня́ ХОРО́ШИЙ хара́ктер! |
| **Са́ша:** | Интере́сная те́ма... Начну́ с того́, что я не люблю́. Я не люблю́ *преда́телей* и *самовлюблённых* люде́й, кото́рые то́лько о себе́ и ду́мают. И не люблю́, когда́ *врут.* А так, все лю́ди ра́зные, и на́до их принима́ть таки́ми, каки́е они́ есть. Мне нра́вятся лю́ди, кото́рые помога́ют друг дру́гу[1]. |
| **Ле́на:** | Нра́вятся мне лю́ди и́скренние и общи́тельные. А ещё люблю́ *обща́ться* с у́мными. О моём хара́ктере … Я до́брый челове́к, всегда́ хочу́ помо́чь. Чу́вство ю́мора. Э́то то, что во мне лю́бят други́е. Я о́чень откры́тая, ве́жливая, внима́тельная к лю́дям, *ще́драя.* Мне всё интере́сно, и ду́маю, что со мной есть о чём поговори́ть. |
| **Ната́ша:** | НЕНАВИ́ЖУ *эгоисти́чных, сла́бых* и *ску́чных* люде́й, ненави́жу *по́длых* и преда́телей!!! Мне нра́вятся весёлые лю́ди и с чу́вством ю́мора. А сама́ я, как говоря́т, у́мная, но *лени́вая.* |
| **Юра:** | Хоро́шая те́ма… Мне вот хара́ктер мое́й сестры́ нра́вится… До́брая, внима́тельная, скро́мная… В больни́цу ко мне приходи́ла… Всегда́ *улыба́ется…* *Терпе́ть не могу́* по́длых и *злых* люде́й… |

*врать/совра́ть кому́?* — *to tell a lie*
*глу́пый* — *stupid, dumb*
*гру́бый* — *rude*
*дове́рчивый* — *trusting*
*жа́дный* — *greedy*
*злой/зла́я/злы́е* — *mean, ill-spirited*
*лени́вый* — *lazy*
*оби́дчивый* — *sensitive, touchy*
*обща́ться с кем?* — *to speak with, deal with*
*по́длый* — *mean, underhanded*
*пре́данный* — *devoted, faithful*
*преда́тель* — *traitor*
*самовлюблённый* — *self-centered*
*скро́мный* — *modest*
*ску́чный* — *boring*
*сла́бый* — *weak*
*улыба́ться/улыбну́ться* — *to smile*
*ще́дрый* — *generous*
*эгоисти́чный* — *egotistical*
**Expressions:**
*терпе́ть не могу́* — *I can't stand*

---

[1]A друг дру́га (*each other*)
G друг (у) дру́га
D друг (к) дру́гу
P друг о дру́ге
I друг (с) дру́гом

**6-22. Что вы узна́ли…** Reread the Forum and answer the questions:

1. Что Ира пи́шет о себе́? Каки́х люде́й она́ не лю́бит?
2. Каки́х люде́й не лю́бит Са́ша? Каки́е лю́ди ему́ нра́вятся?
3. Что Ле́на пи́шет о себе́?
4. Каки́е лю́ди нра́вятся Ната́ше, а каки́х люде́й она́ ненави́дит? Как вы ду́маете, како́й Ната́ша челове́к?
5. Что вы мо́жете рассказа́ть о Юре?
6. Как вы отве́тите на вопро́с: «Каки́е лю́ди вам нра́вятся»?

**6-23. Психологи́ческий тест: како́й вы челове́к.** Circle the answers that apply to you. If you score more than 20, everyone likes you. If you score 10–15, you generally get along with people. If you score less than 10, you may want to change some of your attitudes.

| | |
|---|---|
| **2** | У меня́ хоро́шее чу́вство ю́мора. |
| **2** | Я всегда́ говорю́ пра́вду. |
| **2** | Я не всегда́ говорю́ че́стно, что я ду́маю. |
| **3** | Мне ре́дко быва́ет ску́чно. |
| **3** | Мне всегда́ ве́село. |
| **4** | Все говоря́т, что у меня́ общи́тельный хара́ктер. |
| **3** | У меня́ всегда́ хоро́шее настрое́ние. |
| **3** | У меня́ ча́сто плохо́е настрое́ние. |
| **1** | Не́которые лю́ди ду́мают, что я необщи́тельный/ая. |
| **5** | У меня́ ма́ло друзе́й, но э́то хоро́шие друзья́. |
| **5** | У меня́ мно́го друзе́й. |
| **6** | Говоря́т, что я о́чень до́брый/до́брая. |
| **2** | Роди́тели счита́ют, что я невнима́тельный/невнима́тельная. |

**6-24. Расскажи́те о…**

1. **Каки́е слова́ вам ну́жно знать?** In the vocabulary lists of 6-18 and in the glosses of 6-21, find the English words you use frequently. Memorize five to ten such words.
2. **Расскажи́те о себе́.** What kind of person are you? Prepare a paragraph to present yourself in the best possible light. (8–10 sentences)
3. **Расскажи́те о дру́ге/подру́ге.** What kind of a person is your friend, what does he/she look like? Why do you like him/her? (8–10 sentences)

Класс **6-25. Опро́с.** Conduct a small survey asking your friends the Forum questions. Ask three or four of your friends. Write down and organize the results before presenting them to the class.

## Разгово́ры

**6-26. Слу́шайте и чита́йте разгово́р.** Insert the missing words and phrases.

**Мы вме́сте вы́росли**

— Отку́да вы зна́ете Ле́ну?

— Мы ............................ вы́росли.

— Она́ моя́ лу́чшая подру́га.

— А мы с ней учи́лись *в одно́й* ........................ — *in the same*

— На́ши ............................ *дружи́ли.* — *дружи́ть — to be friends*

— Вы все так хорошо́ ..................................

— *Мир те́сен.* — *It's a small world.*

— Она́, ка́жется, о́чень ..................................

— Да, она́ о́чень ..........................................

— И кро́ме того́, ..........................................

— Она́ ужа́сно ..........................................

— Она́ ............................ *отли́чницей.* — *"A" student*

**6-27. Поговори́м немно́го.** Read the following conversations and compose similar ones.

**А.**

— Отку́да ты зна́ешь Ната́шу?

— Мы вме́сте учи́лись в шко́ле и жи́ли на одно́й у́лице.

— Познако́мь нас.

— С удово́льствием, е́сли она́ захо́чет.

**А тепе́рь ваш разгово́р...** Ask your friend if he/she could introduce you to someone and how he/she met that person.

**Б.**

— Что за челове́к э́тот Ди́ма?

— А что, он тебе́ понра́вился?

— Да, ка́жется, симпати́чный.

— И о́чень неплохо́й челове́к: до́брый, откры́тый... но, по-мо́ему, немно́го ску́чный.

**А тепе́рь ваш разгово́р...** Ask your friend about someone you've just met. Use as many adjectives as possible when responding.

**Complete exercises 6-22 through 6-26 in the S.A.M.**

# Грамма́тика. Говори́те пра́вильно!

## Reflexive constructions

### The reflexive pronoun себя́ (себе́, собо́й)

| N | — |
|---|---|
| A/G | себя́ |
| D/P | себе́/о себе́ |
| I | собо́й/с собо́й |

**6-28. Как сказа́ть по-англи́йски?** Give English equivalents for the following sentences. Note that the subject of the sentence and the object of the verb are the same person.

1. **Ты** хорошо́ **себя́** зна́ешь?
2. **Ка́тя** сего́дня **себе́ не нра́вится.**
3. **Ма́ша собо́й** всегда́ недово́льна.
4. Возьми́те меня́ с **собо́й!**
5. **Ты** ду́маешь то́лько о **себе́.**
6. **Он** иногда́ разгова́ривает сам **с собо́й.**

**Запо́мните!**
The constructions **к себе́** (*куда́?*) and у **себя́** (*где?*) indicate the place where one is normally expected to be, i.e., at home, in one's room or office.

| | |
|---|---|
| Я иду́ **к себе́.** | *I'm going to my room.* |
| Профе́ссор Ми́ллер бу́дет **у себя́** по́сле двух. | *Prof. Miller will be in his office after 2.* |

**6-29. Как сказа́ть по-ру́сски?**

1. He really likes himself!
2. She doesn't like to talk about herself.
3. My parents bought me a new computer.
4. Sorry, I forgot to take your book to class.
5. I am pleased with myself today.
6. I spent the evening studying in my room.

**Complete exercise 6-27 in the S.A.M.**

## Verbs with the reflexive particle -СЯ

The particle **-СЯ** is a contraction of ***себя́.*** Since the direct object pronoun is already part of the verb itself, these verbs are never used with a direct object in the accusative case.

- Some verbs occur only with the particle **-СЯ.** You already know the following verbs:

  **боя́ться** кого́/чего́? — *to be afraid of, to fear*
  **здоро́ваться/поздоро́ваться** с кем? — *to say hello to, to say* «здра́вствуй/те»
  **наде́яться** на кого́/что? — *to rely, to count on; to hope for*
  **нра́виться/понра́виться** кому́? — *to appeal to*
  **догова́риваться/договори́ться** с кем? — *to make an arrangement*
  **просыпа́ться/просну́ться** — *to wake up (by yourself)*
  **остава́ться/оста́ться** — *to remain, stay behind*
  **случа́ться/случи́ться** — *to happen*
  **смея́ться/засмея́ться** — *to laugh*
  **улыба́ться/улыбну́ться** — *to smile*
  **учи́ться где?** (*impf. only*) — *to be a student; to study (somewhere)*

**Запо́мните!**
The verbs **сади́ться/сесть** (*to sit down*), **ложи́ться/лечь** (*to lie down*), and **станови́ться/стать** (*to become*) have the reflexive particle **-ся** in the imperfective form only. The verb **дружи́ть/подружи́ться** has the reflexive particle **-ся** only in the perfective form.

- Many transitive verbs (verbs that take a direct object in the accusative case) can be made reflexive by adding **-СЯ.**

| | |
|---|---|
| **возвраща́ть/верну́ть**<br>*to return, give back* | **возвраща́ться/верну́ться**<br>*to return, get back, come back* |
| **встреча́ть/встре́тить**<br>*to meet, run into* | **встреча́ться/встре́титься**<br>*to meet with, to date* |
| **гото́вить/пригото́вить**<br>*to prepare, make ready* | **гото́виться/пригото́виться**<br>*to prepare for, study for, get ready for* |
| **знако́мить/познако́мить**<br>*to introduce, acquaint* | **знако́миться/познако́миться**<br>*to meet, get acquainted* |
| **собира́ть/собра́ть**<br>*to collect, gather* | **собира́ться/собра́ться**<br>*to get together; to intend; to pack your things* |
| **учи́ть/научи́ть** кого́ де́лать что?<br>*to teach (someone to do something)* | **учи́ться/научи́ться** де́лать что?<br>*to learn how to do something* |

- Pay special attention to the verbs **начина́ть/нача́ть** and **конча́ть/ко́нчить,** which are used only with **animate** subjects. The reflexive forms of these verbs are used only with **non-animate** subjects.

| | |
|---|---|
| Мы **начина́ем** рабо́ту в 8 часо́в.<br>*We start work at 8 o'clock.* | Рабо́та **начина́ется** в 8 часо́в.<br>*Work starts at 8 o'clock.* |
| Мы **конча́ем** рабо́ту в 6 часо́в.<br>*We finish work at 6 o'clock.* | Рабо́та **конча́ется** в 6 часо́в.<br>*Work is over at 6 o'clock.* |

- Reflexive verbs are also used in Russian equivalents of English passive constructions.

| | |
|---|---|
| Где здесь **продаю́тся** газе́ты? | *Where are newspapers sold here? Where can I get newspapers?* |
| Как **пи́шется** её фами́лия? | *How is her last name spelled? How do you spell her last name?* |

**6-30. Как вы ска́жете по-ру́сски?**

1. The movie begins at 7:00 and is over at 9:30.
2. Mark is teaching Katya to speak English.
3. Maya (Ма́йя) is learning to sing.
4. I am going to study for my Russian test tonight.
5. I will return your books tomorrow.
6. Olga returned from Russia last week.
7. I want to introduce you to my parents.
8. I would like to meet them.
9. We are getting ready for finals.

## One's own СВОЙ (СВОЁ, СВОЯ́, СВОИ́)

The reflexive possessive pronoun **свой** (**своё, своя́, свои́**) can substitute for the possessives **мой, твой, наш** or **ваш** when the subject of a sentence and the possessor are the same person.

| | |
|---|---|
| Я е́ду в аэропо́рт встреча́ть **свою́/мою́** подру́гу. | *I am going to the airport to meet **my** friend.* |
| Ты пое́дешь в аэропо́рт встреча́ть **своего́/твоего́** дру́га? | *Are you going to the airport to meet **your** friend?* |
| ***But only:*** **Ты** не мо́жешь встре́тить **мои́х** друзе́й? | *Could **you** please meet **my** friends?* |

In order to avoid ambiguity, ***свой (своё, своя́, свои́)*** is always used instead of the possessive modifiers **его́, её** and **их** when the subject of the verb is in the third person.

| | |
|---|---|
| Где он познако́мился со **свое́й** жено́й? | *Where did he meet his wife?* |
| Когда́ Марк познако́мился с **его́** жено́й? | *When did Mark meet his (someone else's) wife?* |

**Запо́мните!**
Since **свой** refers back to the subject, do not use **свой** to modify the subject of a sentence or clause.

Он и **его́ (not своя́)** жена́ то́же бы́ли на ве́чере.
Марк не зна́ет, где сейча́с живу́т **его́ (not свои́)** друзья́.
Она́ сказа́ла, что ско́ро прие́дут роди́тели **её (not своего́)** му́жа.

**6-31. Как сказа́ть по-ру́сски?**

1. Kolya lost his wallet.
2. Nadya returned my book.
3. Tanya broke her computer.
4. I gave Sasha my backpack.
5. Lev gave me his credit card.
6. Nina can't find her passport.

**Complete exercises 6-28 and 6-29 in the S.A.M.**

# Те́ма 3. Свида́ние

## Подгото́вка

**6-32. Вы зна́ете э́ти слова́?**

*appointment (official or business)* — встре́ча (с профе́ссором, дире́ктором)
*to have an appointment at a doctor's office* — идти́ к врачу́
*meeting (official with more than two people)* — собра́ние
*date* — свида́ние
*to date* — встреча́ться (*impf.*) с кем?
*boyfriend* — (мой/её) па́р|е|нь
*girlfriend* — (моя́/его́) де́вушка

**6-33. Как сказа́ть по-англи́йски?**

1. Сего́дня в пять часо́в у меня́ встре́ча с мои́м профе́ссором.
2. Я иду́ к врачу́ за́втра у́тром.
3. Мы с ней бо́льше не встреча́емся.
4. У меня́ сего́дня свида́ние.
5. Они́ встреча́ются уже́ пять лет и тепе́рь собира́ются пожени́ться.
6. У Ильи́ есть де́вушка?

**6-34. Словообразова́ние.** Diminutive adjectives. Образу́йте прилага́тельные по схе́ме.

The suffix **-ЕНЬК-** conveys diminution and, usually, an affectionate attitude on the part of the speaker towards the noun modified by the adjective. In some contexts, this suffix can express a negative or unfavorable attitude.

**ми́л-ый** ми́л + еньк + ий/ая = **ми́ленький/ми́ленькая (diminutive)**
**молод-о́й** моло́д + еньк + ий/ая = **моло́денький/моло́денькая (diminutive)**

сла́бый … глу́пый …
лени́вый … худо́й …
у́мный … ры́жий …

**Complete exercises 6-30 and 6-31 in the S.A.M.**

## Язы́к в жи́зни

**6-35. Письмо́ в электро́нный журна́л «Да́ша даёт сове́ты».** Пе́ред чте́нием.

What kind of advice would you expect people to seek from the website «Да́ша даёт сове́ты»?

**6-36. Во вре́мя чте́ния.** Найди́те отве́ты на вопро́сы.

1. Когда́ Та́ня познако́милась с молоды́м челове́ком?
2. Почему́ она́ хоте́ла помо́чь молодо́му челове́ку найти́ рабо́ту?
3. Что он де́лает це́лыми дня́ми?
4. Почему́ они́ поссо́рились?
5. Как они́ помири́лись?

**Уважа́емая Да́ша!**

Никогда́ не ду́мала, что бу́ду писа́ть в журна́л, но *про́сто* не зна́ю, что де́лать. Вот и *реши́ла* написа́ть вам о свои́х пробле́мах.

Ситуа́ция у меня́ така́я. Два го́да наза́д я познако́милась с симпати́чным молоды́м челове́ком и *влюби́лась в* него́. Я *назову́* его́ Ми́тя (э́то не его́ *настоя́щее* и́мя). Он был ве́жливым, такти́чным, внима́тельным. На ка́ждом свида́нии он *дари́л* мне кра́сную ро́зу. На́до сказа́ть, что Ми́тя в то вре́мя нигде́ не рабо́тал.

Я *про́бовала* помо́чь ему́ найти́ рабо́ту. Была́ *возмо́жность* пое́хать в Евро́пу, порабо́тать там. Но он *приду́мал* миллио́н причи́н, почему́ он не мо́жет е́хать. Он мне сказа́л: «Если я уе́ду, я бу́ду скуча́ть по тебе́. Я бою́сь тебя́ потеря́ть!»

Но *тепе́рь* я зна́ю пра́вду. Он про́сто не хо́чет рабо́тать! Це́лыми дня́ми он лежи́т на дива́не пе́ред телеви́зором и́ли игра́ет в компью́терные и́гры. Говори́т, что так он отдыха́ет! Разреши́те спроси́ть, отчего́ он уста́л? А на про́шлой неде́ле забы́л *поздра́вить* меня́ с Днём Свято́го Валенти́на. Я, коне́чно, *оби́делась,* и мы с ним *поссо́рились,* но он до́лго извиня́лся, и мы *помири́лись.*

Коне́чно, есть и положи́тельные моме́нты. Ка́ждый ве́чер он гото́вит для меня́ у́жин, когда́ я возвраща́юсь домо́й по́сле рабо́ты, мо́ет посу́ду, убира́ет кварти́ру, хо́дит по магази́нам. Говори́т, что лю́бит меня́…

Мо́жет быть, я *сли́шком* мно́го хочу́ от него́? Что бы вы сде́лали на моём ме́сте? Посове́туйте, что мне де́лать…

Та́ня

*влюбля́ться/влюби́ться в кого́? — to fall in love with*
*возмо́жность — opportunity*
*име́ть возмо́жность — to have the opportunity*
*дари́ть/подари́ть кому́? что? — to give a gift*
*мири́ться/помири́ться с кем? — to make up*
*называ́ть/назва́ть кого́? — to name, call*
*настоя́щий — real*
*обижа́ться/оби́деться на кого́? — to take offense, feel hurt*
*поздравля́ть/поздра́вить кого́ с чем? — to congratulate, wish happy holidays*
*приду́мывать/приду́мать что? — to make up (a story)*
*про́бовать/попро́бовать + infinitive — to try*
*про́сто — simply, just*
*реша́ть/реши́ть + infinitive — to decide*
*сли́шком — too much*
*ссо́риться/поссо́риться с кем? — to quarrel, fight*
*тепе́рь — now*

**6-37. По́сле чте́ния.** Каки́е положи́тельные и отрица́тельные черты́ хара́ктера у Та́ниного молодо́го челове́ка? Make two lists and discuss them with your classmates.

**6-38. Как сказа́ть по-ру́сски "Tanya's boyfriend"?**

Tanya's boyfriend — Та́нин па́рень. (Та́ня (–я) + ин = Та́нин)

Mitya's girlfriend — Ми́тина де́вушка. (Ми́тя (–я) + ин = Ми́тина)

Tanya's and Mitya's friends — Та́нины и Ми́тины друзья́

**Запóмните!**
These "special possessives" have the same basic endings as the possessive adjectives мой, твой, наш, ваш.

| | | |
|---|---|---|
| **Сáшин** брат | Я знáю Сáшин**ого** брáта. | (cf. Я знáю тво**егó** брáта.) |
| **Олина** сестрá | Я знакóм/а с Олин**ой** сестрóй. | (cf. Я знакóм/а с вáш**ей** сестрóй.) |

**6-39. Отвéтьте на вопрóсы.** Use the words in parentheses in your answers. Pay attention to case.

1. Комý ты вчерá звони́л/а? (Тáнин пáрень)
2. С кем ты там познакóмилась? (Ни́нина сестрá)
3. Когó ты встрéтил/а в кинó? (Олин брат)
4. Кудá ты собирáешься на кани́кулы? (Сáшины роди́тели)
5. С кем вы ходи́ли по магази́нам? (Кóстина невéста)
6. С кем ты говори́л/а по телефóну? (Натáшин жени́х)

**6-40. Отвéты на Тáнино письмó.**

Дорогáя Тáня!

Вы *си́льный* человéк, но зачéм вам так дóлго терпéть э́того *лентя́я?* Вы не смóжете егó *измени́ть.* И нáдо ли вам э́то? Если бы э́то был мой пáрень, я бы давнó емý сказáла всё, что я о нём дýмаю!

Аня

Я соглáсна с Аней. Тáнин пáрень слáбенький, мáленький, лени́венький, неспосóбненький человéчек. Тáня, *зачéм* он тебé нýжен? Человéка, котóрый *себя́* так *ведёт,* измени́ть нельзя́. И не жди![1] Я бы не стáла терпéть лени́вого человéка! Мне бóльше нéчего сказáть.

Нáстя

Полéзные словá:
*вести́ (вёл/велá) себя́ — to behave*
*зачéм — what for*
*изменя́ть/измени́ть когó?/что? — to change*
*лентя́й — lazy person*
*си́льный — strong*

**6-41. Что вы дýмаете?**

1. По мнéнию Ани и Нáсти, какóй у Тáни харáктер?
2. По вáшему мнéнию, какóй у Тáни харáктер?
3. Как вы дýмаете, Ми́тя мóжет измени́ться?
4. Что Аня и Нáстя посовéтовали Тáне?
5. Что бы вы посовéтовали Тáне?
6. Что бы вы сдéлали на Тáнином мéсте?

**6-42. Коллекти́вное письмó.** Напиши́те Тáне и дáйте ей совéт. Compare all the advice in the class and agree on the best one.

**6-43. Расскажи́те о человéке, котóрый вам не нрáвится.** Talk about the kind of person you wouldn't want to have as a roommate. (8–10 sentences)

[1] *You shouldn't even hope for it.*

## Разгово́ры

**6-44. Слу́шайте и чита́йте разгово́р.** Insert the missing words and phrases.

**Она́ на меня́ оби́делась**

— Тим, что ......................?
— У тебя́ плохо́е ................?
— Ты чём-то расстро́ен?
— Провали́л .............?
— ..........................?
— Поссо́рился с Ле́ной?
— *Угада́ла*. Она́ на меня́ оби́делась. | *You have guessed right!*
— Из-за ................?
— Сам не зна́ю. Она́ ............. не .....................
— Ничего́, ..............................

**6-45. Слу́шайте и чита́йте разгово́р.** Insert the missing words and phrases.

**Она́ с ним встреча́ется**

— С кем вы вчера́ бы́ли ...........................?
— Вчера́? С Ка́тей.
— А ..................................?
— Про кого́[1] ты говори́шь?
— Тако́й высо́кий па́рень ................................................
— Это Ка́тин друг. Очень ............................................
— *У неё с ним рома́н?* | *Is she dating him?*
— ..........................., что да.
— Они́ ........................... уже́ ме́сяца два.

**6-46. Поговори́м немно́го.** Read the following conversations and compose similar ones. Note the following expressions.

**To express agreement:** Ла́дно! — *O.K.!*
Хорошо́! — *Fine!*
С удово́льствием! — *With pleasure…*

**To express consolation:** Ничего́! — *It's all right!*
Всё бу́дет хорошо́! } *Everything will be all right!*
Всё бу́дет в поря́дке! }

[1]In informal Russian, **про кого́?** is the same as **о ком?**

**А.** — Что с тобо́й? У тебя́ плохо́е настрое́ние?
— Мы с Са́шей поссо́рились.
— Из-за чего́?
— Не зна́ю. Я что́-то сказа́л/а.
— Ничего́, поми́ритесь. Всё бу́дет в поря́дке!

**А тепе́рь ваш разгово́р...** Ask your friend why he/she is in a bad mood and find out why he/she quarreled with a boyfriend/girlfriend. Offer some words of consolation.

**Б.** — Ты с ке́м-нибудь встреча́ешься?
— А что?
— Я тебя́ ви́дела в суббо́ту с како́й-то де́вушкой (с каки́м-то па́рнем).
— Мы про́сто друзья́.
— Не похо́же!

**А тепе́рь ваш разгово́р...** Ask your friend whether he/she is dating anyone. Your friend may be unwilling to tell the truth.

**Complete exercises 6-32 through 6-36 in the S.A.M.**

# Грамма́тика. Говори́те пра́вильно!

## Aspect and tense in "when" and "if" clauses

**6-47. Ана́лиз.** Read the following sentences and determine:

- The tense of the verbs in the English "when" and "if" clauses.
- The tense and aspect of the verbs in the corresponding Russian clauses.
- The time (present, past, or future) that the verb in the main clause refers to in both the English and the Russian sentences.

1. If we **go** to St. Petersburg, **we'll visit** Peter the Great's house.
   Если мы **пое́дем** в Петербу́рг, мы **пойдём** в До́мик Петра́ Пе́рвого.
2. If I **talk** to her, **I'll ask** when we can meet.
   Если я **бу́ду** с ней **говори́ть,** я **спрошу́,** когда́ мы встре́тимся.
3. When you **see** your parents, **tell** them hello.
   Когда́ ты **уви́дишь** свои́х роди́телей, **переда́й** им приве́т.
4. When (while) **we're** in Moscow, **we'll see** your friends.
   Когда́ мы **бу́дем** в Москве́, мы **встре́тимся** с ва́шими друзья́ми.

**Note** that if the verb in the main clause is an imperative or in the future tense, the verb in the "when" (**когда́**) or "if" (**е́сли**) clause must also be in the future tense.

**6-48. Пессими́ст и́ли оптими́ст?** Use the correct form of the verbs in parentheses.

Так как я не жена́т, все мои́ друзья́ хотя́т меня́ с ке́м-то познако́мить. В суббо́ту меня́ пригласи́ли в го́сти. И сейча́с у меня́ диле́мма: идти́ и́ли не идти́. Если я (to go) в го́сти, я познако́млюсь с же́нщиной, с кото́рой я (to date) и на кото́рой я (to marry). Когда́ мы (to get married), мы ку́пим большо́й дом. Если у нас (to have) большо́й дом, у нас бу́дут соба́ка и ко́шка, и мы (to buy) но́вую ме́бель. Когда́ у нас (to be born) де́ти, мы отдади́м их в хоро́шую шко́лу. Когда́ они́ (to finish) шко́лу, они́ посту́пят в университе́т, и я (to pay) за их учёбу. Когда́ они́ (to graduate) университе́т, они́ посту́пят в аспиранту́ру. Когда́ они́ (to write) диссерта́цию и (to find) рабо́ту, они́ захотя́т жени́ться. Если у них (to have) сва́дьба, я до́лжен бу́ду плати́ть за неё. Всё э́то бу́дет сто́ить мно́го де́нег! Лу́чше мне не ходи́ть к друзья́м в суббо́ту!

Как по-ва́шему, э́тот челове́к пессими́ст и́ли оптими́ст?

## Real and unreal conditions ◆ Усло́вное наклоне́ние

In both Russian and English it is possible to speak about **real** and **unreal** or **contrary-to-fact** conditions.

- **Real conditions**

  **Если** мне надое́ст жить в общежи́тии, я сниму́ кварти́ру.
  *If I get fed up with living in the dorm, I'll rent an apartment.*

  **Если** он извини́тся, я с ним помирю́сь.
  *If he apologizes, I'll forgive him.*

- **Unreal conditions**

  **Если бы** у нас **бы́ло** бо́льше вре́мени, мы бы с ни́ми **встре́тились.** (Но вре́мени не́ было!)
  *If we had more time, we would have met with them. (But we didn't have the time.)*

  **Если бы** она́ **извини́лась,** я **бы с ней помири́лась.** (Но она́ не извини́лась!)
  *If she (had) apologized, I'd forgive (would have forgiven) her. (But she didn't apologize.)*

**Запо́мните!**
**На ва́шем/твоём ме́сте я бы…** — *If I were you I would…*

**6-49. Если бы… Опро́с.** Conduct a survey to find out how your classmates would answer the questions below. Ask three or four of your classmates. Write down and organize the results before presenting them to the class.

1. Что бы вы сде́лали, е́сли бы вы поссо́рились с дру́гом?
2. Что бы вы де́лали, е́сли бы вы влюби́лись?
3. О чём бы вы писа́ли, е́сли бы вы бы́ли корреспонде́нтом студе́нческой газе́ты?
4. Вы бы продолжа́ли рабо́тать и́ли учи́ться, е́сли бы у вас бы́ло мно́го де́нег?

**Complete exercises 6-37 and 6-38 in the S.A.M.**

### Спряже́ние глаго́лов

Learn how to conjugate these first conjugation verbs:

**вести́**-type

*to lead*

| | | |
|---|---|---|
| вед-**у́** | вед-**ём** | *Also includes:* **развести́сь** (*pfv.*) — *to get divorced* |
| вед-**ёшь** | вед-**ёте** | **перевести́** (*pfv.*) — *to translate* |
| вед-**ёт** | вед-**у́т** | **провести́** (вре́мя) (*pfv.*) — *to spend* |

**ждать**-type

*to wait*

| | | |
|---|---|---|
| жд-**у** | жд-**ём** | *Also includes:* **брать (бер-)** (*impf.*) — *to take* |
| жд-**ёшь** | жд-**ёте** | **звать (зов-)** (*impf.*) — *to call* |
| жд-**ёт** | жд-**ут** | |

**Note:** The vowel 'e' appears in the verb **брать** before P/F ending, and the vowel 'o' appears in the verb **звать.**

**нача́ть/стать**-type

*to start*

| | | |
|---|---|---|
| начн-**у́** | начн-**ём** | *Also includes:* **встать** (*pfv.*) — *to get up* |
| начн-**ёшь** | начн-**ёте** | **уста́ть** (*pfv.*) — *to get tired* |
| начн-**ёт** | начн-**у́т** | |

See Appendix pp. 365–368 for more verb types.

# Культу́ра и исто́рия

### Суеве́рия и обы́чаи ◆ Superstitions and customs

**6-50. Прочита́йте и обсуди́те.**

1. Read the Russian superstitions below and tell the class about one of them.
2. Make a list of all the Russian superstitions that you've read about. Do you know of any others? Share them with your classmates.
3. Do you know of any superstitions common in other countries?

У ка́ждого наро́да есть свои́ суеве́рия и но́рмы *поведе́ния*. Есть они́ и у ру́сских. Вот не́которые приме́ры. — *behavior*

■ В до́ме нельзя́ *свисте́ть*. — *whistle*

Когда́ вы приде́те в го́сти к ру́сским знако́мым, вы мо́жете услы́шать: «Нельзя́ свисте́ть в до́ме!» Де́ло в том, что ру́сские ду́мают, что е́сли вы бу́дете свисте́ть в до́ме, вы «*вы́свистите*» все де́ньги. — *"whistle away"*

■ Нельзя́ здоро́ваться и проща́ться че́рез *поро́г*. — *threshold*

Пе́ред тем как поздоро́ваться, вы должны́ зайти́ в кварти́ру. *Ина́че* вы мо́жете поссо́риться со свои́ми хозя́евами, потому́ что поро́г *разделя́ет* вас. — *otherwise*; *separates*

По э́той же причи́не нельзя́ и проща́ться че́рез поро́г.

- Вы *рассы́пали соль.* — *spilled; salt*

Если кто́-то рассы́пал соль, то́же мо́жно поссо́риться. Что́бы э́того не случи́лось, на́до бро́сить *щепо́тку* со́ли че́рез ле́вое *плечо́.*

*pinch; shoulder*

- Нельзя́ сиде́ть на *углу́* стола́. — *on the corner*

Если вы сиди́те на углу́ стола́, вы семь лет не вы́йдете за́муж и́ли не же́нитесь.

- Мо́жно *сгла́зить…* — *endanger (put an evil spell, the evil eye on)*

Нельзя́ покупа́ть ве́щи для ребёнка, кото́рый ещё не роди́лся, потому́ что мо́жно сгла́зить ребёнка.

- Тьфу-тьфу-тьфу…

Если вы говори́те ру́сским: «Всё бу́дет хорошо́!», они́ мо́гут отве́тить: «Тьфу-тьфу-тьфу, что́бы не сгла́зить» и *де́лают вид,* что *плюю́т* три ра́за че́рез ле́вое плечо́. Америка́нцы в э́том слу́чае *стуча́т* по де́реву.

*pretend*
*spit*
*knock*

- Чёрная ко́шка.

В Аме́рике боя́тся чёрных ко́шек. Чёрных ко́шек в Росси́и то́же не лю́бят, но счита́ется пло́хо, е́сли люба́я ко́шка перебежа́ла вам доро́гу. Ну́жно *обойти́* и́ли *объе́хать* э́то ме́сто. Всё-таки осо́бенно неприя́тно, е́сли вы встреча́етесь с чёрной ко́шкой. Да́же есть тако́е выраже́ние: «Ме́жду ни́ми чёрная ко́шка пробежа́ла». Это зна́чит, что лю́ди поссо́рились.

*walk around; drive around*

**А вот не́которые обы́чаи…**

- Мужчи́нам нельзя́ входи́ть в дом в *ша́пке,* на́до её снять у вхо́да. И никому́, ни же́нщинам, ни мужчи́нам, нельзя́ сиде́ть в ша́пке за столо́м. — *hat*
- Нельзя́ *дари́ть ножи́* и *носовы́е платки́.* А е́сли вы получи́ли тако́й пода́рок, вы должны́ «заплати́ть» за него́, дать хотя́ бы одну́ копе́йку. — *give; knives; handkerchiefs*
- Нельзя́ дари́ть *чётное коли́чество* цвето́в. — *even number*
- Если вы собира́етесь в путеше́ствие, пе́ред тем как вы́йти из до́ма, на́до *присе́сть* пе́ред доро́гой. — *sit down (for a few seconds)*
- По тради́ции ру́сские при встре́че и проща́нии целу́ются три ра́за в о́бе *щеки́.* — *cheek*

## Имена́, кото́рые зна́ют в Росси́и

**Корне́й Ива́нович Чуко́вский (1882–1969)** оди́н из са́мых популя́рных и люби́мых де́тских писа́телей в Росси́и.

**6-51. «Телефо́н».** Прочита́йте отры́вок из стихотворе́ния К. И. Чуко́вского «Телефо́н».

| | 1. |
|---|---|
| На́чал звони́ть | У меня́ *зазвони́л* телефо́н. |
| | — Кто говори́т? |
| | — Слон. |
| | — Отку́да? |
| *camel* | — От *верблю́да.* |
| | — Что вам на́до? |
| | — Шокола́да. |
| | — Для кого́? |
| | — Для сы́на моего́. |
| | — А мно́го ли присла́ть? |
| 1 пуд=36 фу́нтов | — Да *пудо́в* э́так пять |
| | Или шесть: |
| бо́льше не смо́жет | *Бо́льше ему́ не* съесть, |
| | Он у меня́ ещё ма́ленький. |

| | 2. |
|---|---|
| | А пото́м позвони́л |
| | Крокоди́л |
| *tears* | И со *слеза́ми* проси́л: |
| | — Мой ми́лый, хоро́ший, |
| *galoshes* | Пришли́ мне *кало́ши,* |
| | И мне, и жене́, и Тото́ше. |
| | |
| *Just a minute* | — *Посто́й,* |
| | Не тебе́ ли |
| | На про́шлой неде́ле |
| посла́л | *Я вы́слал* две па́ры |
| | Отли́чных кало́ш? |
| | |
| | — Ах, те, что ты вы́слал |
| | на про́шлой неде́ле, |
| | Мы давно́ уже́ съе́ли |
| *we can't wait* | И *ждём не дождёмся,* |
| | Когда́ же ты сно́ва |
| | пришлёшь |
| | К на́шему у́жину |
| *dozen* | *Дю́жину* |
| | Но́вых и сла́дких кало́ш! |

| 3. | |
|---|---|
| Я три но́чи не спал, | |
| Я уста́л. | |
| *Мне бы* засну́ть, | Я хоте́л бы |
| Отдохну́ть... | |
| Но то́лько я лёг — | |
| *Звоно́к!* | *ring!* |
| — Кто говори́т? | |
| — *Носоро́г!* | *rhinoceros* |
| — Что тако́е? | |
| — *Беда́! Беда́!* | *calamity* |
| *Беги́те* скоре́е сюда́! | *run* |
| — В чём де́ло? | |
| — *Спаси́те!* | *save* |
| — Кого́? | |
| — *Бегемо́та!* | *hippopotamus* |
| Наш бегемо́т *провали́лся* | *fell into* |
| в *боло́то!..* | *swamp* |
| — Провали́лся в боло́то?! | |
| — Да! | |
| И ни туда́, ни сюда́! | |
| О, е́сли вы не придёте, | |
| Он *уто́нет,* | *drown* |
| уто́нет в боло́те, | |
| Умрёт, пропадёт | |
| бегемо́т!!! | |
| | |
| — Ла́дно! Бегу́! Бегу́! | |
| Если смогу́, помогу́! | |

| 4. | |
|---|---|
| Ох, нелёгкая э́то рабо́та — | |
| Из боло́та *тащи́ть* | *pull (out) drag* |
| бегемо́та. | |

**Complete exercises 6-39 through 6-43 in the S.A.M.**

# Слова́рь

## Существи́тельные

| | |
|---|---|
| автоотве́тчик | *answering machine* |
| аэропо́рт (в аэропорту́) | *airport* |
| возмо́жность | *opportunity* |
| име́ть возмо́жность | *to have the opportunity* |
| во́лосы (*always plural*) | *hair* |
| встре́ча с кем? | *appointment (official or business)* |
| движе́ние | *traffic* |
| де́вушка | *teenager, young woman, girlfriend* |
| лентя́й | *lazy person* |
| па́р\|е\|нь | *teenager, young man, boyfriend* |
| преда́тель | *traitor* |
| про́сьба | *request* |
| рост | *height (about people)* |
| высо́кого ро́ста | *tall person* |
| ма́ленького ро́ста | *short person* |
| свида́ние | *date, rendezvous* |
| шоссе́ | *highway, freeway* |

## Глаго́лы

| | |
|---|---|
| вести́/повести́ (вёл/вела́) себя́ | *to behave* |
| влюбля́ться/влюби́ться в кого́? | *to fall in love* |
| врать/совра́ть кому́? | *to tell a lie* |
| встреча́ть/встре́тить кого́? | *to meet (at a station, airport)* |
| встреча́ться (*impf.*) с кем? | *to date* |
| выезжа́ть/вы́ехать куда́? отку́да? | *to leave, drive out* |
| дари́ть/подари́ть кому́? что? | *to give a gift* |
| изменя́ть/измени́ть кого́? что? | *to change* |
| мири́ться/помири́ться с кем? | *to make up (after a quarrel)* |
| называ́ть/назва́ть кого́? | *to name, call* |
| обижа́ться/оби́деться на кого́? | *to take offense, feel hurt* |
| обща́ться (*impf.*) с кем? | *to speak with, deal with* |
| объясня́ть/объясни́ть кому́? | *to explain* |
| подходи́ть/подойти́ | *to approach, walk up to* |
| поздравля́ть/поздра́вить кого́ с чем? | *to congratulate, wish a happy holiday* |
| приду́мывать/приду́мать что? | *to make up (a story)* |
| прилета́ть/прилете́ть | *to arrive by plane* |
| про́бовать/попро́бовать + *infinitive* | *to try* |
| реша́ть/реши́ть + *infinitive* | *to decide* |
| ссо́риться/поссо́риться с кем? | *to quarrel, fight* |
| улыба́ться/улыбну́ться | *to smile* |
| хоте́ться/захоте́ться | *to feel like* |

## Прилага́тельные

| | |
|---|---|
| ве́жливый | *polite* |
| весёлый | *cheerful* |
| внима́тельный | *considerate* |
| глу́пый | *stupid* |
| гру́бый | *rude* |
| до́брый | *kind* |
| дове́рчивый | *trusting* |
| жа́дный | *greedy* |
| злой/зла́я/злы́е | *mean, ill-spirited* |
| интеллиге́нтный | *well mannered, cultured* |
| и́скренний | *sincere* |
| лени́вый | *lazy* |
| настоя́щий | *real* |
| оби́дчивый | *sensitive, touchy* |
| общи́тельный | *sociable* |
| откры́тый | *open* |
| по́длый | *mean, underhanded* |
| пре́данный | *devoted, faithful* |
| прия́тный | *pleasant* |
| самовлюблённый | *self-centered* |
| си́льный | *strong* |
| симпати́чный | *nice, pleasant* |
| скро́мный | *modest* |
| ску́чный | *boring* |
| сла́бый | *weak* |
| спосо́бный | *smart* |
| справедли́вый | *fair* |
| у́мный | *intelligent* |
| че́стный | *honest* |
| ще́дрый | *generous* |
| эгоисти́чный | *egotistical* |

## Наре́чия

| | |
|---|---|
| действи́тельно | *really, truly* |
| заче́м | *what for* |
| сра́зу | *at once, right away* |
| про́сто | *simply, just* |
| сли́шком | *too much* |
| тепе́рь | *now* |
| усло́вно | *as a figure of speech* |

## Выраже́ния

| | |
|---|---|
| Всё бу́дет в поря́дке! / Всё бу́дет хорошо́! | *Everything will be all right!* |
| Ла́дно! | *O.K.!* |

| | |
|---|---|
| Ничего́ не поде́лаешь! | *You can't do anything about it!* |
| Ничего́! | *It's all right.* |
| речь идёт о ком?/о чём? … | *we are talking about* |
| С удово́льствием! | *With pleasure…* |
| терпе́ть не могу́ | *I can't stand* |
| У меня́ к тебе́ про́сьба. | *Could you do me a favor?* |
| У него́/у неё есть чу́вство ю́мора. | *He/She has a good sense of humor.* |
| Хорошо́! | *Fine!* |
| че́стно говоря́ | *frankly, to tell you the truth* |
| Что же де́лать? | *What can you do about it?* |

## Посло́вица (Proverb)

| | |
|---|---|
| Всё хорошо́, что хорошо́ конча́ется. | *All's well that ends well.* |

## Те́ло (Body)

| | |
|---|---|
| борода́ | *beard* |
| во́лосы | *hair* |
| глаз (*pl.* глаза́) | *eye* |
| живо́т | *stomach, abdomen* |
| л\|о\|б | *forehead* |
| нога́ (*pl.* но́ги) | *leg, foot* |
| нос | *nose* |
| рука́ (*pl.* ру́ки) | *hand, arm* |
| р\|о\|т | *mouth* |
| спина́ | *back* |
| усы́ | *moustache* |
| у́хо (*pl.* у́ши) | *ear* |
| фигу́ра | *figure* |

# Глáвы 4–6

## В óбщем…

## Chapters 4–6 Review

The following exercises are based on an unscripted video-taped interview. They will help you practice and develop the language skills you have acquired in chapters 4–6. You will find the interview on the Video Supplement to the textbook.

### Ольга Пихиéнко. Арти́стка ци́рка

**Задáние 1. Пéред тем, как смотрéть фи́льм…**

1. Что вы знáете о **«Ци́рке дю Солéй»?**
2. Прочитáйте о «Ци́рке дю Солéй». Что нóвого вы узнáли?

**Нéкоторые фáкты из истóрии «Ци́рка дю Солéй»**

Цирк был оснóван в Квебéке в 1984 годý. Штаб-квартúра ци́рка нахóдится в Монреáле. Представлéния «Ци́рка дю Солéй» посети́ло бóлее 20 млн. человéк по всемý ми́ру. За почти́ 20-тилéтнюю истóрию существовáния бы́ло постáвлено 12 представлéний. Шóу "Quidam" идёт в прогрáмме с 1996 гóда. По оцéнке журнáла «Форбс» трýппа «Ци́рка дю Солéй» является сáмой высокооплáчиваемой в ми́ре, ежегóдно зарабáтывая свы́ше 200 миллиóнов дóлларов. В Ци́рке постоя́нно рабóтает бóлее 2100 человéк. От 50 до 70% учáстников трýппы составля́ют росси́йские арти́сты. Как извéстно, росси́йская цирковáя шкóла — однá из сáмых лýчших в ми́ре. *По материáлам Интернéта.*

**Задáние 2. Что вы узнáли?** Посмотри́те фильм. О ком расскáзывается в фи́льме? Что вы узнáли о жи́зни Ольги Пихиéнко? Из какóй онá семьи́?

**Задáние 3. Закóнчите текст.** Посмотри́те начáло фи́льма и впиши́те пропýщенные словá.

Звездá канáдского ци́рка «Цирк дю Солéй» Ольга Пихиéнко неожи́данно для всех реши́ла …………………….. свою́ жизнь. Онá ………………………….. от сурóвой дисципли́ны и цыгáнского бы́та цирковóго арти́ста. Онá реши́ла, что ей ………………………………. уйти́ из ци́рка и …………………………. себя́ в нóвых областя́х твóрчества. Онá ужé побывáла фóтомодéлью, онá учáствовала в эксперимéнтáльном ……………………….… Её цирковáя жизнь …………………………. рáно.

**Зада́ние 4. Чте́ние.** Прочита́йте и расскажи́те о том, как Ольга ста́ла арти́сткой ци́рка.

Оте́ц. Я в при́нципе не хоте́л её так *тро́гать* в ра́ннем во́зрасте в цирк… Да потому́ что на́до бы́ло ходи́ть в шко́лу, ну́жно бы́ло занима́ться, но когда́ она́ прие́хала ко мне в како́й-то го́род, по-мо́ему, Кали́нин и́ли како́й-то друго́й был го́род, я уви́дел, как она́ лю́бит цирк. Пе́рвая трениро́вка была́ в 6 утра́, така́я до шко́лы, така́я коро́ткая, где́-то на оди́н час, и втора́я трениро́вка была́ по́сле шко́лы. И мы где́-то за почти́ за два го́да *доби́лись* таки́х *успе́хов,* что нас посла́ли от Союзгосци́рка[1] в Пари́ж… и так она́ ста́ла тако́й арти́сткой.

*touch*

*achieved success*

Ольга. Репети́ровали 8 часо́в в день, и бы́ло о́чень тру́дно, то есть ка́ждый день *заста́вить* себя́…

*to force*

**Зада́ние 5. Как вы э́то по́няли?** Скажи́те свои́ми слова́ми.

Журнали́ст. А как вы отно́ситесь к её [Ольгиной] иде́е бро́сить цирк?

Оте́ц. Немно́жко сло́жно …С одно́й стороны́, э́то всё краси́во, всё перее́зды, но́вые лю́ди, но с друго́й стороны́, она́ де́лает одно́ и то же са́мое, то же са́мое де́лает на протяже́ние вот уже́ … э́то шо́у существу́ет два го́да, а пе́ред э́тим де́лала «Кида́м» на протяже́ние шести́ лет, то есть получа́ется так, что она́ ста́лкивается с однообра́зностью. Ту жизнь, кото́рую она́ хо́чет себе́ найти́, э́то как раз бу́дет отлича́ться от жи́зни цирково́й …

**Зада́ние 6. Посмотри́те коне́ц фи́льма.**

1. Скажи́те, от чего́ уста́ла Ольга и что она́ хо́чет измени́ть в свое́й жи́зни.
2. Запиши́те отве́т Ольги Пихие́нко.

Журнали́ст. Если бы пришло́сь выбира́ть ме́жду счастли́вой ли́чной жи́знью и успе́шной карье́рой…

Ольга. ………………………………………………………………………………………..

**Зада́ние 7. Кварти́ра.** Предста́вьте, что вы помога́ете Ольге найти́ кварти́ру. Как вы ду́маете, каку́ю кварти́ру она́ хоте́ла бы име́ть и каку́ю мебе́ль вы бы посове́товали ей купи́ть. Испо́льзуйте слова́рь главы́ 5.

**Зада́ние 8. Фотомоде́ль.** Ольга хо́чет стать фо́томоде́лью. Вы рабо́таете в рекла́мном аге́нтстве. Опиши́те вне́шность Ольги (7-8 предложе́ний). Испо́льзуйте слова́рь главы́ 6.

**Зада́ние 9. Вы — журнали́ст.** Вы хоти́те взять интервью́ у Ольги Пихие́нко и её отца́. Что́бы подгото́виться к интервью́, напиши́те де́сять вопро́сов, кото́рые вы им зада́дите.

**Зада́ние 10. www.pikhienko.ru** Сде́лайте прое́кт вэб-са́йта Ольги Пихие́нко. Предста́вьте свой прое́кт кла́ссу. Испо́льзуйте слова́рь главы́ 4.

---

[1]The Soviet State Circus

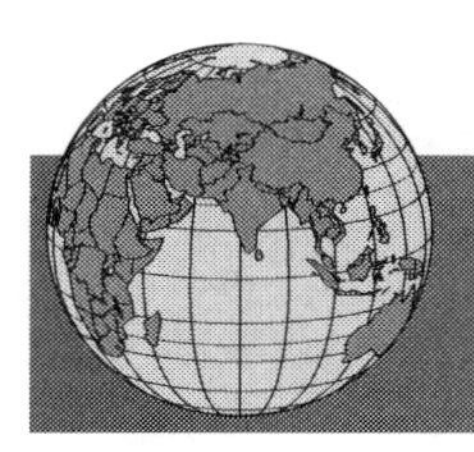

# Глава́ 7

# Ру́сская культу́ра: что́бы чита́ть по-ру́сски

## В э́той главе́…

**In this chapter you will**

- read about Russian theater, ballet, and music
- learn about Russian participles and verbal adverbs
- learn how to use the conjunction **то**
- read and translate texts on a variety of topics using a dictionary

# Те́ма 1. Теа́тр

## Подгото́вка

In order to read Russian literature and expository prose, you need to be able to recognize Russian participles (**прича́стия**) and verbal adverbs (**дееприча́стия**).

### Participles ◆ Прича́стия

Adjectives formed from verbs can be called participles or verbal adjectives. As you see in the examples below, nouns can be modified by participles in both English and Russian.

| | | | |
|---|---|---|---|
| a *dancing* bear | **танцу́ющий медве́дь** | a *closed* door | **закры́тая дверь** |
| "The *Sleeping* Beauty" | **«Спя́щая краса́вица»** | a *stolen* car | **укра́денная маши́на** |

Russian has four types of participles:

1. Present active participles — **спя́щий** (*the one who sleeps or is sleeping*)
2. Past active participles — **верну́вшийся** (*the one who has or had returned*)
3. Present passive participles — **закрыва́емый** (*that/which is being closed*)
4. Past passive participles — **укра́денный** (*that/which is or has been stolen*)

You need to remember the difference between **active** and **passive** participles:

- A noun qualified by an **active participle** is the performer of the action denoted by the verb.

  танцу́ющий медве́дь
  «Спя́щая краса́вица»
  верну́вшиеся[1] студе́нты

- A noun qualified by a **passive participle** is the recipient of the action denoted by the verb.

  закрыва́емая дверь
  закры́тая дверь
  укра́денная маши́на

**7-1. Ана́лиз.** Compare the Russian sentences and their English translations. Note the word(s) that the participles refer to in each sentence.

| **Глаго́л** **Verb** | **Прича́стие** **Participle** |
|---|---|
| **насчи́тывать** — *to add up to, amount to* | **насчи́тывающий** — *which amounts to* |
| **Исто́рия** Ма́лого теа́тра, **насчи́тывающая** о́коло двух с полови́ной веко́в, начала́сь с откры́тия пе́рвого в Москве́ профессиона́льного публи́чного теа́тра. *The history of the Malyi Theater, which amounts to more than two and a half centuries, began with the opening of the first professional public theater in Moscow.* | |

[1]The reflexive particle **-ся** is always spelled **-ся** in participles, even after vowels.

| **Глаго́л** **Verb** | **Прича́стие** **Participle** |
|---|---|
| **находи́ться** — *to be located* | **находя́щийся** — *that is located* |
| С 1824 го́да теа́тр ста́ли называ́ть Ма́лым, в отли́чие от **Большо́го теа́тра, находя́щегося** ря́дом с ним.<br>*Since 1824 the theater has been called the "Malyi"* [small] *to differentiate it from the Bolshoi Theater, which is located next to it.* | |
| **быва́ть** — *to attend* | **быва́вший** — *who has (had) attended* |
| Это спи́сок **де́ятелей** мирово́й культу́ры, **быва́вших** в Ма́лом теа́тре.<br>*It's a list of world-famous cultural figures who have attended the Malyi Theater.* | |
| **пожела́ть** — *to want, desire* | **пожела́вший** — *who wanted, desired* |
| Ма́лый теа́тр привлёк **Чайко́вского, пожела́вшего** поста́вить на сце́не э́того теа́тра о́перу «Евге́ний Оне́гин».<br>*The Malyi stage attracted Tchaikovsky, who wanted to stage his opera "Eugene Onegin" there.* | |

А. Н. Остро́вский

## Язы́к в жи́зни

**7-2. Прочита́йте о Ма́лом теа́тре.**
Read the text, paying special attention to the use of participles and the word order.

### Ма́лый теа́тр

История Ма́лого теа́тра, **насчи́тывающая** о́коло двух с полови́ной *веко́в*, начала́сь с откры́тия в 1756 году́ при Моско́вском университе́те пе́рвого в Москве́ профессиона́льного публи́чного теа́тра. С 1824 го́да теа́тр ста́ли называ́ть Ма́лым, *в отли́чие* от Большо́го теа́тра, **находя́щегося** ря́дом с ним.

С са́мого нача́ла теа́тр стал це́нтром культу́рной жи́зни Росси́и и получи́л назва́ние «Второ́й Университе́т». Пу́шкин, Го́голь, Толсто́й, Достое́вский, Бели́нский, Добролю́бов, Чайко́вский, Турге́нев, Остро́вский… Вот далеко́ не по́лный *спи́сок знамени́тых* люде́й ру́сской культу́ры, **быва́вших** в Ма́лом теа́тре.

Имя Алекса́ндра Никола́евича Остро́вского, *гениа́льного* драмату́рга, «ру́сского Шекспи́ра» зна́ют все, кто хо́дит в Ма́лый теа́тр. Все 47 *пьес* Остро́вского в ра́зное вре́мя *шли* здесь. Ма́лый теа́тр называ́ют ещё «До́мом Остро́вского».

Ма́лый теа́тр *привлёк* **Чайко́вского, пожела́вшего** *поста́вить* на сце́не э́того теа́тра о́перу «Евге́ний Оне́гин». *Премье́ра спекта́кля состоя́лась* 17 ма́рта 1879 го́да.

*век* — *century*
*гениа́льный* — *brilliant*
*знамени́тый* — *famous*
*премье́ра* — *opening night*
*привлека́ть/привле́чь кого́?* — *to attract*
*состоя́ться (pfv.)* — *to be held, to take place*
*спекта́кль (m.)* — *theatrical performance*
*спи́с|о|к* — *list*
*ста́вить/поста́вить* — *to stage, present*
*сце́на* — *stage*
**Expressions:**
*в отли́чие от* — *in contrast to*
*пье́са идёт* — *a play is running, playing*

## Грамма́тика для чте́ния

### The formation and translation of active participles

### Present active participles

Present active participles are formed from present-tense imperfective verbs.
To form them:

1. Remove the -**Т** from the third-person plural form.
2. Add -**Щ**- plus adjective endings.

чита́ть → (они́) чита́ю ~~т~~ [crossed out]

говори́ть → (они́) говоря́ ~~т~~ [crossed out]

чита́ю + **Щ** + -ий > чита́ющий
-ая > чита́ющая
-ее > чита́ющее
-ие > чита́ющие

говоря́ + **Щ** + -ий > говоря́щий
-ая > говоря́щая
-ее > говоря́щее
-ие > говоря́щие

**7-3. Что э́то зна́чит по-англи́йски?** Give English equivalents for the following constructions with present active participles. First replace the participles with **кото́рый**-phrases and then give the English equivalent. The first one is done for you.

1. теа́тр, находя́щийся на э́той у́лице → теа́тр, **кото́рый нахо́дится** на э́той у́лице
   *the theater that is located on this street*
2. студе́нты, жела́ющие поступи́ть в аспиранту́ру
3. говоря́щие по-ру́сски студе́нты
4. живу́щие в общежи́тии молоды́е лю́ди
5. иду́щая в теа́тре пье́са
6. арти́сты, игра́ющие в спекта́кле
7. студе́нт, подаю́щий заявле́ние на ле́тнюю програ́мму
8. интересу́ющиеся ру́сской культу́рой лю́ди

### Past active participles

Active participles formed from past-tense imperfective or perfective verbs (**опозда́вший, поступи́вший**) are called past active participles. To form them:

1. Remove the -**Л** from the masculine past-tense form.
2. Add -**ВШ**- plus adjective endings.
3. If the masculine past-tense form does not end in -**Л**, add -**Ш**- plus adjective endings

чита́ть → (он) чита́ ~~л~~ [crossed out]

прочита́ть → (он) прочита́ ~~л~~ [crossed out]

чита́ + **ВШ** + -ий > чита́вший
-ая > чита́вшая
-ие > чита́вшие

прочита́ + **ВШ** + ий > прочита́вший
-ая > прочита́вшая
-ие > прочита́вшие

помо́чь → (он) помо́г
+ **Ш** + ий > помо́**гш**ий
-ая > помо́**гш**ая
-ие > помо́**гш**ие

**Запóмните!**
Note the past active participle forms from the verb **идти́** and its prefixed forms:

| | | | |
|---|---|---|---|
| идти́ | шéдший | шéдшая | шéдшие |
| пройти́ | прошéдший | прошéдшая | прошéдшие |
| найти́ | нашéдший | нашéдшая | нашéдшие |

**7-4. Что э́то зна́чит по-англи́йски?** Replace the participles with **котóрый**-phrases and give the English equivalent. The first one is done for you.

1. студéнты, слу́шавшие курс по истóрии → студéнты, **котóрые слу́шали** курс…
   *the students (who were) taking a course*
2. арти́сты, прилетéвшие из Москвы́
3. кни́ги, лежа́вшие на столé
4. опозда́вшая на заня́тие студéнтка
5. студéнты, окóнчившие э́тот университéт
6. семья́, сня́вшая э́ту кварти́ру
7. жи́вшие у дóктора Ивановá гóсти
8. друзья́, помóгшие друг дру́гу

## Using active participles

Like adjectives, participles agree with the noun they qualify in gender, number, and case.

*instrumental pl.*

Мы говори́ли со **студéнтами, жела́ющими** поступи́ть в аспиранту́ру.
*We spoke with students who wanted to enroll in graduate school.*

*feminine accusative sg.*

Кто взял **кни́гу, лежа́вшую** у меня́ на столé?
*Who took the book that was (lying) on my desk?*

In written Russian, phrases with active participles often replace **котóрый**-clauses in which **котóрый** is in the nominative case. A participle construction can come before or after the noun it qualifies with no change in meaning.

Марк встрéтил профéссора, котóрый приéхал из Росси́и.
Марк встрéтил профéссора, приéхавшего из Росси́и.
Марк встрéтил приéхавшего из Росси́и профéссора.
*Mark met the professor from Russia.*

An active participle, regardless of case, can be replaced by a nominative form of the pronoun **кото́рый.**

| | | |
|---|---|---|
| В теа́тре выступа́ли арти́сты, | приéхавшие | из Росси́и. |
| Мы бы́ли на спекта́кле арти́стов, | приéхавших | из Росси́и. |
| Мы мно́го слы́шали об арти́стах, | приéхавших | из Росси́и. |
| Мы познако́мились с арти́стами, | приéхавшими | из Росси́и. |
| За́втра мы идём в го́сти к арти́стам, | приéхавшим | из Росси́и. |

**= кото́рые приéхали**

**7-5. Кото́рый.** Replace **кото́рый**-clauses with phrases containing active participles.

1. Исто́рия Ма́лого теа́тра, кото́рая насчи́тывает два с полови́ной ве́ка, начала́сь в 1756 году́.
2. Ма́лый теа́тр, кото́рый получи́л своё назва́ние в 1824 году́, нахо́дится ря́дом с Больши́м теа́тром.
3. Пу́шкин, Толсто́й, Достое́вский — э́то писа́тели, кото́рые ча́сто быва́ли в Ма́лом теа́тре.
4. Чайко́вский, кото́рый написа́л о́перу «Евге́ний Оне́гин», хоте́л поста́вить свою́ о́перу на сце́не Ма́лого теа́тра.
5. Премье́ра о́перы «Евге́ний Оне́гин», кото́рая состоя́лась в Ма́лом теа́тре, была́ о́чень уда́чной.

**Complete exercises 7-1 through 7-5 in the S.A.M.**

# Те́ма 2. Му́зыка

## Подгото́вка

**7-6. Ана́лиз.** Go over the participles that will appear in the text about **П.И. Чайко́вский.** Compare the Russian sentences and their English translations.

| Гла́гол Verb | Прича́стие Participle |
|---|---|
| **призна́ть** — *to recognize, acknowledge* | **при́знанный** — *recognized, acknowledged* |
| Чайко́вский — **при́знанный** компози́тор.<br>*Tchaikovsky is a recognized composer.*<br>Са́мой популя́рной о́перой Чайко́вского в ми́ре **при́знана** «Пи́ковая да́ма».<br>*Tchaikovsky's opera "The Queen of Spades" is recognized as his most popular opera.* | |
| **исполня́ть** — *to perform* | **исполня́емый** — *performed, that is performed* |
| Чайко́вский сего́дня — оди́н из са́мых **исполня́емых** компози́торов в ми́ре.<br>*Tchaikovsky is one of most frequently performed composers in the world.* | |
| **поста́вить** — *to stage, produce* | **поста́влена** — *staged, produced* |
| Опера «Пи́ковая да́ма» **поста́влена** в Большо́м теа́тре.<br>*"The Queen of Spades" was staged in the Bolshoi Theater.* | |
| **ограни́чить** — *to limit* | **ограни́чен** — *limited* |
| Спи́сок **исполня́емых** произведе́ний Чайко́вского **ограни́чен.**<br>*The list of Tchaikovsky's works that are performed is limited.* | |
| **откры́ть** — *to discover* | **откры́тый** — *discovered* |
| Чайко́вский ещё не **откры́тый** компози́тор.<br>*Tchaikovsky is still an undiscovered composer.* | |

## Язы́к в жи́зни

**7-7. Прочита́йте о Петре́ Ильиче́ Чайко́вском.** Read the text, paying attention to the participles.

**Пётр Ильи́ч Чайко́вский (1840–1893)**

Пётр Ильи́ч Чайко́вский **был при́знан** ми́ром ещё при жи́зни. Компози́тора приглаша́ли во мно́гие стра́ны *исполня́ть* его́ *произведе́ния.* Изве́стно, что он выступа́л, наприме́р, в Аме́рике, на откры́тии знамени́того Карне́ги-хо́лла.

Изве́стный пиани́ст Михаи́л Плетнёв пи́шет, что «Чайко́вский сего́дня — оди́н из са́мых **исполня́емых** компози́торов в ми́ре. *Тем не ме́нее,* Чайко́вский компози́тор ещё не **откры́тый**». Плетнёв *име́ет в виду́,* что спи́сок **исполня́емых** произведе́ний Чайко́вского **ограни́чен.** Наприме́р, 95 лет в Москве́ не шла о́пера Чайко́вского «Опри́чник»[1]. То́лько в 2000 году́ она́ была́ **поста́влена** в Большо́м теа́тре. Ча́ще всего́ в ми́ре ста́вятся его́ знамени́тые произведе́ния — «Евге́ний Оне́гин» и «Пи́ковая да́ма».

Са́мой популя́рной о́перой Чайко́вского в ми́ре **при́знана** «Пи́ковая да́ма»[2]. Выступле́ние в э́той о́пере — *мечта́* мно́гих *певцо́в,* да́же таки́х *выдаю́щихся,* как испа́нский те́нор Пла́сидо Доми́нго. Он вы́учил на ру́сском языке́ всю *па́ртию* Ге́рмана в э́той о́пере и замеча́тельно *испо́лнил* её почти́ без *акце́нта.*

Па́мятник Чайко́вскому в Москве́

*акце́нт — accent*
*выдаю́щийся — prominent*
*име́ть в виду — to mean*
*исполня́ть/испо́лнить — to perform*
*мечта́ — daydream, desire*
*па́ртия — part (in an opera)*
*пев|е́|ц/певи́ца — singer*
*произведе́ние — work of art*
*тем не ме́нее — nevertheless*

## Грамма́тика для чте́ния

### The formation and translation of passive participles

1. **Present passive participles** are formed from present-tense imperfective transitive verbs (получа́емый, уважа́емый). To form them, add adjective endings to the first-person plural form of imperfective verbs. Present passive participles are used mainly in "formal" written Russian, but you should learn those that are often used as adjectives:

   люби́мый — *favorite*
   незабыва́емый — *unforgettable*
   незави́симый — *independent*
   необходи́мый — *necessary, essential*
   несклоня́емый — *nondeclinable*
   несклоня́емое и́мя существи́тельное — *nondeclinable noun*
   (так) называ́емый — *(so) called*
   уважа́емый — *dear, respected*

[1]"The Guard of Ivan the Terrible"
[2]"The Queen of Spades"

2. **Past passive participles** are formed from perfective transitive verbs with one of three suffixes:

**-Т**
- First-conjugation verbs with infinitives ending in **-ИТЬ** or **-ЫТЬ**
- First-conjugation verbs with **-Н-** or **-М-** in their conjugation

**To form:** Remove the soft sign (**-Ь**) from the infinitive and add adjective endings

**заня́т** ~~**Ь**~~ → за́нят + ый/ая/ое/ые > за́нятый, за́нятая, за́нятое, за́нятые
**откры́т** ~~**Ь**~~ → откры́т + ый/ая/ое/ые > откры́тый, откры́тая, откры́тое, откры́тые

**-НН-**
- First-conjugation verbs with infinitives ending in **-АТЬ** other than those with **-Н-** or **-М-** in their conjugation

**To form:** Remove the **-ТЬ** from the infinitive and add **-НН-** plus adjective endings

**сде́ла** ~~**ТЬ**~~ → сде́ла + **-НН-** + ый/ая/ое/ые > сде́ланный, сде́ланная, сде́ланное, сде́ланные

**Stress note:** If the infinitive ends in stressed **-АТЬ**, the stress moves one syllable to the left

**прочита́** ~~**ТЬ**~~ → прочи́та + **-НН-** + -ый > прочи́танный, прочи́танная, прочи́танное, прочи́танные

**-ЕНН-/ -ЁНН-**
- Second-conjugation verbs with infinitives ending in **-ИТЬ**
- First-conjugation verbs with infinitives ending in **-СТИ (-СТЬ)** or **-ЗТИ**

**To form:** Remove the **-У/Ю** from the first-person singular form and add **-ЕНН-/ -ЁНН-** plus adjective endings

поста́вить → (я) **поста́вл** ~~**Ю**~~ → поста́вл + **-ЕНН-** + ый/ая/ое/ые >
укра́сть → (я) **украд** ~~**У**~~ → укра́денный, укра́денная, укра́денное, укра́денные

**Stress note:** Second-conjugation verbs with shifting stress (i.e., купи́ть > ку́пишь, получи́ть > полу́чишь) have the stress of the second-person singular in past passive participle forms (ку́пленный, полу́ченный). First conjugation verbs ending in **-СТЬ** have the stress of the feminine past tense (укра́ла-укра́денный).

**7-8. Что э́то зна́чит по-англи́йски?** Give English equivalents for the following constructions with past passive participles.

1. закры́тая дверь
2. прочи́танная кни́га
3. сло́манное ра́дио
4. забы́тые ве́щи
5. неда́вно постро́енное зда́ние
6. ку́пленные вчера́ биле́ты в теа́тр
7. напеча́танный докла́д
8. укра́денные докуме́нты

**Запо́мните!**
When you want to express "done by someone," use the instrumental case.
*An opera written by Glinka.* Опера, напи́санная **Гли́нкой.**

**7-9. Что э́то зна́чит по-англи́йски?** Give English equivalents for the following constructions.

1. забы́тая пу́бликой о́пера «Опри́чник»
2. биле́ты в теа́тр, ку́пленные Ма́рком
3. поста́вленный Станисла́вским спекта́кль
4. Пе́рвый конце́рт Чайко́вского, испо́лненный изве́стным пиани́стом

### Short forms of past passive participles

Past passive participles have a short form that is used as part of a predicate. (You learned about the predicate in Chapter 4.) Look at the table below and note that where the long form of a past passive participle contains **-НН-**, the corresponding short form has **-Н-**. There is no change in participles with the suffix **-Т.**

| | |
|---|---|
| **сло́манный** компью́тер<br>*a broken computer* | Мой компью́тер **сло́ман.**<br>*My computer's broken.* |
| **поста́вленная пье́са**<br>*a staged play* | Эта пье́са **поста́влена** в Ма́лом теа́тре.<br>*The play has been staged at the Malyi Theater.* |
| **закры́тая** дверь<br>*a closed door* | Почему́ дверь **закры́та?**<br>*Why is the door closed?* |

**7-10. Перево́д.** Give English equivalents. Does the participle modify the noun or is it part of the predicate?

1. Все 47 пьес Остро́вского поста́влены в Ма́лом теа́тре.
2. Опера «Евге́ний Оне́гин», поста́вленная на сце́не Ма́лого теа́тра, принесла́ Чайко́вскому всеми́рную сла́ву.
3. Опера «Князь Игорь» напи́сана Бородины́м.
4. Опера «Бори́с Годуно́в», напи́санная компози́тором Му́соргским, идёт на сце́не Большо́го теа́тра мно́го лет.
5. Мно́гие ру́сские компози́торы при́знаны во всём ми́ре.
6. Са́мой популя́рной о́перой Чайко́вского в ми́ре при́знана «Пи́ковая да́ма».

**Complete exercises 7-6 through 7-14 in the S.A.M.**

# Те́ма 3. Бале́т

## Подгото́вка

### Verbal adverbs ◆ Деепричáстия

Verbal adverbs are nonchanging verb forms that describe an action that is **secondary to the action of the main verb** in a sentence and that is **performed by the subject** of the main verb. Verbal adverbs do *not* have tense, but they *do* have aspect. Verbal adverbs formed from imperfective verbs denote an action that occurs simultaneously with the action of the verb. Verbal adverbs formed from perfective verbs denote a completed action that has occurred before the action of the main verb.

**7-11. Ана́лиз.** Read and translate the sentences, paying attention to the verbal adverbs. Determine if the verbal adverb denotes:

- an action that occurs simultaneously with the action of the main verb
- a completed action that has occurred before the action of the main verb

1. **сдать** — *to pass (an exam)*
   **Сдав** выпускны́е экза́мены, Па́влова снача́ла танцева́ла в кордебале́те.
2. **поду́мать** — *to think a little, consider briefly*
   Мать назвала́ Анну глу́пенькой, да́же не **поду́мав,** что дочь мо́жет стать вели́кой балери́ной.
3. **улыба́ться** — *to smile*
   — Хоте́ла бы ты так танцева́ть? — **улыба́ясь,** спроси́ла ма́ма Анну.
4. **гляде́ть** — *to look*
   **Гля́дя** на Па́влову, совреме́нники ви́дели свой идеа́л балери́ны.

## Язы́к в жи́зни

**7-12. Прочита́йте о балери́не Анне Па́вловой.** Read the text, paying attention to verbal adverbs.

### Анна Па́влова (1881–1931)

Анна Па́влова — *изве́стная во всём ми́ре* ру́сская балери́на. Совреме́нники говори́ли, что, **гля́дя** на Па́влову, они́ ви́дели не та́нцы, а свою́ мечту́ о та́нцах.

Анна Па́влова родила́сь в после́дний день января́ 1881 го́да. Пе́рвое *воспомина́ние* Анны — ма́ленький до́мик в Петербу́рге, где они́ жи́ли вдвоём с ма́терью. Отца́ своего́ она́ не по́мнила: он у́мер че́рез два го́да, *по́сле того́ как* родила́сь дочь.

Когда́ Анне бы́ло во́семь лет, мать сказа́ла, что они́ пое́дут в Мари́инский теа́тр смотре́ть бале́т. *Во вре́мя* спекта́кля му́зыка Петра́ Чайко́вского к «Спя́щей краса́вице» *потрясла́* де́вочку. Осо́бенно ей понра́вилось, что чуде́сный «Вальс цвето́в» танцева́ли ма́льчики и де́вочки.

— Хоте́ла бы ты так танцева́ть? — **улыба́ясь,** спроси́ла ма́ма Анну.

— Нет, не так. Я хочу́ танцева́ть так, как та балери́на, кото́рая танцу́ет Авро́ру.

Мать назвала́ Анну глу́пенькой, да́же **не поду́мав** о том, что дочь уже́ нашла́ своё *призва́ние* в жи́зни. Она́ не хоте́ла, что́бы Анна ста́ла балери́ной. Но по́сле *слёз* и *про́сьб* до́чери она́ повела́ её в бале́тную шко́лу. «Всё тепе́рь *зави́сит* от тебя́», — сказа́ла Анне мать, *пе́ред те́м как* они́ вошли́ в бале́тный класс. Анну *при́няли,* и начала́сь учёба в бале́тной шко́ле.

**Сдав** выпускны́е экза́мены, Па́влова снача́ла танцева́ла в кордебале́те, пото́м ста́ла пе́рвой танцо́вщицей и, наконе́ц, балери́ной Мари́инского теа́тра. По́сле *гастро́лей* во Фра́нции, Англии, Шве́ции, Аме́рике Па́влова ста́ла изве́стна во всём ми́ре.

Одни́м из выдаю́щихся партнёров Анны Па́вловой был Михаи́л Фо́кин. В исто́рию бале́та э́ти два и́мени — хорео́графа Фо́кина и балери́ны Па́вловой — вошли́ *благодаря́* небольшо́й компози́ции «Умира́ющий *ле́бедь*» на му́зыку Ками́лла Сен-Са́нса. По́сле того́ как Сен-Са́нс уви́дел Па́влову, танцу́ющую его́ «Ле́бедя», он сказа́л:

— Мада́м, благодаря́ вам я по́нял, что написа́л прекра́сную му́зыку.

*благодаря́ кому́?/чему́?* — *thanks to*
*воспомина́ние* — *memory, recollection*
*гастро́ли (pl.)* — *tour (when referring to actors or musicians)*
*зави́сеть (impf.) от кого́?/чего́?* — *to depend on*
*изве́стный* — *famous*
*ле́бедь (m.)* — *swan*
*пе́ред тем как* — *before*
*по́сле того́ как* — *after*
*потряса́ть/потрясти́ кого́?* — *to amaze, astound*
*призва́ние* — *vocation, calling*
*принима́ть/приня́ть кого́? куда́?* — *to accept, admit*
*про́сьба* — *request*
*слёзы* — *tears*
**Expressions:**
*во всём ми́ре* — *all over the world*
*во вре́мя чего́?* — *during*

## Грамма́тика для чте́ния

### Verbal adverbs: use and formation

Verbal adverbs do *not* have tense, but they *do* have aspect. The English equivalents of verbal adverb clauses are often time clauses.

> ***Возвраща́ясь*** домо́й из теа́тра, мы говори́ли о совреме́нном бале́те.
> ***When we were returning*** *home from the theater, we talked about contemporary ballet.*
>
> ***Верну́вшись*** домо́й из теа́тра, мы се́ли пить чай.
> *After we returned home from the theater, we had some tea.*

### The formation of verbal adverbs

- **Imperfective verbal adverbs**
  To form imperfective verbal adverbs:

  1. remove the third-person plural ending;
  2. add the suffix **-Я** (**-А** after hushers ш, ж, ч, щ);
  3. if the verb is reflexive, add reflexive particle **-СЬ.**

читáть → (они́) чита́~~ют~~ → чита́ + **я** → **чита́я**
говори́ть → (они́) говор~~я́т~~ → говор + **я́** → **говоря́**
занима́ться → (они́) занима́~~ются~~ → занима́ + **я** + **сь** → **занима́ясь**

**Запо́мните!**
Imperfective **ДАВА́ТЬ**-type verbs retain the suffix **-ВА-** in the verbal adverb:

встава́ть → вста – **ва́** + **я** **встава́я**
дава́ть → да – **ва́** + **я** **дава́я**
узнава́ть → узна – **ва́** + **я** **узнава́я**

- **Perfective verbal adverbs**
  To form perfective verbal adverbs:

  1. replace the **-Л** in the masculine past with the suffix **-В;**
  2. if the verb is reflexive, replace **-ЛСЯ** with the suffix **-ВШИСЬ.**

прочита́ть → (он) прочита́~~л~~ → прочита́ + **в** → **прочита́в**
вы́учить → (он) вы́учи~~л~~ → вы́учи + **в** → **вы́учив**
улыбну́ться → (он) улыбну́~~л~~ся → улыбну́ + **вшись** → **улыбну́вшись**

**Запо́мните!**
Prefixed forms of **идти́ (найти́, прийти́, уйти́)** form perfective verbal adverbs as follows:

прийти́ → (они́) прид~~у́т~~ → **придя́**
уйти́ → (они́) уйд~~у́т~~ → **уйдя́**
найти́ → (они́) найд~~у́т~~ → **найдя́**

**7-13. Что э́то зна́чит по-англи́йски?** Read the following sentences. Tell whether the action denoted by the verbal adverb occurs simultaneously with the action of the verb in the main clause or before the action of the verb in the main clause. Give synonymous sentences without verbal adverbs. The first one is done for you.

1. Расска́зывая о ру́сском бале́те, ле́ктор пока́зывал фильм. (*Simultaneous action.*)
   Когда́ ле́ктор расска́зывал о ру́сском бале́те, он пока́зывал фильм.
2. Зако́нчив ле́кцию, преподава́тель отве́тил на вопро́сы.
3. Зри́тели стоя́ли у теа́тра по́сле спекта́кля, ожида́я балери́ну.
4. Поу́жинав, мы пошли́ в кино́.
5. Поду́мав немно́го, он на́чал задава́ть вопро́сы.
6. У неё хоро́шее чу́вство ю́мора, и, чита́я её письмо́, мы смея́лись.
7. Он ушёл, ничего́ не сказа́в о том, вернётся ли он.
8. Познако́мившись с Анной Па́вловой, Сен-Са́нс сра́зу по́нял, что пе́ред ним вели́кая балери́на.

## English equivalents of verbal adverb constructions

English equivalents of verbal adverb constructions depend on context and can be phrases or clauses that answer the questions **when? why?** or **how?** or independent clauses whose subject is the same as that of the main verb in the sentence.

| | |
|---|---|
| **Попроща́вшись** с на́ми, он уе́хал. | *He said good-bye to us and left.*<br>*On saying good-bye to us, he left.*<br>*Having said good-bye to us, he left.*<br>*After having said good-bye to us he left.*<br>*When he said good-bye to us, he left.* |

**7-14. Перево́д.** Give English equivalents for the following sentences with verbal adverbs. Give as many interpretations as possible.

1. Открове́нно говоря́, я бы не пое́хал/а туда́.
2. Уви́дев его́, ты его́ не узна́ешь.
3. Мы слу́шали их, не понима́я.
4. Вы́учив ру́сский язы́к, вы смо́жете стать перево́дчиками.
5. Прочита́в письмо́ сестры́, он сра́зу сел писа́ть отве́т.
6. Он ушёл, ни с ке́м не попроща́вшись.

**Complete exercises 7-15 and 7-16 in the S.A.M.**

**7-15. Тéксты для чтéния. Стихотворéние Дми́трия Кéдрина «Я».** Прочитáйте стихотворéние. Replace the phrases with active participles by **котóрый**-clauses. The first one is done for you.

*Примéр:* (Я) мнóго ви́девший > *я, котóрый мнóго ви́дел*

**Я**

Мнóго ви́девший, мнóго знáвший,
Знáвший нéнависть и любóвь,
Всё имéвший, всё потеря́вший
И опя́ть всё нашéдший вновь.
Вкус узнáвший всегó *земнóго* — (*here*) *earthly temptations*
И до жи́зни жáдный опя́ть,
*Обладáющий* всем и снóва — *обладáть — to possess*
Всё *боя́щийся* потеря́ть.

Дми́трий Кéдрин
(Ию́нь 1945)

**7-16. Прочитáйте о С.П. Дя́гилеве[1].** Pay attention to the underlined participles and verbal adverbs.

**Импрессáрио Сергéй Пáвлович Дя́гилев (1872–1929)**

Сергéй Дя́гилев — руководи́тель знамени́того «Ру́сского балéта» в Пари́же. Уéхав из Росси́и в 1906 году́, Дя́гилев пропаганди́ровал во Фрáнции ру́сское иску́сство, организóвывая вы́ставки ру́сских худóжников и концéрты ру́сской му́зыки. В 1909 году́ он сóздал в Пари́же «Ру́сский балéт». Среди́ легендáрных танцóвщиков «Ру́сского балéта», приглашённых из Марии́нского и Большóго теáтров, бы́ли Áнна Пáвлова и Вáцлав Нижи́нский. В сóзданной Дя́гилевым тру́ппе рабóтали хореóграф Михаи́л Фóкин, компози́торы Клод Дебюсси́ и И́горь Страви́нский, худóжники Бакст и Бенуá. Благодаря́ Дя́гилеву, в ру́сском балéте есть сейчáс мужскóй тáнец, мужчи́на стал в балéте герóем. Без э́того нé было бы триу́мфа Нижи́нского и пришéдших за ним Рудóльфа Нури́ева и Михаи́ла Бары́шникова.

**7-17. Прочитáйте о театрáльном худóжнике Л.С. Бáксте.** Pay attention to the underlined participles and verbal adverbs; give the infinitive, and paraphase the sentence.

**Бакст (Розенбéрг) Лев Самóйлович (1866–1924)**

Роди́лся в гóроде Грóдно в семьé коммерсáнта. Окóнчив гимнáзию, четы́ре гóда учи́лся в *Акадéмии Худóжеств*, но, разочаровáвшись, Акадéмию брóсил. Занимáлся *живóписью*, зарабáтывая дéньги иллюстрáциями дéтских книг и журнáлов. Впервы́е показáл свои́ рабóты на вы́ставке в 1889 году́, взяв псевдони́м Бакст. (Фами́лия бáбушки по мáтери былá Бáкстер.) С середи́ны 90-х годóв вошёл в круг писáтелей и *худóжников*, объедини́вшихся вокру́г Сергéя Дя́гилева, и в дальнéйшем стал одни́м из инициáторов создáния журнáла «Мир *иску́сства*». Из-за

*Academy of Arts* — *painting* — *artist, painter* — *art*

[1]Since this text and the texts below are written in a journalistic/academic style, they contain numerous participles and verbal adverbs.

того́ что ему́ на́до бы́ло зараба́тывать де́ньги для свое́й семьи́, Бакст стал учи́телем рисова́ния. С 1893 по 1899 год жил в Пари́же, ча́сто приезжа́я в Петербу́рг. В 1898 году́ Бакст показа́л свои́ карти́ны на пе́рвой вы́ставке ру́сских и финля́ндских худо́жников, устро́енной Дя́гилевым. Дебюти́ровав в теа́тре в 1902 году́, Бакст де́лал театра́льные костю́мы для арти́стов (наприме́р, для Анны Па́вловой). Бакст стал *веду́щим* худо́жником «Ру́сского бале́та» Дя́гилева и со́здал *декора́ции* и костю́мы, поража́вшие зри́телей свое́й фанта́зией. Все э́ти го́ды Бакст жил в Евро́пе. В 1914 году́ он был и́збран чле́ном Импера́торской Санкт-Петербу́ргской Акаде́мии Худо́жеств. Умер 27 декабря́ 1924 го́да в Пари́же.

*leading*
*sets*

**7-18. Прочита́йте о компози́торе И.Ф. Страви́нском.**

**Игорь Фёдорович Страви́нский (1882–1971)**

Если вы лю́бите му́зыку, вы, коне́чно, зна́ете и́мя Игоря Страви́нского. Страви́нский роди́лся 5 ию́ня 1882 го́да в Ораниенба́уме, недалеко́ от Санкт-Петербу́рга. Вы́рос в музыка́льной семье́: оте́ц его́ был о́перным певцо́м. Не име́я специа́льного образова́ния, про́бовал писа́ть му́зыку и то́лько в двадцатиле́тнем во́зрасте на́чал занима́ться у компози́тора Ри́мского-Ко́рсакова. В 1905 году́ опубликова́л симфо́нию, напи́санную в академи́ческом сти́ле. По́зже в его́ му́зыке появи́лись элеме́нты ру́сского фолькло́ра. Уе́хав из Росси́и пе́ред нача́лом Пе́рвой мирово́й войны́, Страви́нский жил во Фра́нции, а в 1939 году́ перее́хал в США. Во Фра́нции он познако́мился с Серге́ем Дя́гилевым — просла́вленным бале́тным импреса́рио, гото́вившим спекта́кли «Ру́сского бале́та». Для Дя́гилева Страви́нский написа́л оди́н из свои́х са́мых блестя́щих бале́тов «Весна́ свяще́нная[1]». Премье́ра бале́та, поста́вленного Дя́гилевым, состоя́лась в Пари́же 29 ма́я 1913 го́да. Имя Страви́нского ста́ло си́мволом ультрасовре́менных тенде́нций в му́зыке.

## Дополни́тельная грамма́тика

### Complex sentences with dependent clauses introduced by TO

#### ■ ТО, ЧТО…

Read the English equivalents of the following sentences. Note that the pronoun **что** is stressed and pronounced **što** when it is the subject or direct object of a clause.

| | |
|---|---|
| Мы купи́ли **то, что́** бы́ло ну́жно. | *We bought what we needed.* |
| **То, что́** они́ говоря́т, мне не нра́вится. | *I don't like what they're saying.* |
| Вы забы́ли о **том, что́** вы обеща́ли. | *You forgot about what you promised.* |
| Я интересу́юсь **тем, что́** они́ де́лают. | *I'm interested in what they do.* |

[1] "The Rites of Spring"

**Обрати́те внима́ние**

1. The English equivalent of **то, что** (or a stressed form of **что** in another case) can be **"what"** or **"that which."**

2. Remember that an unstressed **что** (pronounced **štə**) is a conjunction whose English equivalent is often **"that."** In English, we often omit this conjunction when speaking or writing but it cannot be omitted in Russian.

   Все зна́ют, **что** Рахма́нинов ру́сский компози́тор.
   *Everyone knows that Rachmaninoff is a Russian composer.*

   Они́ сказа́ли, **что** ве́чером пойду́т на конце́рт.
   *They said (that) they'd go to a concert tonight.*

3. Clauses introduced by the unstressed conjunction **что** or other conjunctive words (**как, когда́,** *etc.*) are often preceded by the pronoun **то.** The case of **то** is determined by preposition or verb that precedes it.

| | |
|---|---|
| Де́ло **в том, что** мы ничего́ об э́том не зна́ли. | *The fact of the matter is that we didn't know anything about that.* |
| Она́ ничего́ не слы́шала **о том, что** э́ту пье́су поста́вили. | *She didn't hear anything about this play being staged.* |
| Спаси́бо **за то, что** вы им ничего́ не сказа́ли. | *Thanks for not telling them anything.* |
| Тру́дно бы́ло привы́кнуть **к тому́, что** на́до ра́но встава́ть. | *It was hard to get used to the fact that I had to get up early.* |
| Всё э́то случи́лось **из-за того́, что** они́ нам ничего́ не сказа́ли о свои́х пла́нах. | *All this happened because they didn't tell us anything about their plans.* |

## ■ ЗАВИ́СЕТЬ ОТ…

Using **TO** with the verb **зави́сеть от кого́?/чего́?** (to depend on).

| | |
|---|---|
| Всё зави́сит **от пого́ды.** | *It all depends on the weather.* |
| Это **зави́сит от того́, что́** они́ ска́жут. | *It depends on what they have to say.* |
| Всё **бу́дет зави́сеть от того́, как** вы сдади́те экза́мен. | *It will all depend on how you do on the final.* |
| На́ше реше́ние **зави́сит от того́, захотя́т ли** они́ помо́чь. | *Our decision depends on whether or not they'd be willing to help.* |

**Запо́мните!**
**Зави́сеть** is always used with a grammatical complement.

Don't say ~~Это зависит~~ for English «It depends.» It doesn't make sense in Russian.

**7-19. Скажи́те по-англи́йски.** Determine the case of **то** and translate into English.

1. Все забы́ли **о то́м,** что пора́ идти́ в теа́тр.
2. Кто вам сказа́л **о то́м,** что Та́ня и Серёжа развели́сь?
3. Моё реше́ние бу́дет зави́сеть **от того́,** когда́ на́до туда́ е́хать.
4. Мы все дово́льны **тем,** что вы так бы́стро верну́лись.
5. Мы о́чень ра́ды **тому́,** что вы получи́ли но́вую рабо́ту.
6. Все бы́ли расстро́ены **из-за того́,** что не удало́сь купи́ть биле́ты на бале́т.
7. Она́ да́же не поду́мала **о то́м,** что Анна уже́ нашла́ своё призва́ние.

## Using TO to introduce time clauses: "before" and "after"

| *Before* | *After* |
|---|---|
| **до** (anytime before) + noun in genitive case | **по́сле** + noun in genitive case |
| **пе́ред** (just before) + noun in instrumental case | |
| **до того́ как** + clause | |
| **пе́ред тем как** + infinitive of verb/clause | **по́сле того́ как** + clause |

The English words **before** and **after** are both prepositions and conjunctions. In Russian, you must make a distinction between the prepositions **до, пе́ред,** and **по́сле** and the conjunction phrases **до того́ как, пе́ред тем как** and **по́сле того́ как.**

| *Prepositions* | *Conjunctions* |
|---|---|
| **Перед сно́м** я обы́чно принима́ю душ.<br>*I usually take a shower before going to bed.* | **Пе́ред тем как** лечь спать, я обы́чно принима́ю душ.<br>*I usually take a shower before going to bed.* |
| Он заболе́л **пе́ред нача́лом** заня́тий.<br>*He got sick just before classes started.* | Он заболе́л, **пе́ред тем как** начали́сь заня́тия.<br>*He got sick just before classes started.* |
| Это случи́лось **до на́шего прие́зда.**<br>*That happened before our arrival.* | Это случи́лось, **до того́ как** мы прие́хали.<br>*That happened before we arrived.* |
| Он заболе́л **по́сле нача́ла** заня́тий.<br>*He got sick after classes started.* | Он заболе́л, **по́сле того́ как** начали́сь заня́тия.<br>*He got sick after classes started.* |

**Запо́мните!**
An infinitive can be used after **пе́ред тем как...** if it refers to the action performed by the subject of the main clause.

Пе́ред тем как **уе́хать,** мы убра́ли кварти́ру.
*We cleaned the apartment before leaving.*

Пе́ред тем как **пришли́** го́сти, мы всё убра́ли.
*We cleaned everything before our guests arrived.*

## ■ Expressing "instead of (doing something)"

"Instead of . . ." is expressed in Russian by the phrase **Вме́сто того́ что́бы** + infinitive.

**Вме́сто того́ что́бы** гото́виться к контро́льной, они́ игра́ли в волейбо́л.
*Instead of preparing for the exam, they played volleyball.*

**Вме́сто того́ что́бы** пойти́ на бале́т, они́ реши́ли пойти́ на о́перу.
*Instead of going to a ballet, they decided to go to an opera.*

**7-20. Как сказа́ть по-англи́йски?** Give English equivalents

1. По́сле того́ как Чайко́вский написа́л о́перу «Евге́ний Оне́гин», он стал по-настоя́щему знамени́тым.
2. Вме́сто того́ что́бы купи́ть биле́ты в теа́тр, он реши́л пойти́ на конце́рт.
3. Пе́ред тем как Дя́гилев организова́л «Ру́сский бале́т», он со́здал журна́л «Мир иску́сства».
4. По́сле того́ как пье́сы Остро́вского не́сколько лет шли в Ма́лом теа́тре, теа́тр на́чали называ́ть «До́мом Остро́вского».
5. Пе́ред тем как Па́влова ста́ла балери́ной Мари́инского теа́тра, она́ танцева́ла в кордебале́те.
6. По́сле того́ как Сен-Са́нс уви́дел, как Па́влова танцу́ет, он по́нял, что она́ вели́кая балери́на.
7. По́сле того́ как Дя́гилев перее́хал во Фра́нцию, он на́чал организо́вывать в Пари́же вы́ставки ру́сских худо́жников.

**Complete exercises 7-17 and 7-18 in the S.A.M.**

# Культу́ра и исто́рия

Read the texts below, paying attention to the underlined participles, verbal adverbs, and conjunctions. Use a dictionary if necessary.

### Воспомина́ния лётчика

Пе́рвый в ми́ре полёт челове́ка в ко́смос состоя́лся в 1961 году́. Но да́же сейча́с, по́сле того́ как прошло́ так мно́го лет, я вспомина́ю с волне́нием тот день и час, когда́ по ра́дио и телеви́дению бы́ло пе́редано истори́ческое сообще́ние ТАСС[1]:

«12 апре́ля 1961 го́да в Сове́тском Сою́зе вы́веден на орби́ту вокру́г Земли́ пе́рвый в ми́ре косми́ческий кора́бль-спу́тник «Восто́к» с челове́ком на борту́. Пило́том-космона́втом косми́ческого корабля́-спу́тника «Восто́к» явля́ется граждани́н Сою́за Сове́тских Социалисти́ческих Респу́блик лётчик майо́р Гага́рин Юрий Алексе́евич...».

*Юрий Гага́рин на трибу́не мавзоле́я. Москва́, Кра́сная пло́щадь, 14 апре́ля 1961 го́да.*

[1]Телегра́фное аге́нство Сове́тского Сою́за

В то вре́мя когда́ Гага́рин полете́л в ко́смос, я учи́лся в Вое́нно-полити́ческой акаде́мии. 14 апре́ля 1961 го́да я был делеги́рован на Кра́сную пло́щадь, где проходи́л ми́тинг, посвящённый полёту пе́рвого космона́вта. Так я впервы́е уви́дел Юрия Гага́рина. Вме́сте с гру́ппой лётчиков, подойдя́ к Мавзоле́ю, я останови́лся. Уви́дев нас, Юрий показа́л на нас стоя́вшему ря́дом с ним Н. С. Хрущёву и стал что́-то ему́ говори́ть.

По́сле того́ как я уви́дел Гагарина на Кра́сной пло́щади, я познако́мился с ним ли́чно. Юрий Гагарин был приглашён на встре́чу с вое́нными в Центра́льном теа́тре Сове́тской а́рмии. Он говори́л о свои́х впечатле́ниях и чу́вствах на ра́зных эта́пах полёта — на ста́рте, на орби́те, в невесо́мости, при приземле́нии. Расска́зывая о своём полёте, Гагарин был то серьёзным, то весёлым. Я поду́мал тогда́ о том, что у челове́ка, полете́вшего в ко́смос, должно́ быть хоро́шее чу́вство ю́мора. У Гага́рина оно́ бы́ло!

Есть справедли́вость в том, что и́менно 12 апре́ля ста́ло Днём космона́втики в Росси́и. Это дань па́мяти первооткрыва́телю ко́смоса Юрию Гага́рину.

Л. Лано́во́й (По материа́лам Интерне́та)

## Ру́сская исто́рия: пе́рвое ру́сское госуда́рство

Если вам интере́сно, отку́да появи́лись ру́сские, как возни́кло пе́рвое ру́сское госуда́рство, мы мо́жем загляну́ть в уче́бник, напи́санный профе́ссором Н. Покро́вским в 1914 году́.

**Славя́не.** На́ши пре́дки называ́лись славя́нами. Снача́ла славя́не жи́ли о́коло Карпа́тских гор. По́сле того́ как их на́чали тесни́ть здесь сосе́ди, они́ дви́нулись отсю́да в други́е зе́мли. Одни́ из них посели́лись по Днепру́ и впада́ющим в него́ ре́кам. Эти-то славя́не и организова́ли то обши́рное госуда́рство, в кото́ром мы живём. Оно́ называ́ется Росси́ей, а в старину́ называ́лось Ру́сью.

Занима́лись славя́не земледе́лием, охо́той, а та́кже разводи́ли скот, лови́ли ры́бу, собира́ли в лесу́ мёд и воск.

**Торго́вля.** По́сле того́ как ста́ли расти́ города́, населе́ние ста́ло собира́ться о́коло них. Начала́сь и торго́вля. Торго́выми путя́ми служи́ли ре́ки. Гла́вным торго́вым путём был вели́кий во́дный путь. Он вёл из Балти́йского мо́ря в Чёрное. Начина́лся он реко́й Нево́й; че́рез неё попада́ли в Ла́дожское о́зеро; отсю́да реко́й Во́лховом плы́ли в о́зеро Ильмен, а из него́ да́льше по реке́ Ло́вати. От Ло́вати до Днепра́ шли пешко́м, неся́ ло́дки на рука́х, а пото́м по Днепру́ спуска́лись в Чёрное мо́ре. По э́тому пути́ е́здили че́рез на́шу страну́ в Гре́цию жи́вшие на Скандина́вском полуо́строве варя́ги. И путь э́тот называ́ется «путь из варя́г в гре́ки». Из-за того́, что по э́тому пути́ шла торго́вля, здесь возни́кло мно́го городо́в; са́мыми замеча́тельными бы́ли: на Во́лхове — Но́вгород, на Днепре́ — Ки́ев.

**Хра́мы ра́зных рели́гий в Москве́**

В кни́ге «Москва́. Религио́зные це́нтры и общи́ны», изданной в 1992 году́, В.Г. Черка́сов-Гео́ргиевский пи́шет о том, как бы́ли постро́ены в Москве́ хра́мы ра́зных рели́гий. Вот не́которые фа́кты, кото́рые сообща́ет а́втор.

По́сле того́ как князь Влади́мир при́нял христиа́нство в 988 году́, он сде́лал Ки́ев це́нтром ру́сского правосла́вия. Во вре́мя тата́ро-монго́льского наше́ствия це́нтром христиа́нства ста́ли города́ Влади́мир и Су́здаль. И, наконе́ц, в 14 ве́ке, перее́хав из Влади́мира в Москву́, глава́ Ру́сской правосла́вной це́ркви митрополи́т Пётр перенёс центр ру́сского правосла́вия в Москву́. В Москве́ бы́ло постро́ено так мно́го правосла́вных церкве́й, что была́ леге́нда о том, что церкве́й в Москве́ «со́рок сороко́в», то есть 1600 (ты́сяча шестьсо́т). Так э́то и́ли нет, зави́сит от того́, как вы счита́ете, но действи́тельно в Москве́ бы́ло мно́го правосла́вных церкве́й.

В 1789 году́ императри́ца Екатери́на Вели́кая разреши́ла францу́зам, живу́щим в Москве́, постро́ить свою́ католи́ческую це́рковь. До того́ как це́рковь была́ постро́ена, у като́ликов не́ было своего́ хра́ма. Ря́дом с це́рковью бы́ли откры́ты две шко́лы, для ю́ношей и для де́вушек. Эта це́рковь, существу́ющая и сейча́с, нахо́дится на у́лице Ма́лая Лубя́нка, дом 12.

Пе́рвая лютера́нская ки́рха постро́ена в Москве́ в 16 ве́ке на пра́вом берегу́ реки́ Яузы, где жи́ли не́мцы, прие́хавшие рабо́тать в Росси́ю. Пе́рвая ки́рха была́ деревя́нной. В 1694 году́ на́чали стро́ить ка́менную ки́рху. Пе́рвый ка́мень, как говоря́т, был зало́жен Петро́м Пе́рвым.

Пе́рвая мече́ть была́ постро́ена в Москве́ в 1816 году́. Эта мече́ть, де́йствующая в Москве́ и в настоя́щее вре́мя, была́ финанси́рована купцо́м Ерзины́м в 1902-1904 года́х. Она́ нахо́дится о́коло ста́нции метро́ «Проспе́кт ми́ра».

Пе́рвая синаго́га в Москве́ была́ откры́та по́сле того́, как ко́нчилась Оте́чественная война́ 1812 го́да. Она́ была́ постро́ена по разреше́нию импера́тора Алекса́ндра Пе́рвого. Сейча́с Моско́вская хора́льная синаго́га, постро́енная в 1891 году́, нахо́дится в Спасоглини́щенском переу́лке, в це́нтре Москвы́. В 1892 году́ синаго́га была́ закры́та, а её руководи́тели вы́сланы из Москвы́. Она́ была́ сно́ва откры́та в 1906 году́ и с тех пор явля́ется гла́вной синаго́гой Москвы́.

**Complete exercises 7-19 through 7-23 in the S.A.M.**

# Слова́рь

## Существи́тельные

| | |
|---|---|
| акце́нт | *accent* |
| век | *century* |
| воспомина́ние | *recollection* |
| гастро́ли (*pl.*) | *tour (referring to theater or musicians)* |
| исполне́ние | *performance* |
| компози́тор | *composer* |
| мечта́ | *daydream, desire* |
| о́пера | *opera* |
| па́ртия | *part (in an opera)* |
| пев\|е́\|ц/певи́ца | *singer* |
| премье́ра | *opening night* |
| призва́ние | *vocation* |
| произведе́ние | *work of art* |
| про́сьба | *request* |
| слёзы | *tears* |
| спекта́кль (*m.*) | *theatrical performance* |
| спи́с\|о\|к | *list* |
| сце́на | *stage* |

## Глаго́лы

| | |
|---|---|
| быва́ть/побыва́ть где? | *(here) to attend visit* |
| гляде́ть (*impf.*) | *to look* |
| жела́ть/пожела́ть + *infinitive* | *to want, desire* |
| зави́сеть (*impf.*) от кого́?/чего́? | *to depend on* |
| исполня́ть/испо́лнить что? | *to perform* |
| находи́ться (*impf.*) | *to be located* |
| ограни́чивать/ограни́чить | *to limit* |
| открыва́ть/откры́ть | *to discover* |
| потряса́ть/потрясти́ кого́? чем? | *to amaze, astound* |
| привлека́ть/привле́чь кого́? чем? | *to attract* |
| признава́ть/призна́ть кого́?/что? | *to recognize, acknowledge* |
| принима́ть/приня́ть кого́? куда́? | *to accept, admit* |
| состоя́ться (*pfv.*) | *to be held, take place* |
| ста́вить/поста́вить что? | *to stage, produce* |
| улыба́ться/улыбну́ться | *to smile* |

## Прилага́тельные

| | |
|---|---|
| выдаю́щийся | *prominent* |
| гениа́льный | *brilliant* |
| знамени́тый | *famous* |
| изве́стный | *well known* |
| популя́рный | *popular* |

## Союзы (Conjunctions)

| | |
|---|---|
| благодаря́ кому́?/чему́? | *thanks to* |
| в отли́чие от кого́?/чего́? | *in contrast to* |
| во вре́мя чего́? | *during* |
| перед те́м как | *before doing* |
| после того́ как | *after doing* |

## Выраже́ния

| | |
|---|---|
| во всём ми́ре | *all over the world* |
| име́ть в виду́ | *to mean, have in mind* |
| пьéса идёт | *a play is running, playing* |
| тем не ме́нее | *nevertheless* |

# Глава́ 8

# Вокру́г све́та[1]

## В э́той главе́…

**In this chapter you will**

- talk about travel and countries
- review and learn more about verbs of motion without prefixes
- learn how to use the particles **не** and **ни**
- read travel brochures and other texts related to travel

[1]Around the world

# Тéма 1. Вы лю́бите путешéствовать?

## Подготóвка

**8-1. Вы знáете э́ти словá?**

| | |
|---|---|
| билéт (на пóезд, на самолёт) | *ticket (train, plane)* |
| гости́ница | *hotel* |
| закáзывать/заказáть | *to book, to make a reservation* |
| летéть~летáть (на самолёте) | *to fly* |
| маршру́т | *itinerary* |
| плыть~плáвать (на кораблé) | *to sail, go by ship* |
| путешéствовать (на пóезде/на маши́не/на автóбусе) | *to travel (by train/by bus/by car)* |

**8-2. Путешéствие.** Use the words in 8-1 to answer these questions.

1. Что ну́жно сдéлать зарáнее[1], éсли вы собирáетесь путешéствовать?
2. Что вам бóльше нрáвится: летáть на самолёте, путешéствовать на пóезде и́ли плáвать на кораблé? Объясни́те почему́.

**Запóмните!**
Do not confuse the verb **путешéствовать** где? (to be somewhere and travel around that place) with **éздить~éхать/поéхать** кудá? (to travel/visit/go to a place):

| | |
|---|---|
| Лéтом мы **путешéствовали** по Еврóпе. | *In the summer we traveled in (around) Europe.* |
| Лéтом мы **éздили** в Еврóпу. | *In the summer we traveled to Europe.* |

When used with the preposition **по** + dative of a noun denoting a country, state, or continent, **éздить** is synonymous with **путешéствовать.**

**8-3. Центрáльное бюрó путешéствий.** Look through the advertisement and answer the following questions.

1. Что организу́ет бюрó путешéствий?
2. Каку́ю информáцию мóжно получи́ть из брошю́ры бюрó путешéствий?

[1]in advance

**ЦЕНТРА́ЛЬНОЕ БЮРО́ ПУТЕШЕ́СТВИЙ** ***организу́ет***

- *ЗАРУБЕ́ЖНЫЕ* ТУ́РЫ
- ЭКСКУРСИО́ННЫЕ ПРОГРА́ММЫ И О́ТДЫХ В ПОДМОСКО́ВЬЕ, РОССИ́И И *СНГ*, СТРА́НАХ ВОСТО́ЧНОЙ ЕВРО́ПЫ
- ПОЛУЧЕ́НИЕ ВИ́З В ПОСО́ЛЬСТВЕ

Ждём Вас в на́шем о́фисе!

Наш а́дрес: 127051, г. Москва́, Ма́лая Су́харевская пл., д.6, оф. 402.

На́ши телефо́ны: (095) 786-65-67, (095) 208-71-16.

E-mail: sale@travel.ru

*зарубе́жный — abroad (adj.)*
*организова́ть (impf. and pfv.) — to organize, arrange*
*посо́льство — embassy*
*СНГ* — Сою́з Незави́симых Госуда́рств *(The Commonwealth of Independent States, CIS)*

**Complete exercises 8-1 and 8-2 in the S.A.M.**

## Язы́к в жи́зни

**8-4. Путеше́ствие по Восто́чной Евро́пе.** Match the capitals and the countries.

Столи́цей како́й страны́ явля́ется э́тот го́род?

Ки́ев
Ри́га
Пра́га
Варша́ва
Будапе́шт
Кишинёв
Братисла́ва
Хе́льсинки
Белгра́д
Ви́льнюс
За́греб
Сара́ево
Софи́я
Тира́на
Та́ллинн
Минск
Бухаре́ст

**8-5. Словообразова́ние.** To form nouns that describe persons belonging to various nationalities, use the suffixes

| | masculine nouns: **-ец** | feminine nouns: **-к-(а)** |
|---|---|---|
| *Приме́р:* | Аме́рика — *америка́н**ец*** | *америка́н**ка*** |
| | Украи́на — украи́н… | украи́н… |
| | Литва́ — лито́в… | лито́в… |
| | Эсто́ния — эсто́н… | эсто́н… |
| | Македо́ния — македо́н… | македо́н… |
| | Бо́сния — босни́… | босни́й… |

**Запо́мните!**

Болга́рия — болга́рин, болга́рка
Ла́твия — латы́ш, латы́шка
По́льша — поля́к, по́лька
Че́хия — чех, че́шка
Се́рбия — серб, се́рбка
Хорва́тия — хорва́т, хорва́тка
Слова́кия — слова́к, слова́чка

**8-6. Прочита́йте текст «3 дня в ста́ром Та́ллинне»**

**Пе́ред чте́нием**

1. What information do you expect to get from a travel agency brochure? Make a list.
2. Что зна́чит **«многовеково́й», «пешехо́дный»?** Find the roots in each word.
3. Глаго́л **«жела́ть»** явля́ется сино́нимом глаго́ла **«хоте́ть».** Что зна́чит **«жела́ющие»?**

**Во вре́мя чте́ния.** Найди́те в те́ксте отве́ты на вопро́сы.

1. Куда́ и на ско́лько дней мо́жно пое́хать?
2. Каки́е экску́рсии предлага́ет бюро́ путеше́ствий в Та́ллинне?
3. Что мо́жно де́лать по вечера́м?
4. Ско́лько сто́ит тур?
5. Ско́лько сто́ят дополни́тельные экску́рсии?

**Туропера́тор «Ба́лтика» тел.: (095) 995-95-22**

**3 дня в Ста́ром Та́ллинне…**

Приглаша́ем Вас в *столи́цу* Эсто́нии!

У вас есть возмо́жность интере́сно провести́ не́сколько дней в столи́це Эсто́нии Та́ллинне и уви́деть оди́н из са́мых интере́сных городо́в Евро́пы с многовеково́й исто́рией. Мы *предлага́ем* вам ую́тные *номера́* недорого́й гости́ницы (3 но́чи) и не́сколько интере́сных экску́рсий: авто́бусная экску́рсия по Та́ллинну, пешехо́дная экску́рсия по ста́рому го́роду, экску́рсия по дворцу́ «Кадрио́рг». Жела́ющие мо́гут пое́хать на экску́рсии: в го́род Пя́рну и в этнографи́ческий музе́й «Ро́ка-аль-Ма́ре». Ве́чером — свобо́дное вре́мя, когда́ вы мо́жете *сде́лать поку́пки* и поу́жинать в знамени́тых та́ллиннских рестора́нах.

*Сто́имость* пое́здки: 350$

Сто́имость *дополни́тельных* экску́рсий:

1. Авто́бусная экску́рсия в Пя́рну (4 часа́) и обе́д — 30$
2. Авто́бусная экску́рсия в «Ро́ка-аль-Ма́ре» (4 часа́) и обе́д — 25$

Мы хоти́м, чтобы вы прие́хали в на́шу страну́!

*дополни́тельный — additional*
*но́мер (pl. номера́) — hotel room*
*поку́пка — purchase*
*де́лать/сде́лать поку́пки — to shop*
*предлага́ть/предложи́ть кому́? что? — to offer*
*сто́имость — cost, price*
*столи́ца — capital*

**8-7. А. Письмó в агéнтство путешéствий.** Write a letter to the travel agency in the ad to inquire about their other itineraries, fares, etc. Use the map of Eastern Europe on p. 191.

**Б. Вы журнали́сты.** Write an article to comment on the results of the survey in the graph.

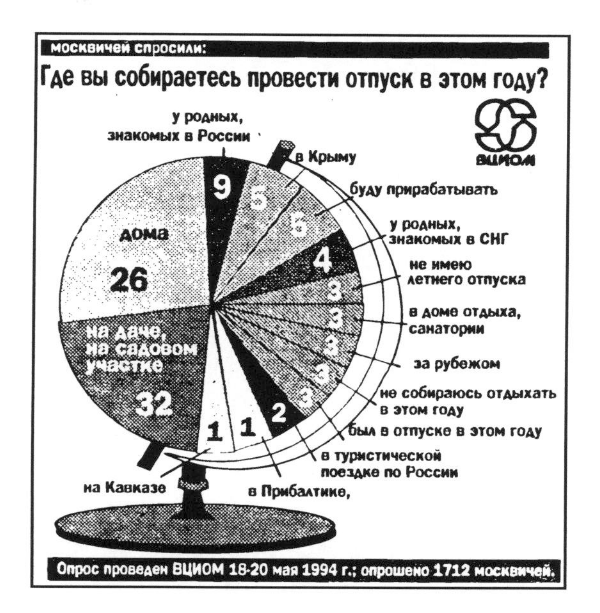


## Разговóры

**8-8. Поговори́м немнóго.** Read the following conversations and compose similar ones.

А.

— Бюрó путешéствий «Бáлтика» слу́шает!

— Здрáвствуйте! Вы организу́ете поéздки в Эстóнию?

— Да. Мы предлагáем поéздки на три дня в Тáллинн.

— А как мне получи́ть ви́зу?

— Вы должны́ бу́дете получи́ть ви́зу в кóнсульстве Эстóнии.

**А тепéрь ваш разговóр...** Позвони́те в бюрó путешéствий и узнáйте, организу́ют ли они́ поéздки в Литву́, Болгáрию, Чéхию, Пóльшу... Choose any Eastern European country.

Б.

— Росси́йское кóнсульство слу́шает.

— Здрáвствуйте, скажи́те, пожáлуйста, что нáдо сдéлать, чтóбы получи́ть ви́зу в Росси́ю?

— Вы должны́ прислáть запóлненную анкéту, две фотогрáфии, пáспорт и приглашéние из Росси́и.

— Мóжно всё послáть по фáксу?

— Нет, нужны́ оригинáлы. Если у вас бу́дут ещё вопрóсы, у нас есть сáйт в Интернéте.

— Да, спаси́бо, я посмотрю́.

**А тепéрь ваш разговóр...** The conversation above is a transcript of an actual conversation. Imagine that you're calling the Russian Consulate to inquire about a visa. Act out the conversation.

**Complete exercises 8-3 through 8-7 in the S.A.M.**

# Граммáтика. Говори́те прáвильно!

## Unprefixed verbs of motion ◆ Глагóлы движéния без пристáвок

1. Verbs that express movement or transportation from one point to another (point "A" to point "B") and verbs that express generalized or habitual movement or transportation (i.e., **walking, riding/driving, running, flying, swimming, leading, carrying,** etc.) are called verbs of motion.

2. Verbs that denote movement or transportation in one direction only are called **verbs of unidirectional motion;** verbs that express generalized or habitual movement or transportation are called verbs of **multidirectional motion.** Verbs that denote unidirectional or multidirectional motion are imperfective.
3. Russian differentiates between movement **by foot** and movement **not by foot.**
4. In Russian there are both **intransitive** and **transitive** verbs of motion. Transitive verbs take a direct object, i.e., a noun in the accusative case.
5. There are eight basic verbs of motion in Russian.

| **Unidirectional motion (→)** | **Multidirectional motion (⇄)** | |
|---|---|---|
| **Intransitive verbs of motion** | | |
| **идти́** | **ходи́ть** | *to go, come (by foot)* |
| **е́хать** | **е́здить** | *to go, come (not by foot)* |
| **лете́ть** | **лета́ть** | *to fly* |
| **плыть** | **пла́вать** | *to swim, sail, float* |
| **бежа́ть** | **бе́гать** | *to run* |
| **Transitive verbs of motion** | | |
| **везти́** | **вози́ть** *кого́?/что?* | *to take/transport (not by foot)* |
| **вести́** | **води́ть** *кого́?* | *to take, lead (by foot)* |
| **нести́** | **носи́ть** *кого́? что?* | *to take, carry (by foot)* |

Он **несёт чемода́ны.**

Она́ **ведёт де́вочку** в шко́лу.

Парохо́д **везёт пассажи́ров.**

Соба́ка **несёт газе́ту.**

**Запо́мните!**
The verb **бежа́ть** is irregular, and you must learn its conjugation. Pay special attention to the first-person singular and third-person plural forms.

| | |
|---|---|
| я бег**у́** | мы беж**и́м** |
| ты беж**и́шь** | вы беж**и́те** |
| он/а беж**и́т** | они́ бег**у́т** |

## Hints on usage:

1. Unless you are specifically referring to movement by some sort of conveyance or vehicle, use **идти́-ходи́ть**-type verbs when describing movement around the city or town you live in. It is quite possible to hear conversations like the following.

| | |
|---|---|
| — Сего́дня ве́чером мы идём в кино́. | *"We are going to the movies tonight."* |
| — На чём вы поéдете, на маши́не и́ли на авто́бусе? | *"How are you going to go, by car or bus?"* |

2. Always use **éхать-éздить** verbs when referring to movement between cities and countries.

| | |
|---|---|
| Са́ша неда́вно **éздил** во Влади́мир к ба́бушке. | *Sasha recently went to see his grandmother in Vladimir.* |
| Ты **éдешь** домо́й на кани́кулы? | *Are you going home for the holidays?* |

3. Use the adverb **пешко́м** with **идти́-ходи́ть** verbs to emphasize **walking** instead of **riding** or to contrast **walking** with **riding.**

| | |
|---|---|
| Я люблю́ **ходи́ть пешко́м.** | *I like to walk.* |
| Он обы́чно **éздит** на рабо́ту **на авто́бусе,** а я **хожу́ пешко́м.** | *He usually takes the bus to work, but I walk.* |

**8-9. Како́й глаго́л употреби́ть?** Choose the right verb.

1. I'm going to the movies tonight. (иду́/éду)
2. We plan to go to Odessa by train. (идти́/éхать)
3. I run three times a week. (хожу́/бéгаю)
4. I drive to the university every day. (хожу́/éзжу)
5. Lena decided to go to Finland from Estonia by boat. (éхать/плыть)
6. I'm taking a taxi. (иду́/éду)
7. When are you going to Moscow? (идёшь/éдешь)
8. When are you going to the Crimea? (идёшь/лети́шь)
9. I usually walk to school. (хожу́/éзжу)

Класс **8-10. Как сказа́ть по-ру́сски "to carry/to take."** Скажи́те, что они́ дéлают.

1. Лéна ведёт .........

2. Ни́на несёт .........

3. Они́ несу́т ...........

4. Па́па ведёт .........

5. Он несёт ...........

6. Па́па везёт ..............

7. Ма́ма везёт ...............

**8-11. Фóрмы глагóлов.** Do you know how to conjugate these verbs? Supply the missing forms.

| | | | | Прошéдшее врéмя | |
|---|---|---|---|---|---|
| | **я** | **ты** | **они** | **он** | **она** |
| 1. идти́ | иду́ | идёшь | | шёл | шла |
| 2. ходи́ть | хожу́ | | хóдят | ходи́л | |
| 3. éхать | éду | éдешь | | éхал | |
| 4. éздить | éзжу | | éздят | éздил | |
| 5. летéть | лечу́ | | летя́т | летéл | |
| 6. летáть | летáю | летáешь | | летáл | |
| 7. вести́ | веду́ | ведёшь | | | велá |
| 8. води́ть | вожу́ | | вóдят | води́л | |
| 9. нести́ | несу́ | несёшь | | | неслá |
| 10. носи́ть | ношу́ | | нóсят | носи́л | |
| 11. везти́ | везу́ | везёшь | | вёз | |
| 12. вози́ть | вожу́ | | вóзят | вози́л | |
| 13. плыть | плыву́ | плывёшь | | | плылá |
| 14. плáвать | плáваю | плáваешь | | | плáвала |
| 15. бежáть | бегу́ | | бегу́т | бежáл | |
| 16. бéгать | бéгаю | бéгаешь | | | бéгала |

## Indicating modes of transportation ◆ На чём мы éздим?

1. По-ру́сски **нельзя́ сказáть:** «~~Возьми/те автобус; возми/те поезд!~~»
   Нáдо говори́ть «**Поезжáй/те** на автóбусе, на пóезде!» *"Take a bus; take a train!"*

2. Only **такси́** and **маши́на** can be used with the verb **брать/взять.** It can also mean *"to rent a car."*

   **Возьмём** такси́. — *Let's take a cab.*
   Мы **возьмём** маши́ну на недéлю. — *We'll rent a car for a week.*

3. Use **НА** + the prepositional case to indicate the type of transportation you use to get somewhere.

   Мы éздили тудá **на пóезде.** — *We went there by train.*
   Мы лети́м тудá **на самолёте.** — *We're going there by plane.*

4. Use **В** + the prepositional case if you want to indicate being inside a closed vehicle.

| | |
|---|---|
| **В по́езде** бы́ло мно́го пассажи́ров. | *There were a lot of people on the train.* |
| **В самолёте** я люблю́ сиде́ть у окна́. | *I like a window seat when I fly.* |

5. Use **сади́ться/сесть** to express getting on or boarding any type of transportation.

   a. Use the preposition **в** + *acc.* with the nouns **маши́на** and **такси́: сади́ться/сесть в** маши́ну, такси́

   b. Use either **в** or **на** + *acc.* with the nouns **авто́бус, по́езд, метро́** and **самолёт: сади́ться/сесть в/на** авто́бус, по́езд, метро́, самолёт

   c. Use the preposition **на** + *acc.* with the nouns **велосипе́д, мотоци́кл, мотоpо́ллер** (scooter), **парохо́д** and **кора́бль: сади́ться/сесть на** велосипе́д, мотоци́кл, мотоpо́ллер, парохо́д, кора́бль

**Complete exercises 8-8 through 8-13 in the S.A.M.**

# Те́ма 2. Ле́тние кани́кулы

## Подгото́вка

**8-12. Спроси́те друг дру́га.** Using the words below, ask each other: Где бы ты хоте́л/а провести́ кани́кулы? Explain why you prefer a certain place.

| | | | |
|---|---|---|---|
| *mountains* | го́ры > в гора́х | *river* | река́ > на реке́ |
| *village* | дере́вня > в дере́вне | *farm* | фе́рма > на фе́рме |
| *sea* | мо́ре > на мо́ре | | |
| *lake* | о́зеро > на о́зере | | |
| *ocean* | океа́н > на океа́не | | |
| *beach* | пляж > на пля́же | | |
| *desert* | пусты́ня > в пусты́не | | |

**Запо́мните!**

| | |
|---|---|
| *in the country* | за́ городом |
| *abroad* | за грани́цей |

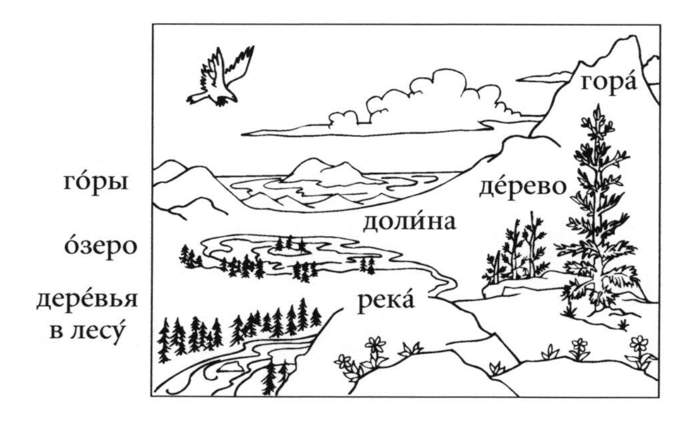


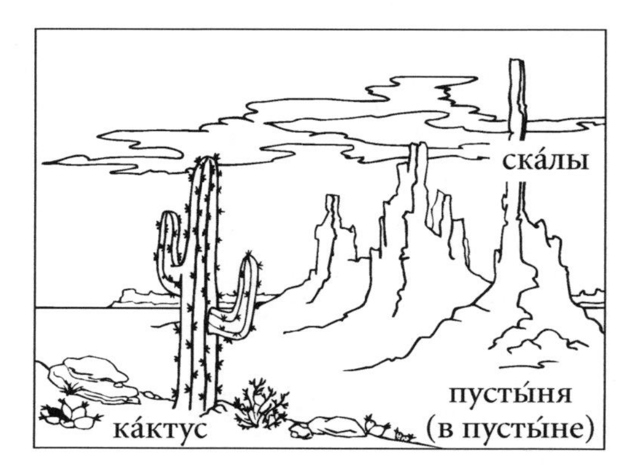


**8-13. Словообразова́ние.** As agent suffixes, **-тель/-ница** designate the doer of the action (English **-er, -or**). Form the nouns from the verbs below and give English equivalents.

*Приме́р:* masculine nouns **-тель** feminine nouns **-тель-ница**

| | | |
|---|---|---|
| **учи́ть-** | ***учи́тель*** | ***учи́тельница*** |
| писа́ть- | ............................. | ......................................... |
| чита́ть- | ............................. | ......................................... |
| люби́ть- | ............................. | ......................................... |
| преподава́ть- | ............................. | ......................................... |
| воспита́ть- | ............................. | ......................................... |
| покупа́ть- | ............................. | ......................................... |
| жить- | ............................. | ......................................... |

**Complete exercises 8-14 and 8-15 in the S.A.M.**

## Язы́к в жи́зни

**8-14. Прочита́йте письмо́ Ка́ти.** After reading the text, use the vocabulary to the right of the text to describe how Katya and her friends are going to spend their summer vacation.

29 апре́ля

Приве́т, Ле́ночка!

Ты спра́шиваешь, что я собира́юсь де́лать во вре́мя ле́тних кани́кул? Че́стно говоря́, я ещё и не ду́мала об э́том. Хочу́ снача́ла сдать все экза́мены, а пото́м начну́ плани́ровать. Хотя́ мно́гие ребя́та уже́ зна́ют, как они́ проведу́т кани́кулы. Марк, наприме́р, собира́ется путеше́ствовать по Восто́чной Евро́пе, а Ли́за е́дет на Да́льний Восто́к. Не́которые ребя́та собира́ются рабо́тать всё ле́то, кто[1] *официа́нтом,* кто воспита́телем и́ли *тре́нером* в *де́тском ла́гере,* что́бы зарабо́тать де́ньги и *плати́ть* за учёбу. Анна бу́дет *стажёром* в Вашингто́не. Ми́ша с Ни́ной е́дут в пусты́ню *ла́зать по ска́лам.* А я бы хоте́ла лежа́ть и *загора́ть* на пля́же. Но бою́сь, что мне придётся *записа́ться на ле́тний семе́стр*…

Как ты? Каки́е у тебя́ пла́ны?

Целу́ю … Приве́т всем.

Ка́тя

*официа́нт/официа́нтка — waiter/waitress*
*тре́нер — coach*
*плати́ть/заплати́ть за что? — to pay*
*ла́зать (impf.) по ска́лам — to climb rocks*
*де́тский ла́герь — children's summer camp*
*стажёр — intern*
*загора́ть/загоре́ть — to suntan*
*запи́сываться/записа́ться на ле́тний семе́стр — to take summer classes*

**8-15. Ва́ши кани́кулы …** Talk about your summer vacation or plan an ideal vacation. (10–12 sentences)

1. Как вы обы́чно прово́дите ле́тние кани́кулы?
2. Как вы провели́ кани́кулы в про́шлом году́?
3. Как вы собира́етесь провести́ кани́кулы сле́дующим ле́том?

**8-16. Прочита́йте о путеше́ствии в Узбекиста́н.**

**Пе́ред чте́нием**

1. Что вы зна́ете об Узбекиста́не и други́х респу́бликах Сре́дней Азии?
2. **«Гость»** зна́чит **"guest,"** и **«принима́ть»** зна́чит **"to receive."** Что зна́чит **«гостеприи́мный»** и **«гостеприи́мство»?**

**Во вре́мя чте́ния.** Найди́те информа́цию.

1. Где нахо́дится Узбекиста́н?
2. Како́е населе́ние Узбекиста́на?
3. Како́й го́род явля́ется столи́цей Узбекиста́на?
4. Как называ́ется национа́льная валю́та Узбекиста́на?
5. На како́м языке́ говоря́т в Узбекиста́не?
6. Почему́ называ́ют Узбекиста́н гостеприи́мной страно́й?
7. По каки́м города́м прохо́дит маршру́т ту́ра?
8. Ско́лько сто́ит э́тот тур, и что вхо́дит в его́ сто́имость?
9. За что ну́жно плати́ть дополни́тельно?

[1]кто… кто — some as… some as…

## Туристи́ческая фи́рма «САМ» предлага́ет…
## « Реши́ САМ, куда́ пое́хать !!!»

***Таи́нственный* Узбекиста́н**

**Ташке́нт-Бухара́-Самарка́нд**

**Узбекиста́н** — э́то краси́вая, гостеприи́мная *страна́*, *располо́женная* в Сре́дней Азии. В 1924 году́ Узбекиста́н *вошёл в соста́в* СССР. В 1991 году́ по́сле *распа́да* Сове́тского Сою́за получи́л *незави́симость.* Столи́ца Узбекиста́на — Ташке́нт. Госуда́рственный язы́к — узбе́кский, но мно́гие говоря́т на ру́сском языке́. Национа́льная *валю́та* — сум. *Населе́ние* — 25 миллио́нов челове́к. *Кру́пные* города́: Самарка́нд, Бухара́, Хива́. В ка́ждом го́роде своя́ *дре́вняя* исто́рия и свои́ тради́ции гостеприи́мства. Узбекиста́н встреча́ет ка́ждого го́стя как бли́зкого ро́дственника. Именно[1] в э́той стране́ вы бу́дете *чу́вствовать себя́ как до́ма.*

**Сто́имость ту́ра — 578 $**
В сто́имость вхо́дит: прожива́ние в ча́стной гости́нице, в двухме́стных номера́х со все́ми удо́бствами, экскурсио́нное и тра́нспортное *обслу́живание, пита́ние.*

Дополни́тельно: авиабиле́ты «Москва́-Ташке́нт; Самарка́нд-Москва́» — 320 $, страхо́вка.

*Из рекла́много катало́га фи́рмы «САМ»*

*валю́та — currency*
*входи́ть/войти́ в соста́в чего́? — to become part of*
*дре́вний — ancient*
*кру́пный — large scale, major*
*населе́ние — population*
*незави́симость — independence*
*распа́д — collapse*
*располо́женная — located*
*страна́ — country*
*таи́нственный — mysterious*
*обслу́живание — service (restaurant/hotel)*
*пита́ние — meals (here as part of a tour package)*
**Expression:**
*чу́вствовать себя́ как до́ма — to feel at home*

**8-17. По́сле чте́ния.** You've been hired by the «САМ» tour company to create

- a new flyer for the trip to Uzbekistan;
- a TV or radio commercial for the trip.

**8-18. Подгото́вка к путеше́ствию: Украи́на.** Read about Ukraine and ask each other questions about each item in the table. The first one is done for you.

1. Географи́ческое положе́ние. — *Где нахо́дится Украи́на?*
2. Населе́ние
3. Столи́ца
4. Моря́/ре́ки
5. Страна́ вошла́ в соста́в Росси́йской импе́рии/Сове́тского Сою́за
6. Страна́ получи́ла незави́симость
7. Госуда́рственный язы́к
8. Опиши́те програ́мму экскурсио́нного ту́ра.

---

[1]It is in this country

## Туристи́ческая фи́рма «САМ» предлага́ет…
## «Реши́ САМ, куда́ пое́хать !!!»
## Экскурсио́нный тур в Ки́ев

**Украи́на** нахо́дится на побере́жье Чёрного и Азо́вского море́й. Населе́ние — бо́льше 50 миллио́нов челове́к. Столи́ца — Ки́ев. Национа́льная валю́та — гри́вня. Госуда́рственный язы́к украи́нский. В конце́ 18 ве́ка вошла́ в соста́в Росси́и. По́сле распа́да Сове́тского Сою́за получи́ла незави́симость.

### Програ́мма ту́ра

**1 день**

Встре́ча, трансфе́р в гости́ницу. За́втрак, экску́рсия по Ки́еву «Ки́ев — столи́ца Украи́ны», посеще́ние Софи́йского собо́ра, постро́енного в 1037 году́. Экску́рсия «Ста́рые у́лицы Подо́ла» с посеще́нием Фло́ровского монастыря́, Андре́евского спу́ска (ки́евский «Монма́ртр»), музе́я-кварти́ры Михаи́ла Булга́кова. Ве́чером свобо́дное вре́мя.

**2 день**

За́втрак, экску́рсия в музе́й этногра́фии Украи́ны «Пирого́во».

**3 день**

За́втрак, экску́рсия в Ки́ево-Пече́рскую Ла́вру, свобо́дное вре́мя, трансфе́р на вокза́л.

**Сто́имость ту́ра — 250 $**

В сто́имость вхо́дит: прожива́ние в ча́стной гости́нице, в двухме́стных номера́х со все́ми удо́бствами, экскурсио́нное и тра́нспортное обслу́живание, пита́ние.

**8-19. Вот такáя ситуáция.** Кудá вы хотите поéхать? Почемý?

1. Вы хотите путешéствовать по Украине или по Узбекистáну. Вы прочитáли реклáмную брошюру, но у вас есть ещё вопрóсы. Позвоните в туристическое агéнтство и узнáйте детáли поéздки…
2. Расскажите, кудá вы бы хотéли поéхать, в Украину[1] или в Узбекистáн. Объясните почемý.
3. Расскажите об однóй из бывших респýблик Совéтского Союза, испóльзуя вопрóсы в 8-18. See also the Workbook (8-27 and 8-28).

## Разговóры

**8-20. Слýшайте и читáйте разговóр.** Insert the missing words and phrases.

**Порá подýмать о лéтних каникулах**

— Кудá вы собирáетесь éхать на каникулы?

— За границу. Бýду ………………… по Востóчной Еврóпе.

— А я ……….. на Дáльний Востóк, в Китáй и Япóнию.

— По *железнóй дорóге* чéрез Сибирь? ……………… *railroad*

— Я ……………… официáнткой на *курóрте.* *resort*

— А мы с друзьями в начáле лéта поéдем в …………………

— Что вы там ………………………?

— Лáзать по скáлам.

— Я хочý тóлько однó — загорáть …………………

— Я тебé *завидую.* Я бýду рабóтать …………………… *to envy*

— Я тóже. Я бýду стажёром.

— Никтó не ……………………… в дéтский лáгерь?

— …………………… там рабóта?

— Там нужны воспитáтели и ………………

— Платить бýдут?

— Нет, *бесплáтно.* Они ……………… *добровóльцев.* *without pay; volunteers*

— Мне нýжно во врéмя каникул ………………………
дéньги, чтóбы ………………… за учёбу.

**Спрáвка**

Транссибирская магистрáль (Великая Сибирская магистрáль), железнодорóжная линия Челябинск-Омск-Иркýтск-Хабáровск-Владивостóк (óколо 7 тысяч киломéтров) связывает европéйскую часть России с Сибирью и Дáльним Востóком. Пострóена в 1891–1916 годáх.

[1]Currently two variants are acceptable: на Украину, в Украину; на Украине, в Украине.

**8-21. Поговори́м немно́го.** Read the following conversations and compose similar ones.

**А.**

— Куда́ ты собира́ешься е́хать на ле́тние кани́кулы?

— За грани́цу. Бу́ду путеше́ствовать по Узбекиста́ну. А ты?

— Плани́рую рабо́тать всё ле́то. Мне нужны́ де́ньги, что́бы плати́ть за учёбу.

**А тепе́рь ваш разгово́р...** Ask your friends what they are planning to do during the summer vacation. Tell them about your plans. You may have some unusual plans!

**Б.**

— Я слы́шала, что ты е́дешь рабо́тать в де́тский ла́герь?

— Да. Они́ и́щут доброво́льцев.

— Так что, плати́ть не бу́дут?

— Нет, рабо́тать на́до бу́дет беспла́тно.

**А тепе́рь ваш разгово́р...** Your friend is going to work during the summer. So are you. But one of you will be a volunteer, while the other one needs to earn money.

**Complete exercises 8-16 through 8-18 in the S.A.M.**

## Грамма́тика. Говори́те пра́вильно!

### Types of unidirectional and multidirectional motion

**Unidirectional motion can express:**

1. → motion in one direction, motion in progress toward a specific goal.

| | |
|---|---|
| Я **иду́** домо́й. | *I'm on my way home.* |
| Куда́ ты **бежи́шь?** | *Where are you running (off) to?* |

2. →→→ repeated motion in one direction

| | |
|---|---|
| По́сле заня́тий мы всегда́ **шли** домо́й. | *We always went (would go) home after class.* |
| Ка́ждую пя́тницу я **е́ду** домо́й. | *I go home every Friday.* |

> **Запо́мните!**
> When unidirectional verbs indicate repeated motion in one direction, they have the additional meaning of *setting out for.*

**Multidirectional motion can express:**

1. ⇄ a single round trip to a specific place or motion to a specific place and departure from it.

| | |
|---|---|
| Вчера́ ве́чером мы **ходи́ли** в теа́тр. | *We went to see a play last night.* |
| Она́ неда́вно **е́здила** к роди́телям. | *She went home to see her parents not long ago.* |
| Утром я **ходи́л/а** в библиоте́ку. | *I was at the library this morning.* |

2. ⇄ ⇄ ⇄ repeated trips to a specific place.

| | |
|---|---|
| Я ча́сто **е́зжу** домо́й, к роди́телям. | *I often go home to see my parents.* |
| Я три ра́за в неде́лю **хожу́** в бассе́йн. | *I go to the pool three times a week.* |
| В э́том году́ я ча́сто **бу́ду ходи́ть** в теа́тр. | *I'll go to the theater a lot this year.* |

3. ℘ general motion with no specific goal.

| | |
|---|---|
| Я **бе́гаю (пла́ваю)** три ра́за в неде́лю. | *I run (swim) three times a week.* |
| Вы должны́ бо́льше **ходи́ть.** | *You should walk more.* |

**Запо́мните!** These are equivalent expressions.

Мы **ходи́ли** на конце́рт. = Мы **бы́ли** на конце́рте.
Мы **е́здили** к друзья́м. = Мы **бы́ли** у друзе́й.

Класс **8-22. Ана́лиз.** Read the letter below and explain the use of verbs of motion.

***На́ши клие́нты нам пи́шут***

Уважа́емый «САМ»!

Большо́е спаси́бо за тур на Солове́цкие острова́ и в Кижи́. Мы замеча́тельно провели́ свой о́тпуск! Мы ча́сто вспомина́ем, как мы **е́хали** на по́езде в Кемь, **плы́ли** на теплохо́де на острова́ и **ходи́ли** по Солове́цкому монастырю́ и по ботани́ческому са́ду. А как бы́ло интере́сно, когда́ мы **пла́вали** по кана́лам и **е́здили** на авто́бусе на Секи́рную го́ру! Пое́здка была́ отли́чная, и мы рекоменду́ем ва́ше бюро́ путеше́ствий всем на́шим друзья́м.

С уваже́нием,
Н. и Т. Чи́чиковы

**Спра́вка**

**Солове́цкие острова́** нахо́дятся в Бе́лом мо́ре. Спа́со-Преображе́нский монасты́рь, замеча́тельная приро́да архипела́га, со́тни[1] истори́ческих и культу́рных па́мятников всегда́ привлека́ют сюда́ тури́стов. Из Арха́нгельска на Соловки́ мо́жно лете́ть (1 час) и́ли плыть на теплохо́де (12 часо́в). Солове́цкие острова́ та́кже свя́заны с са́мым траги́ческим пери́одом сове́тской исто́рии: там находи́лись ста́линские лагеря́.

**Кижи́** — небольшо́й острово́к на Оне́жском о́зере в Каре́лии. На о́строве нахо́дятся деревя́нные це́ркви и дома́ XVII-XIX веко́в.

---

[1]hundreds

Класс **8-23. Кто что де́лает?** Use verbs of unidirectional motion.

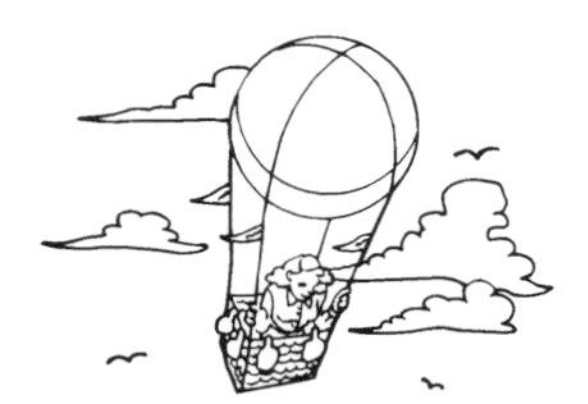

1. Она́ .............. на возду́шном ша́ре.

2. Он .................. на грузовике́.

3. Он ....................... к друго́му бе́регу.

4. Она́ ........... цветы́ ма́ме.

5. Она́ ............... цветы́ на ры́нок.

6. Он .................... слона́ в зоопа́рк.

7. Она́ .................... соба́ку к ветерина́ру.

8. Он ............... со́баку гуля́ть в парк.

9. Они́ ................... по Во́лге на парохо́де.

10. Она́ ................... к по́езду.

11. Она́ .................... соба́ку на са́нках.

12. Он ..................... соба́ку на мотоци́кле.

13. Гид .................... тури́стов к па́мятнику.

14. Он .................... пальто́ и портфе́ль.

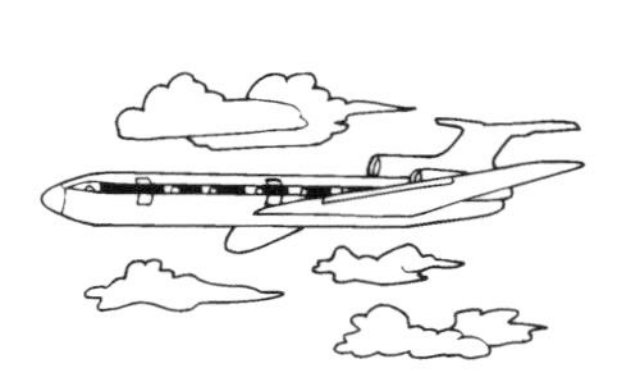

15. Они́ .................. в Санкт-Петербу́рг на самолёте.

16. Она́ ..................... кни́ги в библиоте́ку.

**8-24. Вот тaкáя ситуáция.** Что вы скáжете? The first one is done for you.

1. Ask your friend where he/she usually goes for spring break. (éздить) →

   — *Кудá ты обы́чно éздишь на весéнние канúкулы?*
   — *Обы́чно я éзжу домóй к родúтелям.*

2. Ask your friend where he/she is going for spring break this year. (éхать)
3. Your friend has some flowers in his/her hand. Ask him/her who is going to get them. (нести́)
4. Ask your friend how many times a week he/she jogs. Ask what time of day (morning, afternoon, evening) he/she likes to jog. (бéгать)
5. Tell your friend that you know some people who are afraid to fly. Ask whether he/she is afraid to fly. (летáть)
6. Tell your friend that you called him/her several times last night and ask where he/she was. (ходи́ть)
7. Tell your friend that you went to a concert last night and ask where he/she went. (éздить)
8. You're walking along with your friend. All of a sudden you don't recognize where you are. Ask where he/she is taking you. (вести́)

## Translation of the verbs of unidirectional motion

The verbs **идти́, éхать, вести́, везти́, нести́** denote movement from one point to another. Precise English equivalents for these verbs depend on the direction of that movement at the moment of speech. Note the English equivalents of the following verbs of **unidirectional motion.**

| | |
|---|---|
| Кудá мы **идём?** | *Where are we going?* |
| Ты **идёшь** с нáми? | *Are you going (coming) with us?* |
| Кудá ты **несёшь** э́ти кни́ги? | *Where are you taking those books?* |
| Марк **везёт** Кáтю в Вашингтóн. | *Mark's taking (driving) Katya to Washington.* |
| — Кáтя, мы опоздáем!<br>**— Иду́, иду́.** | *"Katya, we'll be late!"*<br>*"I'm coming, I'm coming!"/"I'm on my way."* |
| Кудá мы **идём?** Кудá ты меня́ **ведёшь?** | *Where are we going? Where are you taking me?* |
| Кудá мы **éдем?** Кудá ты меня́ **везёшь?** | *Where are we going? Where are you taking me?* |
| Вот **идёт** почтальóн.<br>Надéюсь, что он/á **несёт** мне письмó. | *Here comes the mailman.*<br>*I hope he/she's bringing me a letter.* |

**Complete exercises 8-19 and 8-20 in the S.A.M.**

# Те́ма 3. Экологи́ческий тури́зм

## Подгото́вка

**8-25. Вы зна́ете, что тако́е экологи́ческий тури́зм?** Give your own explanation and then compare it with the explanation below. You may need a dictionary to read the passage.

***Экологи́ческий тури́зм*** — э́то тури́зм, спосо́бствующий охра́не приро́ды, не нанося́щий ей вред, повыша́ющий экологи́ческую культу́ру путеше́ственников и уважа́ющий интере́сы ме́стного населе́ния. *По материа́лам Интерне́та*

**8-26. Вы зна́ете э́ти слова́?**

| | |
|---|---|
| ходи́ть ~ идти́/пойти́ в похо́д | *to go camping* |
| ста́вить/поста́вить пала́тку | *to set up a tent* |
| предлага́ть/предложи́ть | *to offer, suggest* |
| разжига́ть/разже́чь кост\|ё\|р | *to build a fire* |

**8-27. Объясни́те почему́.** Use the words in 8-26 to discuss these questions.

Что вам бо́льше нра́вится:

1. жить в пала́тке и́ли в гости́нице?
2. разже́чь костёр и сами́м что́-нибудь пригото́вить и́ли пойти́ в рестора́н?

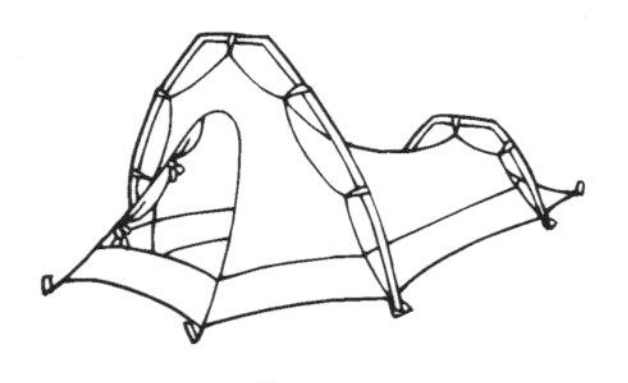

пала́тка

костёр

рюкза́к

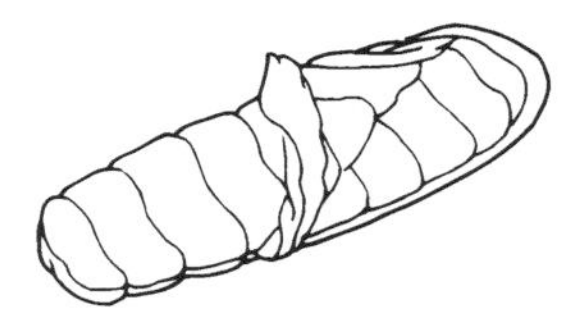

спа́льный мешо́к

**8-28. Как сказа́ть по-ру́сски "to try"...?** Choose the right verb.

1. Компа́ния «САМ» сде́лает всё возмо́жное, ... (постара́ется/попро́бует) сде́лать о́тдых тури́стов незабыва́емым!
2. Я не уме́ю ста́вить пала́тку, но я могу́ ... (постара́ться/попро́бовать).
3. Мари́на не хо́чет идти́ в похо́д, но я ... (постара́юсь/попро́бую) её уговори́ть пойти́ с на́ми.
4. Когда́ я иду́ в похо́д, я всегда́ всё забыва́ю. В э́тот раз я соста́влю спи́сок того́, что ну́жно взять и ...(попро́бую/постара́юсь) ничего́ не забы́ть.

Both **стара́ться/постара́ться** and **про́бовать/попро́бовать** are equivalents of English **"to try."** Use **стара́ться/постара́ться + an infinitive** when you have to exert some effort in trying to do something. (Я о́чень **стара́юсь** не ду́мать об э́том. *I'm really trying hard not to think about it.*) Use **про́бовать/попро́бовать+ an infinitive** to indicate experimenting or "trying your luck" at doing something. Use the adverb **о́чень** with **стара́ться/постара́ться** if you want to indicate a great deal of endeavor. Don't use the adverb **о́чень** with **про́бовать/попро́бовать.** (Я **попро́бую** уговори́ть их. *I'll try (make an attempt) to talk them into it.*)

**Complete exercise 8-21 in the S.A.M.**

## Язы́к в жи́зни

**8-29. Пе́ред чте́нием**

1. Если **«приве́т»** зна́чит **“hello,”** что тако́е **«приве́тствовать»?**
2. Если **«описа́ть»** зна́чит **“to describe,”** что тако́е **«описа́ние»?**
3. Если **«забы́ть»** зна́чит **“to forget,”** что тако́е **«незабыва́емый»?**
4. Что мо́жет зна́чить сло́во **«экипиро́вка»?**

> **Вас ждёт Закарпа́тье!**
>
> Закарпа́тье нахо́дится в са́мом це́нтре Евро́пы. Име́ет *грани́цу*[1] с четырьмя́ стра́нами: Ве́нгрией, Слова́кией, По́льшей, Румы́нией. Почти́ 70 проце́нтов террито́рии регио́на *занима́ют*[2] го́ры Карпа́ты. Закарпа́тье популя́рное ме́сто для о́тдыха. Здесь 87 туристи́ческих лагере́й и 50 гости́ниц. Ле́том в Закарпа́тье приезжа́ют 13 ты́сяч отдыха́ющих, зимо́й 8 ты́сяч.
>
> *Из рекла́мной брошю́ры туристи́ческой компа́нии «Горизо́нт»*

**8-30. Прочита́йте об экологи́ческом тури́зме в Закарпа́тье.** Найди́те отве́ты на э́ти вопро́сы.

1. Каки́е ту́ры предлага́ет компа́ния «Горизо́нт»?
2. Ско́лько лет «Горизо́нт» рабо́тает на ры́нке тури́зма?
3. Чем тур «Жемчу́жины Закарпа́тья» отлича́ется от други́х путеше́ствий?
4. Для кого́ со́здан тур «Жемчу́жины Закарпа́тья»?
5. Что предоставля́ет тури́стам, вы́бравшим тур «Жемчу́жины Закарпа́тья», туристи́ческая компа́ния «Горизо́нт»?

### ТУР «*ЖЕМЧУ́ЖИНЫ* ЗАКАРПА́ТЬЯ»

Компа́ния «Горизо́нт» ра́да приве́тствовать Вас на своём са́йте!

Туристи́ческая компа́ния «Горизо́нт» рабо́тает на ры́нке тури́зма с 1992 го́да.

На страни́цах на́шего са́йта Вы мо́жете найти́ описа́ние и прайс-листы́ предлага́емых на́ми програ́мм: ту́ры в Ки́ев, Львов, Каре́лию, Санкт-Петербу́рг, Псков, Яросла́вль, Оде́ссу, а та́кже теплохо́дные круи́зы. На́ши ту́ры *отлича́ются* от ту́ров други́х компа́ний!

Вы никогда́ не́ были в Закарпа́тье? Предлага́ем Вам тур — «*Жемчу́жины* Закарпа́тья». Он *со́здан* для обы́чных тури́стов и не *тре́бует* специа́льной подгото́вки. Вам не на́до *составля́ть* спи́сок того́, что ну́жно взять с собо́й… Ни о чём не на́до беспоко́иться. Мы дади́м вам всю туристи́ческую экипиро́вку: пала́тки, рюкзаки́, спа́льные мешки́… Вас ждут го́рные ре́ки, чи́стый *во́здух,* пе́сни у костра́, уника́льная приро́да. Закарпа́тье явля́ется одни́м из *наибо́лее* экологи́чески чи́стых мест в Евро́пе.

Мы постара́емся сде́лать Ваш о́тдых незабыва́емым!

*во́здух — air*
*жемчу́жина — a pearl*
*наибо́лее + adjective — the most*
*отлича́ться (impf.) от кого́?/от чего́? — to differ*
*создава́ть/созда́ть — to develop, create*
*составля́ть/соста́вить (спи́сок) — to compile (a list)*
*тре́бовать/потре́бовать что? у кого́? — to demand, require*

[1] border
[2] occupies

**8-31. Расскажи́те…** Вы рабо́таете в туристи́ческой компа́нии «Горизо́нт». Расскажи́те, каки́е ту́ры вы предлага́ете.

**8-32. Большо́е спаси́бо!** Письмо́ в компа́нию «Горизо́нт».

Уважа́емые господа́![1]

В про́шлом году́ я купи́ла тур ва́шей компа́нии по Закарпа́тью. Большо́е спаси́бо за *замеча́тельное* путеше́ствие. Это был *лу́чший о́тпуск* в моéй жи́зни! Я никогда́ ра́ньше не ходи́ла в похо́ды и боя́лась, что мне бу́дет тяжело́. За семь дней, *проведённых* в Закарпа́тье, я научи́лась ста́вить пала́тку, разжига́ть костёр, *лови́ть ры́бу*… Чи́стый го́рный во́здух, замеча́тельная приро́да…. Что ещё ну́жно челове́ку, что́бы быть счастли́вым?

Но *са́мое гла́вное:* я познако́милась со свои́м женихо́м! В пе́рвый день он помо́г мне поста́вить пала́тку! Прошёл год, и мы реши́ли пожени́ться! Спаси́бо вам за лу́чший *о́тдых* в моéй жи́зни.

С уваже́нием,
Людми́ла Еро́хина

*замеча́тельный — great, wonderful*
*лови́ть/пойма́ть ры́бу — to fish*
*лу́чший — the best*
*о́тдых — rest, relaxation*
*о́тпуск — vacation (for working people. Cf. кани́кулы for students)*
*провести́ (о́тпуск) — to spend (one's vacation)*
*са́мое гла́вное — the most important thing*

**8-33. Структу́ра предложе́ния.** Read each sentence in 8-32 carefully, paying attention to the word order. Find the subject and the predicate.

**8-34. Расскажи́те…**

1. Ходи́ла ли Людми́ла ра́ньше в похо́ды?
2. Что ей понра́вилось и чему́ она́ научи́лась?
3. С кем она́ познако́милась в похо́де?

**8-35. Как вы ду́маете?**

1. Почему́ Людми́ла Еро́хина реши́ла написа́ть письмо́ в компа́нию «Горизо́нт»?
2. Компа́ния «Горизо́нт» стара́ется сде́лать о́тдых и путеше́ствия незабыва́емыми. Как вы ду́маете, удаётся ли им э́то? Приведи́те приме́р.
3. Если бы вы пошли́ в тако́й похо́д, вам бы он понра́вился? Почему́?

[1]As a salutation in business letters — Dear Sirs and Mesdames

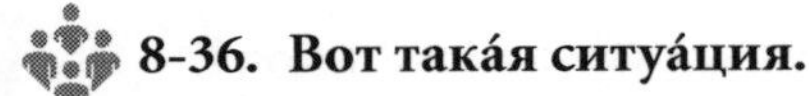

**8-36. Вот така́я ситуа́ция.**

1. **Вы рабо́таете в фи́рме «Горизо́нт».** Your group is working on a new tour package. Develop an exciting new tour: think of an itinerary, accommodations, prices, advertisement.
2. **Идём в похо́д.** You want to go camping but one of your friends doesn't like camping. Try to convince him/her to go. Use the picture to describe how you will spend the time.

**8-37. Интерне́т.** Найди́те в ру́сском Интерне́те са́йты туристи́ческих аге́нтств, кото́рые предлага́ют экологи́ческий тури́зм. Расскажи́те о них в кла́ссе. Mention places, prices, and accommodations.

## Разгово́ры

**8-38. Слу́шайте и чита́йте разгово́р.** Insert the missing words and phrases.

**Пла́ны на выходны́е дни**

— Каки́е у тебя́ пла́ны на …………?
— Пла́ны? Не зна́ю. Что ты предлага́ешь?
— Хо́чешь ………………………………?
— Я так занята́. Мне надо *дописа́ть* докла́д. *to finish writing*
— *Переста́нь* из-за э́того …………………… *Stop …*
— Ну, хорошо́, я постара́юсь *освободи́ться.* *to get free*
— Я соста́влю ………………, что ну́жно взять.
— Спа́льные мешки́, ………………………, еду́ …
— Не забу́дь *спи́чки.* *matches*
— Да, а то по́мнишь, мы оди́н раз оста́вили спи́чки до́ма …
— И не могли́ ……………………… костёр.
— Я возьму́ *у́дочку,* бу́ду ……………………… ры́бу. *fishing rod*

**8-39. Поговори́м немно́го.** Read the following conversations and compose similar ones.

**А.**

— Каки́е у тебя́ пла́ны на суббо́ту?

— А что ты предлага́ешь?

— Не хо́чешь пойти́ в похо́д?

— Нет, мне на́до дописа́ть курсову́ю рабо́ту.

**А тепе́рь ваш разгово́р…** Ask your friend what he/she will be doing over the weekend. Your friend has to study or work.

**Б.**

— Ты соста́вил/а спи́сок того́, что на́до взять?

— Нет ещё, говори́, я запишу́.

— Рюкзаки́, пала́тку, что ещё?

**А тепе́рь ваш разгово́р…** Discuss a list of things you need to take on a camping trip. The more things you list the better.

**Complete exercises 8-22 through 8-28 in the S.A.M.**

## Грамма́тика. Говори́те пра́вильно!

### Using verbs of unidirectional motion in the past and future tenses

- Imperfective past-tense forms such as **шёл (шла, шли)** and **е́хал (е́хала, е́хали)** indicate **unidirectional motion that was in progress.**
- Imperfective future-tense forms such as **бу́ду (бу́дешь,** etc.) **идти́** or **бу́ду (бу́дешь,** etc.) **е́хать** indicate **unidirectional motion that will be in progress.**

These forms are usually used in conjunction with some other action that occurs while the motion is in progress or when indicating the length of the action.

| | |
|---|---|
| Куда́ вы **шли (е́хали),** когда́ мы вас встре́тили? | *Where were you going when we saw you?* |
| Ско́лько вре́мени вы сюда́ **е́хали?** | *How long did your trip take?* |
| Ско́лько вре́мени мы **бу́дем лете́ть?** | *How long are we going to be in the air?* |

**8-40. Спроси́те друг дру́га.** The first one is done for you.

1. Я неда́вно **лета́л/а** в Бо́стон. — *Ско́лько вре́мени туда́ лете́ть?*
2. Сего́дня у́тром я **ходи́ла** в университе́т пешко́м.
3. Марк неда́вно **лета́л** в Москву́.
4. В про́шлую суббо́ту мы **е́здили** на маши́не к роди́телям.
   Continue with your own examples:
5. Я неда́вно **е́здил/а** в/на ……

**Complete exercise 8-29 in the S.A.M.**

## Review of negative constructions: "ни-words"

| | | |
|---|---|---|
| **никто́** | **nobody, no one, none, anybody, anyone** | Там **никого́** нé было. *There wasn't* ***anyone*** *there.*<br>Он **никому́** не говори́л. *He hasn't told* ***anyone.*** |
| **ничто́/ничего́** | **nothing, anything** | Это **ничего́** не зна́чит. *That doesn't mean* ***anything.***<br>■ *Translate the rest of the sentences into English:* |
| **нигдé** | **nowhere, anywhere** | Я **нигдé** нé был про́шлым ле́том. |
| **никуда́** | **nowhere, anywhere** | Она́ **никуда́** не е́здит. |
| **никогда́** | **never** | Они́ **никогда́** там нé были. |
| **никако́й (никака́я, никако́е, никаки́е)** | **no, none, any** | У меня́ нет **никаки́х** ро́дственников в э́том го́роде. |
| **ника́к** | **by no means, not at all, in no way** | Он **ника́к** не мог узна́ть её а́дрес. |

- The verb in sentences with "**ни**-words" is **always** preceded by the negative particle **НЕ.**

  Ле́том мы **никуда́ не** е́дем. *We're not going anywhere this summer.*

- There may be more than one "**ни**-word" in a sentence. In neutral word order, "**ни**-words" are usually placed before the verb.

  Почему́ ты **никогда́ никуда́** не хо́дишь?

  **Никому́ ничего́** не говори́ об э́том.

- The negative pronouns **никто́, ничто́** and the negative adjective **никако́й (никака́я, никако́е, никаки́е)** decline in all cases.

| | | | | | | | |
|---|---|---|---|---|---|---|---|
| **N** | никто́ | ничто́ (ничего́) | никако́й | никако́е | никака́я | никаки́е | **N** |
| **A** | никого́ | ничего́ | **N or G** | | никаку́ю | **N or G** | **A** |
| **G** | никого́ | ничего́ | никако́го | | никако́й | никаки́х | **G** |
| **P** | ни о ко́м | ни о чём | ни о како́м | | ни о како́й | ни о каки́х | **D** |
| **D** | никому́ | ничему́ | никако́му | | никако́й | никаки́м | **P** |
| **I** | нике́м<br>ни с ке́м | ниче́м<br>ни с че́м | никаки́м | | никако́й | никаки́ми | **I** |

- When used with prepositions, declinable "**ни**-words" are spelled as three separate words:

  **Ни у кого́** нет э́той кни́ги. *Nobody has that book.*
  **Ни на каки́е** вопро́сы не отвеча́й! *Don't answer any questions!*

- In spoken Russian, the nominative form **ничто́** is replaced by the genitive form **ничего́.**

  Мне **ничего́** не нра́вится. *I don't like anything.*
  Вам **ничего́** не помо́жет. *Nothing will help you./Nothing's going to help you.*

**8-41. Скажи́те по-ру́сски.**

1. They never help anyone. (помога́ть кому́)
2. He is not interested in anything. (интересова́ться чем)
3. I didn't say anything to anyone. (сказа́ть кому́ что)
4. I didn't speak to anyone about this. (говори́ть с кем)
5. We never go anywhere without them. (ходи́ть куда́)
6. Nina never calls anyone on the phone. (звони́ть кому́)

**8-42. О себе́.** Расскажи́те, чего́ вы никогда́ не де́лали. Give five examples using these words. The first one is done for you.

1. ходи́ть в похо́д → *Я никогда́ не ходи́л/а в похо́д.*
2. разжига́ть костёр
3. ста́вить пала́тку
4. спать в спа́льном мешке́
5. лови́ть ры́бу
6. гото́вить на костре́

**Complete exercises 8-30 and 8-31 in the S.A.M.**

# Культу́ра и исто́рия

**Имена́, кото́рые зна́ют в Росси́и.**

**Саму́ил Яковлевич Марша́к** (1887–1964) изве́стный де́тский поэ́т и перево́дчик.

**«Ми́стер-Тви́стер»** (отры́вок)

Мистер
Твистер
Саму́ил Марша́к

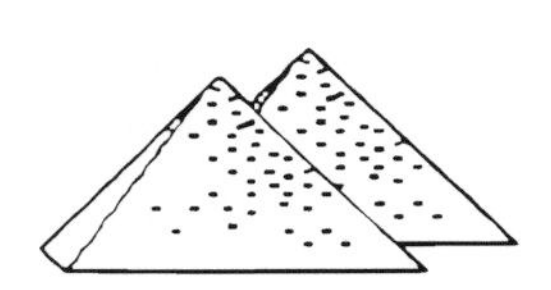

| | |
|---|---|
| | Есть |
| | За грани́цей |
| agency | *Конто́ра* |
| | Ку́ка. |
| | Если |
| | Вас |
| to overcome | *Одоле́ет* |
| boredom | *Ску́ка* |
| | И вы захоти́те |
| | Уви́деть мир — |
| | Остров Таи́ти, |
| | Пари́ж и Пами́р, — |
| | Кук |
| | Для вас |
| | В одну́ мину́ту |
| | На корабле́ |
| cabin | Пригото́вит *каю́ту,* |
| order | Или *прика́жет* |
| to deliver | *Пода́ть* самолёт, |
| camel | Или *верблю́да* |
| | За ва́ми |

| | |
|---|---|
| Пришлёт, | |
| Даст вам | |
| Ко́мнату | |
| В лу́чшем оте́ле, | |
| Тёплую ва́нну | |
| И за́втрак в посте́ли. | |
| Го́ры и *не́дра,* | depths |
| Се́вер и юг, | |
| Па́льмы и *ке́дры* | cedars |
| Пока́жет вам Кук. | |
| Ми́стер | |
| Тви́стер | |
| Бы́вший мини́стр, | |
| Ми́стер | |
| Тви́стер, | |
| *Деле́ц* и банки́р, | *бизнесме́н* |
| *Владе́лец* заво́дов, | *хозя́ин* |
| Газе́т, пароходо́в | |
| Реши́л на досу́ге | |
| Объе́хать весь мир. | |

| | |
|---|---|
| — Отли́чно! — | |
| *Воскли́кнула* | *exclaimed* |
| Дочь его Сю́зи. — | |
| Дава́й побыва́ем | |
| В Сове́тском Сою́зе! | |
| Я бу́ду *пита́ться* | *есть* |
| *Зерни́стой икро́й,* | *black caviar* |
| Живу́ю лови́ть *осетри́ну.* | *sturgeon* |
| Ката́ться на *тро́йке* | *carriage drawn by three horses* |
| Над Во́лгой-реко́й | |
| И бе́гать в *колхо́з* | *collective farm* |
| *По мали́ну!* | за мали́ной *(raspberries)* |
| — Мой друг, у тебя́ удиви́тельный *вкус!* — | *taste* |
| Сказа́л ей оте́ц за обе́дом.— | |
| Заче́м тебе́ е́хать в Сове́тский Сою́з? | |
| Пое́дем к датча́нам и шве́дам. | |
| Пое́дем в Неа́поль, пое́дем в Багда́д! — | |
| Но до́чка сказа́ла: — Хочу́ в Ленингра́д! — | |
| А то́ чего́ тре́бует до́чка, | |
| Должно́ быть *испо́лнено. То́чка.* | *done; period* |

### 8-43. Отве́тьте на вопро́сы

1. Найди́те, что мо́жет сде́лать конто́ра Ку́ка для путеше́ственников.
2. До́чка Ми́стера Тви́стера хо́чет пое́хать в Сове́тский Сою́з. В каки́е стра́ны предлага́ет пое́хать её оте́ц?
3. Каки́е стра́ны входи́ли в соста́в бы́вшего Сове́тского Сою́за?

Ме́дный вса́дник, па́мятник Петру́ Пе́рвому в Петербу́рге (бы́вший Ленингра́д)

## Из росси́йского про́шлого

**8-44. Во вре́мя чте́ния.** Найди́те сле́дующую информа́цию:

1. Что бы́ло необы́чным в путеше́ствии Петра́ Пе́рвого в Евро́пу?
2. Почему́ Пётр путеше́ствовал инко́гнито?
3. В каки́е стра́ны он е́здил?
4. Заче́м Пётр отпра́вился в путеше́ствие?
5. Что он де́лал, когда́ жил в Евро́пе?
6. Кого́ Пётр привёз с собо́й из Евро́пы?

Пётр Пе́рвый, наве́рное, са́мый изве́стный из ру́сских царе́й. Он провёл в Росси́и мно́го рефо́рм и во мно́гом измени́л и страну́ и люде́й. В главе́ из кни́ги С.Г. Пушкарёва «*Обзо́р* ру́сской исто́рии» расска́зывается о путеше́ствии Петра́ в Евро́пу в 1697-98 года́х.

*overview*

### Загрании́чное путеше́ствие Петра́

В 1697 году́ Пётр реши́л отпра́виться в путеше́ствие за грани́цу — де́ло *небыва́лое* для моско́вских царе́й! Весно́й 1697 го́да из Москвы́ вы́ехало «вели́кое *посо́льство*» для *перегово́ров* с европе́йскими *двора́ми*.

*unprecedented*
*embassy; negotiations; royal courts*

*Среди́* посо́льства был *не́кто* Пётр Миха́йлов, на са́мом де́ле Пётр Пе́рвый, кото́рый хоте́л путеше́ствовать инко́гнито. *Опереди́в* посо́льство, Пётр пое́хал в Голла́ндию, где снача́ла рабо́тал корабе́льным *пло́тником* на *ве́рфи* в ма́леньком городке́ Саарда́ме, а пото́м перее́хал в Амстерда́м, где в тече́ние бо́лее четырёх ме́сяцев рабо́тал на ве́рфях Ост-Индской компа́нии и осма́тривал го́род. Из Голла́ндии Пётр в январе́ 1698 го́да перее́хал в Англию для изуче́ния тео́рии кораблестрое́ния, жил не́которое вре́мя в Ло́ндоне, а пото́м рабо́тал не́сколько ме́сяцев в Де́птфорде на *короле́вской* ве́рфи. *Пребыва́я* за грани́цей, Пётр вёл перегово́ры с госуда́рственными людьми́, учи́лся морско́му де́лу и всё *наблюда́л*, изуча́л и осма́тривал: вое́нное *устро́йство* и администрати́вные *учрежде́ния*, ве́рфи и корабли́, фа́брики и *мастерски́е*, *типогра́фии* и лаборато́рии, го́спитали, хра́мы и музе́и; в то же вре́мя он *нанима́л* на ру́сскую *слу́жбу* мно́жество иностра́нных *мастеро́в* всех профе́ссий.

*among; a certain*
опереди́ть — *to leave behind*
*carpenter; shipyard*
*royal*
пребыва́ть = жить
*observed*
организа́ция; *offices*
*workshops; print shops*
*hired*
*service; craftsmen*

По кни́ге С.Г. Пушкарёва «Обзо́р ру́сской исто́рии», изда́тельство и́мени Че́хова, Нью-Йорк, 1953

**Complete exercises 8-32 through 8-37 in the S.A.M.**

# Слова́рь

## Существи́тельные

| | |
|---|---|
| биле́т (на по́езд, на самолёт) | *ticket (train, plane)* |
| брошю́ра | *brochure* |
| валю́та | *currency* |
| во́здух | *air* |
| воспита́тель (воспита́тельница) | *camp counselor* |
| го́ры (*sg.* гора́) | *mountains* |
| гости́ница | *hotel* |
| грани́ца | *border* |
| дере́вня | *village* |
| де́тский ла́герь | *children's summer camp* |
| ко́нсульство | *consulate* |
| кора́бль (*m.*) | *ship* |
| кост\|ё\|р (*gen.* костра́) | *campfire* |
| маршру́т | *itinerary* |
| населе́ние | *population* |
| незави́симость | *independence* |
| но́мер (*pl.* номера́) | *hotel room* |
| обслу́живание | *service (restaurant/hotel)* |
| описа́ние | *description* |
| о́тдых | *rest, relaxation* |
| о́тпуск | *vacation (cf.* кани́кулы*)* |
| официа́нт/официа́нтка | *waiter/waitress* |
| пала́тка | *tent* |
| пляж | *beach* |
| по́езд (*pl.* поезда́) | *train* |
| поку́пка | *purchase* |
| посо́льство | *embassy* |
| похо́д | *camping trip; hike* |
| идти́ ~ ходи́ть в похо́д | *to go camping* |
| пусты́ня | *desert* |
| путеше́ствие | *trip, journey, voyage* |
| распа́д | *collapse, disintegration* |
| река́ (*pl.* ре́ки) | *river* |
| рекла́ма | *advertisement* |
| СНГ (Сою́з Незави́симых Госуда́рств ) | *The Commonwealth of Independent States (CIS)* |
| спа́льный меш\|о́\|к | *sleeping bag* |
| стажёр | *intern, student worker, exchange student* |
| сто́имость | *cost, price* |
| столи́ца | *capital* |
| страна́ | *country* |
| страхо́вка | *insurance* |
| тре́нер | *coach* |
| фе́рма | *farm* |
| экску́рсия | *excursion* |

## Глаго́лы

| | |
|---|---|
| де́лать/сде́лать поку́пки | *to shop* |
| загора́ть/загоре́ть | *to suntan* |
| зака́зывать/заказа́ть | *to book, make a reservation* |
| занима́ть (*impf.*) | *to occupy* |
| лете́ть ~ лета́ть (на самолёте) | *to fly* |
| лови́ть/пойма́ть ры́бу | *to fish/catch a fish* |
| опи́сывать/описа́ть | *to describe* |
| отлича́ться (*impf.*) от кого́?/от чего́? чем? | *to differ* |
| организова́ть (*impf. and pfv.*) | *to organize, arrange* |
| плати́ть/заплати́ть | *to pay* |
| плыть ~ пла́вать (на корабле́) | *to sail, go by ship; to swim* |
| предлага́ть/предложи́ть кому́? что? | *to offer, suggest, propose* |
| путеше́ствовать где? | *to travel* |
| разжига́ть/разже́чь костёр | *to build a fire* |
| создава́ть/созда́ть | *to develop, create* |
| составля́ть/соста́вить (спи́сок) | *to compile (a list)* |
| ста́вить/поста́вить пала́тку | *to set up a tent* |
| тре́бовать/потре́бовать что? у кого́? | *to demand, require* |

## Прилага́тельные

| | |
|---|---|
| дополни́тельный | *additional* |
| дре́вний | *ancient* |
| замеча́тельный | *great, wonderful* |
| зарубе́жный | *foreign* |
| кру́пный | *large scale, major* |
| лу́чший | *the best* |
| наибо́лее + *adjective* | *the most* |
| располо́женный | *located* |
| таи́нственный | *mysterious* |

## Выраже́ния

| | |
|---|---|
| входи́ть/войти́ в соста́в чего́? | *to become part of* |
| за́ городом/за́ город | *in the country/to the country* |
| за грани́цей/за грани́цу | *abroad* |
| запи́сываться/записа́ться на ле́тний семе́стр | *to take summer classes* |
| ла́зать по ска́лам (*impf.*) | *to climb rocks* |
| проводи́ть/провести́ о́тпуск | *to spend one's vacation* |
| са́мое гла́вное | *the most important thing* |
| чу́вствовать себя́ как до́ма | *to feel at home* |

# Глава́ 9

# Городска́я жизнь

## В э́той главе́…

**In this chapter you will**

- ❖ learn the vocabulary you need to talk about life in the city
- ❖ practice how to ask for directions
- ❖ review and learn verbs of motion with prefixes
- ❖ learn how to use "driving" verbs
- ❖ read newspaper reports about traffic accidents

# Те́ма 1. В го́роде

## Подгото́вка

**9-1. Вы зна́ете э́ти слова́?** These are some of the things that make a city comfortable to live in. Прочита́йте спи́сок и расскажи́те:

1. Что есть у вас о́коло до́ма?
2. Если бы вы бы́ли архите́ктором но́вого райо́на, что бы вы постро́или снача́ла и почему́?

| | | | |
|---|---|---|---|
| **Апте́ка** | *drugstore* | **Музе́й** | *museum* |
| **Шко́ла** | *school* | **Торго́вый центр** | *shopping center* |
| **ВУ́З**[1] | *university* | **Па́мятник** | *monument* |
| **Гости́ница** | *hotel* | **Больни́ца** | *hospital* |
| **Кинотеа́тр** | *movie theater* | **Кафе́**[2] | *cafe* |
| **Теа́тр** | *theater* | **Остано́вка авто́буса** | *bus stop* |
| **Рестора́н** | *restaurant* | **По́чта** | *post office* |
| **Ночно́й клуб** | *nightclub* | **Запра́вка** | *gas station* |
| **Парк** | *park* | **Метро́** | *metro station* |

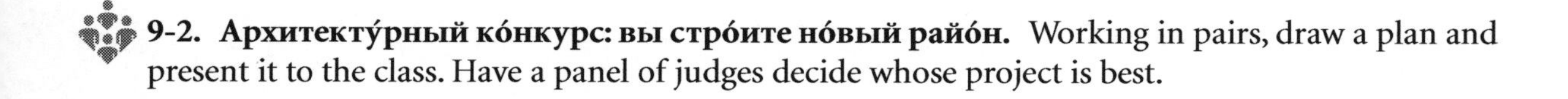

**9-2. Архитекту́рный ко́нкурс: вы стро́ите но́вый райо́н.** Working in pairs, draw a plan and present it to the class. Have a panel of judges decide whose project is best.

**Complete exercises 9-1 through 9-3 in the S.A.M.**

## Язы́к в жи́зни

**9-3. Москва́ 2005: официа́льная информа́ция**

Го́род Москва́ столи́ца Росси́йской Федера́ции (РФ).
Пло́щадь го́рода — 994 кв. км.
Населе́ние Москвы́ — 8,6 млн. челове́к.

[1]Вы́сшее уче́бное заведе́ние
[2]pronounced *кафэ́*

Террито́рия го́рода де́лится на 10 администрати́вных округо́в, в соста́ве кото́рых 128 райо́нов.
10 администрати́вных округо́в Москвы́:

1. Центра́льный
2. Се́верный
3. Се́веро-Восто́чный
4. Восто́чный
5. Юго-Восто́чный
6. Южный
7. Юго-За́падный
8. За́падный
9. Се́веро-За́падный
10. Зеленогра́дский

*Законода́тельная власть*[1]*:*

Моско́вская городска́я Ду́ма в соста́ве 35 депута́тов, избира́емых[2] на 4 го́да.
Депута́ты избира́ются жи́телями Москвы́ — по одному́ депута́ту от ка́ждого избира́тельного о́круга.

*Исполни́тельная власть*[3]*:*

Моско́вская городска́я администра́ция (мэ́рия)
Москвичи́ всео́бщим голосова́нием[4] избира́ют мэ́ра и ви́це-мэ́ра сро́ком на 4 го́да.
Мэр назнача́ет Прави́тельство[5] Москвы́.

Герб Москвы́

*Герб*[6] *Москвы́*

Совре́менный герб го́рода осно́ван на истори́ческом гербе́, утверждённом Екатери́ной II 20 декабря́ 1781 го́да: «Свято́й[7] Великому́че765ник[8] и Победоно́сец[9] Гео́ргий на бе́лом коне́, поража́ющий копьём чёрного драко́на».

---

[1]*legislative power*, [2]избира́ть — *to elect*, [3]*executive power*
[4]*voting*, [5]*government*, [6]*symbol*
[7]*saint*, [8]*martyr*, [9]*victor*

**9-4.** Вы на официа́льном вэб-са́йте го́рода Ни́жний Но́вгород.

**Пе́ред чте́нием**

1. Если **«-лет-»** зна́чит **"year,"** **«писа́ть»** зна́чит **"to write,"** то что тако́е **«ле́топись»?**
2. Если **«ходи́ть пешко́м»** зна́чит **"to go on foot"**, то что тако́е **«пешехо́дная у́лица»?**
3. Если **«гуля́ть»** зна́чит **"to go for a walk"**, то что тако́е **«прогу́лка»?**
4. Посмотри́те на рису́нки и определи́те значе́ние глаго́лов:

**проходи́ть/пройти́** по чему́?
(по у́лице, по го́роду)

**доезжа́ть/дое́хать** до чего́?
(до магази́на, до апте́ки)

**Во вре́мя чте́ния.** Найди́те сле́дующую информа́цию.

1. Где нахо́дится Ни́жний Но́вгород?
2. Когда́ он был осно́ван?
3. Како́е населе́ние го́рода?
4. Как называ́ется гла́вная у́лица?
5. Что на ней располо́жено?
6. Найди́те в те́ксте слова́: **ле́топись, пешехо́дный, прогу́лка, проходи́ть, пройти́, дое́хать.** See if you guessed the meaning correctly.

**Ни́жний Но́вгород**

**Геогра́фия.** Ни́жний Но́вгород нахо́дится на берега́х рек Во́лги и Оки́.

**Исто́рия.** Как напи́сано в ле́тописи, Ни́жний Но́вгород был *осно́ван* в 1221 году́ вели́ким *кня́зем* Влади́мирским Юрием Все́володовичем.

**Населе́ние.** 1,4 (оди́н и четы́ре деся́тых) миллио́на челове́к.

***Достопримеча́тельности.*** Нижегоро́дский Кремль — истори́ческий це́нтр, ме́сто, отку́да начала́сь исто́рия го́рода. От *железнодоро́жного вокза́ла* вы дое́дете до *це́нтра го́рода* за 10 мину́т.

**Го́род сего́дня.** Если Вы прие́хали в наш го́род и у Вас есть не́сколько свобо́дных часо́в, обяза́тельно пройди́те по у́лице Больша́я Покро́вская. Это одна́ из пе́рвых у́лиц на́шего го́рода и еди́нственная в го́роде пешехо́дная у́лица. Прохо́дит она́ по истори́ческой ча́сти Ни́жнего Но́вгорода. Здесь мо́жно про́сто погуля́ть, встре́титься с друзья́ми и уви́деть замеча́тельные зда́ния — *па́мятники* архитекту́ры. Улица закры́та для *движе́ния тра́нспорта,* поэ́тому она́ ста́ла одно́й из люби́мых у́лиц для прогу́лок нижегоро́дцев. Здесь вы найдёте рестора́ны, казино́, апте́ку, по́чту. Вы смо́жете посмотре́ть фильм, заказа́ть биле́т на самолёт и сде́лать поку́пки.

*вокза́л (железнодоро́жный) — railway station*
*движе́ние (тра́нспорта) — traffic*
*достопримеча́тельность — historic sight*
*князь — prince*
*осно́вывать/основа́ть — to found*
*го́род осно́ван — the city was founded*
*па́мятник — monument*
*центр (го́рода) — downtown*

**9-5. Мой родно́й го́род.** Расскажи́те о го́роде, где вы вы́росли.

1. Я вы́рос/ла в го́роде … в шта́те …
2. Го́род был осно́ван в …
3. В го́роде … жи́телей.
4. Гла́вная у́лица го́рода называ́ется …
5. На у́лице есть (был/была́/бы́ли) …
6. В го́роде есть па́мятник (кому́?) …
7. В го́роде нет …

**9-6. Ру́сский го́род…**

1. You are going to have Russian visitors. Think of questions you could ask them about their city. Write down your questions.
2. Explore Russian Internet sites for cities. Write a description for one of the cities.

**Complete exercise 9-4 (A, B) in the S.A.M.**

## Граммáтика. Говорúте прáвильно!

### Using the prefix ПО- with verbs of motion

Verbs of both unidirectional and multidirectional motion become perfective when the prefix **ПО-** is added to them.

| **Unidirectional** | | **Multidirectional** | |
|---|---|---|---|
| Imperfective | Perfective | Imperfective | Perfective |
| идтú | **пойтú** | ходúть | **по**ходúть |
| бежáть | **побежáть** | бéгать | **по**бéгать |
| éхать | **поéхать** | éздить | **по**éздить |

- With verbs of **unidirectional** motion, **ПО-** indicates **the beginning of the action in the past and future tenses.**

| | |
|---|---|
| Онá сéла на мотоцúкл и **поéхала.** | *She got on her motorcycle and took off.* |
| Марк **побежáл** домóй за кнúгами. | *Mark ran home to get his books.* |
| Мы **поéдем** с вáми. | *We'll go with you.* |
| — Когдá вы **пойдёте** к врачý?<br>— Я **идý** к врачý зáвтра.[1] | *"When will you go see a doctor?"*<br>*"I am going to see a doctor tomorrow."* |

- With verbs of **multidirectional** motion, **ПО-** indicates **general motion of short duration** with no specific goal.

| | |
|---|---|
| Встáньте и **походúте** немнóго. | *Get up and walk about a bit.* |
| Мы сегóдня хорошó **побéгали.** | *We had a good run today.* |

**9-7. Почемý их нет?** Use verbs of motion to clarify the situations.

*Примéр:* Мáрка нет. (библиотéка) → *Мáрка нет,* ***потомý что он пошёл в библиотéку.***
Кáти нé было. → *Кáти нé было,* ***онá ходúла в библиотéку.***

1. Кáти нет на лéкции. (больнúца)
2. Меня́ нé было дóма ýтром. (бассéйн)
3. Юры нет дóма. (аэропóрт)
4. Нúны нет на заня́тии. (домóй)
5. Их нé было на рабóте сегóдня ýтром. (собрáние)
6. Нас не бýдет дóма зáвтра вéчером. (друзья́)

---

[1]In Russian, as in English, you can use the present tense of verbs of motion with future meaning when you are quite sure the action will take place.

## Prefixed verbs of motion ◆ Глаго́лы движе́ния с приста́вками

## General facts and prefixes ПРИ-/У-, В-/ВЫ-, ДО-, ПРО-

### General facts

1. Prefixes that show direction are added to unprefixed verbs of motion **to indicate the direction of the motion.** We will call these prefixes **directional prefixes.** You have already been using directional prefixes with verbs like **прийти́, прие́хать, уе́хать, подойти́,** etc.

**Directional prefixes**

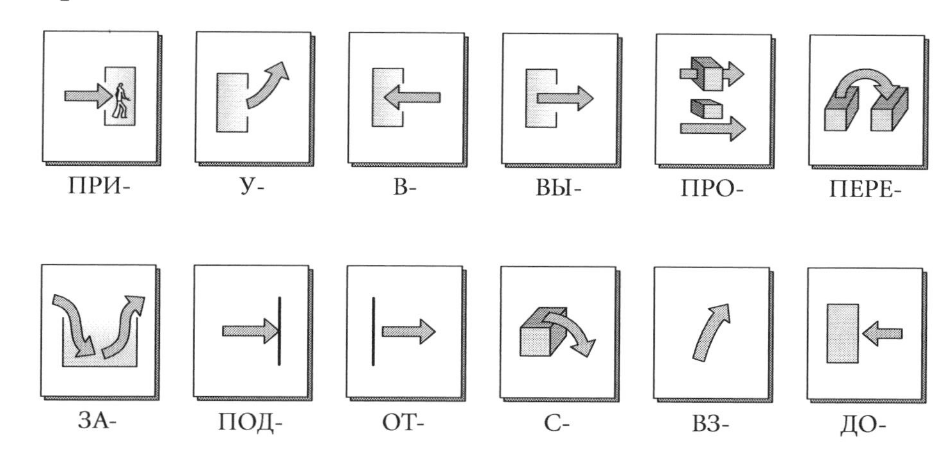


2. Verbs of **unidirectional** motion (**идти́-type**) become **perfective** when a directional prefix is added. Note that **идти́** → **-йти** when a prefix is added.

| Perfective | | |
|---|---|---|
| **при** + идти́ → **прийти́**<br>**у** + идти́ → **уйти́** | **при** + лете́ть → **прилете́ть**<br>**у** + лете́ть → **улете́ть** | *to arrive*<br>*to depart* |

3. Verbs of **multidirectional** motion (**ходи́ть-type**) remain **imperfective** when a directional prefix is added.

| Imperfective | | |
|---|---|---|
| **при** + ходи́ть → **приходи́ть**<br>**у** + ходи́ть → **уходи́ть** | **при** + лета́ть → **прилета́ть**<br>**у** + лета́ть → **улета́ть** | *to arrive*<br>*to depart* |

4. These new prefixed verbs (see paragraphs 2 and 3) make an **aspectual** pair **(imperfective/ perfective):**

**приходи́ть/прийти́, прилета́ть/прилете́ть** *to arrive*
**уходи́ть/уйти́, улета́ть/улете́ть** *to depart*

5. Pay attention to the prefixed forms of the following verbs:

   - **е́здить:** use **-езжа́ть** to form a prefixed imperfective verb

| | | |
|---|---|---|
| при + езжа́ть | → **приезжа́ть** (*pfv.* **прие́хать**) | *to arrive* |
| у + езжа́ть | → **уезжа́ть** (*pfv.* **уе́хать**) | *to depart, leave* |

   - **пла́вать:** use **-плыва́ть** to form a prefixed imperfective verb

| | | |
|---|---|---|
| при + плыва́ть | → **приплыва́ть** (*pfv.* **приплы́ть**) | *to arrive by water* |
| у + плыва́ть | → **уплыва́ть** (*pfv.* **уплы́ть**) | *to depart by water* |

   - **бе́гать:** note the change of stress:

| | | |
|---|---|---|
| при + **бе́гать** | → **прибега́ть** (*pfv.* **прибежа́ть**) | *to come running* |
| у + **бе́гать** | → **убега́ть** (*pfv.* **убежа́ть**) | *to run away* |

**Запо́мните!**
The forms **-езжа́ть, -бега́ть, -плыва́ть** only occur with prefixes.

6. When referring to a one-time action, the past tense imperfective indicates that the action occurred but its result is no longer in force, and the past tense perfective indicates that the result is still in force.

| | |
|---|---|
| Она́ **ушла́** домо́й. | *She has left for home. (Result in force: she won't be back today)* |
| Я **уходи́л/а** на полчаса́. | *I was gone for half an hour. (Result no longer in force: I'm back)* |
| К нам **прие́хали** го́сти из Росси́и. | *We have company (visitors) from Russia. (Result in force: they're still here)* |
| К нам **приезжа́ли** го́сти из Росси́и. | *We had company from Russia. (Result no longer in force: they've left)* |

**9-8. Что э́то зна́чит?** Explain how you understand these situations.

1. Ка́тя **прие́хала** домо́й из университе́та в семь часо́в. Ка́тя до́ма и́ли нет?
2. Ребя́та **приезжа́ли** к Ле́не часо́в в шесть. Они́ у Ле́ны и́ли уе́хали?
3. Петро́вы **уе́хали** в о́тпуск в Евро́пу. Они́ уже́ верну́лись и́ли нет?
4. Их вчера́ ве́чером не́ было до́ма. Они́ **уезжа́ли** на да́чу. Они́ уже́ верну́лись и́ли нет?
5. Марк **привёз** Ле́ну в университе́т. Где Ле́на сейча́с?

## Prefixes ПРИ-/У-

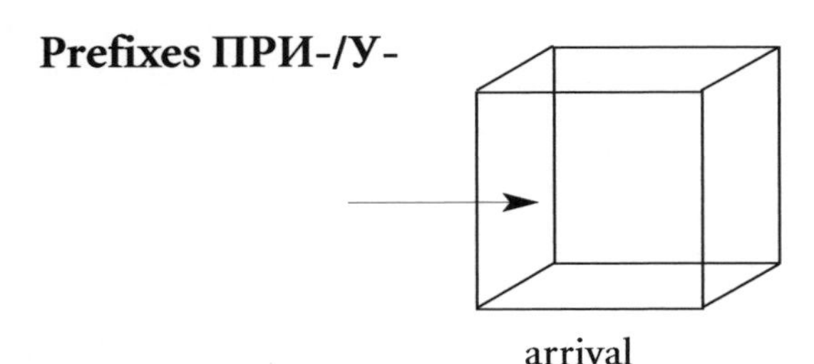
arrival

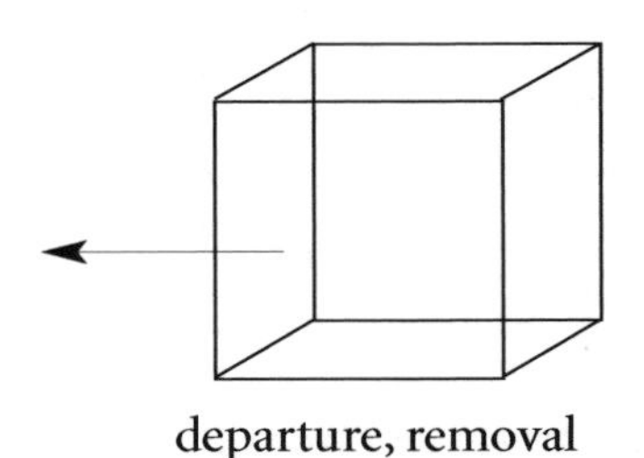
departure, removal

**9-9. Ана́лиз.** Study the examples.

**приходи́ть/прийти́** куда́? отку́да?

Когда́ ты обы́чно **прихо́дишь** домо́й?
*When do you usually get home?*

**приезжа́ть/прие́хать** куда́? отку́да?

К нам **прие́хали** го́сти из Росси́и.
*We have company from Russia.*

**прилета́ть/прилете́ть** куда́? отку́да?

Ка́тина подру́га **прилета́ет** в Бо́стон.
*Katya's friend is arriving in Boston.*

**приводи́ть/привести́** кого́? куда́? отку́да?

**Приводи́те** своего́ но́вого дру́га!
*Bring your new friend.*

**привози́ть/привезти́** кого́?/что? куда́? отку́да?

Мы **привезли́** вам пода́рок из Росси́и.
*We brought you a present from Russia.*

**приноси́ть/принести́** что? куда́? отку́да?

Что я могу́ **принести́?**
*What can I bring (to the party)?*

**уходи́ть/уйти́** куда́? отку́да?

Они́ **ушли́.**
*They've left. They're gone.*

**уезжа́ть/уе́хать** куда́? отку́да?

Они́ **уе́хали** в Росси́ю.
*They've left for Russia.*

**улета́ть/улете́ть** куда́? отку́да?

Мы опозда́ли. Наш самолёт уже́ **улете́л.**
*We're late. Our plane has already departed.*

**уводи́ть/увести́** кого́? куда́? отку́да?

**Уведи́** э́ту соба́ку отсю́да!
*Get that dog out of here.*

**увози́ть/увезти́** кого́?/что? куда́? отку́да?

Мою́ маши́ну **увезли́!**
*My car's been towed away!*

**уноси́ть/унести́** что? куда́? отку́да?

**Унеси́те** э́ти ве́щи.
*Get those things out of here!*

**9-10. ПРИ-/У-.** Respond in the negative, making all the necessary changes.

*Приме́р:* Авто́бус уже́ **пришёл?** → *Авто́бус то́лько что* ***ушёл.***

1. Ва́ши го́сти **прие́хали?**
2. Самолёт **прилете́л?**
3. Она́ **прие́хала** на рабо́ту?
4. Дете́й уже́ **привезли́** в шко́лу?
5. Она́ **прихо́дит** с рабо́ты в 6 часо́в?
6. Кора́бль **приплы́л?**
7. Ди́ма **принёс** свои́ ве́щи?

## Prefixes В-/ВЫ-

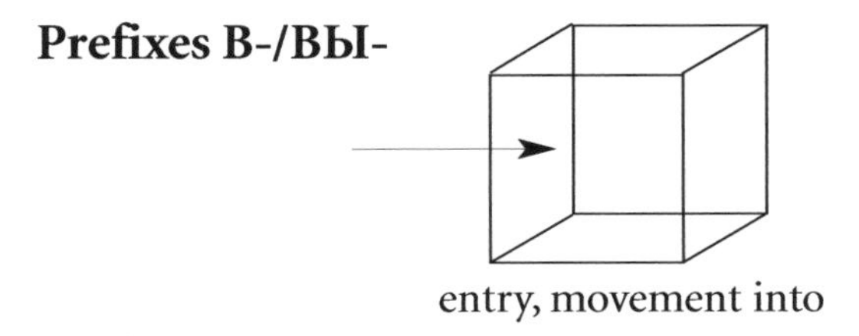
entry, movement into

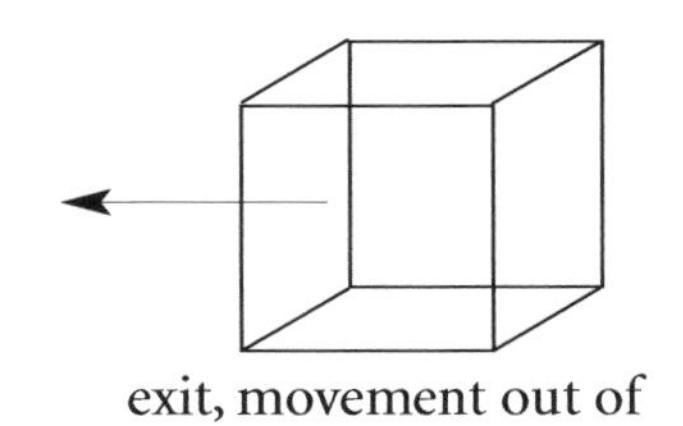
exit, movement out of

**9-11. Ана́лиз.** Study the examples.

**входи́ть/войти́** куда́?

**Входи́те,** пожа́луйста.
*Please come in!*

Маши́на **влете́ла** в де́рево.
*The car ran into a tree.*

Я всегда́ **въезжа́ю** в гара́ж ро́вно в 7.00.
*I always drive into the garage at 7:00 sharp.*

**выходи́ть/вы́йти**[1] отку́да? куда́?

Если вы бу́дете кури́ть, **вы́йдите** в коридо́р.
*If you're going to smoke, go out into the hall.*

When mentioning the time of departure, use **вы-**

Я обы́чно **выхожу́** из до́ма в семь часо́в.
*I usually leave the house at 7:00.*

Мы **вы́летели (вы́ехали)** из Бо́стона в 9.45.
*We departed from Boston at 9:45.*

[1]The prefix вы- is always stressed in perfective verbs.

**9-12. Спроси́те друг дру́га.** Да́йте по́лный отве́т.

1. Когда́ ты **выхо́дишь** из до́ма у́тром?
2. Что ты говори́шь, когда́ **вхо́дишь** в дом свои́х друзе́й?
3. Что ты де́лаешь, е́сли звони́т телефо́н, когда́ ты уже́ **вы́шел/вы́шла** из до́ма?
4. Что ты говори́шь, е́сли кто́-то **вбега́ет** в ко́мнату и что́-то кричи́т?
5. Что ты говори́шь, е́сли ты **вхо́дишь** в класс по́сле нача́ла уро́ка?

## Prefix ДО-

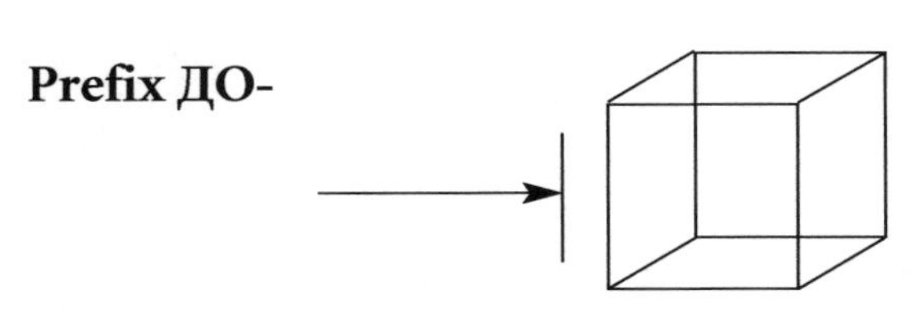

movement as far as; reaching a goal

**9-13. Ана́лиз.** Study the examples.

**доходи́ть/дойти́**

Они́ **дошли́** до угла́ и останови́лись. — *They walked as far as the corner and stopped.*

**доезжа́ть/дое́хать**

**Вам на́до дое́хать** до Тверско́й у́лицы и поверну́ть напра́во. — *Go as far as Tverskaya Street and make a right.*

Он **дое́хал** до рабо́ты за 10 мину́т. — *It took him 10 minutes to get to the office.*

**9-14. За ско́лько вы ...** Say how long it took you to get to your destination.

*Приме́р:* бежа́ть ... апте́ка → *Я добежа́л/а до апте́ки за 5 мину́т.*

бежа́ть ... по́чта, магази́н, бассе́йн, кафе́

плыть ... Марсе́ль, Та́ллинн, Оде́сса, Владивосто́к

е́хать ... Бо́стон, Ни́жний Но́вгород, Ки́ев, Арха́нгельск

## Prefix ПРО-

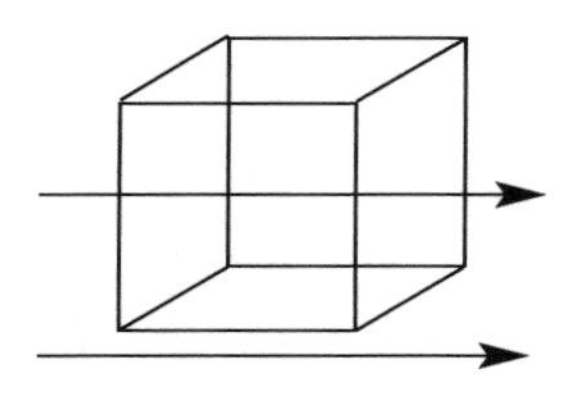

movement through or past

**9-15. Ана́лиз.** Study the examples.

**пройти́** куда́?

Вы не ска́жете, как **пройти́** в апте́ку? — *Could you please tell me how to get to the drugstore?*

**проезжа́ть/прое́хать** куда́?

Мы не зна́ем, как туда́ **прое́хать.** — *We don't know how to get there.*

**проходи́ть/пройти́; проезжа́ть/прое́хать** что?/**ми́мо** чего́?

Мы сейча́с **бу́дем проходи́ть ми́мо** апте́ки. — *We're going to pass by a drugstore.*

Мы **прое́хали** на́шу остано́вку. — *We've missed our stop.*

**проходи́ть/пройти́, проезжа́ть/прое́хать че́рез что?/по чему́?**

Мы **проезжа́ем че́рез** э́тот тонне́ль ка́ждый день. — *We drive through this tunnel every day.*

Ну́жно **пройти́ по** э́той у́лице и поверну́ть нале́во. — *Walk down the street and then turn left.*

**9-16. Вот така́я ситуа́ция. Что вы ска́жете?** The first one is done for you.

1. You like to read newspapers on a bus. You've missed your stop. (прое́хать) → *Я чита́л/а и прое́хал/а остано́вку.*
2. You are upset, because a friend walked by and didn't say hello. (пройти́ ми́мо)
3. You were late for your friend's party, because you drove by his/her house but didn't recognize it. (прое́хать ми́мо)
4. You live on a river and you like watching ships sail by. (проплыва́ть)
5. You live near an airport. You hate having planes fly over your house day and night. (пролета́ть над)
6. You feel awful, because you didn't recognize your professor and walked past him/her. (пройти́ ми́мо)
7. A friend was in a hurry and ran past you without seeing you. (пробежа́ть)

**9-17. Вот така́я исто́рия.** Куда́ они́ ходи́ли/е́здили/лета́ли? Употреби́те **по-, при-/у-, в-/вы-, до-, про-.**

1. Ле́на ...(шла) из до́ма в семь часо́в утра́ и ...(шла) в университе́т на ле́кции. Она́ ...(шла) до университе́та за 15 мину́т. Ле́на ...(шла) в университе́т в семь часо́в пятна́дцать мину́т. Она́ ...(шла) из до́ма у́тром, а ...(шла) домо́й ве́чером о́коло 6 часо́в. В семь часо́в ...(е́хала) её подру́га и ...(везла́) Ле́ну в бассе́йн, где они́ пла́вали два часа́.
2. Марк ...(е́хал) и́з дому в во́семь часо́в и ...(е́хал) по шоссе́ в университе́т. Он ...(е́хал) до университе́та за де́сять мину́т. Он запаркова́л маши́ну на парко́вке № 2 и ...(шёл) в библиоте́ку, а пото́м на заня́тия. Он ...(шёл) в класс, когда́ уро́к уже́ начался́. Когда́ уро́к ко́нчился, он ...(шел) из аудито́рии и ...(шёл) в бассе́йн, где пла́вал 30 мину́т. По́сле того́ как он ...(пла́вал), он...(шёл) на парко́вку и ...(е́хал) домо́й. По доро́ге домо́й он ...(е́хал) ми́мо по́чты. Марк ...(е́хал) домо́й о́коло шести́ часо́в. Он ...(е́хал) в гара́ж и ...(шёл) в дом.
   — Почему́ ты так по́здно ... (е́хал)? — спроси́ла ма́ма.
3. Наш самолёт ...(лете́л) из Ки́ева в семь утра́ и ...(лете́л) в Пари́ж о́коло десяти́ утра́. В Пари́же у нас бы́ло два часа́ свобо́дного вре́мени до сле́дующего ре́йса. Мы снача́ла ...(шли) в кафе́ вы́пить ко́фе, а пото́м ёще час ходи́ли по магази́нам в аэропорту́. Из Пари́жа мы ...(лете́ли) в двена́дцать часо́в дня и за де́вять часо́в ...(лете́ли) до Лос-Анджелеса.

**9-18. Расскажи́те свою́ исто́рию.** Куда́ вы вчера́ ходи́ли/е́здили? Употреби́те **по-, при-/у-, в-/вы-, до-, про-.**

*Приме́р:* *Я вы́шел/вы́шла из до́ма в 8.00 часо́в и пое́хал/а в университе́т...*

**Complete exercises 9-5 through 9-13 in the S.A.M.**

# Те́ма 2. Мы потеря́лись…

## Подгото́вка

**9-19. Вы зна́ете э́ти слова́?**

| | | | |
|---|---|---|---|
| впереди́ кого́? чего́? | *straight ahead, in front* | пря́мо пе́ред кем?/пе́ред чем? | *right in front* |
| напра́во | *to the right* | спра́ва | *on the right* |
| нале́во | *to the left* | сле́ва | *on the left* |

**9-20. Где вы бу́дете?** Where would you find yourselves if you were given the following directions right now?

1. На́до идти́ пря́мо, пото́м напра́во, а пото́м нале́во.
2. Если ты пойдёшь пря́мо, то впереди́ бу́дет …, сле́ва бу́дет …, а спра́ва ….

**9-21. Как дойти́…** Explain to your partner how to get to certain places in town. Use the following construction:

**переходи́ть/перейти́** **что?** or **че́рез что?**
мост, у́лицу
че́рез мост, у́лицу, доро́гу, пло́щадь

Они́ перехо́дят че́рез мост.

*Приме́р:* Музе́й (у́лица) → *Что́бы дойти́ до музе́я, на́до **перейти́ у́лицу**…*

библиоте́ка (мост)
по́чта (доро́га)
апте́ка (пло́щадь)
кафе́ (у́лица)
химчи́стка (парк)
ботани́ческий сад (река́)
больни́ца (пло́щадь)

**А тепе́рь вы…** Give your own directions to buildings on your campus or in town.

**9-22. Словообразова́ние.** What verbs are the following nouns formed from?

по́мощь (*help*) — …
остано́вка (*stop, station*) — …
поте́ря (*loss*) — …
прохо́жий (*passer-by*) — …

**Complete exercises 9-14 through 9-16 in the S.A.M.**

## Язы́к в жи́зни

**9-23. Прочита́йте «Путевы́е заме́тки».**

**Пе́ред чте́нием**

1. Что вы сде́лаете, е́сли вы не мо́жете найти́ музе́й в незнако́мом го́роде?
2. Како́й вопро́с мо́жно зада́ть, е́сли вы и́щете по́чту, апте́ку, магази́н и т.д.?

**Во вре́мя чте́ния**

1. Куда́ Илья́ и На́стя шли?
2. Ско́лько раз они́ спра́шивали, как пройти́?
3. Кто им помо́г найти́ Третьяко́вскую галере́ю?

**Путевы́е заме́тки ◆ Travel Notes**

В большо́м го́роде легко́ *заблуди́ться.* Но, как говоря́т, «Язы́к до Ки́ева доведёт».

Неда́вно мы бы́ли в Москве́ и хоте́ли посмотре́ть все достопримеча́тельности: па́мятники, *це́ркви,* музе́и, и, коне́чно, знамени́тую Третьяко́вскую галере́ю. На у́лице бы́ло мно́го *прохо́жих,* и мы *останови́ли* одну́ симпати́чную молоду́ю же́нщину и *попроси́ли* нам помо́чь. Она́ ужа́сно спеши́ла, но останови́лась, *переспроси́ла,* что мы и́щем, и до́лго расска́зывала нам, что на́до дойти́ до *угла́,* пройти́ два *кварта́ла,* перейти́ у́лицу, пройти́ ми́мо по́чты, *поверну́ть* нале́во, пройти́ че́рез парк… Да́льше нам тру́дно бы́ло запо́мнить, куда́ ещё поверну́ть и ми́мо чего́ пройти́. Мы поблагодари́ли её и пошли́. Но до па́рка мы не дошли́. Опя́ть *потеря́лись.* В э́тот раз останови́ли па́рня лет двадцати́. Он ничего́ не объясня́л, а про́сто довёл нас до «Третьяко́вки»… Всё хорошо́, что хорошо́ конча́ется!

*Из путевы́х заме́ток Ильи́ и Анастаси́и Раско́льниковых (по материа́лам Интерне́та)*

*заблуди́ться (pfv. only) — to get lost*
*кварта́л — city block*
*у́г|о|л (на углу́) — corner*
*остана́вливать/останови́ть кого́? — to stop someone*
*переспра́шивать/переспроси́ть кого́? — to ask again*
*повора́чивать/поверну́ть — to turn*
*проси́ть/попроси́ть кого́? + pfv. infinitive — to request that someone do something*
*прохо́жий/прохо́жая — passer-by*
*теря́ться/потеря́ться где? — to get lost*
*це́рк|о|вь (f.) — church*

**9-24. По́сле чте́ния.** Отве́тьте на вопро́сы.

1. Куда́ Илья́ и На́стя е́здили и что они́ хоте́ли посмотре́ть?
2. Как они́ нашли́ доро́гу в Третьяко́вскую галере́ю?
3. Почему́ расска́з ока́нчивается посло́вицей «Всё хорошо́, что хорошо́ конча́ется»?
4. А что вы ду́маете на́до сде́лать, что́бы не потеря́ться в го́роде?
5. Как вы понима́ете посло́вицу «Язы́к до Ки́ева доведёт»?

**9-25. Расскажи́те…** Have you ever been lost when driving or walking? Tell your story.

## Разгово́ры

**9-26. Слу́шайте и чита́йте разгово́р.** Insert the missing words and phrases.

**Мы заблуди́лись**

— Вам нужна́ ..............................?
— Что вы ....................................?
— Музе́й совреме́нного иску́сства.
— Как туда́ попа́сть?
— Как туда́ ....................................?
— Ка́жется, мы .................................
— Дойди́те до угла́.
— На углу́ ................................. у́лицу.
— Пройди́те два ...........................
— И вы .................................... пря́мо к музе́ю.
— Большо́е спаси́бо.
— Не́ за что.
— Мы вам о́чень благода́рны.
— Да что вы.
— Не сто́ит благода́рности.
— Нет, нет. Вы нам так ..............................

**9-27. Поговори́м немно́го.** Read the following conversations and compose similar ones.

**Запо́мните!**
When asking for directions, use the preposition К + dative after **пройти́/прое́хать** if the destination is a building (or group of buildings). Use **В** or **НА** + accusative if the destination is an open space.

Как пройти́ (прое́хать) **к** музе́ю?
Как пройти́ (прое́хать) **в** центр?
Как пройти́ (прое́хать) **на** Кра́сную пло́щадь?

**А.**

— Извини́те, вы не ска́жете, как пройти́ к па́мятнику Пу́шкина?
— Иди́те пря́мо, пото́м поверни́те напра́во, и па́мятник бу́дет пе́ред ва́ми.
— Большо́е спаси́бо.
— Не́ за что.

**А тепе́рь ваш разгово́р...** Спроси́те, как пройти́ к библиоте́ке, к кафе́, к общежи́тию... Decide on a real point of departure and give a true answer.

**Спра́вка.** Па́мятник Пу́шкину нахо́дится в це́нтре Москвы́. Это популя́рное ме́сто свида́ний.

**Б.**

— Извини́те, вы не мо́жете нам помо́чь?
— Что случи́лось?
— Мы потеря́лись и не зна́ем, как пройти́ к вокза́лу.
— Очень про́сто. Пройди́те два кварта́ла, перейди́те у́лицу и поверни́те нале́во. Вы вы́йдите пря́мо к вокза́лу.
— Мы о́чень вам благода́рны.
— Не сто́ит благода́рности.

**А тепе́рь ваш разгово́р...** Спроси́те, как пройти́ к кинотеа́тру, к кни́жному магази́ну, к апте́ке... Decide on a real point of departure and give a true answer.

**9-28. Вот такáя ситуáция.** Разыгрáйте.

**А.** Вы в Москвé. Вы стои́те на Крáсной плóщади и и́щете на кáрте Мáлый теáтр. Спроси́те прохóжих, где он нахóдится.

**Прохóжий 1.** У вас сегóдня плохóе настроéние.
**Прохóжий 2.** Вы óчень хоти́те помóчь, но плóхо знáете гóрод.
**Прохóжий 3.** Вы óчень лю́бите поговори́ть.
**Прохóжий 4.** Вы забы́ли дóма очки́, но пытáетесь помóчь.
**Прохóжий 5.** Вы знáете, где нахóдится Мáлый теáтр.

**Б.** Вы в Петербýрге. Подойди́те к прохóжему на ýлице и спроси́те, как пройти́ к Эрмитáжу.

**Прохóжий 1.** Вы инострáнец и совсéм не знáете гóрод.
**Прохóжий 2.** Вы óчень торóпитесь.
**Прохóжий 3.** Вы лю́бите задавáть мнóго вопрóсов.
**Прохóжий 4.** Вы дýмаете, что лýчше всегó спроси́ть милиционéра.
**Прохóжий 5.** Вы предлагáете показáть, где Эрмитáж.

**9-29. Вот така́я ситуа́ция.** Разыгра́йте.

1. Your friend has invited you to a party. Find out how to get to your friend's place and ask him/her to draw a map. Determine real starting and ending points.
2. Your friend calls you on the phone. He/she has gotten lost on the way to your place. Explain that the best way to go is to turn right at the corner, go past the post office, etc.

**Complete exercises 9-17 through 9-20 in the S.A.M.**

## Грамма́тика. Говори́те пра́вильно!

### Prefixed verbs of motion ◆ Глаго́лы движе́ния с приста́вками ЗА-, ПЕРЕ-, ПОД-/ОТ-

### Prefix ЗА-

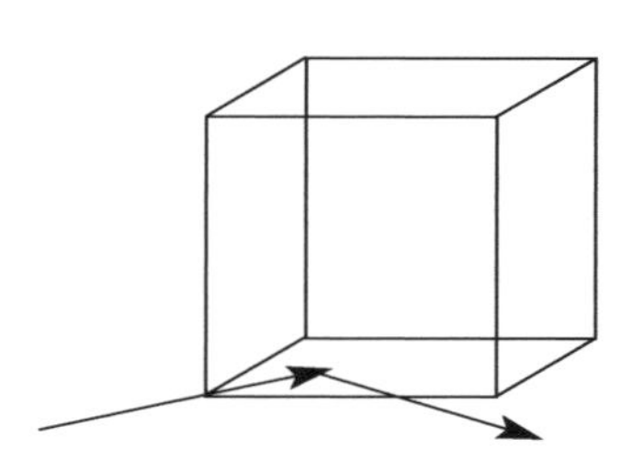

1. movement performed while on the way somewhere
2. a short visit to a person or place

**9-30. Ана́лиз.** Study the examples.

**заходи́ть/зайти́** к кому́? куда́? за кем?/за чем?

| | |
|---|---|
| Я к ним ча́сто **захожу́.** | *I drop in on them often.* |
| По доро́ге домо́й **зайди́** в магази́н за молоко́м. | *On your way home, stop at the store and get some milk.* |

**заезжа́ть/зае́хать** к кому́? куда́? за ке́м?/за че́м?

| | |
|---|---|
| Хо́чешь, что́бы я за тобо́й **зае́хала?** | *Do you want me to pick you up?* |
| Раз в неде́лю я **заезжа́ю** к роди́телям. | *I visit my parents once a week.* |

### Prefix ПЕРЕ-

1. movement across
2. from one place of residence to another
3. from one job to another

**9-31. Ана́лиз.** Study the examples.

**переходи́ть/перейти́** что? че́рез что?

**Перейдём** че́рез у́лицу здесь. *Let's cross the street here.*

**Note these expressions:**

**переходи́ть/перейти́ на но́вую рабо́ту** — *to get a new job*
**переезжа́ть/перее́хать на но́вую кварти́ру/в но́вый дом** — *to move*

**9-32. Вот такáя ситуáция.** Что вы скáжете?

*Примéр:* *Если я идý пешкóм, я могý сказáть: — Я* ***зайдý*** *к вам.*

1. Что вы скáжете, éсли вы
   а. бежúте
   б. éдете на машúне
   в. летúте на (мáленьком) самолёте
   г. éдете на мотоцúкле/на велосипéде
2. Что вы скáжете, éсли вáшему дрýгу нужны́ кни́ги, котóрые у вас есть, éсли вы
   а. идёте пешкóм (нестú)
   б. éдете на машúне (везтú)
   в. éдете на велосипéде (везтú)

**9-33. Скажúте по-рýсски.**

1. I'll pick you up (on foot).
2. I'll bring you some food (on foot).
3. You have to cross the street.
4. They have moved.
5. I'll pick you up (on my motorcycle).
6. I'll drive by and bring you the books.
7. I'll stop by your place tomorrow. (driving)
8. She got a new job.

## Prefix ПОД-/ОТ-

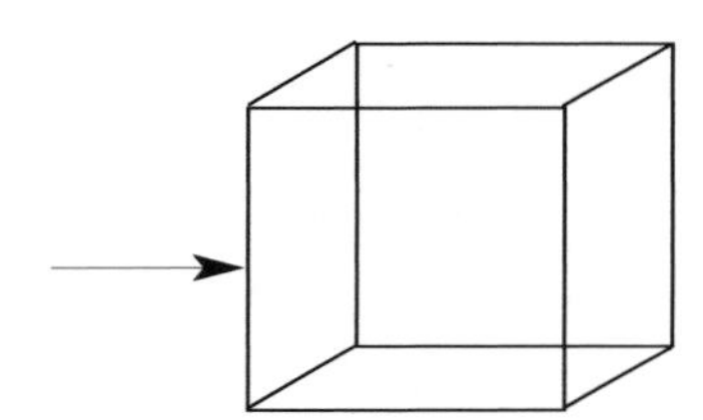

approach, movement up to from a short distance away

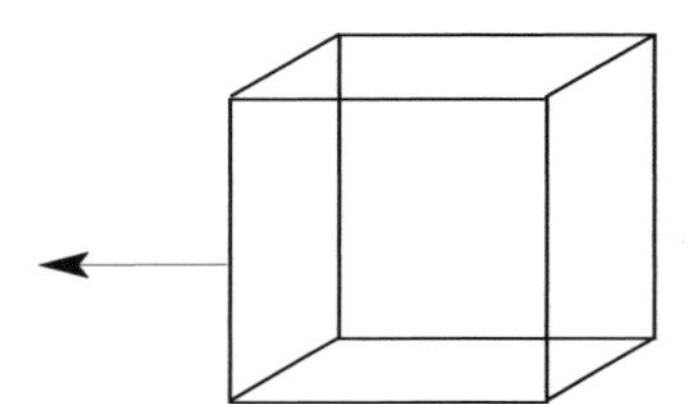

movement back from or away from the side of

**9-34. Анáлиз.** Study the examples.

**подходúть/подойтú** к комý?/к чемý?

**Подойдú** к ней и спросú, где пóчта.
*Go up to her and ask where the post office is.*

**подъезжáть/подъéхать** к комý?/к чемý?

К нáшему дóму **подъéхала** машúна.
*A car drove up to our house.*

**подбегáть/подбежáть** к комý?/к чемý?

К нам **подбежáла** собáка и залáяла.
*A dog ran up to us and started barking.*

**отходúть/отойтú** от когó?/от чегó?

**Отойдúте,** пожáлуйста!
*Please stand (step) back.*

**отъезжáть/отъéхать** от когó?/от чегó?

Машúна **отъéхала** от дóма.
*The car drove away from the house.*

**отбегáть/отбежáть** от когó?/от чегó?

Собáка **отбежáла** от нас и залáяла.
*The dog ran back from us and started barking.*

With the transitive verbs of motion **нести́, вести́,** and **везти́, ОТ**- adds the meaning of **taking someone or something from one place and leaving it at another.**

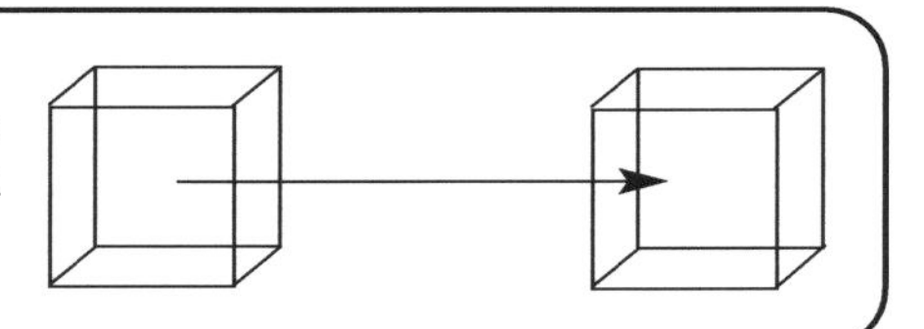

| | |
|---|---|
| **отводи́ть/отвести́** кого́? куда́? | За́втра я **отведу́** тебя́ в бассе́йн.<br>*I'll take you to the pool tomorrow.* |
| **отвози́ть/отвезти́** кого́?/что? куда́? | Марк до́лжен **отвезти́** Ка́тю в аэропо́рт.<br>*Mark has to drive Katya to the airport.* |
| **относи́ть/отнести́** кого́?/что? куда́? | На́до **отнести́** э́ти кни́ги в библиоте́ку.<br>*We've got to take these books back to the library.* |

**9-35. Ана́лиз.** Read the story and explain the use of the prefixed verbs of motion.

Когда́ я **подошла́** к до́му, я уви́дела свет в окне́. Я боя́лась, что э́то во́ры[1] и реши́ла не **входи́ть** в дом. Я да́же **отошла́** пода́льше от до́ма. На друго́й стороне́ у́лицы был телефо́н-автома́т, и я **перешла́** че́рез у́лицу, что́бы позвони́ть в мили́цию. Пока́ я ждала́ мили́цию и смотре́ла на **проезжа́ющие** ми́мо маши́ны, дверь до́ма откры́лась, и я уви́дела мою́ ма́му, кото́рая **вы́шла** из до́ма. Она́ **прие́хала** неожи́данно — хоте́ла сде́лать мне сюрпри́з. Когда́ **подъе́хала** милице́йская маши́на, мы объясни́ли милиционе́ру, что произошло́, и извини́лись.

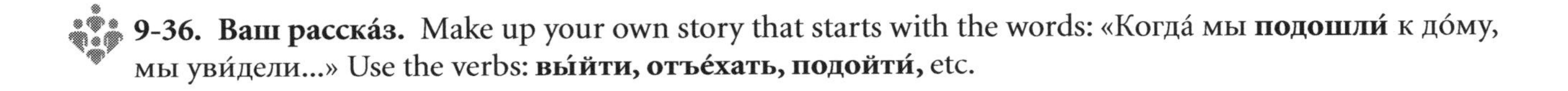

**9-36. Ваш расска́з.** Make up your own story that starts with the words: «Когда́ мы **подошли́** к до́му, мы уви́дели...» Use the verbs: **вы́йти, отъе́хать, подойти́,** etc.

[1]thieves

**9-37. Расскажи́те, как тури́сты провели́ день.** Add details.

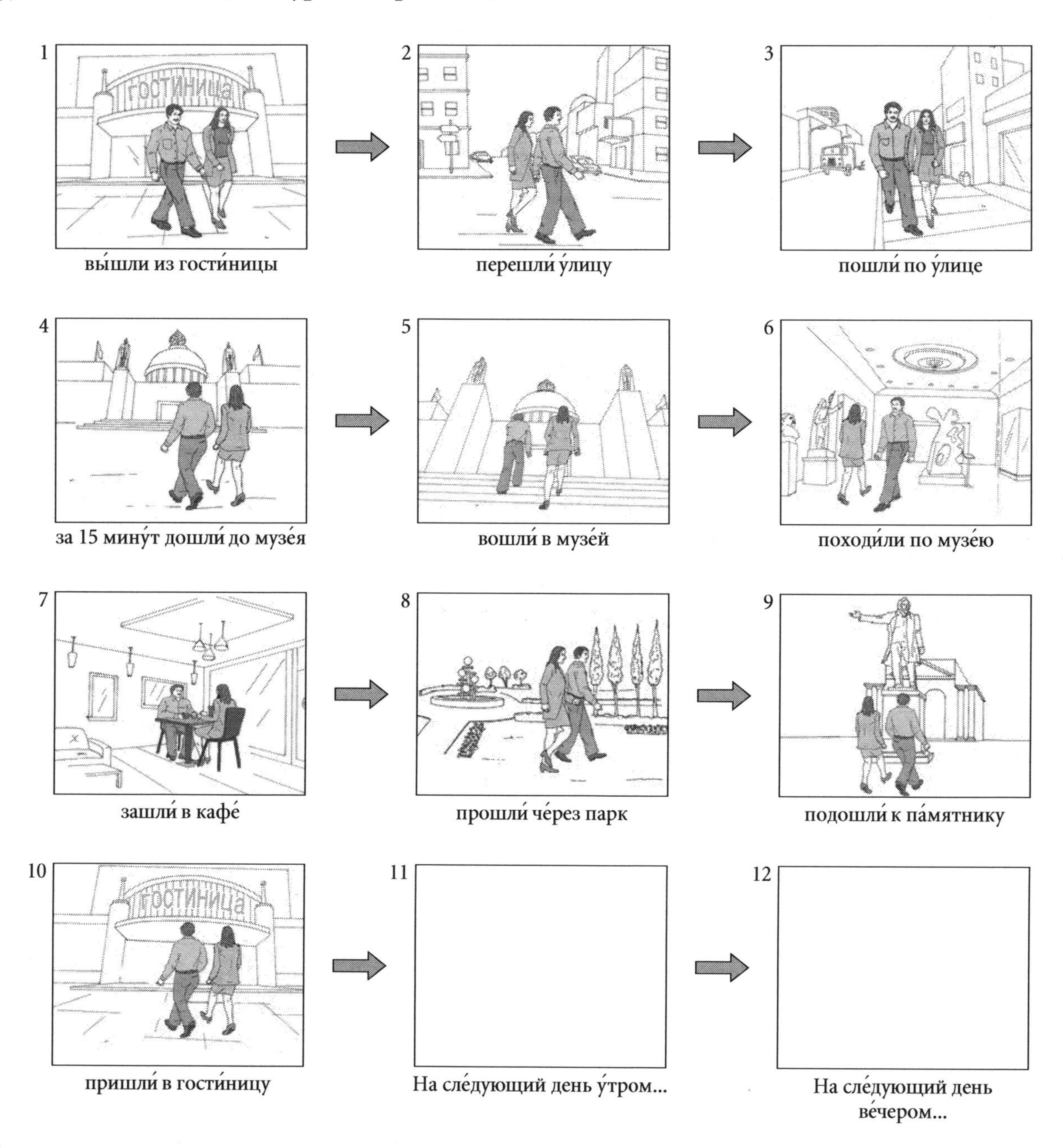


1 вы́шли из гости́ницы → 2 перешли́ у́лицу → 3 пошли́ по у́лице

4 за 15 мину́т дошли́ до музе́я → 5 вошли́ в музе́й → 6 походи́ли по музе́ю

7 зашли́ в кафе́ → 8 прошли́ че́рез парк → 9 подошли́ к па́мятнику

10 пришли́ в гости́ницу → 11 На сле́дующий день у́тром... → 12 На сле́дующий день ве́чером...

**9-38. Расскажи́те, куда́ вы вчера́ ходи́ли.** Use 9-37 as a model.

**Complete exercises 9-21 through 9-24 in the S.A.M.**

# Те́ма 3. Доро́жное движе́ние

## Подгото́вка

**9-39. Мой автомоби́ль...** Зна́ете ли вы, как называ́ются ча́сти маши́ны по-ру́сски?

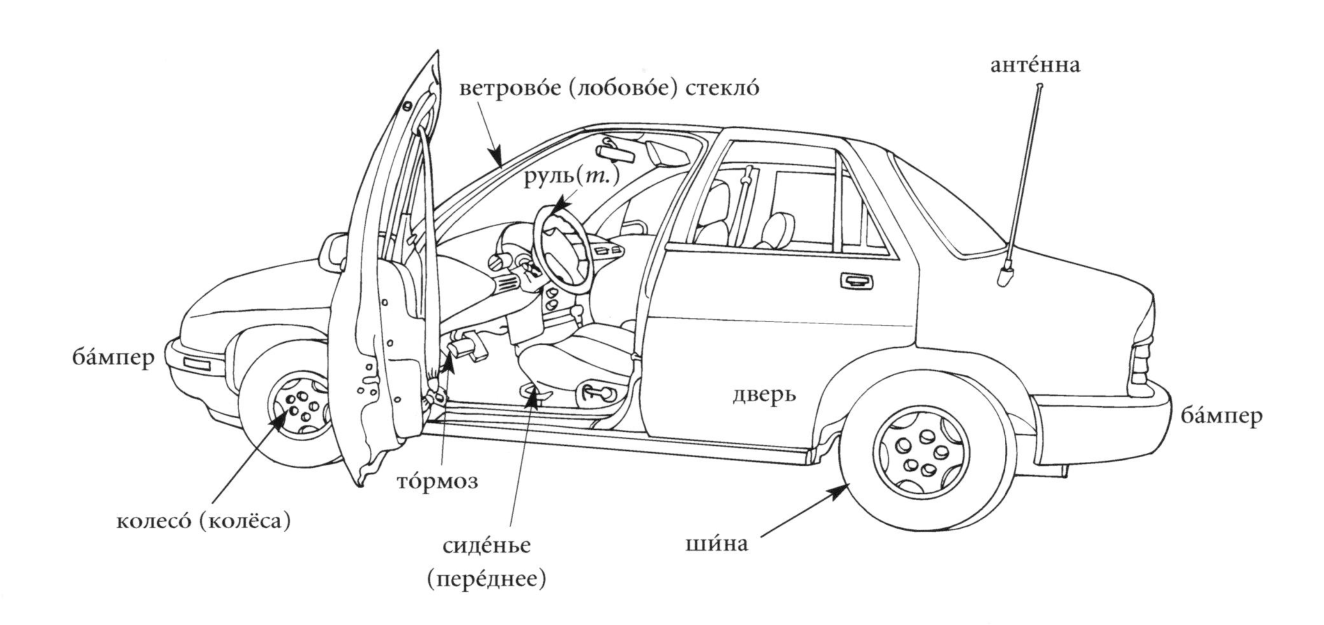


**9-40. Вы зна́ете э́ти слова́?**

ве́сти́/води́ть маши́ну — *to drive a car*
доро́га — *road*
доро́жное движе́ние — *traffic*
доро́жный знак — *traffic sign*
кра́сный (зелёный, жёлтый) свет — *red (green, yellow) light*
остана́вливаться/останови́ться (на кра́сный свет) — *to stop at a red light*
паркова́ть/запаркова́ть маши́ну — *to park*
получа́ть/получи́ть штраф — *to get a ticket*
пра́вила доро́жного движе́ния — *traffic laws*
превыша́ть/превы́сить ско́рость — *to speed*
  превыше́ние ско́рости — *speeding*
светофо́р — *traffic light*
штраф за что? — *ticket, fine*

**9-41. Вы зна́ете э́ти доро́жные зна́ки?** Объясни́те, что они́ зна́чат, и что ну́жно де́лать, е́сли вы уви́дели их на доро́ге.

**9-42. Вы во́дите маши́ну?** Use the words in 9-40 to answer these questions.

1. Ско́лько вам бы́ло лет, когда́ вы на́чали води́ть маши́ну?
2. Вы лю́бите води́ть маши́ну и́ли предпочита́ете е́здить на городско́м тра́нспорте?
3. Каки́е доро́жные зна́ки са́мые ва́жные?
4. Вы когда́-нибудь получа́ли штраф? За что? Расскажи́те.

**Complete exercises 9-25 and 9-26 in the S.A.M.**

## Язы́к в жи́зни

**9-43. Води́тельские права́.** Look over the text and say

1. Почему́ у Ка́ти отли́чное настрое́ние?
2. Ско́лько раз она сдава́ла экза́мен по пра́вилам доро́жного движе́ния?
3. Почему́ она́ не сдала́ экза́мен на вожде́ние в пе́рвый раз?

### Эле́ктронное сообще́ние

**Те́ма: Мо́жешь меня́ поздра́вить**

---

Приве́т! Мо́жешь меня́ поздра́вить!

Два ме́сяца гото́вилась к экза́менам, что́бы получи́ть води́тельские права́. Экза́мен по пра́вилам доро́жного движе́ния сдала́ *с пе́рвого ра́за*. А вот *вожде́ние* сдава́ла два ра́за. Пе́рвый раз я вы́ехала на доро́гу, пое́хала напра́во, дое́хала до *перекрёстка* и не останови́лась на «STOP». Коро́че, не сдала́. Прие́хала сдава́ть второ́й раз...вчера́... и уе́хала уже́ с води́тельскими права́ми. Ура́! У меня́ сего́дня про́сто отли́чное *настрое́ние!*

Тепе́рь бу́ду е́здить в университе́т на маши́не!!! Не на́до так ра́но выходи́ть из до́ма. Мо́жно у́тром поспа́ть ... Ну пока́, бегу́, мне на́до *съе́здить* на по́чту.

Ка́тя

*вожде́ние — driving (noun)*
*настрое́ние — mood*
*У меня́ отли́чное настрое́ние — I am in a great mood*
*перекрёсток — crossing*
*с пе́рвого ра́за — the first time around, right away*
*съе́здить (pfv.) — to drive somewhere and come back quickly*

**9-44. Перечита́йте электро́нное сообще́ние и расскажи́те о Ка́те и о себе́…**

1. Ско́лько вре́мени Ка́тя гото́вилась к экза́мену, что́бы получи́ть води́тельские права́? А вы?
2. С како́го ра́за Ка́тя сдала́ экза́мен по пра́вилам доро́жного движе́ния? А вы?
3. Ско́лько раз Ка́тя сдава́ла экза́мен по вожде́нию? А вы?
4. Почему́ Ка́тя не сдала́ экза́мен по вожде́нию с пе́рвого ра́за? Расскажи́те.
5. Как вы сдава́ли экза́мен по вожде́нию? Расскажи́те.
6. Почему́ Ка́тя так ра́да, что получи́ла води́тельские права́? А вы бы́ли ра́ды?

**9-45. Произошла́ ава́рия.** Прочита́йте *заме́тки* об ава́риях.

*заме́тка — short article*

**Пе́ред чте́нием**

1. Что зна́чат слова́: **тра́вма, госпитализи́ровать?**
2. Что мо́жет зна́чить: **челове́к сконча́лся?**
3. Каку́ю информа́цию мо́жно получи́ть из заме́тки об ава́рии?

**Во вре́мя чте́ния.** Найди́те отве́ты на вопро́сы.

1. Где и когда́ произошла́ ава́рия?
2. Что произошло́?

**В Арха́нгельске — кру́пная автомоби́льная ава́рия**

*Кру́пная ава́рия произошла́* вчера́ на железнодоро́жном *мосту́* в Арха́нгельске. Около 19 часо́в здесь *столкну́лись* три маши́ны — *грузови́к,* такси́ и городско́й пассажи́рский авто́бус. Грузови́к слете́л с моста́, и води́тель грузовика́ *поги́б.*

По после́дней информа́ции 5 челове́к госпитализи́рованы. В моме́нт ава́рии в такси́ находи́лось 4 челове́ка, в авто́бусе — 37. С 19 до 20 часо́в движе́ние по мосту́ бы́ло парализо́вано, на сосе́дних у́лицах бы́ли автомоби́льные *про́бки.*

*Информацио́нное аге́нтство «Двина́-Инфо́рм»*

**Поги́бли подро́стки**

Но́чью 22 ию́ня в це́нтре Москвы́ произошла́ ава́рия, в результа́те кото́рой поги́бли *подро́стки.* Че́тверо друзе́й, 17-ле́тние Арка́дий и Никола́й, 16-ле́тний Ива́н и 15-ле́тний Яков, реши́ли пое́здить по ночно́му го́роду на маши́не, *принадлежа́вшей* ро́дственнику Якова. В полови́не пе́рвого но́чи они́ на большо́й *ско́рости* е́хали по у́лице Негли́нной. В результа́те «Та́врия» влете́ла в де́рево. На ме́сте сконча́лись дво́е тине́йджеров, ещё двои́х госпитализи́ровали с тяжёлыми тра́вмами.

*Из газе́ты «Моско́вский комсомо́лец»*

*ава́рия — accident*
*произошла́ ава́рия — there was an accident, an accident took place*
*грузови́к — truck*
*заме́тка — short newspaper article*
*кру́пный — large, significant, major*
*погиба́ть/поги́бнуть (past: поги́б/ла) — to be a casualty, to perish*
*про́бка — traffic jam*
*ско́рость — speed*
*ста́лкиваться/столкну́ться с кем?/с чем? — to collide*
*принадлежа́ть (impf.) кому́? — to belong*
*мост (на мосту́) — bridge*
*подро́ст|о|к — teenager*

**9-46. Структу́ра предложе́ния.** Read each sentence in 9-45 carefully. Pay attention to the word order. Find the subject and the predicate.

**9-47. Расскажи́те.**

1. Talk about the accidents described in 9-45. Give details.
2. Talk about an accident you witnessed or read about (10–12 sentences).

## Разгово́ры

**9-48. Слу́шайте и чита́йте разгово́р.** Insert the missing words and phrases.

**Как прое́хать в центр?**

— Ребя́та! Как прое́хать ................................?
— В центр? Лу́чше всего́ ................................
— Я пока́ ................................ Я пое́ду по у́лицам.
— Но э́то о́чень до́лго.
— Ничего́. Ти́ше е́дешь, да́льше бу́дешь.
— Что э́то зна́чит?
— Это посло́вица. Она́ зна́чит: не на́до ................................
— Ну, ла́дно. Сейча́с поверни́ .................. и поезжа́й ........................
— Когда́ уви́дишь ......................, поверни́ ........................
— И бо́льше не повора́чивай.
— Мину́т за два́дцать ........................
— Но там тру́дно поста́вить ................................
— А е́сли не в том ме́сте поста́вите маши́ну, вас мо́гут ............................
— А где мо́жно запра́вить маши́ну?
— Где́-то за угло́м есть запра́вочная ста́нция.

**9-49. Поговори́м немно́го.** Read the following conversations and compose similar ones.

**To give directions, use:**

- **На́до** + infinitive of perfective verb → **На́до пое́хать пря́мо и поверну́ть нале́во.**
- The imperatives → **Поезжа́й/те пря́мо и поверни́/те нале́во.**

**А.** — Скажи́те, пожа́луйста, как прое́хать в центр?
— Поезжа́йте пря́мо, пото́м поверни́те напра́во и ещё раз напра́во.
— Спаси́бо.

**А тепе́рь ваш разгово́р...** Look at a local map and practice giving directions. Make sure they make sense.

**Б.** — Мне на́до пое́хать в торго́вый центр. За ско́лько мину́т я дое́ду?
— Если пое́дешь по шоссе́, мину́т за два́дцать. Если, коне́чно, не бу́дет про́бок.

**А тепе́рь ваш разгово́р...** Give directions from the university to a local shopping mall.

**9-50. Слу́шайте и чита́йте разгово́р.** Insert the missing words and phrases.

**Час пик**

— *Осторо́жно! Тормози́!* — *Watch out! Slow down!*

— В чём де́ло? Почему́ все ...................?

— Похо́же, что произошла́ .......................

— Что случи́лось? Маши́ны ...................?

— Мо́жет быть, ...................... доро́гу?

— Да наве́рно, про́сто .......................

— Или маши́на *застря́ла.* — *got stuck*

— У нас всегда́ ужа́сное движе́ние в э́то вре́мя.

— Коне́чно, сейча́с ................

**9-51. Поговори́м немно́го.** Read the following conversations and compose similar ones.

**А.**

— Почему́ така́я про́бка?

— Наве́рное, маши́ны столкну́лись. Ава́рия.

**А тепе́рь ваш разгово́р...** Ask why the traffic is congested and provide an explanation based on your own experience.

**Б.**

— Тормози́!

— Что случи́лось?

— Там чи́нят доро́гу, ты что не ви́дишь?

**А тепе́рь ваш разгово́р...** Tell your friend to brake and provide an explanation based on your own experience.

**9-52. Вот така́я ситуа́ция.** Разыгра́йте.

1. Something has happened on the highway. You will have to take side streets, and it will take you longer to get to your friend's house. Call and explain.
2. You have witnessed an accident. Here is your drawing of it. Explain it to a Russian policeman (милиционе́р).

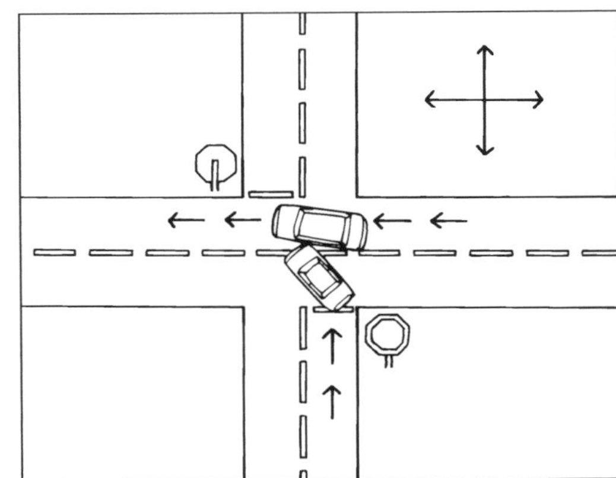

**Complete exercises 9-27 through 9-32 in the S.A.M.**

## Грамма́тика. Говори́те пра́вильно!

### Prefixed verbs of motion ◆ Глаго́лы движе́ния с приста́вками ВЗ- (ВС-, ВОЗ-, ВОС-)/С-

movement upward

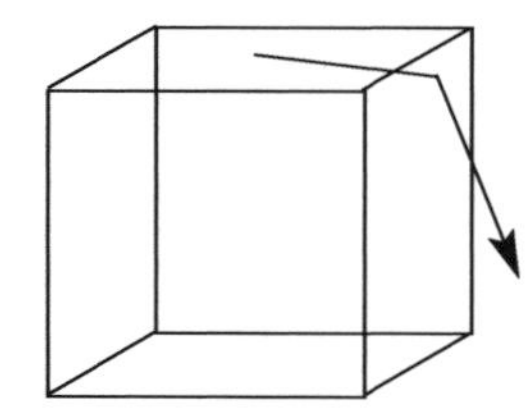
movement down from, off

**9-53. Ана́лиз.** Study the examples.

**всходи́ть/взойти́**

Со́лнце уже́ давно́ **взошло́.**
*The sun's been up for a long time.*

**взлета́ть/взлете́ть**

Их самолёт уже́ **взлете́л.**
*Their plane's already taken off.*

**съезжа́ть/съе́хать** отку́да? куда́?

Здесь на́до **съе́хать** с шоссе́.
*We have to exit from the freeway here.*

**сходи́ть/сойти́** отку́да? куда́?

Я **сошёл/сошла́** вниз и откры́л/а дверь.
*I came downstairs and opened the door.*

***Идио́мы***

**сходи́ть/сойти́ с ума́** — *to lose your mind*

Вы **с ума́ сошли́?** — *Are you crazy?*

**своди́ть/свести́ кого́-то с ума́** — *to drive someone crazy*

Ты меня́ **с ума́ сво́дишь.** — *You're driving me crazy.*

**9-54. Что здесь происхо́дит?** Посмотри́те на карти́нки и скажи́те.

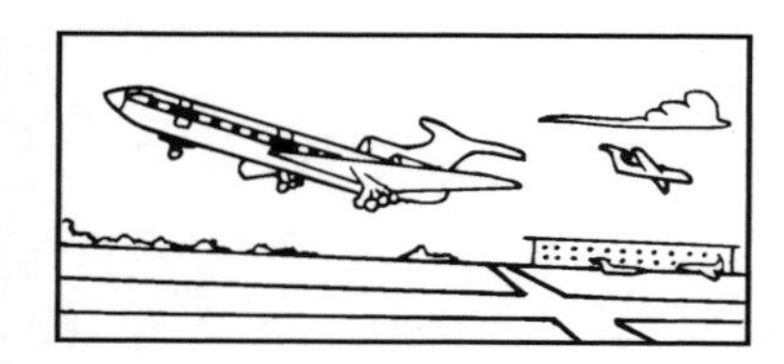

1. (взлета́ть/взлете́ть)
   Самолёт ________________

2. (слета́ть/слете́ть)
   Бума́ги ________________ со стола́.

3. (сходи́ть/сойти́)
Пассажи́ры ________________ с корабля́ на при́стань.

4. (взбега́ть/взбежа́ть)
Марк ________________ по ле́стнице.

5. (сходи́ть/сойти́)
Тури́сты ________________ с горы́.

6. (всходи́ть/взойти́)
Одни́ тури́сты ________________ на го́ру, (сходи́ть/сойти́) а други́е ________________ с горы́.

## Prefix С-

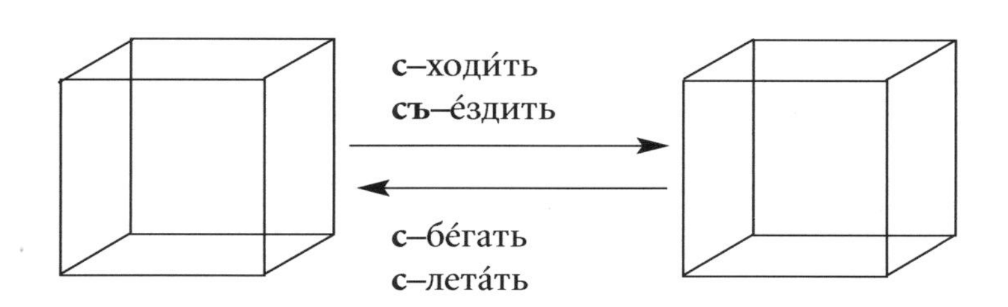


Note that the prefix **С-** combines with verbs of multidirectional motion to form **perfective** verbs that indicate movement in opposite directions: there and back, a single round trip.

**9-55. Ана́лиз.** Study the examples.

| | |
|---|---|
| **сходи́ть** | |
| **Я сходи́л/а** в библиоте́ку за кни́гами и се́л/а занима́ться. | *I went to the library to get some books, came back and got to work.* |
| **съе́здить** | |
| Как вы **съе́здили?** | *How was your trip?* |
| **сбе́гать** | |
| **Сбе́гай** в апте́ку за аспири́ном. | *Run down to the drugstore and get some aspirin.* |
| **слета́ть** | |
| Я ми́гом **слета́ю.** | *I'll be back quick as a flash.* |

**9-56. Вот такáя ситуáция.** Объясни́те, что вы бу́дете дéлать. The first one is done for you.

1. Вам ну́жно бы́стро пойти́ в магази́н. У вас мáло врéмени. → *Я **сбéгаю** в магази́н.*
2. Вам нáдо поéхать в университéт на час и́ли два.
3. Вам нáдо на недéлю полетéть в Росси́ю.
4. К вам пришли́ гóсти, а дóма нет хлéба.
5. Вы забы́ли дóма курсову́ю рабóту, котóрую сегóдня нáдо сдать.

**9-57. Скажи́те по-ру́сски.** Объясни́те, в какóй ситуáции вы мóжете э́то сказáть.

1. I'll run to the store.
2. I'll drive to school for the books.
3. I'll go to the video store on the corner and get a movie.
4. I'll fly to New York for a couple of days.

**Запóмните!**
In the past tense, use perfective **сходи́ть**-type verbs if you are referring to previously mentioned or contemplated actions or the result of an action. Otherwise, use the past tense of **ходи́ть**-type verbs. Remember to use imperfective verbs in answer to questions like **"Where were you? What were you doing? What did you do yesterday?"**

— Что вы дéлали вчерá вéчером?
— Мы **ходи́ли** на нóвый китáйский фильм.
*"We went to see a new Chinese film."*

— Вы, наконéц, **сходи́ли** на э́тот фильм?
*"Did you finally go see that movie?"*

*You know that the other person(s) intended to go see the movie and you want to know if the action and its result have occurred.*

— Ты **сбéгал/а** домóй за деньгáми?
*"Did you run home for your money?"*

*You know that the other person(s) intended to run home to get some money, and you want to know if the action and its result have occurred.*

**9-58. Неинтерéсная истóрия.** Read the following story. Think of it as something Nina does every day and make appropriate changes. Try to make it more exciting.

Ни́на **вы́шла** из дóма в 10 часóв. Онá **перешлá** у́лицу, **подошлá** к газéтному киóску и купи́ла свéжую газéту. Потóм онá **прошлá** чéрез парк и **зашлá** к своéй подру́ге вы́пить чáю. Чéрез час онá **ушлá** от подру́ги и **пошлá** в центр гóрода. Онá немнóго **походи́ла** по гóроду, а потóм реши́ла **зайти́** в кафé поéсть. Когдá онá **пришлá** в своё люби́мое кафé, онá уви́дела, что людéй óчень мнóго и свобóдных мест нет. Онá реши́ла подождáть в óчереди. Когдá óчередь **дошлá** до неё, ей сказáли, что кафé закрывáется на обéд. Ведь официáнтам тóже ну́жно есть.

**9-59. Расскажи́те, как друзья́ е́здили по го́роду**

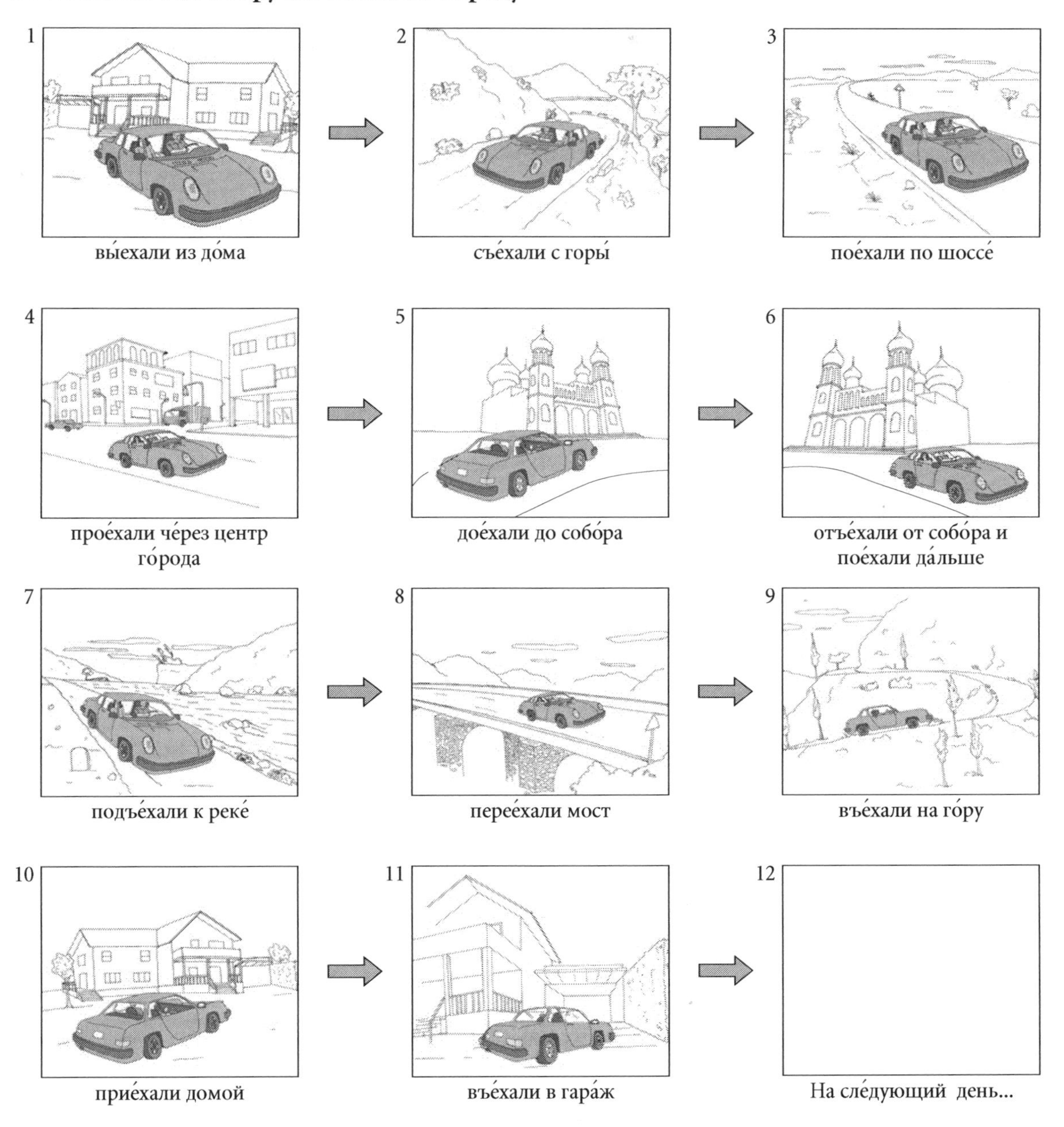
1
вы́ехали из до́ма
2
съе́хали с горы́
3
пое́хали по шоссе́
4
прое́хали че́рез центр го́рода
5
дое́хали до собо́ра
6
отъе́хали от собо́ра и пое́хали да́льше
7
подъе́хали к реке́
8
перее́хали мост
9
въе́хали на го́ру
10
прие́хали домой
11
въе́хали в гара́ж
12
На сле́дующий день...

**9-60. Расскажи́те, куда́ вы вчера́ е́здили? Куда́ вы пое́дете за́втра?** Use the pictures in **9-59** as an example. Give details.

**9-61. Ана́лиз.** Give English equivalents for the following sentences. What type of movement (direction) is denoted by the prefix in each verb form?

1. Не **уходи́те!**
2. **Приходи́те** к нам сего́дня ве́чером и **приводи́те** свои́х друзе́й.
3. Он **вы́шел** на не́сколько мину́т.
4. Да́ша вчера́ **приводи́ла** к нам в го́сти своего́ жениха́.
5. Мы уже́ **подъезжа́ем** к це́нтру го́рода.
6. Кто э́то **приходи́л?**

**9-62. Вот така́я ситуа́ция.** Разыгра́йте.

1. You're on your way out, but the phone has just rung. Tell the other person that you have no time to talk because you're leaving. (уходи́ть)
2. You've been asked to meet someone at the airport, and you want to know when the plane is getting in. (прилета́ть)
3. Say that some friends from Russia are coming to visit you. (приезжа́ть)
4. Your friend is entertaining some guests from another country. Find out where they are from (прие́хать) and when they're leaving. (уезжа́ть)

## Reversible or undoable actions

- The following verbs denote actions whose result can be undone or annulled. Learn them and their antonyms:

| | | |
|---|---|---|
| брать/взять | дава́ть/дать | *to take ↔ to give* |
| приезжа́ть/прие́хать | уезжа́ть/уе́хать | *to arrive ↔ to leave* |
| приходи́ть/прийти́ | уходи́ть/уйти́ | *to arrive ↔ to leave* |
| заходи́ть/зайти́ | уходи́ть/уйти́ | *to drop in on ↔ to leave* |
| входи́ть/войти́ | выходи́ть/вы́йти | *to enter ↔ to exit* |
| ложи́ться/лечь | встава́ть/встать | *to lie down ↔ to get/stand up* |
| сади́ться/сесть | встава́ть/встать | *to sit down ↔ to get/stand up* |
| открыва́ть/откры́ть | закрыва́ть/закры́ть | *to open ↔ to close* |

- When referring to a one-time action, the **past tense imperfective** forms of these verbs indicate that the action occurred but its result is no longer in force. **Past tense perfective** forms usually indicate that the result is still in force.

| | |
|---|---|
| Марк, пока́ ты бе́гал, **приходи́ла (заходи́ла)** Ка́тя. | *Mark, Katya came by (stopped in) while you were out running.* |
| Марк, **пришла́** Ка́тя, хо́чет с тобо́й поговори́ть. | *Mark, Katya's come by, she wants to speak to you.* |

- **Perfective forms** of these verbs are used when describing sequential actions or when mentioning the time of an action that is not reversed immediately.

| | |
|---|---|
| Марк **пришёл** домо́й, **сел** в кре́сло, **откры́л** кни́гу и **на́чал** чита́ть. | *Mark came home, sat down in his chair, opened his book and began reading.* |
| Вчера́ Ка́тя **пришла́** домо́й по́здно, в 11 часо́в. | *Katya got home late yesterday, at 11 o'clock (and stayed home).* |

**9-63. Ана́лиз.** Give English equivalents for the following sentences. Explain the use of aspect for the verbs in boldface.

1. Петро́вы **уе́хали** в Са́нкт-Петербу́рг.
2. Кто **закры́л** все о́кна?
3. Отку́да у тебя́ э́та кни́га? Где ты её **взял/а́?**
4. Почему́ ты так ра́но **вста́л/а?**
5. Кто э́ти лю́ди, кото́рые вчера́ **приходи́ли** к тебе́?
6. Я тебе́ звони́л/а всё у́тро. Куда́ ты **уходи́л/а?**
7. К нам **прие́хали** друзья́ из Москвы́. Они́ в про́шлом году́ то́же **приезжа́ли.**

## Russian equivalents for driving

There are three Russian equivalents for the English verb "to drive".

1. Use **води́ть маши́ну** when referring to the actual driving of a car. The noun **маши́на** must always be used. It cannot be omitted.

   Вы **во́дите** маши́ну? — *Do you know how to drive?*
   Ка́тя неда́вно научи́лась **води́ть** маши́ну. — *Katya recently learned how to drive.*

2. Use **вести́ маши́ну** when referring to the actual driving of a car in one direction.

   Кто **вёл** маши́ну, когда́ произошла́ ава́рия? — *Who was driving when the accident occurred?*

3. Use the intransitive verb **е́хать ~ е́здить** when referring to going somewhere by car, regardless of who is driving. For further clarification, use **на маши́не.**

   Почему́ ты **е́дешь** так бы́стро? — *Why are you driving so fast?*
   Ты **пое́дешь** на маши́не и́ли на авто́бусе? — *Are you driving or taking the bus?*

4. Use forms of the transitive verb **везти́ ~ вози́ть** when referring to taking someone or something somewhere by car or any other conveyance.

   За́втра Марк **везёт** Ка́тю в Бо́стон. — *Mark's driving Katya to Boston tomorrow.*

   Неда́вно Марк **вози́л** Ка́тю домо́й к роди́телям. — *Recently Mark drove (took) Katya home to see his parents.*

**Note:** When referring to the movement of public transport vehicles, **идти́ ~ ходи́ть** are used.

Вот **идёт** мой авто́бус. — *Here comes my bus.*
Куда́ **идёт** э́тот авто́бус/по́езд? — *Where does this bus/train go?*

**9-64. Как вы ска́жете?** Да́йте ру́сские эквивале́нты.

1. I'm driving a friend to the airport this afternoon.
2. I don't drive to work, I walk.
3. I drive to work every day.
4. Every day after class I go to the library.
5. When are you going to Washington? Are you driving?
6. I took my friends to a concert last night.
7. Katya drives quite well.
8. Do you always drive so fast?

## Indicating modes of transportation ◆ На чём мы е́здим?

We say **сади́ться/сесть в маши́ну** or **самолёт.** You can use **входи́ть/войти́ + в +** the accusative case to express getting on or into a closed vehicle. Use **выходи́ть/вы́йти + из +** the genitive case to express getting out of a closed vehicle. Use the verb **сходи́ть/сойти́ + с +** the genitive case to indicate getting off a ship. Use the verb **слеза́ть/слезть + с +** the genitive case to indicate getting off of a bicycle, motorcycle, motorscooter, or off of a horse.

| | |
|---|---|
| Они́ **вошли́ в** авто́бус/по́езд. | *They got on (into) the bus/train.* |
| Они́ **вы́шли из** авто́буса/по́езда. | *They got off the bus/train.* |
| Они́ **се́ли на** парохо́д. | *They boarded the ship.* |
| Они́ **сошли́ с** парохо́да. | *They got off the ship.* |
| Они́ **се́ли на** велосипе́ды. | *They got on their bikes.* |
| Они́ **сле́зли с** велосипе́дов. | *They got off their bikes.* |

**9-65. Вы е́дете в авто́бусе в Москве́.** Что вы ска́жете, е́сли вы хоти́те:
get off at the next stop → *Я выхожу́ на сле́дующей остано́вке.*

1. ask when the person in front of you is getting off;
2. tell someone to get on bus # 5;
3. ask someone where you should get off to get to the university;
4. ask someone what bus you should take to go downtown;
5. ask someone to let you pass;
6. tell someone that he/she should get off.

**Complete exercises 9-33 through 9-36 in the S.A.M.**

# Культу́ра и исто́рия

## Имена́, кото́рые зна́ют в Росси́и

## Алекса́ндр Алекса́ндрович Блок (1880–1921)

«Я, сын профе́ссора Варша́вского университе́та А.Л. Бло́ка и до́чери бы́вшего ре́ктора Санкт-Петербу́ргского университе́та А.Н. Бе́кетова, роди́лся 16 ноября́ 1880 г. в СПб., сре́днее образова́ние получи́л в Введе́нской гимна́зии и в 1898 году́ поступи́л на юриди́ческий факульте́т СПб. университе́та. Пробы́в здесь три го́да и вы́держав экза́мен за 3-ий курс, я перешёл на 1-ый курс исто́рико-филологи́ческого факульте́та. В тече́ние пе́рвых двух лет я предста́вил четы́ре рефера́та по класси́ческой филоло́гии. Поступи́в на славя́но-ру́сское отделе́ние, я занима́лся гла́вным о́бразом исто́рией ру́сской литерату́ры и ру́сского языка́. В 1903 году́ я жени́лся на до́чери профе́ссора Д.И. Менделе́ева. В после́дние го́ды, сотру́дничая в не́которых журна́лах и газе́тах, я име́ю литерату́рный за́работок.

Алекса́ндр Блок
1 ма́рта 1906 го́да»

**9-66.** Read the poem and memorize it.

| | |
|---|---|
| Ночь, у́лица, *фона́рь,* апте́ка, | *street light* |
| *Бессмы́сленный* и *ту́склый* свет. | *meaningless; dim* |
| Живи́ ещё хоть че́тверть ве́ка — | |
| Всё бу́дет так. *Исхо́да* нет. | *way out* |
| | |
| Умрёшь — начнёшь опя́ть снача́ла, | |
| И повтори́тся всё, как *вста́рь:* | *as of old* |
| Ночь, *ледяна́я рябь* кана́ла, | *icy ripples* |
| Апте́ка, у́лица, фона́рь. | |
| А. Блок (1912) | |

## Госуда́рственная Третьяко́вская галере́я

**9-67. Бы́строе чте́ние.** Look through the text to determine

1. What kind of collection is housed in the **Третьяко́вская галере́я,** Russian or foreign art?
2. Who was Tretyakov?
3. Where did his family live?
4. When was the first building of the museum completed?

**9-68. Перечита́йте со словарём.** Reread the text and find the most important facts about the museum and its founder.

Госуда́рственная Третьяко́вская галере́я (*Третьяко́вка*) — национа́льный музе́й ру́сского изобрази́тельного иску́сства X–XX веко́в. Нахо́дится в Москве́ в Лавру́шинском переу́лке и но́сит и́мя своего́ основа́теля моско́вского купца́ и фабрика́нта **Па́вла Миха́йловича Третьяко́ва.** В а́вгусте 1892 го́да Па́вел Миха́йлович переда́л своё собра́ние вме́сте с колле́кцией бра́та в дар го́роду Москве́. Оценён э́тот дар был в 1 429 000 рубле́й.

Пе́рвые поку́пки худо́жественных произведе́ний бы́ли сде́ланы Па́влом Третьяко́вым в середи́не 1850-х годо́в. На Су́харевке, где он покупа́л кни́ги, 24-ле́тний купе́ц приобрёл пе́рвые карти́ны для свое́й колле́кции.

Семья́ Третьяко́вых перее́хала в Лавру́шинский переу́лок в нача́ле 1850-х годо́в. Там жил до жени́тьбы Па́вел Миха́йлович с ма́терью, сёстрами, семьёй бра́та Серге́я. Туда́ молодо́й жено́й пришла́ Ве́ра Никола́евна, там вы́росли все их де́ти, отту́да де́вочки вы́шли за́муж. Первонача́льно и́менно в до́ме размеща́лась колле́кция карти́н Третьяко́ва, но карти́н станови́лось всё бо́льше и бо́льше. К 1872 го́ду их насчи́тывалось бо́лее полу́тора со́тен, и ме́ста в гости́ной уже́ не хвата́ло. Весно́й 1874 го́да для собра́ния карти́н бы́ло постро́ено двухэта́жное зда́ние.

Па́вел Третьяко́в жела́л *«собра́ть ру́сскую шко́лу, как она́ есть, в после́довательном своём хо́де». «Я беру́… то́лько то, что нахожу́ ну́жным для по́лной карти́ны на́шей жи́вописи»*, – писа́л он в одно́м из пи́сем Льву Толсто́му.

Совреме́нников восхища́ли приро́дный ум и вкус Третьяко́ва. Если рабо́та ока́зывалась у Третьяко́ва, то для худо́жников э́то бы́ло равнозна́чно обще́ственному призна́нию. Он по́льзовался осо́бым дове́рием живопи́сцев, ему́ пе́рвому они́ пока́зывали свои́ но́вые произведе́ния. Со мно́гими худо́жниками Третьяко́ва свя́зывала и́скренняя дру́жба.

**Complete exercises 9-37 through 9-40 in the S.A.M.**

# Слова́рь

## Существи́тельные

| | |
|---|---|
| ава́рия | *accident* |
| произошла́ ава́рия | *there was an accident* |
| вожде́ние | *driving* |
| вокза́л (железнодоро́жный) | *railway station* |
| грузови́к | *truck* |
| движе́ние | *traffic, movement* |
| доро́га | *road* |
| доро́жное движе́ние | *traffic* |
| доро́жный знак | *traffic sign* |
| достопримеча́тельность | *historic sight* |
| заме́тка | *short newspaper article* |
| кварта́л | *city block* |
| князь (*m.*) | *prince* |
| кра́сный (зелёный, жёлтый) свет | *red (green, yellow) light* |
| мост (на мосту́) | *bridge* |
| настрое́ние | *mood* |
| У меня́ отли́чное настрое́ние | *I am in a great mood* |
| па́мятник | *monument* |
| перекрёст\|о\|к | *crossing* |
| подро́ст\|о\|к | *teenager* |
| пра́вила доро́жного движе́ния | *traffic laws* |
| превыше́ние ско́рости | *speeding* |
| про́бка | *traffic jam* |
| прохо́жий/прохо́жая | *passer-by* |
| светофо́р | *traffic light* |
| ско́рость | *speed* |
| тра́нспорт | *means of transportation* |
| у́г\|о\|л (на углу́) | *corner* |
| центр (го́рода) | *downtown* |
| це́рк\|о\|вь (*f.*) | *church* |
| час пик | *rush hour* |
| штраф за что? | *ticket, fine* |

## Глаго́лы

| | |
|---|---|
| вести́ ~ води́ть маши́ну | *to drive a car* |
| заблуди́ться (*pfv. only*) | *to get lost* |
| осно́вывать/основа́ть | *to found* |
| го́род осно́ван | *the city was founded* |
| остана́вливать/останови́ть кого́?/что? | *to stop (someone, something)* |
| остана́вливаться/останови́ться | *to stop* |
| паркова́ть/запаркова́ть маши́ну | *to park* |
| переспра́шивать/переспроси́ть кого́? | *to ask again* |
| повора́чивать/поверну́ть | *to turn* |
| погиба́ть/поги́бнуть (*past* поги́б/ла) | *to be a casualty, to perish* |

| | |
|---|---|
| получа́ть/получи́ть штраф | *to get a ticket* |
| принадлежа́ть (*impf.*) кому́? | *to belong* |
| проси́ть/попроси́ть кого́? + *infinitive* | *to request that someone do something* |
| ста́лкиваться/столкну́ться с кем?/с чем? | *to collide* |
| теря́ться/потеря́ться где? | *to get lost* |

## Прилага́тельные

| | |
|---|---|
| кру́пный | *large, significant, major* |

## Наре́чия

| | |
|---|---|
| впереди́ кого́? чего́? | *straight ahead, in front of* |
| нале́во | *to the left* |
| напра́во | *to the right* |
| пря́мо пе́ред кем?/чем? | *right in front of* |
| сле́ва от чего́? | *on the left* |
| спра́ва от чего́? | *on the right* |

## Выраже́ния

| | |
|---|---|
| Как прое́хать/Как попа́сть/Как пройти́…? | *How do I get to…?* |
| Поезжа́й/те пря́мо (нале́во, напра́во) | *Drive straight (left, right)* |
| с пе́рвого ра́за | *the first time around, right away* |

# Гла́вы 7–9

## В о́бщем…

## Chapters 7–9 Review

The following exercises are based on an unscripted video-taped interview. They will help you practice and develop the language skills you have acquired in chapters 7–9. You will find the interview on the Video Supplement to the textbook.

### Евге́ния Матусо́вская. Любо́вь с пе́рвого взгля́да[1]

**Зада́ние 1. Пе́ред тем, как смотре́ть фильм…** Вы бу́дете смотре́ть интервью́ с Евге́нией Матусо́вской — вдово́й изве́стного сове́тского поэ́та Михаи́ла Матусо́вского. Прочита́йте коро́ткую информа́цию о нём.

**Матусо́вский Михаи́л Льво́вич (1915–1990)**

Роди́лся в го́роде Луга́нске (Украи́на). В нача́ле 1930-х прие́хал в Москву́ учи́ться в Литерату́рном институ́те. В 1939 году́, око́нчив институ́т, поступи́л в аспиранту́ру, три го́да рабо́тал над диссерта́цией. Защи́та диссерта́ции, назна́ченная на 27 ию́ня 1941, не состоя́лась — начала́сь война́, и Матусо́вский ушёл на фронт и стал вое́нным корреспонде́нтом.

Матусо́вский — поэ́т, а́втор мно́гих популя́рных сове́тских пе́сен, написа́вший таки́е всем изве́стные пе́сни, как «Шко́льный вальс», «Подмоско́вные вечера́», «С чего́ начина́ется ро́дина?» и мно́гие други́е. Им бы́ли напи́саны пе́сни к мно́гим кинофи́льмам. М. Матусо́вский у́мер в 1990 году́ в Москве́.

**Зада́ние 2. Что вы узна́ли?** Посмотри́те фильм и скажи́те, где и как познако́милась Евге́ния со свои́м бу́дущим му́жем? Почему́ фильм называ́ется «Любо́вь с пе́рвого взгля́да»?

**Зада́ние 3. Прича́стия.** Прочита́йте сле́дующий отры́вок из интервью́ и переведи́те на англи́йский язы́к. Обрати́те внима́ние на подчёркнутые прича́стия.

И я вы́шла из по́езда и уви́дела <u>горя́щее</u>, <u>разбомблённое</u> Бологое́[2] соверше́нно, и на <u>дымя́щемся</u> фунда́менте како́го-то до́ма сиди́т Михаи́л Льво́вич. Стоя́л <u>раздо́лбленный</u> Ви́ллис[3], когда́ мы се́ли в э́тот Ви́ллис, он пое́хал… всё бы́ло <u>разбомблено́</u>, дере́вни бы́ли <u>сожжены́</u>, и мы с ним е́дем…

*бомби́ть/разбомби́ть — to bomb*
*горе́ть/сгоре́ть — to burn*
*дыми́ться — to smoke*
*раздолби́ть — to smash up, bang up*
*сжига́ть/сжечь — to burn*

[1]love at first sight
[2]го́род ме́жду Москво́й и Петербу́ргом
[3]Ви́ллис (Willys) was a car made in the 1940s by the same company that made the army jeep.

**Зада́ние 4. Чте́ние.** Как вы э́то по́няли? Скажи́те свои́ми слова́ми.

Матусо́вская. … и Михаи́л Льво́вич, я ви́жу, он ка́к-то *мнётся* о́чень, *стесня́ется*. Я говорю́: «Ми́шенька, что ты так стесня́ешься, что ты хо́чешь сказа́ть?» «Понима́ешь, Же́нечка, я хочу́ узна́ть, *в ка́честве кого́* ты ко мне прие́хала, в ка́честве жены́?» Я говорю́: «*Чёрт тебя́ подери́*, я е́хала на фронт, я говорю́, неизве́стно куда́, неизве́стно к кому́, ну в ка́честве кого́ я могла́ сюда́ е́хать ещё?»

*мнётся* — *to hesitate*
*стесня́ется* — *to feel shy*
*в ка́честве кого́* — *in what capacity*
*Чёрт тебя́ подери́* — *damn it*

**Зада́ние 5. Зако́нчите текст.** Посмотри́те коне́ц фи́льма и впиши́те пропу́щенные слова́.

Журнали́ст. Предста́вьте себе́, что Михаи́л Льво́вич ……… в Аме́рику и пожи́л в Са́нта-Мо́нике?
Матусо́вская. Невозмо́жная ситуа́ция. Он бы не …………………… и не пожи́л бы. Сло́во «пожи́л бы в друго́й ………..» — э́то исключено́. Потому́ что, когда́ мы с ним …………… куда́-нибудь ……………, когда́ уже́ мо́жно бы́ло …………… и когда́ мо́жно бы́ло посмотре́ть, и всё э́то бы́ло вновь и интере́сно о́чень, Михаи́л Льво́вич ро́вно на двадца́тый день говори́л: «Покупа́ем ……….. и …………… обра́тно». Он не мог жить не в Росси́и.

**Зада́ние 6. Вы — журнали́ст.** Вы хоти́те взять интервью́ у Евге́нии Матусо́вской. Что́бы подгото́виться к интервью́, напиши́те де́сять вопро́сов, кото́рые вы ей задади́те.

**Зада́ние 7. Напиши́те.**

1. Опиши́те го́род Са́нта-Мо́ника, кото́рый вы ви́дели в фи́льме, испо́льзуя слова́рь главы́ 9.
2. Напиши́те о жи́зни Евге́нии Матусо́вской.

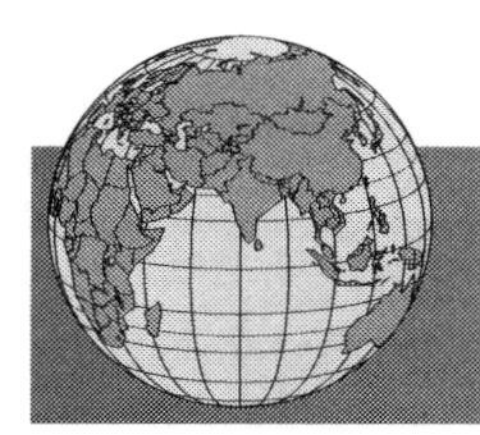

# Глава́ 10

# Приро́да и мы

## В э́той главе́...

**In this chapter you will**

- learn how to talk about the weather, clothes, illnesses
- read newspaper articles about natural disasters
- learn how to use short-form adjectives
- learn how to form and use the comparative and superlative degrees of adjectives and adverbs

# Тéма 1. Какáя сегóдня погóда?

## Подготóвка

**10-1. Температýра по Цéльсию (°C)...** Using the table below, compare the temperatures in Celsius and Fahrenheit. The first one is done for you.

*Если по Фаренгéйту температýра 104 грáдуса, то по Цéльсию — сóрок грáдусов теплá.*

**Мы говорúм:**

+ (плюс) 40 → сóрок грáдусов теплá
– (мúнус) 40 → сóрок грáдусов морóза

| шкалá Фаренгéйта | | шкалá Цéльсия |
|---|---|---|
| | 104° | +40° |
| | 86° | +30° |
| | 68° | +20° |
| | 50° | +10° |
| Тóчка замерзáния | 32° | 0° |
| *Freezing point of water* | | |
| | 14° | –10° |
| | 0° | –17,8° |
| | –4° | –20[1] |

**10-2. Какáя сегóдня погóда?** What's the weather like today? Read the expressions below and use them to talk about today's weather.

*It's raining.* — Идёт дождь.
*It's snowing.* — Идёт снег.
*The wind blows.* — Дýет вéтер.
*The sun shines.* — Свéтит сóлнце.
*The sky is blue/gray.* — Нéбо голубóе/сéрое.
*It's windy.* — Сегóдня вéтрено.
*It's cold.* — Сегóдня хóлодно.

*It's warm.* — Сегóдня теплó.
*It's hot.* — Сегóдня жáрко.
*It's humid.* — Сегóдня влáжно.
*It's overcast.* — Сегóдня пáсмурно.
*It's damp.* — Сегóдня сы́ро.
*It's cool.* — Сегóдня прохлáдно.

---

[1]To convert Fahrenheit into Centigrade, subtract 32 from the Fahrenheit temperature and multiply by 5/9. For example: (100 °F – 32) × 5/9 = 37,8 °C. **100 °F = 37,8 °C**
To convert Centigrade into Fahrenheit, multiply the Centigrade temperature by 9/5 and add 32. For example: (10 °C × 9/5) + 32 = 50 °C. **10 °C = 50 °F**

**10-3. Какáя былá у вас погóда?** Прóшлым лéтом? Этой зимóй? Осенью? Веснóй? Choose the answer that applies or give your own answer.

| | |
|---|---|
| Лéто бы́ло жáркое и влáжное. | Осень былá тёплая и сóлнечная. |
| Зимá былá холóдная и сырáя. | Веснá былá прохлáдная. |

**10-4. Такáя погóда бывáет…** When is the weather in your part of the country like this?

1. Сегóдня ужáсно хóлодно. Температýра 30 грáдусов морóза, дýет си́льный вéтер и идёт снег. Такáя погóда обы́чно бывáет…
2. Температýра 35 грáдусов теплá, вéтра нет. Дождя́ в э́то врéмя гóда никогдá не бывáет.
3. Сегóдня дождь. Вóздух холóдный и сырóй. Вéтрено. Температýра 9 грáдусов теплá.
4. Сегóдня погóда прекрáсная: сóлнечно, теплó, вéтра нет, температýра 17 грáдусов теплá.

**10-5. Как читáть прогнóз погóды.** Study the examples below to learn the wording weather forecasters use in Russia.

Ночь: –1 … +1 °С → *Нóчью от одногó грáдуса морóза до одногó грáдуса теплá.*

Направлéние[1] вéтра ↙ (сев-вост) → *Вéтер сéверо-востóчный.*

Скóрость[2] вéтра 3 ... 6 м/с → *Скóрость вéтра от трёх до шести́ мéтров в секýнду.*

**Вóлогда**

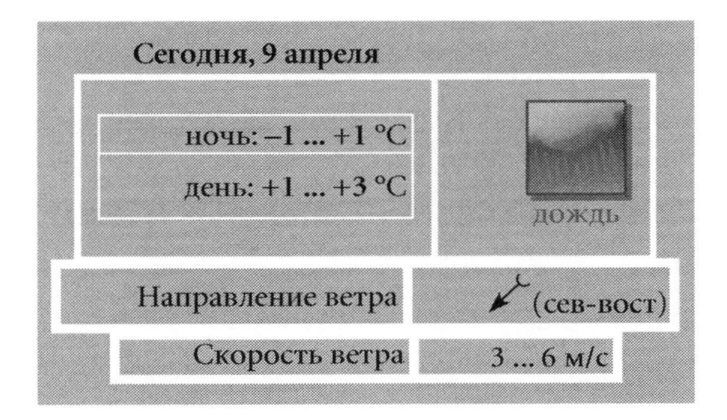


**Курск**

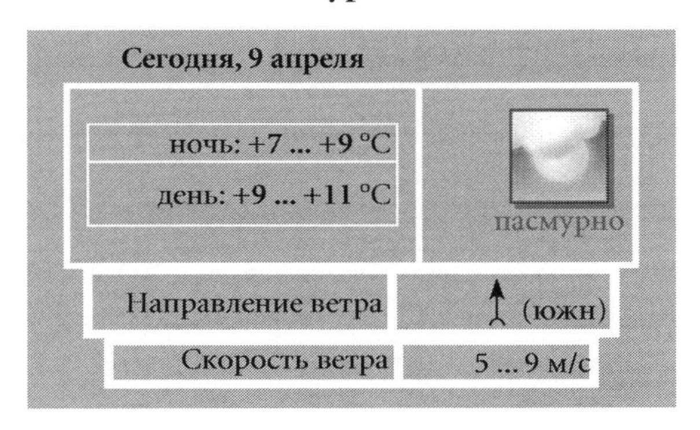


[1]direction
[2]speed

**10-6. Кли́мат.** Use the words in 10-2, 10-3, 10-5 to talk about the climate in your part of the country or somewhere else where you used to live.

**10-7. Оде́жда.** Use the list of clothing to say what you will wear.

1. — Что вы но́сите, когда́ идёт снег и температу́ра 30 гра́дусов моро́за?
2. — Каку́ю оде́жду вы но́сите, когда́ идёт дождь?
3. — Что вы но́сите, когда́ ду́ет си́льный ве́тер, а во́здух сыро́й и холо́дный?

| | **Оде́жда** (*sg.*) | ***Clothes*** |
|---|---|---|
| | брю́ки | *pants* |
| | джи́нсы | *jeans* |
| | кроссо́вки | *running shoes* |
| | ку́ртка | *athletic jacket, anorak, windbreaker* |
| | шу́ба | *fur coat* |
| — Я ношу́... | плащ | *raincoat* |
| | сапоги́ | *high boots* |
| | ша́пка | *hat* |
| | сви́тер | *sweater* |

**Complete exercises 10-1 through 10-3 in the S.A.M.**

## Язы́к в жи́зни

**10-8. Письмо́ Ка́тиной ма́мы.** What questions does Katya's mother ask in her e-mail?

**Те́ма:** прилечу́ в феврале

---

Ка́тенька!

Тепе́рь, наконе́ц, я *уве́рена,* что смогу́ прилете́ть в феврале́. Я уже́ была́ в посо́льстве и получи́ла ви́зу. Кака́я у вас пого́да? Каку́ю оде́жду на́до взять с собо́й? У нас хо́лодно, идёт снег, ка́ждый день ми́нус 15-20 гра́дусов моро́за. Хотя́ вчера́ бы́ло со́лнечно. Ты зна́ешь, как прихо́дится одева́ться: шу́ба, сапоги́, тёплая ша́пка. Но у вас, наве́рное, не так хо́лодно? За́ зиму я *попра́вилась,* и мне про́сто не́чего носи́ть — всё *мало́!* На́до купи́ть но́вую оде́жду. Лу́чше привезти́ с собо́й и́ли купи́ть у вас? Обнима́ю и целу́ю. Ма́ма

*мал/мала́/мало́/малы́ — too small*
*поправля́ться/попра́виться — to gain weight*
*(я) уве́рен/а — I am sure*

**10-9. Отве́т Ка́ти.** Compare Katya's letter to her mother's. What questions does Katya answer and what questions does she ignore?

**Те́ма:** я так ра́да

---

Ма́мочка!
Я так ра́да, что ты прилета́ешь. У нас прохла́дно и всё вре́мя па́смурно. Идёт дождь, ве́трено, поэ́тому *лу́чше всего́* взять тёплый плащ, сапоги́ и *зонт*. Очень сы́ро. Я обы́чно ношу́ брю́ки и́ли джи́нсы, кроссо́вки, сви́тер и тёплую ку́ртку. Вчера́ не наде́ла ку́ртку и ужа́сно *замёрзла*. Температу́ра сейча́с 40–50 гра́дусов по Фаренге́йту. Это приме́рно плюс 5–10° по Це́льсию. Но ча́сто ду́ет си́льный ве́тер, и во́здух холо́дный и сыро́й.
Ты всегда́ *жа́луешься*, что попра́вилась, а на са́мом де́ле всегда́ вы́глядишь прекра́сно. Я так сча́стлива, что мы с тобо́й, наконе́ц, *уви́димся*.
До встре́чи. Целу́ю. Ка́тя

*жа́ловаться/пожа́ловаться на кого́?/что? — to complain*
*зонт (зо́нтик) — umbrella*
*лу́чше всего́ — best of all*
*мёрзнуть/замёрзнуть — to be/get cold, freeze*
*уви́деться (pfv.) — to see each other*

**10-10. Два письма́.** Перечита́йте пи́сьма в 10-8 и 10-9 и скажи́те:

1. Ка́тина ма́ма уве́рена в том, что…
2. Ка́тя ра́да тому́, что…
3. Ка́тина ма́ма хо́чет купи́ть но́вую оде́жду и́з-за того́, что…
4. Ка́тя сча́стлива потому́, что…
5. Зимо́й в Росси́и прихо́дится тепло́ одева́ться и́з-за того́, что…
6. Ка́тя но́сит зимо́й…, потому́ что…

**10-11. Что наде́ть?** Wearing verbs. Study the verbs below and translate the sentences into English.

| | |
|---|---|
| 1. **надева́ть/наде́ть что?** *to put on, wear* | Я сего́дня наде́ну бе́лую руба́шку. Мне не́чего наде́ть. |
| 2. **носи́ть** (*impf.*) **что?** *to wear* | Когда́-то же́нщины не носи́ли брю́ки. |
| 3. **быть в чём?** *to be dressed, to wear* | Он был в си́ней ку́ртке. Сего́дня она́ в кра́сном пла́тье. |
| 4. **одева́ться/оде́ться** *to get dressed, to dress (oneself)* | Почему́ ты всегда́ так до́лго одева́ешься? |
| 5. **переодева́ться/переоде́ться** *to change one's clothes* | Я то́лько что верну́лась с рабо́ты. Я сейча́с переоде́нусь, и мо́жем идти́. |

**10-12. Что наде́ть?** Think of advice to new students who just came from Russia and don't know how to dress. Compare your advice with the other groups and write down the best advice. Choose from the list of clothes on the right.

*Приме́р:* на заня́тия → Когда́ идёшь на заня́тия, мо́жно наде́ть джи́нсы, сви́тер и́ли футбо́лку и кроссо́вки, но иногда́ хо́чется хорошо́ оде́ться и я, наприме́р, иногда́ надева́ю брю́ки (ю́бку) и пиджа́к.

1. в теа́тр
2. на рабо́ту
3. в го́сти
4. в дорого́й рестора́н
5. в похо́д
6. на пляж
7. на свида́ние

ку́ртка — *athletic jacket, anorak, windbreaker*
блу́зка — *blouse*
брю́ки — *trousers, pants*
джи́нсы — *jeans*
костю́м — *suit*
ко́фта — *woman's button-down sweater*
купа́льник — *swimsuit*
пиджа́к — *man's suit jacket*
пла́вки — *swimming trunks*
пла́тье — *dress*
руба́шка — *shirt*
санда́лии — *sandals*
сви́тер — *sweater*
ту́фли — *shoes*
футбо́лка — *T-shirt*
шо́рты — *shorts*
ю́бка — *skirt*

## Разгово́ры

**10-13. Поговори́м немно́го.** Read the following conversations and compose similar ones.

**А.**

— Как я вас узна́ю?
— Я небольшо́го ро́ста, све́тлые во́лосы...
— А в чём вы бу́дете оде́ты?
— Я бу́ду в чёрном плаще́ и с жёлтым зо́нтиком.

**А тепе́рь ваш разгово́р...** You are going on a blind date. Describe what you look like and what you'll be wearing.

**Б.**

— Ты слы́шал/а прогно́з пого́ды на сего́дня?
— Бу́дет дождь и си́льный ве́тер.
— А кака́я температу́ра?
— 5-10 гра́дусов тепла́.
— Я не зна́ю, что наде́ть.
— Наде́нь ку́ртку и возьми́ зо́нтик.

**А тепе́рь ваш разгово́р...** Ask about the forecast for today and decide what you'll wear.

**Complete exercises 10-4 through 10-12 in the S.A.M.**

## Грамма́тика. Говори́те пра́вильно!

### Long and short forms of adjectives

Russian adjectives have a long form that agrees with the noun it qualifies in **gender, number,** and **case.**

Сего́дня **холо́дная** пого́да. *The weather is cold today.*

Нам ну́жно купи́ть **тёплые** свитера́. *We need to buy warm sweaters.*

Many adjectives also have a short form that is used as a predicate of a sentence. It is similar to the use of short participles (see chapter 7). Short-form adjectives agree with their subject in **gender** and **number.**

Он (был) **бо́лен.** *He is (was) ill.*

Она́ (была́) **больна́.** *She is (was) ill.*

### Use of short adjectives

The following short-form predicate adjectives are commonly used. Remember that in Russian the present tense of **быть** is not expressed.

| | | |
|---|---|---|
| бо́лен/больна́<br>здоро́в/а | Марк был **бо́лен,** но те́перь он совсе́м **здоро́в.** | *Mark was ill, but now he's completely well.* |
| прав/а́<br>неправ/а́ | Она́ **права́,** а он **непра́в.** | *She is right, and he is wrong.* |
| го́лоден/голодна́<br>сыт/сыта́/сы́ты | — Я ещё **голодна́.**<br>— А я уже́ **сыт.** | *"I'm still hungry."*<br>*"And I'm full already."* |
| свобо́ден/свобо́дна<br>за́нят/занята́/за́няты | — Вы сейчас **свобо́дны?**<br>— Нет, я бу́ду **за́нят** весь день. | *"Are you free right now?"*<br>*"No, I'm going to be busy all day."* |
| сча́стлив/а | Ка́жется, они́ **сча́стливы.** | *They seem happy.* |
| уве́рен/а | Она́ **уве́рена,** что всегда́ права́. | *She's sure she's always right.* |
| жив/жива́/жи́вы | Его праба́бушка ещё **жива́.** | *His great-grandmother is still living.* |

Some short-form adjectives have an understood or explicit grammatical complement.

Она́ **больна́** гри́ппом. *She's sick with the flu.*

Мы не **гото́вы** к экза́мену. *We're not ready for our exam.*

Марк **до́лжен** рабо́тать ве́чером. *Mark has to work tonight.*

| благода́рен/благода́рна кому́? | Мы вам так[1] **благода́рны.** | *We're so grateful to you.* |
|---|---|---|
| гото́в/а к чему́? | Я не **гото́в/а** к экза́мену. | *I'm not ready for my test.* |
| дово́лен/дово́льна кем?/чем? | Мы всем **дово́льны.** | *We're happy with everything.* |
| до́лжен/должна́ + *infinitive* | Мы **должны́** помо́чь им. | *We must help them.* |
| жена́т на ком?<br>жена́ты | Он **жена́т** на Ни́не.<br>Ско́лько вре́мени они́ **жена́ты?** | *He's married to Nina.*<br>*How long have they been married?* |
| ну́жен/нужна́/ну́жно/ нужны́ кому́? | Эти кни́ги мне **нужны́.**<br>Что ещё вам **ну́жно?** | *I need these books.*<br>*What else do you need?* |
| похо́ж/а на кого́? | Аня о́чень **похо́жа** на мать. | *Anya looks a lot like her mother.* |
| серди́т/а на кого́? | Почему́ она́ **серди́та** на тебя́? | *Why is she angry with you?* |

**Запо́мните!**
These adjectives do not have a long form.

рад/ра́да + *infinitive* — Она́ была́ **ра́да** нас ви́деть. } *She was glad to see us.*
рад кому́?/чему́? — Она́ была́ нам **ра́да.** }

согла́сен/согла́сна с кем/с чем?
Мы с ва́ми **согла́сны.** — *We agree with you.*

**10-14. Вы́учите наизу́сть.** Переведи́те на англи́йский язы́к и вы́учите наизу́сть пе́рвую строку́ из рома́на Льва Толсто́го «Анна Каре́нина»:

«Все счастли́вые се́мьи похо́жи друг на дру́га, ка́ждая несчастли́вая семья́ несча́стлива по-сво́ему».

**10-15. Как сказа́ть по-ру́сски?**

1. She is sick. They are sick.
2. We are happy. She is unhappy.
3. We had to work. She didn't have to work.
4. You are wrong. She is right.
5. I was hungry. She was full.
6. Will you be free? I'll be busy.
7. Why are they angry? Why is she angry?
8. They agree. She does not agree.

**Запо́мните!**
Use a neuter short form for predicate adjectives referring to **всё** or **э́то.**

Это о́чень ва́жно. — *That's extremely important.*
Всё э́то так глу́по! — *This is all so stupid!*
Мы купи́ли всё, что ну́жно. — *We bought everything we need.*

**Complete exercises 10-13 through 10-15 in the S.A.M.**

[1]Remember that **так** and **как** are used with short-form adjectives.

# Те́ма 2. Стихи́йные бе́дствия

## Подгото́вка

**10-16. Вы зна́ете э́ти слова́?**

| | | | |
|---|---|---|---|
| же́ртва | *victim, casualty* | си́ла | *force, strength* |
| землетрясе́ние | *earthquake* | снегопа́д | *snowfall* |
| меня́ться/измени́ться | *to change* | тепле́ть/потепле́ть | *to get warm* |
| наводне́ние | *flood* | торна́до | *tornado* |
| пожа́р | *fire* | туши́ть/потуши́ть | *to extinguish a fire* |
| потепле́ние | *warming* | урага́н | *hurricane* |
| разруше́ние | *destruction* | | |

**10-17. Как сказа́ть по-англи́йски?**

1. В Япо́нии произошло́ землетрясе́ние.
2. Эпице́нтр землетрясе́ния недалеко́ от То́кио.
3. Бы́ли разруше́ния в результа́те наводне́ния.
4. В результа́те урага́на бы́ло не́сколько же́ртв.
5. За после́дние дни пого́да измени́лась.
6. Причи́на пожа́ра неизве́стна.
7. Пожа́р ещё не поту́шен.
8. В результа́те дожде́й произошло́ наводне́ние.
9. Си́ла урага́на 50 ме́тров в секу́нду.
10. Во всём ми́ре происхо́дит потепле́ние.

**Complete exercise 10-16 in the S.A.M.**

## Язы́к в жи́зни

**10-18. Землетрясе́ния.** Прочита́йте заме́тки о землетрясе́ниях на Кури́лах (Росси́я) и в Калифо́рнии (США) и переведи́те их на англи́йский язы́к. Како́е землетрясе́ние бы́ло сильне́е?

### На Кури́лах произошло́ землетрясе́ние

30 ма́рта на Кури́льских острова́х в райо́не о́строва Шикота́н произошло́ землетрясе́ние си́лой 3 ба́лла по шкале́ Ри́хтера. Эпице́нтр землетрясе́ния находи́лся 60-70 км восто́чнее Шикота́на в Ти́хом океа́не. Жертв и разруше́ний нет.

### Землетрясе́ние в Калифо́рнии

В Калифо́рнии произошло́ землетрясе́ние си́лой 5 ба́ллов по шкале́ Ри́хтера. Информа́ции о же́ртвах и разруше́ниях нет. Эпице́нтр землетрясе́ния находи́лся о́коло го́рода Сан-Симео́н.

**10-19. Пожа́ры.** Прочита́йте заме́тки о пожа́рах на Алта́е (Росси́я) и в шта́те Аризо́на (США) и переведи́те их на англи́йский язы́к.

**На Алта́е потепле́ние ста́ло причи́ной лесны́х пожа́ров**

В середи́не э́той неде́ли на Алта́е произошло́ потепле́ние до + 15 – 20 °C, что ста́ло причи́ной лесны́х пожа́ров.

За после́дние три дня в гора́х Алта́я произошло́ семь лесны́х пожа́ров, шесть из кото́рых бы́ли на террито́рии Чема́льского райо́на, популя́рного ме́ста о́тдыха тури́стов. Пожа́ры ещё не поту́шены, но *пожа́рные* де́лают всё возмо́жное, что́бы их потуши́ть *как мо́жно скоре́е.*

*боро́ться (impf.) с кем?/с чем? — to fight, struggle*
*как мо́жно скоре́е — as soon as possible*
*основно́й — main*
*пло́щадь (f.) — area*
*пожа́рный — fireman*

**Пожа́ры в Аризо́не**

В шта́те Аризо́на продолжа́ются лесны́е пожа́ры. В настоя́щее вре́мя пожа́рные пыта́ются[1] *боро́ться* с двумя́ *основны́ми* пожа́рами *пло́щадью* 60 ты́сяч и 20 ты́сяч гекта́ров. Это са́мые кру́пные пожа́ры в исто́рии Аризо́ны за после́дние сто лет.

**10-20. Наводне́ние.**

1. Прочита́йте заме́тки о наводне́ниях в Аму́рской о́бласти (Росси́я) и на се́веро-восто́ке США и переведи́те их на англи́йский язы́к. Како́е наводне́ние бы́ло бо́лее си́льным?
2. Структу́ра предложе́ния. Read each sentence carefully, paying attention to the word order. Find the subject and the predicate.

**Наводне́ние в Аму́рской о́бласти**

*Зато́плено* о́коло 50 (пяти́десяти) домо́в в селе́ Ива́новка Аму́рской о́бласти. Наводне́ние на ре́чке Ива́новке произошло́ в результа́те большо́го снегопа́да. Неожи́данное потепле́ние *привело́ к тому́,* что *растя́ло* большо́е *коли́чество* сне́га и река́ вы́шла из берего́в.

*затопи́ть (pfv.) — to flood*
*коли́чество — amount, quantity*
*привести́ (pfv.) к чему́? — to cause*
*та́ять/растя́ять — to melt*

**Наводне́ние на се́веро-восто́ке США**

Из-за наводне́ний, причи́ной кото́рых бы́ли си́льные дожди́ на се́веро-восто́ке США, зато́плены дома́ и доро́ги. Как сообща́ют газе́ты, закры́ты 25 доро́г, в не́которых места́х по у́лицам пла́вают автомоби́ли. В не́которых города́х жи́тели бы́ли эвакуи́рованы.

**10-21. О чём вы прочита́ли?** Перечита́йте заме́тки в 10-18, 10-19, 10-20 и расскажи́те

1. о землетрясе́ниях на Кури́лах и в Калифо́рнии;
2. о пожа́рах на Алта́е и в Аризо́не;
3. о наводне́ниях в Аму́рской о́бласти и на се́веро-восто́ке США.

**10-22. Стихи́йные бе́дствия.** Talk about a natural disaster you've witnessed or read about. (10-12 sentences)

---

[1]to attempt

 **10-23. Опрóс.** Где погóда лу́чше? Где погóда ху́же?

Conduct a survey to find out which state or part of the world has the best or worst climate. Explain why you think so. Ask three or four of your classmates. Write down and organize the results before presenting them to the class.

## Разговóры

**10-24. Слу́шайте и читáйте разговóр.** Insert the missing words and phrases.

**Стихи́йные бéдствия**

— Какáя ужáсная ..................!

— Дождь *льёт как из ведрá.* — *It's pouring. It's raining cats and dogs.*

— Конéчно, в Калифóрнии жить лу́чше.

— В Калифóрнии всегдá и́ли ..............., и́ли .............................

— В Техáсе ..............................!

— Во Флори́де сли́шком ......................!

— На Срéднем Зáпаде урагáны.

— В Сиби́ри *собáчий хóлод!* — *It's terribly cold.*

— А в Москвé зимóй такáя *сля́коть!* — *slush*

— Ну и что! Ко всему́ мóжно ...............

**10-25. Поговори́м немнóго.** Read the following conversations and compose similar ones.

**А.**

— Какáя ужáсная погóда!

— Почему́ ужáсная?

— Дождь, вéтер, хóлодно!

— А мне нрáвится. Я люблю́, когдá хóлодно.

**А тепéрь ваш разговóр...** Discuss the weather. One of you thinks it's awful when it's cold or hot. The other one disagrees.

**Б.**

— Ты читáл/а об урагáне во Флори́де?

— Нет, я ничегó не знáю.

— Ужáсный урагáн. Разру́шены домá, и есть жéртвы.

— Когдá э́то произошлó?

**А тепéрь ваш разговóр...** Discuss some natural disaster (землетрясéние, пожáр, урагáн, наводнéние). One of you hasn't heard about it. Explain when and where it happened, whether there were casualties, etc.

**Complete exercises 10-17 through 10-20 in the S.A.M.**

## Грамма́тика. Говори́те пра́вильно!

### The comparative degree of adjectives and adverbs ◆ Сравни́тельная сте́пень

Most Russian adjectives and adverbs have two comparative forms

| **Simple Comparative** | **Compound Comparative** |
|---|---|
| холо́дный → холодн + **ее** → **холодне́е** | холо́дный → **бо́лее** холо́дный |
| Сего́дня пого́да **холодне́е,** чем вчера́.<br>*The weather is colder today than it was yesterday.* | Сего́дня **бо́лее холо́дная** пого́да.<br>*The weather is colder today.* |
| Сего́дня **холодне́е,** чем вчера́.<br>*It's colder today than yesterday.* | |

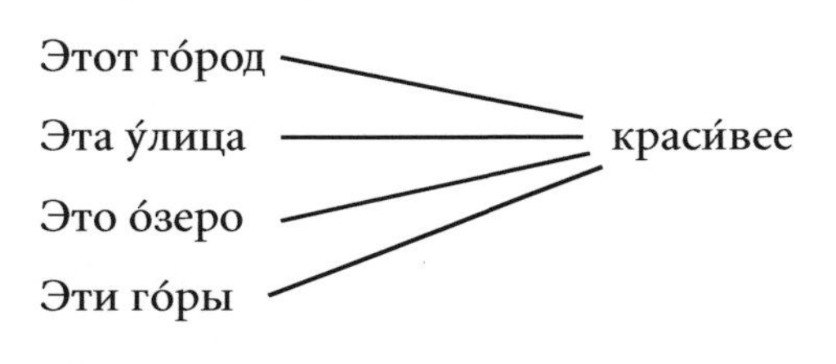


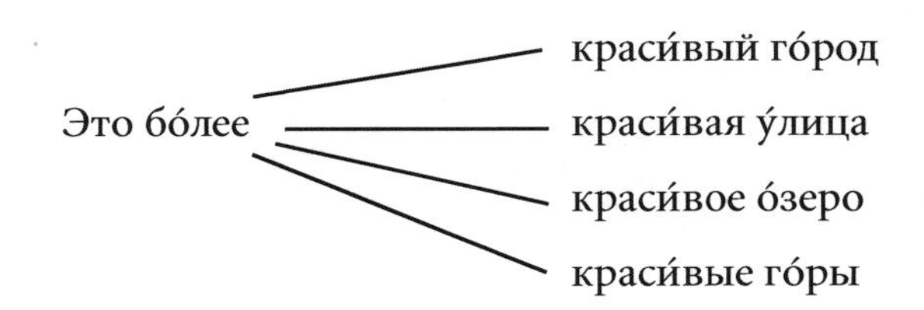


**Note:**

1. Only compound comparative forms are used to modify nouns:

   Мы хоте́ли бы жить в **бо́лее тёплом** ме́сте.
   *We would rather live in a warmer climate.*

2. Both simple and compound comparatives are used as predicate adjectives.

   Это землетрясе́ние **сильне́е.** Это землетрясе́ние **бо́лее си́льное.**
   *This earthquake is stronger (more powerful).*

3. There is only one way to express **less** + adjective or adverb. The construction used is **ме́нее** + adjective.

   Это землетрясе́ние **ме́нее си́льное.**
   *This earthquake is not as strong as the other one.*

**10-26. Ударе́ние.** Give comparative forms.

**Запо́мните!**
The stress usually shifts to the ending. Try to remember the following simple comparative forms in which the stress does **not** shift to the ending: **краси́вее, интере́снее, ме́дленнее, прия́тнее, серьёзнее, удо́бнее, ужа́снее.**

| | | | | |
|---|---|---|---|---|
| дли́нный | си́льный | у́мный | холо́дный | сла́бый |
| тру́дный | краси́вый | ме́дленный | тяжёлый | весёлый |
| ва́жный | глу́пый | ми́лый | тёплый | стра́шный |
| све́жий | бы́стрый | ужа́сный | прия́тный | удо́бный |

**10-27. Сравне́ние.** Read the following examples. How is comparison expressed in Russian?

| | | |
|---|---|---|
| Марк **симпати́чнее** Ти́ма. | Ты говори́шь по-ру́сски **лу́чше** меня́. | Зимой Москва́ **холодне́е** Ки́ева. |
| Марк **симпати́чнее, чем** Тим. | Ты говори́шь по-ру́сски **лу́чше, чем** я. | Зимо́й в Москве́ **холодне́е, чем** в Ки́еве. |
| *Mark's nicer than Tim.* | *You speak better Russian than I do. (You speak Russian better than me.)* | *Winter in Moscow is colder than winter in Kiev.* |

**10-28. Сравни́те.** Make comparisons in two ways.

*Приме́р:* *Та́ня — Аня (краси́вая) → Та́ня краси́вее Ани (Genitive case)*
*Та́ня краси́вее, чем Аня. (Nominative case)*

1. Пари́ж — Воро́неж (краси́вый)
2. Ки́ев — Москва́ (дре́вний)
3. Самолёт — по́езд (бы́стрый)
4. Землетрясе́ние — наводне́ние (ужа́сное)
5. Землетрясе́ние в Калифо́рнии — землетрясе́ние в Ту́рции (си́льное)
6. Кли́мат в Лос-Анджелесе — кли́мат в Чика́го (тёплый)
7. Зима́ в Яку́тске — зима́ в Москве́ (холо́дная)
8. Ле́то во Флори́де — ле́то в Петербу́рге (тёплое)

## Comparatives based on a different stem

The following comparative forms are based on a different stem. They need to be memorized.

| Adjective | Adverb | Comparative |
|---|---|---|
| большо́й | мно́го | бо́льше |
| ма́ленький | ма́ло | ме́ньше |
| хоро́ший | хорошо́ | лу́чше |
| плохо́й | пло́хо | ху́же |

Use **бо́льше,** not **лу́чше,** in comparisons with the verbs **люби́ть** and **нра́виться.**

| | |
|---|---|
| Я люблю́ ру́сский язы́к бо́льше, чем францу́зский. | *I like Russian better than French.* |
| Москва́ мне понра́вилась бо́льше, чем Петербу́рг. | *I liked Moscow better than St. Petersburg.* |

## Comparatives with a stem alternation

Note that some simple comparatives end in **-е** and have a stem change and a consonant alternation. You should memorize these forms.

**Stem change: З, Г, Д → Ж**

| **Long-form adjective** | **Comparative** |
|---|---|
| бли́зкий — *close* | бли́же (suffix **-к-** drops out) |
| дорого́й — *expensive* | доро́же |
| молодо́й — *young* | моло́же |
| ни́зкий — *low* | ни́же (suffix **-к-** drops out) |
| твёрдый — *hard* | твёрже |
| у́зкий — *narrow* | у́же (suffix **-к-** drops out) |

**Stem change: Т, К → Ч**

| **Long-form adjective** | **Comparative** |
|---|---|
| бога́тый — *rich* | бога́че |
| гро́мкий — *loud* | гро́мче |
| жа́ркий — *hot* | жа́рче |
| коро́ткий — *short* | коро́че (suffix **-к-** drops out) |
| лёгкий — *easy* | ле́гче |

**Stem change: С, Х → Ш**

| **Long-form adjective** | **Comparative** |
|---|---|
| высо́кий — *tall* | вы́ше (suffix **-к-** drops out) |
| ти́хий — *quiet* | ти́ше |

**Stem change: СТ → Щ**

| **Long-form adjective** | **Comparative** |
|---|---|
| просто́й — *simple* | про́ще |
| ча́стый — *frequent* | ча́ще |

## Comparatives with an unpredicable stem change

Some comparative forms have unpredictable stem changes and must be memorized.

| **Long-form adjective** | **Comparative** |
|---|---|
| далёкий — *far, distant* | да́льше |
| дешёвый — *cheap* | деше́вле |
| молодо́й — *young* | мла́дше |
| по́здний — *late* | по́зже; поздне́е |
| ра́нний — *early* | ра́ньше |
| ста́рый — *old* | ста́рше |

**Запóмните!**

1. Use the comparative form **млáдше** when comparing the age of siblings. Otherwise use the comparative form **молóже.**

| | |
|---|---|
| Мой брат **млáдше** меня́ на 5 лет. | *My brother is five years younger than me.* |
| Онá **молóже** мýжа на три гóда. | *She is three years younger than her husband.* |

2. Use the comparative form **стáрше** in comparisons of age, and **бóлее стáрый** when comparing things:

| | |
|---|---|
| Я **стáрше** брáта на три гóда. | *I'm three years older than my brother.* |
| Нью-Йóрк **бóлее стáрый** гóрод, чем Петербýрг. | *New York is older than St. Petersburg.* |

3. The adjectives **хорóший, плохóй, молодóй,** and **стáрый** have special comparative forms that are used to modify nouns.

**хорóший → лýчший    плохóй → хýдший**

| | |
|---|---|
| Он получи́л **лýчшую/хýдшую** оцéнку, чем я. | *He got a better/worse grade than I did.* |

**молодóй → млáдший    стáрый → стáрший**

| | |
|---|---|
| Ты знáешь егó **млáдшую/стáршую** сестрý? | *Do you know his younger/older sister?* |

**10-29. Как сказáть по-рýсски?**

1. He has a younger sister. She is four years younger than him.
2. She has an older brother. He is five years older than her.
3. Who is your best friend?
4. Have you met their younger sister?
5. Have you met their older brother?
6. He is ten years older than his wife.

**10-30. Погóда 9 апрéля.** Прочитáйте информáцию о погóде в Читé и Якýтске. Compare the weather in Chita and Yakutsk, using the comparative adjectives **теплée/холоднée, сильнée/слабée, лýчше/хýже.**

**Читá**

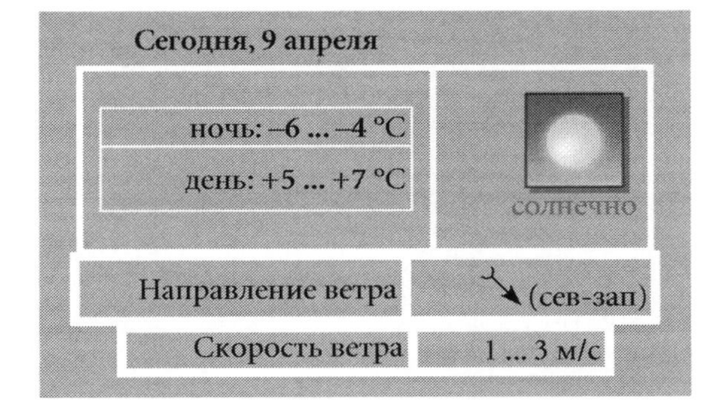

**Якýтск**

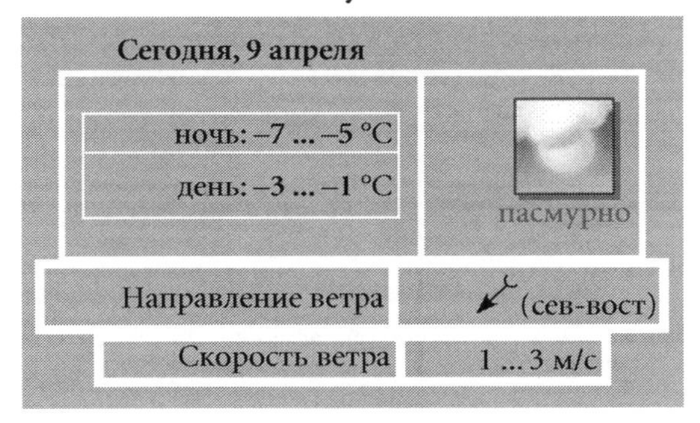


**Complete exercises 10-21 and 10-22 in the S.A.M.**

# Те́ма 3. Пого́да и боле́зни

## Подгото́вка

**10-31. Как вы себя́ чу́вствуете[1]?** When you are sick, do you have any of the symptoms below?

| | |
|---|---|
| У меня́ боли́т голова́ | *I have a headache.* |
| У меня́ температу́ра. | *I have a fever.* |
| У меня́ на́сморк. | *I have a head cold/runny nose.* |
| У меня́ боли́т го́рло. | *My throat hurts.* |
| Я пло́хо сплю. | *I can't sleep well.* |
| Не хо́чется есть. | *I have no appetite.* |
| У меня́ боли́т живо́т. | *I have a stomachache.* |
| Меня́ тошни́т. | *I feel sick.* |

**10-32. Почему́ мы более́м?** Read the following paragraph. Do you agree? Why?

Ру́сские ча́сто говоря́т, что кто́-то заболе́л, потому́ что бы́ло хо́лодно, шёл дождь, бы́ло ве́трено. Вы мо́жете услы́шать: «У меня́ боли́т голова́. Наве́рное, пого́да меня́ется…» «Попа́ла под дождь и заболе́ла…» «Одева́йся тепле́е, а то заболе́ешь…»

**Запо́мните!**

**Как мы говори́м:** to recover, to gain weight

- **выздора́вливать/вы́здороветь** has only one meaning — *to get better, to regain one's health*

  Я уже́ вы́здоровел/а. — *I'm better./I've recovered.*

- **поправля́ться/попра́виться** has two meanings:

  a. to get better — Я попра́вился/попра́вилась. — *I'm better./I've recovered.*

  b. to gain weight — Я попра́вился/попра́вилась. — *I've put on some weight.*

  Antonym: to lose weight — Я похуде́л/а. — *I've lost weight.*

[1]Use the reflexive pronoun **себя́** with **чу́вствовать** to indicate "how you feel." Do not use the pronoun **себя́** when indicating that you "feel or sense" something, e.g., «Я чу́вствую, что бу́дет дождь.» — *"I feel rain coming on."*

**10-33. Что у тебя́ боли́т?** Ask each other «**Что у тебя́ боли́т?**» and use the vocabulary in the picture in your answer.

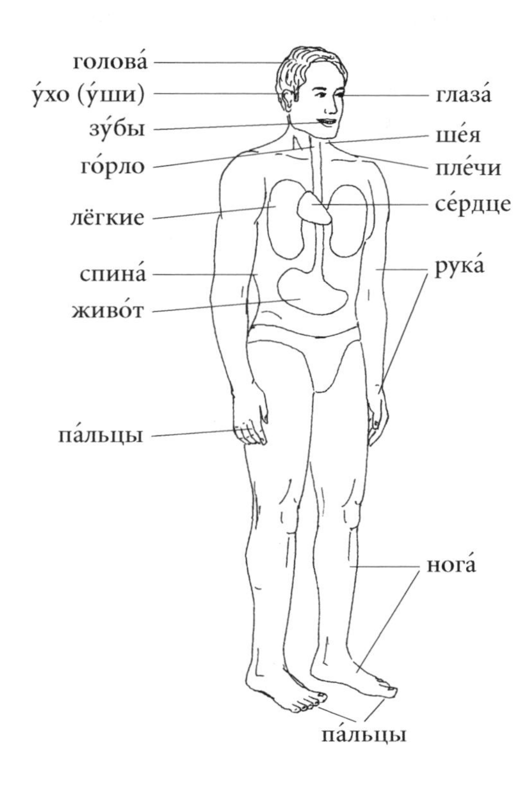


**10-34. Вот така́я ситуа́ция.** Скажи́те друг дру́гу, что у вас боли́т и почему́.

*Приме́р:* Я вчера́ весь день убира́л/а дом. →
*Тепе́рь у меня́ боли́т спина́, боля́т ру́ки и но́ги.*

1. Я весь день сиде́л/а за компью́тером.
2. Я гуля́л/а под дождём.
3. Я до́лго смотре́л/а на со́лнце.
4. Мы весь день игра́ли в те́ннис.
5. Бы́ло о́чень ве́трено, когда́ я бе́гал/а.
6. Я всю ночь гото́вился/гото́вилась к экза́мену.
7. Я сли́шком мно́го съе́л/а.
8. Я не спал/спала́ три дня.

**Complete exercises 10-23 through 10-25 in the S.A.M.**

## Язы́к в жи́зни

**10-35. Интерне́т-врач.** Прочита́йте текст и найди́те отве́ты на сле́дующие вопро́сы.

1. Кто написа́л врачу́ и каки́е вопро́сы бы́ли за́даны?
2. Что отве́тил врач Ве́ре, Ста́су, Семёну, Анне Ива́новне?
3. Каки́е *боле́зни* Петро́в называ́ет боле́знями ве́ка?

### Интерне́т-врач

Дороги́е пацие́нты, пиши́те нам, задава́йте свои́ вопро́сы, опи́сывайте пробле́му как мо́жно дета́льнее. Чем бо́льше информа́ции мы полу́чим, тем лу́чший сове́т мы мо́жем Вам дать.

**Ве́ра.** Дорого́й Интерне́т-врач! Мне 18 лет, но я о́чень ча́сто боле́ю и́ли *нева́жно себя́ чу́вствую.* У меня́ всегда́ боли́т голова́, ча́сто быва́ет на́сморк и боли́т го́рло. Я ходи́ла к врача́м, но они́ не зна́ют, в чём де́ло. Никто́ не смог *поста́вить диа́гноз.* Помоги́те мне, пожа́луйста.

**Отве́т.** Дорога́я Ве́ра! Таки́е симпто́мы ча́сто быва́ют, е́сли у вас *аллерги́я.* Вам на́до пойти́ к специали́сту, кото́рый *сде́лает ана́лизы* и прове́рит, на что́ у вас аллерги́я.

**Стас.** Уважа́емый До́ктор! Я совсе́м не могу́ спать. Мне то́лько 24 го́да, и я не понима́ю, как э́то мо́жет происходи́ть. Я ложу́сь спать, но засну́ть не могу́. Ма́ма говори́т, что я сли́шком мно́го занима́юсь, но я ду́маю, что, наве́рное, я бо́лен.

**Отве́т.** Стас! Мне тру́дно сказа́ть, не ви́дя Вас, но, мо́жет быть, ма́ма права́. Вам *поле́зно* бо́льше быва́ть на све́жем во́здухе и занима́ться спо́ртом. И е́сли вы *ку́рите,* бро́сьте кури́ть.

**Семён.** Мы с жено́й *поспо́рили,* как лу́чше всего́ *лечи́ть просту́ду?* Я ча́сто *простужа́юсь,* у меня́ быва́ет температу́ра, я *ка́шляю, чиха́ю* и мне тру́дно *дыша́ть.* Жена́ говори́т, что на́до лежа́ть, мно́го пить и *принима́ть* витами́ны, а я счита́ю, что на́до принима́ть антибио́тики.

**Отве́т.** Если у вас *грипп,* антибио́тики вам не помо́гут. И ча́сто принима́ть *лека́рство вре́дно.* Гла́вный вопро́с в том, почему́ вы так ча́сто простужа́етесь. Вам на́до сде́лать ана́лиз *кро́ви* и *прове́рить* се́рдце и лёгкие.

*аллерги́я на что? — allergy*
*ана́лиз — test*
*де́лать/сде́лать ана́лиз чего́? кому́? — to run a test*
*боле́знь (f.) — sickness, illness, disease*
*вре́дно что кому́? — harmful for someone*
*грипп — the flu*
*дыша́ть (impf.) — to breathe*
*ка́шлять (impf.) — to cough*
*кровь (f.) — blood*
*кури́ть (impf.) — to smoke*
*лека́рство — medicine, medication*
*принима́ть/приня́ть лека́рство — to take medication*
*лечи́ть/вы́лечить что? кого́ (просту́ду, грипп, зу́бы, челове́ка) — to treat, to cure*
*поле́зно что кому́? — useful, good for someone*
*проверя́ть/прове́рить — to check*
*просту́да — cold*
*простужа́ться/простуди́ться — to catch a cold*
*рак — cancer*
*СПИД — AIDS*
*спо́рить/поспо́рить — to argue*

**Анна Ива́новна.** Врачи́ ничего́ не зна́ют! Я уже́ три го́да говорю́ своему́ врачу́, что у меня́ всё боли́т, но она́ мне не ве́рит. Мне 58 лет, и я всю жизнь рабо́тала, но три го́да наза́д я ушла́ на пе́нсию, и у меня́ на́чали боле́ть голова́, ру́ки и но́ги. И се́рдце боли́т то́же. И ещё я снача́ла *похуде́ла,* а пото́м си́льно попра́вилась.

**Отве́т.** Дорога́я Анна Ива́новна! Почему́ Ваш врач Вам не ве́рит? Я ду́маю, что она́ сде́лала Вам все ну́жные ана́лизы и зна́ет, что Вы здоро́вы. Мо́жет быть, у Вас депре́ссия? У Вас есть друзья́, семья́? Вам ну́жно бо́льше встреча́ться с людьми́ и *как мо́жно ме́ньше* быть одно́й.

**Петро́в И.Н.** Уважа́емый Интерне́т-врач! Мне ка́жется, что в 21 ве́ке есть три боле́зни: грипп (ка́ждый год эпиде́мии), *рак* (говоря́т, что ка́ждый деся́тый бо́лен ра́ком) и *СПИД* (в газе́тах то́лько о нём и пи́шут). Как Вы ду́маете, бу́дут ли на́йдены лека́рства от э́тих боле́зней?

**Отве́т.** Уважа́емый господи́н Петро́в! Вы за́дали хоро́ший вопро́с, но, к сожале́нию, на него́ пока́ отве́та нет.

*ста́вить/поста́вить диа́гноз* — to diagnose
*худе́ть/похуде́ть* — to lose weight
*чиха́ть/чихну́ть* — to sneeze

**Expressions**

*как мо́жно ме́ньше* — as little as possible
*чу́вствовать/почу́вствовать себя́ нева́жно (хорошо́/пло́хо)* — to feel "not so good" (well/unwell)

**10-36. Напиши́те Интерне́т-врачу́.** Imagine that you need advice from the Internet doctor. Choose one of the lists below and describe your symptoms. Add other information.

1. headache, sore throat, fever;
2. cough, head cold, sneezing;
3. heart pain, difficulty breathing, headache;
4. allergies, not sleeping well, gained weight;
5. not feeling well, no appetite, lost weight;
6. backache, headache, eyes hurt.

**10-37. Да́йте сове́т.** You are working for the **Интерне́т-врач** website.

Уважа́емый Врач!

Хоти́м попроси́ть у Вас сове́та. На́шей до́чери 17 лет. Она́ всегда́ хорошо́ учи́лась, но вдруг ста́ла учи́ться ху́же. У неё ча́сто боли́т голова́, она́ о́чень похуде́ла, вы́глядит пло́хо. Ничего́ нам с отцо́м не говори́т, не хо́чет, что́бы мы ей задава́ли вопро́сы. Мы о́чень беспоко́имся, но не зна́ем, что де́лать.

Роди́тели, кото́рые хотя́т помо́чь до́чери.

## Разговóры

**10-38. Слýшайте и читáйте разговóр.** Insert the missing words and phrases.

**Как я замёрзла**

— ..................... Что ты так *дрожи́шь?* — *to shiver*

— *Бóже мой,* .............. *я* замёрзла! — *Oh, my God!*

— Но сегóдня ........................................

— А по прогнóзу бýдет ещё .......................

— Я не понимáю, что знáчит 40 .............. по Фаренгéйту.

— Это примéрно .................... пять по Цéльсию.

— Не знáю, почемý я мёрзну.

— Мóжет быть, сегóдня ...................., чем обы́чно.

— Или я .......................

— Ты вчерá так .......................

— Да, ты невáжно ....................

— Бою́сь, что у меня́ температýра.

**10-39. Слýшайте и читáйте разговóр.** Write in the missing words.

**Кáтя заболéла**

— Ну что, как ты себя́ чýвствуешь?

— Головá ....................... и нáсморк.

— А гóрло не ................?

— Трýдно ....................... и бóльно глотáть.

— Ты всю ночь кáшляла и .......................

— Навéрное, ..........................

— Или *зарази́лась.* — *caught (a disease)*

— Говоря́т, сейчáс эпидéмия гри́ппа.

— *Ничегó стрáшного.* Нáдо лечь в постéль и приня́ть ........... — *it's OK*

— Ложи́сь. Я сбéгаю в аптéку за ....................

— И ещё ......................... витами́ны и апельси́новый сок.

— Мóжет быть, тебé ..........................?

— Покá не стóит. Подождý ..........................

— Надéюсь, что ты скóро .............................

— Я увéрена, что всё *пройдёт* за нéсколько дней. — *will be over, will pass*

**10-40. Поговори́м немно́го.** Read the following conversations and compose similar ones.

**А.**

— Что с тобо́й?

— Мне ка́жется, я заболе́л/а.

— Ты пло́хо себя́ чу́вствуешь?

— Да, го́рло боли́т и тру́дно глота́ть.

**А тепе́рь ваш разгово́р...** You are not feeling well. You call a friend to complain, only to find out that he/she, too, is sick. It must be the flu that is going around.

**Б.**

— Что с тобо́й?

— Голова́ боли́т.

— Хо́чешь приня́ть аспири́н?

— Нет, я не люблю́ принима́ть лека́рства.

**А тепе́рь ваш разгово́р...** Your roommate doesn't look well. Ask him/her how he/she is feeling and offer some advice and help.

**Complete exercises 10-26 through 10-30 in the S.A.M.**

## Грамма́тика. Говори́те пра́вильно!

### Expressing comparison in Russian:

1. "much more, much better" → **гора́здо** + **comparative**

   Use **гора́здо** and comparative degree of an adjective.

| | |
|---|---|
| Я **гора́здо бо́льше** люблю́ хо́лод, чем жару́. | *I like it when it's cold much better than when it's hot.* |
| Во Флори́де **гора́здо теплée,** чем здесь. | *It's much warmer in Florida than it is here.* |

2. "just as...as/not as...as" with adjectives and adverbs → **тако́й же как, та́к же как/не тако́й как, не та́к как**

| | |
|---|---|
| Ле́то в Сиби́ри **тако́е же** тёплое, **как** в Москве́. | *Summer in Siberia is just as warm as in Moscow.* |
| Зима́ в Москве́ **не така́я** холо́дная, **как** в Сиби́ри. | *Winter in Moscow is not as cold as in Siberia.* |
| Ле́том в Сиби́ри **та́к же** тепло́, как в Москве́. | *It's just as warm in Siberia in the summer as it is in Moscow.* |
| Здесь **не та́к** хо́лодно, как в Сиби́ри. | *It's not as cold here as it is in Siberia.* |

3. “the more … the …” → **чем + comparative…/тем + comparative…**

| | |
|---|---|
| **Чем бóльше** вы мне расскáжете, **тем лýчше.** | *The more you can tell me, the better.* |

4. “as … as possible” → **как мóжно + comparative**

| | |
|---|---|
| Сдéлайте э́ту рабóту **как мóжно лýчше.** | *Do this work as well as possible. (Do this work as well as you can.)* |
| Приезжáйте **как мóжно скорéе!** | *Come over as quickly as possible. (Come over as quick as you can.)* |

Класс **10-41. Как сказáть по-рýсски?**

1. I like reading much better than watching TV. (горáздо)
2. Go to bed earlier and you’ll feel much better. (горáздо)
3. Get up as early as possible. (как мóжно)
4. Take as many vitamins as you can. (как мóжно)
5. Take as few medications as possible. (как мóжно)
6. The climate in the Crimea is as good as in Hawaii. (такóй же как)
7. It’s not as hot there in the summer as it is in Florida. (не тáк как)
8. It’s as hot there in the summer as it is in Uzbekistan. (тáк же как)

## The superlative degree of adjectives and adverbs ◆ Превосхóдная стéпень

1. The superlative degree for most adjectives is formed by simply adding the appropriate form of **сáмый** (most) to the positive degree. **Сáмый** agrees with the noun it qualifies in gender, number, and case.

| Positive Degree | Comparative Degree | Superlative Degree |
|---|---|---|
| тёплый клúмат<br>*a warm climate* | бóлее тёплый клúмат<br>*a warmer climate* | **сáмый тёплый** клúмат<br>*the warmest climate* |
| холóдная погóда<br>*cold weather* | бóлее холóдная погóда<br>*colder weather* | **сáмая холóдная** погóда<br>*the coldest weather* |

2. To say “the best” you can use **«сáмый хорóший»** or **«лýчший».** The “worst” is **«сáмый плохóй»** or **«хýдший».**

| | |
|---|---|
| Смех — **лýчшее** лекáрство. | *Laughter is the best medicine.* |
| Это **хýдшее** решéние. | *This is the worst solution.* |

You can add even more emphasis by saying:

| | |
|---|---|
| Она́ мой **са́мый лу́чший** друг. | *She is my very best friend.* |
| Это **са́мый ху́дший** вариа́нт. | *This is the worst possible way to do it.* |

3. Simple comparatives in **-е** and **-ее** have the meaning of a superlative when followed by the pronouns **всего́** and **всех. Всего́** refers to things, **всех** to people. This is the only way of forming the superlative of adverbs.

| | |
|---|---|
| — Чего́ вы хоти́те бо́льше всего́?<br>— Я бо́льше всего́ хочу́ путеше́ствовать. | *"What would you like to do most of all?"*<br>*"Most of all I'd like to travel."* |
| Вы говори́те по-ру́сски лу́чше всех. | *"You speak Russian better than anyone else."* |

4. **In written Russian,** the endings **-ейший/-айший** (after hushers) are also used to express the superlative degree of adjectives. The English equivalent of this type of adjective is usually "a most . . ." or "an extremely . . . ."

| | |
|---|---|
| **интере́снейшая** но́вость | *a most interesting piece of news.* |
| в **ближа́йшем** бу́дущем | *soon (in the extremely near future)* |

**10-42. Са́мый.** Give Russian equivalents of the words in parentheses.

1. Како́й университе́т (oldest) в Аме́рике?
2. Мой друг у́чится в (oldest) университе́те в Аме́рике.
3. Я живу́ в (tallest) общежи́тии на́шего университе́та.
4. Почему́ наш преподава́тель всегда́ задаёт тебе́ (hardest) вопро́сы?
5. Доли́на сме́рти[1] — (hottest) ме́сто в США.
6. Я хочу́ жить там, где (warmest) кли́мат.
7. Отку́да вы зна́ете моего́ (best) дру́га?
8. Они́ всегда́ обе́дают в (the best and most expensive) рестора́нах.
9. Я (more than anything) люблю́ го́ры.
10. Она́ лю́бит ба́бушку (best of all).

[1]Death Valley

Класс **10-43. Сове́ты враче́й.** Read the advice below and note the use of the underlined comparative and superlative adjectives. What advice do you consider most important (**са́мый ва́жный**) and less important (**ме́нее ва́жный**)? What additional advice could you offer.

**Врачи́ сове́туют…**

Что на́до сде́лать для того́, что́бы ме́ньше устава́ть?

**Сове́т 1.** *Съе́шьте хоро́ший за́втрак*

Не за́втракать вре́дно. Если вы у́тром поза́втракаете, вы бу́дете лу́чше себя́ чу́вствовать весь день.

**Сове́т 2.** *Вы́ключите телеви́зор*

Чем ме́ньше вы смо́трите телеви́зор, тем лу́чше. Почита́йте вме́сто того́, что́бы включи́ть телеви́зор. Это даст вам бо́льше эне́ргии.

**Сове́т 3.** *Ешьте бо́льше, чем оди́н раз в день!*

Ешьте не ме́нее трёх раз в день. Принима́йте бо́льше витами́нов и минера́лов зимо́й, когда́ нет фру́ктов и ме́ньше со́лнца.

**Сове́т 4.** *Неприя́тные вам лю́ди*

Ме́ньше встреча́йтесь с людьми́, кото́рые вам неприя́тны. От э́того вы бу́дете ху́же себя́ чу́вствовать. Проводи́те как мо́жно бо́льше свобо́дного вре́мени с друзья́ми и с семьёй.

**Сове́т 5.** *Режи́м дня*

На́до поня́ть, како́й режи́м для вас са́мый лу́чший. Встава́йте на 15 мину́т ра́ньше и́ли по́зже, чем вы обы́чно встаёте. Чем бо́лее оптима́льный ваш режи́м дня, тем бо́льше у вас бу́дет эне́ргии. Вы бу́дете себя́ гора́здо лу́чше чу́вствовать!

**Сове́т 6.** *На́до спать 8 часо́в в день*

У вас бу́дет ме́ньше эне́ргии, е́сли вы ложи́тесь спать по́сле двух часо́в но́чи, а встаёте, наприме́р, в 6 часо́в утра́. Очень ва́жно спать не ме́ньше восьми́ часо́в в су́тки.

**Сове́т 7.** *Не пе́йте мно́го ко́фе*

1-2 ча́шки ко́фе по утра́м помога́ют вам почу́вствовать себя́ энерги́чнее, но е́сли пить бо́льше ко́фе, то результа́т бу́дет отрица́тельный. Не превраща́йтесь в кофема́на!

**Сове́т 8.** *Если вы чу́вствуете себя́ не так хорошо́, как обы́чно, иди́те к врачу́*

Иногда́ «уста́лый» зна́чит «больно́й». Так что, е́сли ва́ша уста́лость не прохо́дит, иди́те к врачу́ как мо́жно скоре́е.

**Complete exercises 10-31 through 10-35 in the S.A.M.**

# Культу́ра и исто́рия

## Имена́, кото́рые зна́ют в Росси́и

## Фёдор Ива́нович Тю́тчев (1803–1873)

Поэ́зия Тю́тчева принадлежи́т к са́мым *значи́тельным*, са́мым замеча́тельным созда́ниям ру́сского *ду́ха*. — *significant*; *spirit*

К поэ́зии Тю́тчева мо́жно подходи́ть с трёх ра́зных *то́чек зре́ния:* мо́жно обрати́ть внима́ние на выраже́ние в ней мы́сли, мо́жно постара́ться *вы́явить* её филосо́фское *содержа́ние*, мо́жно, наконе́ц, останови́ться на её чи́сто *худо́жественных досто́инствах*. — *points of view*; *reveal; content*; *artistic merits*

Вале́рий Брю́сов

Москва́ (1911)

**10-44. Стихотворе́ние.** Прочита́йте стихотворе́ние и вы́учите его́ наизу́сть.

**Из стихотворе́ния Тю́тчева «Весе́нняя гроза́»**

| | |
|---|---|
| Люблю́ грозу́ в нача́ле ма́я, | |
| Когда́ весе́нний пе́рвый *гром*, | *thunder* |
| *Как бы резвя́ся* и игра́я, | *as if; frolicking* |
| *Грохо́чет* в не́бе голубо́м. | *грохота́ть — to rumble, roar* |
| Гремя́т *раска́ты* молоды́е! | *peals of thunder* |
| Вот до́ждик *бры́знул*, *пыль* лети́т, | *sprinkled; dust* |
| *Пови́сли* пе́рлы дождевы́е, | *are hanging in the air* |
| И со́лнце *ни́ти золоти́т*. | *threads; gilds* |
| С горы́ бежи́т *пото́к прово́рный*, | *torrent; swift* |
| В лесу́ не *мо́лкнет* пти́чий *гам*, | *мо́лкнуть — to fall silent; noise, din* |
| И гам лесно́й, и шум *нагóрный* — | *on the hills* |
| Всё *вто́рит* ве́село грома́м. | *echoes* |

*Нача́ло 1850-х годо́в*

**Complete exercises 10-36 through 10-39 in the S.A.M.**

# Слова́рь

## Оде́жда — Clothes

| Оде́жда | Clothes |
|---|---|
| блу́зка | *blouse* |
| брю́ки | *trousers, pants* |
| джи́нсы | *jeans* |
| жаке́т | *woman's jacket* |
| костю́м | *suit* |
| ко́фта | *button-down sweater, cardigan* |
| кроссо́вки | *running shoes* |
| купа́льник | *swimsuit* |
| ку́ртка | *athletic jacket, anorak, windbreaker* |
| пиджа́к | *man's suit jacket* |
| пла́вки (*gen. pl.* пла́вок) | *swimming trunks* |
| пла́тье | *dress* |
| плащ | *raincoat* |
| руба́шка | *shirt* |
| санда́лии | *sandals* |
| сапоги́ | *high boots* |
| сви́тер | *sweater* |
| ту́фли (*gen. pl.* ту́фель) | *shoes* |
| футбо́лка | *T-shirt* |
| ша́пка | *hat* |
| шо́рты | *shorts* |
| шу́ба | *fur coat* |
| ю́бка | *skirt* |

## Существи́тельные

| | |
|---|---|
| аллерги́я на что? | *allergy* |
| ана́лиз | *test* |
| де́лать/сде́лать ана́лиз чего́? кому́? | *to run a test* |
| бе́дствие | *disaster* |
| стихи́йное бе́дствие | *natural disaster* |
| боле́знь (*f.*) | *sickness, illness, disease* |
| ве́тер | *wind* |
| ду́ет ве́тер | *the wind blows* |
| во́здух | *air* |
| гра́дус | *degree* |
| грипп | *the flu* |
| же́ртва | *victim, casualty* |
| землетрясе́ние | *earthquake* |
| зонт (зо́нтик) | *umbrella* |
| коли́чество | *amount, quantity* |
| кровь (*f.*) | *blood* |
| лека́рство | *medicine, medication* |
| ми́нус | *minus (below zero)* |

| | |
|---|---|
| наводне́ние | *flood* |
| на́сморк | *head cold, runny nose* |
| пло́щадь (*f.*) | *area* |
| плюс | *plus (above zero)* |
| пого́да | *weather* |
| пожа́р | *fire* |
| пожа́рный | *fireman* |
| потепле́ние | *warming* |
| прогно́з | *forecast* |
| просту́да | *cold* |
| разруше́ние | *destruction* |
| рак | *cancer* |
| си́ла | *force, strength* |
| снегопа́д | *snowfall* |
| СПИД (синдро́м приобретённого иммунодефици́та) | *AIDS* |
| торна́до | *tornado* |
| урага́н | *hurricane* |

## Глаго́лы

| | |
|---|---|
| боле́ть/заболе́ть (боле́ю) | *to be sick/get sick* |
| боле́ть (боли́т) (*third-person only*) | *to hurt, to ache* |
| боро́ться (*impf.*) с кем?/с чем? | *to fight, struggle* |
| выздора́вливать/вы́здороветь | *to get better, to regain one's health* |
| дуть/поду́ть | *to blow* |
| дыша́ть (*impf.*) | *to breathe* |
| жа́ловаться/пожа́ловаться на кого́?/что? | *to complain* |
| затопи́ть (*pfv.*) | *to flood* |
| ка́шлять (*impf.*) | *to cough* |
| кури́ть (*impf.*) | *to smoke* |
| лечи́ть/вы́лечить что? (просту́ду, грипп, зу́бы) | *to treat, to cure* |
| меня́ться/измени́ться | *to change* |
| мёрзнуть/замёрзнуть | *to be/get cold, freeze* |
| надева́ть/наде́ть что? | *to put on* |
| носи́ть (оде́жду) | *to wear* |
| одева́ться/оде́ться | *to get dressed* |
| поправля́ться/попра́виться | *to gain weight; to get better* |
| привести́ (*pfv.*) к чему́? | *to cause* |
| принима́ть/приня́ть что? (лека́рство) | *to take (medication)* |
| простужа́ться/простуди́ться | *to catch a cold* |
| спо́рить/поспо́рить | *to quarrel, argue* |
| ста́вить/поста́вить диа́гноз | *to diagnose* |
| та́ять/раста́ять | *to melt* |
| тепле́ть/потепле́ть | *to get warm* |
| туши́ть/потуши́ть (пожа́р) | *to extinguish (a fire)* |
| худе́ть/похуде́ть | *to lose weight* |
| чиха́ть/чихну́ть | *to sneeze* |
| чу́вствовать/почу́вствовать себя́ | *to feel* |

## Прилага́тельные и наре́чия

| | |
|---|---|
| уве́рен/а в чём? | *to be sure* |
| ве́треный/ве́трено | *windy* |
| вла́жный/вла́жно | *humid* |
| вре́дно что? кому́? | *harmful for someone* |
| жа́ркий/жа́рко | *hot* |
| мал/мала́/мало́/малы́ | *too small* |
| основно́й | *main* |
| па́смурный/па́смурно | *overcast* |
| поле́зно что кому́? | *useful, good for someone* |
| прохла́дный/прохла́дно | *cool* |
| со́лнечный/со́лнечно | *sunny* |
| сыро́й/сы́ро | *damp* |
| тёплый/тепло́ | *warm* |
| холо́дный/хо́лодно | *cold* |

## Выраже́ния

| | |
|---|---|
| Све́тит со́лнце. | *The sun shines.* |
| Идёт дождь. | *It's raining.* |
| Идёт снег. | *It's snowing.* |
| как мо́жно скоре́е | *as soon as possible* |
| лу́чше всего́ | *best of all* |
| У меня́ боли́т голова́. | *I have a headache.* |
| У меня́ на́сморк. | *I have a head cold.* |
| У меня́ температу́ра. | *I have a fever.* |
| Температу́ра | |
| 0° = ноль (нуль) гра́дусов тепла́ | |
| + 5° = плюс пять, пять гра́дусов тепла́ | |
| – 5° = ми́нус пять, пять гра́дусов моро́за | |
| по Фаренге́йту | *in Fahrenheit* |
| по Це́льсию | *in Centigrade* |

## Дополни́тельный слова́рь

**Боле́зни**

| | |
|---|---|
| анги́на | *strep throat* |
| бронхи́т | *bronchitis* |
| инфа́ркт | *heart attack* |
| инсу́льт | *stroke* |

**Как мы говори́м о боле́знях**

| | |
|---|---|
| Он/она́ у́мер/умерла́ от ра́ка. | *He/she died of cancer.* |
| Его́/её ле́чат от ра́ка. | *He/she is being treated for cancer.* |
| Его́/её вы́лечили. | *He/she was cured.* |
| Ему́/ей де́лали/сде́лали опера́цию. | *He/she had surgery.* |
| Ему́/ей де́лали/сде́лали уко́л. | *He/she was given a shot.* |

# Глава́ 11

# Прия́тного аппети́та!

## В э́той главе́...

**In this chapter you will**

- talk about food and cooking
- learn how to use various forms of imperative
- practice the use of **что́бы** to express requests
- read Russian recipes

# Те́ма 1. Что мы еди́м…

## Подгото́вка

**11-1. Вы зна́ете…**

1. Вы зна́ете э́ти глаго́лы? Conjugate the verbs **есть** and **пить.**
2. Вы зна́ете, как сказа́ть по-ру́сски? Learn these expressions:

*"I am hungry."* «Я хочу́ есть. Я го́лоден/голодна́».
*"I am full."* «Я сыт/Я сыта́. Я нае́лся/нае́лась».
*"I am thirsty."* «Я хочу́ пить».

**11-2. Что вы лю́бите? Чего́ вы не лю́бите?** Испо́льзуя слова́ из табли́цы, скажи́те, что вы обы́чно еди́те на за́втрак, на обе́д и на у́жин.

| **Мя́со** | **Meat** |
|---|---|
| бифште́кс | *steak* |
| га́мбургер | *hamburger* |
| ро́стбиф | *roast beef* |
| беко́н | *bacon* |
| ветчина́ | *ham* |
| ку́рица | *chicken* |
| инде́йка | *turkey* |

| **Ры́ба** | **Fish** |
|---|---|
| лосо́сь (*m.*) | *salmon* |
| сельдь (*f.*) (селёдка) | *herring* |

| **Гарни́р** | **Side dish** |
|---|---|
| карто́фель (*m.*)(карто́шка) *(sg. only)* | *potatoes* |
| жа́реная | *hash brown potatoes or French fries* |
| варёная | *boiled potatoes* |
| печёная | *baked potatoes* |
| карто́фельное пюре́ | *mashed potatoes* |
| карто́фельные чи́псы | *potato chips* |
| кукуру́за | *corn* |
| о́вощи | *vegetables* |
| рис | *rice* |
| сала́т | *salad* |

| **За́втрак** | **Breakfast** |
|---|---|
| хлеб (бе́лый, чёрный) | *bread (white, dark)* |
| бутербро́д | *open-faced sandwich* |
| с сы́ром, с колбасо́й | *with cheese; salami, pepperoni, etc.* |
| сла́дкая бу́лочка | *Danish pastry* |
| ола́дьи, блины́ | *pancakes, crepes* |
| тост (*pl.* то́сты) | *toast* |
| ма́сло | *butter* |

суп

яи́чница

колбаса́

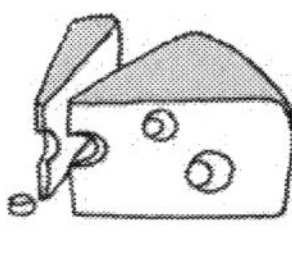
сыр

соси́ски

**11-3. Что вы лю́бите? Чего́ вы не лю́бите?** Испо́льзуя слова́ из табли́цы, скажи́те, что вы обы́чно пьёте на за́втрак, на обе́д, на у́жин.

| Напи́тки | Beverages | Сок | Juice |
|---|---|---|---|
| ко́фе | *coffee* | апельси́новый | *orange* |
| чай | *tea* | овощно́й | *vegetable* |
| кака́о | *cocoa, hot chocolate* | тома́тный | *tomato* |
| молоко́ | *milk* | фрукто́вый | *fruit* |
| сли́вки (*pl. only*) | *cream* (нет сли́вок) | я́блочный | *apple* |
| лимона́д | *soda* | | |
| вода́ | *water* | | |

**11-4. Десе́рт.** Что вы лю́бите есть на десе́рт?

| | | | |
|---|---|---|---|
| пече́нье (*sg. only*) | *cookie, cookies* | торт | *cake* |
| пиро́г | *pie* | конфе́ты | *candy* |
| моро́женое | *ice cream* | фру́кты | *fruit* |

**11-5. Сравни́те.** Compare your family's eating habits with those of a Russian family.

Традицио́нно в Росси́и за́втракают ра́но у́тром (с 6.30 до 7.30), пе́ред рабо́той и́ли учёбой. Обе́дают с ча́су до двух. А ве́чером, с 7 до 8 часо́в, когда́ вся семья́ собира́ется до́ма, все вме́сте у́жинают.

**Complete exercises 11-1 and 11-2 in the S.A.M.**

## Язы́к в жи́зни

**11-6. Америка́нский рестора́н в Москве́.** Ва́ши ру́сские друзья́ хотя́т откры́ть америка́нский рестора́н. Они́ нашли́ в Интерне́те не́которые рекоменда́ции. Прочита́йте и скажи́те, с чем вы согла́сны, а с чем нет. Посове́туйте им, како́е меню́ бу́дет «са́мое америка́нское».

**Блю́да и напи́тки, *рекоменду́емые* тури́стам из США**

За́втрак до́лжен *состоя́ть* из фрукто́вого и́ли тома́тного со́ка, яйца́ и́ли яи́чницы с беко́ном, дже́ма, то́ста и́ли сла́дкой бу́лочки, сли́вочного ма́сла и ко́фе. В 13 часо́в америка́нцы за́втракают второ́й раз. Второ́й за́втрак до́лжен *включа́ть* сала́т и бутербро́д с мя́сом, колбасо́й и́ли с сы́ром. На у́жин *пригото́вьте* суп и мясно́е *блю́до* (бифште́кс, ро́стбиф, га́мбургер) с овощны́м гарни́ром (жа́реный карто́фель, карто́фельное пюре́). На десе́рт *пода́йте* моро́женое, торт и́ли фру́кты. Америка́нцы о́чень лю́бят пече́нье. На стола́х должны́ всегда́ стоя́ть вода́ со *льдо́м,* сок, бе́лый и чёрный хлеб.

*блю́до* — dish
*включа́ть/включи́ть* — to include
*гото́вить/пригото́вить* — to cook
*л|ё|д (льда)* — ice
*подава́ть/пода́ть* — to serve
*рекомендова́ть (impf.)* — to recommend
*состоя́ть (impf.) из чего́?* — to consist (of)

**11-7. Если бы вы поéхали в Россию...** Read about the Russian cuisine and decide what you would eat if you went to live in Russia.

**Блю́да и напи́тки, рекоменду́емые для ру́сских тури́стов**

Утром рекоменду́ется подава́ть к столу́ *ка́шу* с молоко́м и́ли с ма́слом, яи́чницу с ветчино́й, соси́ски, хлеб, чай и ко́фе. Обе́д, *как пра́вило,* состои́т из трёх блюд, а с *заку́ской* — из четырёх. На *заку́ску* мо́жно пода́ть сала́ты, *икру́,* селёдку, колбасу́, сыр и мно́гое друго́е. *На пе́рвое* пригото́вьте суп (*щи, борщ*), *на второ́е* — мя́со, ры́бу, ку́рицу с гарни́ром (варёный карто́фель, рис), и *на тре́тье* пода́йте *компо́т, пиро́г* и́ли торт, чай и фру́кты. Ужин до́лжен быть лёгким. На у́жин мо́жно пода́ть *пельме́ни, пирожки́,* сала́ты, *творо́г со смета́ной,* фрукто́вые со́ки.

*борщ — beet soup*
*заку́ска — appetizer*
*икра́ — caviar*
*ка́ша — cooked cereal*
*компо́т — stewed fruit*
*пельме́ни — dumplings*
*пиро́г — pie*
*пирож|о́|к — a small pie*
*смета́на — sour cream*
*творо́г — cottage cheese*
*щи (pl.) — cabbage soup*

**Expressions**

*как пра́вило — as a rule*
*на заку́ску — as an appetizer*
*на пе́рвое — first course (soup)*
*на второ́е — main course*
*на тре́тье — for dessert*

**11-8. Вы пригласи́ли друзе́й на обе́д.** Расскажи́те, что вы собира́етесь гото́вить.

На пе́рвое ...
На второ́е ...
На тре́тье (десе́рт) ...

**11-9. Новосе́лье.** Read the note and say what information Katya provides.

**Те́ма:** новосе́лье

---

*Ребя́та!*

*Приглаша́ю всех на новосе́лье!*

*Приходи́те в суббо́ту на у́жин часо́в в семь.*

*Адрес и ка́рту прикрепля́ю.*

*Пока́, Ка́тя*

**Спра́вка.** Новосе́лье — э́то ру́сская тради́ция, когда́ госте́й приглаша́ют, что́бы отпра́здновать перее́зд в но́вый дом и́ли на но́вую кварти́ру.

**11-10. Ва́ше приглаше́ние.** Напиши́те электро́нное сообще́ние друзья́м и пригласи́те их на новосе́лье, день рожде́ния и́ли како́й-то друго́й пра́здник. Exchange your notes and reply.

### Разгово́ры

**11-11. Поговори́м немно́го.** Read the following conversations and compose similar ones.

**А.**

— Са́шу, бу́дьте добры́!
— Я слу́шаю. Ле́на, э́то ты?
— Я тебя́ не узна́ла. Бога́тым бу́дешь.[1]
— Ну что но́вого?
— У меня́ в пя́тницу новосе́лье. Приходи́ часо́в в шесть.
— Спаси́бо! Приду́ обяза́тельно. Мне ну́жен твой а́дрес.

**А тепе́рь ваш разгово́р...**
Invite a friend to a house-warming party. Talk about your new apartment and explain how to get there.

**Б.**

— Мне ну́жен сове́т.
— Что случи́лось?
— У меня́ в суббо́ту го́сти. Что мне пригото́вить?
— Пригото́вь то, что ле́гче!
— Пробле́ма в том, что оди́н ест то́лько мя́со, а друго́й вегетариа́нец.

**А тепе́рь ваш разгово́р...**
Conduct a similar conversation describing your guests' eating preferences. Your partner will offer advice as to what to serve. Be creative!

**Complete exercises 11-3 through 11-7 in the S.A.M.**

## Грамма́тика. Говори́те пра́вильно!

### Using aspect in imperative forms ◆ Употребле́ние ви́да в императи́ве

You already know the second-person imperative forms **ты**-form and **вы**-form (чита́й/чита́йте, забу́дь/забу́дьте, приходи́/приходи́те. See Chapter 1, page 24).

**11-12. У меня́ к вам про́сьба.** Ask your friends to do something. The first one is done for you.

1. На́до пода́ть моро́женое и то́рт на десе́рт. → *Пода́йте моро́женое и то́рт на десе́рт.*
2. На́до пригласи́ть их в го́сти.
3. На́до сбе́гать в магази́н за со́ком.
4. На́до купи́ть хлеб и пече́нье.
5. На́до за́втра встать пора́ньше.
6. На́до поздра́вить Ка́тю с новосе́льем.
7. На́до пригото́вить сала́т на заку́ску.

[1]A Russian saying: If you don't recognize someone, it means the person will become rich.

## Requests and commands: choice of aspect

1. Use the **perfective aspect** of verbs when indicating a one-time action that can produce a result.

| | |
|---|---|
| **Закро́йте** дверь! | *Close the door!* |
| **Купи́те** молоко́ и о́вощи! | *Buy [some] milk and vegetables.* |
| **Пове́сьте** пальто́ в шкаф! | *Hang your coats in the closet.* |

2. Use the **imperfective** aspect

a. when you are referring to repeated actions:

| | |
|---|---|
| **Принима́йте** витами́ны. | *Take vitamins.* |
| **Закрыва́йте** дверь! | *Keep the door shut (i.e. close it each time you open it).* |

b. when you want the other person to continue what he/she is already doing

| | |
|---|---|
| **Говори́, говори́,** я тебя́ слу́шаю. | *Keep on talking, I'm listening.* |
| **Сиди́те, сиди́те!** | *Stay seated, don't bother getting up.* |

c. when you don't want someone to do something

| | |
|---|---|
| **Не уходи́те,** ещё ра́но! | *Don't go, it's still early.* |
| **Не помога́й** мне, я всё сде́лаю сам/а́. | *Don't help me, I'll do it all myself.* |

d. use **multidirectional forms** of non-prefixed verbs of motion when you don't want someone to go somewhere

| | |
|---|---|
| **Не ходи́те** туда́!<br>**Не е́здите** туда́! | *Don't go there!* |

3. Use a **perfective imperative** in a negative command if you are afraid someone might do something accidentally or inadvertently.

| | |
|---|---|
| **Не забу́дь,** что у нас ве́чером новосе́лье! | *(Make sure) you don't forget we have a party tonight.* |

**Note** that negated perfective imperatives are frequently preceded by **Смотри́/те, не…** (*Make/Be sure you don't…*).

| | |
|---|---|
| Смотри́те, **не опозда́йте!** | *Be sure you're not late!* |
| Смотри́, **не забу́дь** купи́ть проду́кты! | *Make sure you don't forget to buy food!* |

Some verbs that denote accidental or inadvertent actions are **заблуди́ться, потеря́ться, забы́ть, опозда́ть, разби́ть** (*to break, shatter*), **упа́сть** (*to fall down*) **ошиби́ться** (*to make a mistake*).

**11-13. Сде́лайте/не де́лайте!** Скажи́те по-ру́сски.

1. Do that. Don't do that. (де́лать/сде́лать)
2. Buy some fruit. Don't buy any fruit. (покупа́ть/купи́ть)
3. Cook dinner tonight. Don't cook dinner tonight. (гото́вить/пригото́вить)
4. Invite them over. Don't invite them. (приглаша́ть/пригласи́ть)
5. Forget about it. Don't forget about it. (забыва́ть/забы́ть)

**11-14. Так говоря́т...** Read the sentences below. Note that in the following social situations, an imperfective imperative is used as a polite invitation to perform an action. Memorize these expressions.

1. Когда́ мы приглаша́ем в го́сти, мы говори́м:

   **Приходи́/те** к нам в пя́тницу, часо́в в семь.

2. Когда́ го́сти прихо́дят, мы открыва́ем дверь и говори́м:

   **Входи́/те,** пожа́луйста.
   **Заходи́/те,** пожа́луйста.
   **Проходи́/те,** пожа́луйста.

3. Когда́ мы предлага́ем гостя́м снять пальто́, ша́пку, шля́пу, мы говори́м:

   **Раздева́йся/раздева́йтесь.**

4. Мы ча́сто говори́м гостя́м:

   **Бу́дь/те** как до́ма.
   **Чу́вствуй/те себя́** как до́ма. } *Make yourself at home*

5. Предлага́я гостя́м сесть, мы говори́м:

   **Сади́сь/сади́тесь** сюда́.
   **Сади́сь/сади́тесь** за стол.

6. Когда́ все сидя́т за столо́м, мо́жно услы́шать:

   **Бери́/те** побо́льше.
   **Бери́/те** пирожки́.
   **Переда́й/те,** пожа́луйста, хлеб. (This is a request.)

7. Когда́ хозя́ева проща́ются с гостя́ми, говоря́т:

   **Приходи́/те** к нам ещё.
   **Звони́/те.**
   Не **забыва́й/те** нас.

8. Если кто́-то уезжа́ет надо́лго, мы говори́м:

   **Пиши́/те.**
   **Приезжа́й/те** скоре́е.
   **Возвраща́йся/возвраща́йтесь** скоре́е.

**11-15. У вас го́сти.**

1. Предста́вьте себе́, что к вам пришли́ го́сти. Say all the right things, inviting them in, asking them to come to the table, and seeing them to the door.
2. Вы все сиди́те за столо́м и обе́даете. Carry on your conversation for a few minutes, offer food.

**Complete exercises 11-8 through 11-11 in the S.A.M.**

# Те́ма 2. В гостя́х

## Подгото́вка

**11-16. Вы зна́ете э́ти глаго́лы?**

| | |
|---|---|
| встава́ть/встать из-за стола́ | *to get up from the table* |
| класть/положи́ть | *to put (horizontally), lay* |
| накрыва́ть/накры́ть на стол | *to set the table* |
| передава́ть/переда́ть что? кому́? | *to pass* |
| печь/испе́чь (пеку́, печёшь, пеку́т) | *to bake* |
| сади́ться/сесть за стол | *to sit down to eat* |
| ста́вить/поста́вить | *to put (vertically), stand* |
| убира́ть/убра́ть со стола́ | *to clear the table* |

**11-17. У вас сего́дня го́сти.** Вам на́до накры́ть на стол. Посмотри́те на карти́нки и реши́те, что на́до поста́вить/положи́ть на стол, а что на́до убра́ть со стола́.

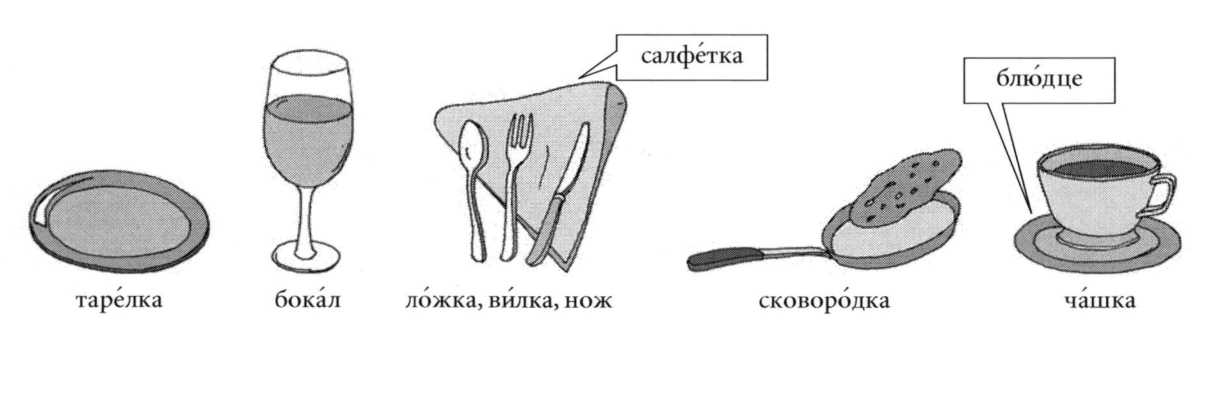

стака́н

супова́я таре́лка

ча́йник

кастрю́ли

соль и пе́рец

**11-18. Посу́да.** Use the words from 11-17 to finish these sentences. Make sure the case is correct.

1. Сок пью́т из …
2. Вино́ пью́т из …
3. Яи́чницу на́до гото́вить на …
4. Суп гото́вят в …
5. Во́ду для ча́я кипятя́т в …
6. Мы пьём ко́фе и чай из …
7. Мы еди́м суп …
8. Мы еди́м мя́со …
9. Сала́т едя́т …
10. Ка́шу едя́т …

**11-19. Вку́сно и́ли невку́сно?** What adjectives do we use to describe food? Go over the list and complete the sentences.

*Приме́р:* В су́пе о́чень мно́го со́ли. → *Суп сли́шком солёный.*

| | | | |
|---|---|---|---|
| (не) вку́сный | *(not) tasty* | мя́гкий | *tender* |
| го́рький | *bitter* | о́стрый | *spicy, hot* |
| жёсткий | *tough* | сла́дкий | *sweet* |
| жи́рный | *rich* | солёный | *salty* |
| ки́слый | *sour* | сыро́й | *raw, not well cooked* |
| лёгкий | *light* | тяжёлый | *rich, heavy* |

1. В пироге́ о́чень мно́го са́хара.
2. В еде́ о́чень мно́го пе́рца.
3. Мя́со ещё не гото́во.
4. Мя́со невозмо́жно есть, потому́ что ...
5. Лимо́н о́чень ...
6. В еде́ о́чень мно́го ма́сла.
7. В еде́ о́чень мно́го со́ли.
8. Если га́мбургер солёный и жи́рный, он ...

**Complete exercises 11-12 and 11-13 in the S.A.M.**

## Язы́к в жи́зни

**11-20. О ру́сском гостеприи́мстве.** This text describes a typical dinner party in a Russian home. What is similar and what is different from a dinner party in your family?

Ру́сские о́чень гостеприи́мные лю́ди, они́ всегда́ ра́ды гостя́м. Они́ лю́бят и ходи́ть в го́сти, и[1] приглаша́ть госте́й к себе́. Если вы пришли́ в го́сти, бу́дьте гото́вы це́лый ве́чер сиде́ть за столо́м, есть и пить. Снача́ла подаю́т холо́дные и горя́чие заку́ски: сала́ты, винегре́ты, грибы́, блины́ с икро́й, пирожки́. Пото́м всё убира́ют со стола́ и подаю́т «второ́е», которо́е ещё называ́ют «горя́чее». Это мо́жет быть мя́со, ры́ба, ку́рица с ра́зными гарни́рами (карто́шка, рис, о́вощи) и так да́лее. Пото́м опя́ть всё убира́ют со стола́ и накрыва́ют «сла́дкий» стол: то́рты, чай, ко́фе, фру́кты. Во вре́мя обе́да пьют и говоря́т то́сты. Традицио́нно тост начина́ется слова́ми «Я пью за...» и́ли «Вы́пьем за...».

**11-21. Я пью за...** The poem is written in a form of a toast. Translate it with a dictionary.

**После́дний тост**

Я пью за разорённый дом,
За злу́ю жизнь мою́,
За одино́чество вдвоём,
И за тебя́ я пью, —
За ложь меня́ преда́вших губ,
За мёртвый хо́лод глаз,
За то́, что мир жесто́к и груб,
За то́, что Бог не спас.

Анна Ахма́това (*1934*)

---

[1]и..., и — *both... and*

Класс **11-22. Ваш тост.** Compose your own toast in Russian.

**11-23. В гостя́х.** Прочита́йте письмо́ Ма́рка о том, как он был в гостя́х у Ка́ти. Что подава́ли и почему́ Марк так мно́го ел?

**Те́ма: настоя́щий ру́сский у́жин**

Приве́т, Са́ша!

Тепе́рь я зна́ю, что тако́е *настоя́щая* ру́сская *ку́хня!* К Ка́те прие́хала ма́ма из Москвы́, и они́ перее́хали на но́вую кварти́ру. А вчера́ у Ве́ры Серге́евны, Ка́тиной ма́мы, был день рожде́ния, и Катери́на *устро́ила* новосе́лье и день рожде́ния вме́сте! Снача́ла *угоща́ли* сала́тами, пирожка́ми, пельме́нями и ры́бой. Говори́ли мно́го то́стов за здоро́вье Ве́ры Серге́евны и за Ка́тину но́вую кварти́ру. Пото́м убра́ли со стола́, *завари́ли* чай и по́дали торт со *свеча́ми.* В.С. испекла́ про́сто *потряса́ющий* торт!

Ты не мо́жешь себе́ предста́вить, как я *нае́лся!* Не мог встать и́з-за стола́! А Ка́тина ма́ма всё говори́ла: «Ку́шайте, ку́шайте, ребя́та... *Попро́буйте,* Марк...». Ну я и ел, и про́бовал... Всё бы́ло так вку́сно!

Пока́, Марк

*зава́ривать/завари́ть чай — to make tea*
*ку́хня — cuisine*
*нае́сться (pfv.) — to become, be full*
*настоя́щий — real*
*про́бовать/попро́бовать — to taste*
*свеча́ — candle*
*потряса́ющий — incredible*
*угоща́ть/угости́ть кого́? чем? — to serve*
*устра́ивать/устро́ить что? — to organize*

**Запо́мните!**
Both **ку́шать** and **есть** are used in the imperative forms as an invitation to eat («Ку́шай/Ку́шайте!», «Ешь/Ешьте!»). To say "I'm eating," "I ate" or "I'm hungry," use «Я ем», «Я ел/е́ла», «Я хочу́ есть».

**11-24. Расскажи́те...**

1. Вы — Са́ша. Вы получи́ли письмо́ от Ма́рка. Расскажи́те друзья́м, о чём э́то письмо́.
2. Расскажи́те о том, как вы пра́зднуете день рожде́ния (10-12 sentences). Use **пе́ред тем как, по́сле того́ как, во вре́мя** and other conjunctions.

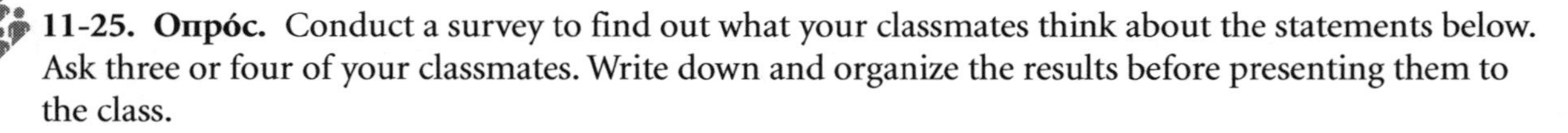

**11-25. Опро́с.** Conduct a survey to find out what your classmates think about the statements below. Ask three or four of your classmates. Write down and organize the results before presenting them to the class.

1. **Те́ма опро́са: го́сти**
   - Когда́ мы приглаша́ем госте́й, ва́жно пригото́вить вку́сную еду́.
   - Го́сти прихо́дят не для того́, что́бы есть, поэ́тому мо́жно не гото́вить.
2. **Те́ма опро́са: семья́**
   - Семья́ должна́ всегда́ обе́дать вме́сте.
   - У ка́ждого в семье́ своя́ жизнь, и нева́жно, обе́дают все вме́сте и́ли нет.

## Разгово́ры

**11-26. Слу́шайте и чита́йте разгово́р.** Insert the missing words and phrases. Determine who says what. The three speakers are Ка́тя, Ка́тина ма́ма, Марк.

**В гостя́х**

— Раздева́йтесь, ..........................!
— Поздравля́ю с новосе́льем и .......................
— Спаси́бо за цветы́.
— Так ........................ чем-то *па́хнет!* — *smells*
— Всё .................... Сади́тесь ...........................
— Я ужа́сно .............................
— За ва́ше ................................!
— Попро́буй ................................
— Что вы так ма́ло ..............? .................ещё ры́бы.
— Не *заставля́й* Ма́рка есть. Пусть ест, ..................... — *to force*
— Всё так вку́сно.
— Ешьте, е́шьте.......................................
— Я уже́ сыт.
— Нет-нет, ещё торт. Я сама́ ...................................
— Ка́тя, *поста́вь ча́йник.* — *put the kettle on*

**В конце́ обе́да**

— Ну, ча́йник *вскипе́л.* Я заварю́ ............................ — *is boiling*
— Марк, *зажги́* ............................, пожа́луйста. — *light*
— Ка́тя, *будь добра́,* переда́й .............. Я вам *налью́* ча́ю. — *пожа́луйста; I'll pour*
— Подожди́. Снача́ла *погаси́* све́чи. — *blow out*
— *Отре́жь* Ма́рку большо́й *кусо́к* .......................... — *to cut; piece*
— ................................торт!
— ......................................... вам ещё кусо́чек?
— Бо́льше не могу́. Большо́е .................................
— ............................................ Но вы так ма́ло е́ли.
— Что вы! Я так ......................................

**Note: The partitive genitive**

The genitive case (rather than the accusative) is used to denote a direct object that is part of a larger amount. This usage is called "the partitive genitive."

| | |
|---|---|
| **Чего́** тебе́ положи́ть? **Ры́бы?** | *What can I give you? Some fish?* |
| Положи́те Ма́рку **то́рта.** | *Give Mark some cake.* |

Except for the verb **хоте́ть,** the partitive genitive is used after perfective verbs. The English equivalent for partitive genitive forms is usually **some.** The English equivalent for accusative forms in similar contexts is usually **the.**

| | |
|---|---|
| Ка́тя, принеси́ **са́хара.** | *Katya, bring* ***some*** *sugar.* |
| Ка́тя, принеси́ **са́хар.** | *Katya, bring* ***the*** *sugar.* |

Note that the nouns **чай, са́хар,** and **суп** have the alternate partitive genitive forms **чаю, са́хару,** and **су́пу.**

**11-27. Поговори́м немно́го.** Read the following conversations and compose similar ones.

**А.**

— Попро́буйте пиро́г!
— Спаси́бо большо́е, я бо́льше не могу́!
— Но ещё есть моро́женое!
— Спаси́бо, я уже́ так нае́лся/нае́лась!

**А тепе́рь ваш разгово́р...** You are visiting your Russian friend's grandmother who wants you to eat a lot. Everything tastes good, but you are already full. Refuse or accept politely.

**Б.**

— Переда́й са́хар, пожа́луйста!
— Пожа́луйста. Положи́ть тебе́ ещё кусо́чек то́рта?
— Да, спаси́бо. Торт потряса́ющий!
— Я сама́ испекла́.

**А тепе́рь ваш разгово́р...** You're visiting your Russian friends. Ask someone to pass you sugar, salt, bread, etc. Offer to pass some dish to someone.

**11-28. Бу́дьте ве́жливыми!** Write a thank-you note to your hosts. Mention what you ate and how good it was.

**Complete exercises 11-14 through 11-22 in the S.A.M.**

## Грамма́тика. Говори́те пра́вильно!

### More on imperatives: the use of пусть and дава́й/те

### Third-person imperatives: "Let him/her do something."

Пусть (пуска́й) + third-person verb form.

| | |
|---|---|
| — Они́ хотя́т пригото́вить у́жин. | *"They want to make supper."* |
| — **Пусть (пуска́й) при/гото́вят.**[1] | *"Let them make it."* |
| — Марк хо́чет испе́чь пиро́г. | *"Mark wants to bake a pie."* |
| — **Пусть (пуска́й) ис/печёт.** | *"Let him bake it."* |

[1]Either aspect may be used.

**11-29. Пусть/пускáй...** Suggest that someone else do something and give a reason why.

*Примéр:* Вы не хоти́те идти́ в магази́н. (Вéра) →

*Я не хочу́ идти́ в магази́н, потому́ что я устáл/а. Пусть (пускáй) Вéра схóдит (пойдёт).*

1. Вы не хоти́те готóвить обéд. (Мáша)
2. Вам нéкогда мыть посу́ду. (Тáня)
3. Вы не хоти́те готóвить суп. (Кáтя)
4. Вы не мóжете сдéлать салáт. (Пéтя)
5. Вы не мóжете поéхать за продýктами. (Кóстя)
6. Вы не умéете говори́ть тóсты. (Вéра Сергéевна)

## First-person imperatives: "Let's do something." "Let's not."

— **Давáй/те приготóвим** борщ. — *"Let's make some borsch."*
— **Давáй/те.** — *"All right, let's."*

— **Давáй/те не бу́дем готóвить.** Пойдём в ресторáн. — *"Let's not cook tonight! Let's go out."*

**Запóмните!**

1. If you use **ты** with someone, use **давáй.** If you use **вы** with someone, or if you are speaking to more than one person, use **давáйте.**
2. With **perfective** verbs use **давáй/те** + first-person plural.

   Давáй/те **уберём** со столá.

3. With **imperfective** verbs use **давáй/те** + the infinitive.

   Давáйте **готóвить** у́жин!

4. Use **давáй/те не бу́дем** + imperfective infinitive when you don't want to do something.

   Давáйте **не бу́дем готóвить** у́жин, а пойдём в ресторáн.

5. "Going" verbs are often used in the first-person plural without **давáй/те.**

   **Пойдём/Поéдем** вмéсте! — *Let's go together.*
   **Идём/Едем!** — *Let's go. Let's get going.*

**11-30. Давáй/те...** Suggest to a friend that you do it together.

1. buy a bottle of wine;
2. invite Katya to a birthday party;
3. fix a Russian dinner;
4. make a salad;
5. bake a cake;
6. go out for dinner.

### Suggestions in which the speaker volunteers to do something: "Let me (us) do that."

| | |
|---|---|
| — Анна, **давайте** мы вам помóжем. | *"Anna, let us help you."* |
| — Нáдо сходи́ть в магази́н. | *"We need to go shopping."* |
| — **Дава́й/те** я схожу́. | *"I can go."* |

**11-31. Предложи́те чтó-то сдéлать.**

*Примéр:* Хоти́те ещё винá? (нали́ть) → *Дава́йте я вам налью́.*

1. Вы хоти́те ещё ры́бы? (положи́ть)
2. У нас нет овощéй. (купи́ть)
3. Вам нужнá пóмощь? (помóчь)
4. Нýжно накры́ть на стóл? (накры́ть)
5. Нýжно вы́мыть посýду? (вы́мыть)
6. Нýжно убрáть со столá? (убрáть)

**Complete exercises 11-23 through 11-25 in the S.A.M.**

# Тéма 3. Готóвим сáми и́ли идём в ресторáн?

## Подготóвка

**11-32. Фрýкты и óвощи.** Посмотри́те на карти́нки и скажи́те:

1. Каки́е óвощи и фрýкты вы лю́бите бóльше всегó?
2. Из чегó мóжно приготóвить овощнóй салáт, каки́е óвощи вы полóжите?
3. Каки́е фрýкты вы лю́бите в фруктóвом салáте?
4. С чем вы лю́бите пироги́ и́ли тóрты?

черéшня

клубни́ка

виногрáд

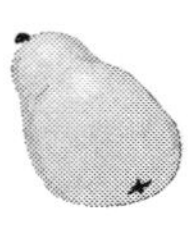
грýша

я́блоко

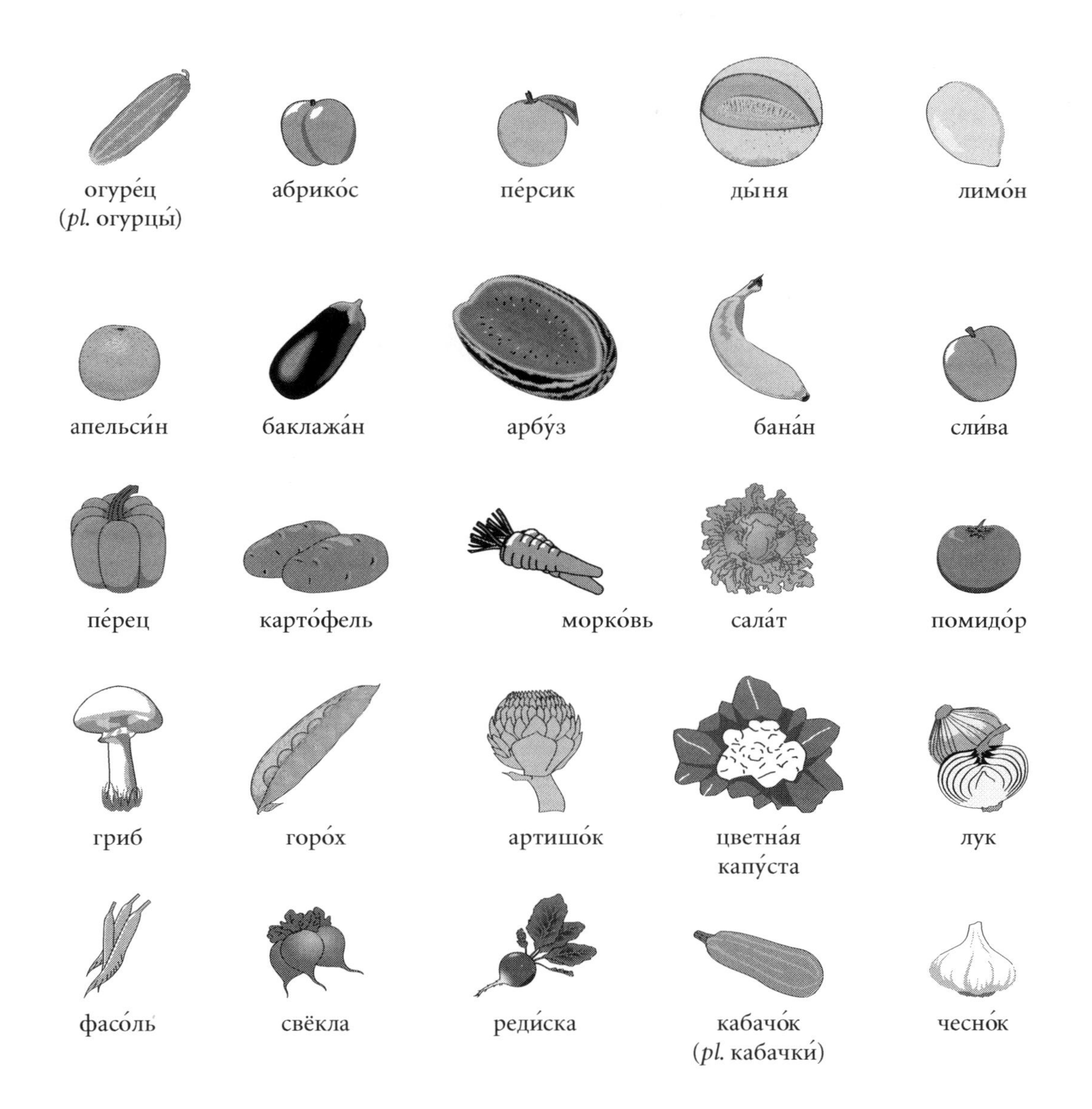


**Запо́мните!** These nouns have only singular forms:

| | | | |
|---|---|---|---|
| капу́ста | лук | морко́вь (*f.*) | карто́фель (*m.*)/карто́шка |
| свёкла | виногра́д | фасо́ль (*f.*) | горо́х |
| клубни́ка | сала́т | пе́р\|е\|ц | реди́ска |

 **11-33. Вы вегетариа́нец/вегетариа́нка.** Как вы гото́вите о́вощи?

*Приме́р:* картóшка → *Обы́чно я **варю́** картóшку. Но её мо́жно ещё **поджа́рить** и́ли **испе́чь.***

| | |
|---|---|
| артишо́к<br>баклажа́ны<br>горо́х<br>грибы́<br>кабачки́<br>капу́ста<br>лук<br>морко́вь<br>пе́р\|е\|ц<br>фасо́ль | вари́ть/свари́ть (в кастрю́ле) — *to cook in water, boil*<br>жа́рить/поджа́рить (на сковоро́дке) — *to fry*<br>жа́рить/зажа́рить (в духо́вке) — *to roast (in oven)*<br>жа́рить/поджа́рить на гри́ле (гриль) — *to barbecue, to grill*<br>печь/испе́чь (в духо́вке) — *to bake (in oven)*<br>туши́ть/потуши́ть — *to braise, cook on low heat; stew* |

**11-34. Вы хоти́те гото́вить. Cooking verbs.** Conjugate and learn these verbs. Be sure that you know the imperatives, as you will need them for reading and giving recipes.

| | |
|---|---|
| ре́зать/наре́зать (ре́жу, ре́жут) | *to slice, cut* |
| сме́шивать/смеша́ть | *to mix, toss* |
| меша́ть/помеша́ть | *to stir* |
| добавля́ть/доба́вить | *to add* |
| чи́стить/почи́стить | *to clean, peel, scrub* |
| кипяти́ть/вскипяти́ть во́ду (кипячу́, кипятя́т) | *to boil water* |
| мыть/помы́ть | *to wash* |

**11-35. Пригото́вьте сала́т.** Give directions for making your favorite salad.

*Приме́р 1:* *Возьми́/те огурцы́ и реди́ску, помо́й/те и почи́сти/те, наре́жь/те и смеша́й/те. Доба́вь/те соль, оли́вковое ма́сло и́ли смета́ну.* (Imperative of perfective verb)

*Приме́р 2:* *На́до взять огурцы́ и реди́ску, помы́ть и почи́стить, наре́зать, смеша́ть и доба́вить соль, оли́вковое ма́сло и́ли смета́ну.* (**На́до** + perfective infinitive)

| | | |
|---|---|---|
| ма́сло | капу́ста | морко́вь |
| лук | огурцы́ | соль |
| реди́ска | помидо́ры | |
| сала́т | пе́рец | |

**Complete exercises 11-26 and 11-27 in the S.A.M.**

## Язы́к в жи́зни

**11-36. Реце́пт борща́.** Прочита́йте реце́пт и соста́вьте спи́сок того́, что ну́жно купи́ть, что́бы его́ пригото́вить.

**Дава́йте пригото́вим вегетариа́нский борщ!**

- Наре́жьте свёклу и потуши́те со све́жими помидо́рами.
- Наре́жьте лук и морко́вь и потуши́те на сли́вочном ма́сле.
- Наре́жьте карто́фель и капу́сту, положи́те в кастрю́лю с водо́й и повари́те 15 мину́т. По́сле э́того доба́вьте к ним уже́ тушёную свёклу, лук, морко́вь и помидо́ры. Вари́те ещё 10 мину́т.
- Доба́вьте чесно́к, соль, лимо́нный сок и немно́го са́хара, и всё хорошо́ смеша́йте.
- Подава́йте на стол со смета́ной.

Прия́тного аппети́та!

**11-37. Из кулина́рной кни́ги.** Прочита́йте реце́пт котле́т и реце́пт га́мбургера. Что на́до купи́ть, что́бы пригото́вить котле́ты и га́мбургеры? В чём ра́зница ме́жду реце́птами?

**Котле́ты**

Купи́те полкило́[1] *свини́ны* и́ли *говя́дины* и сде́лайте *фарш.* Возьми́те лук, яйцо́, немно́го бе́лого хле́ба. Хлеб *размочи́те* в молоке́ и́ли в воде́, лук наре́жьте и всё смеша́йте с фа́ршем, доба́вьте яйцо́. *Посоли́те по вку́су.* Сде́лайте котле́ты. По фо́рме котле́ты похо́жи на га́мбургеры. Поджа́рьте на сковоро́дке.

*pork; beef; ground meat*
*soak*
*salt to taste*

**Га́мбургеры**

Возьми́те полки́ло фа́рша говя́дины и лук. Лук наре́жьте и смеша́йте с мя́сом. Доба́вьте со́ли и пе́рца по вку́су. Сдела́йте га́мбургеры. Поджа́рьте на сковоро́дке и́ли на гри́ле. Разре́жьте бу́лку попола́м и положи́те внутрь га́мбургер. Подава́йте с горчи́цей и солёными огурца́ми.

**11-38. Вы гото́вите са́ми. Расскажи́те…**

1. каки́е о́вощи на́до купи́ть, что́бы пригото́вить борщ, и как на́до его́ гото́вить;
2. как гото́вить котле́ты и как гото́вить га́мбургеры.

**11-39. Реши́те…** Вы с друзья́ми реши́ли пригото́вить ру́сский обе́д: свари́ть борщ и сде́лать котле́ты. Реши́те, кто что бу́дет де́лать: покупа́ть проду́кты, чи́стить и ре́зать о́вощи, кто бу́дет ре́зать лук, кто бу́дет де́лать котле́ты и т. д. Use different kinds of imperatives.: «Дава́й/те…», «Пусть…».

---

[1] 1 килогра́мм = appr. 2 pounds (pound — фунт)

 **11-40. Вы в ру́сском рестора́не.** Пе́ред ва́ми меню́.

1. Реши́те, что вы бу́дете есть.
2. Спроси́те официа́нта/официа́нтку о незнако́мых блю́дах, из чего́ и как они́ пригото́влены. «Скажи́те, пожа́луйста, что тако́е ...?»
3. Узна́йте, что́ по́вар гото́вит лу́чше всего́.

## *Рестора́н «РУ́ССКИЙ САМОВА́Р»*

### *МЕНЮ́*

**Заку́ски**

Мясно́е ассорти́
Ры́бное ассорти́
Икра́ чёрная
Икра́ кра́сная
Икра́ баклажа́нная
Сельдь под шу́бой
Сала́т «Оливье́»
Винегре́т моско́вский
Кулебя́ка с мя́сом
Блины́ с икро́й
Грибы́ в смета́не

**Супы́**

Бульо́н с пирожка́ми
Щи
Рассо́льник
Окро́шка ле́тняя
Борщ украи́нский
Уха́

**Горя́чие блю́да**

Котле́ты по-ки́евски
Плов с бара́ниной[1]
Бефстро́ганов
Цыпля́та табака́
Шашлы́к из бара́нины
Пельме́ни

**Гарни́ры**

Рис
Карто́фельное пюре́
Овощи тушёные

**Сла́дкое**

Моро́женое (в ассортиме́нте)
Пиро́г с я́блоками
Торт «Наполео́н»
Пиро́жные[2]
Шокола́дный торт «Ска́зка»

**11-41. Вы по́вар в рестора́не «Бу́дьте как до́ма!»**
You have your own unique way of cooking. Make a list of dishes you offer and then explain to a new cook how to make these dishes. Объясни́те но́вому по́вару, как:

1. свари́ть овощно́й суп;
2. пригото́вить ку́рицу;
3. сде́лать карто́фельный сала́т;
4. пригото́вить фрукто́вый сала́т.

по́вар

[1]lamb
[2]pastries

**11-42. Расскажи́те…**

1. **Моё люби́мое блю́до.** Расскажи́те, что вы бо́льше всего́ лю́бите есть и́ли гото́вить (8-10 предложе́ний).
2. Ку́хня како́й страны́ вам нра́вится бо́льше всего́? Расскажи́те о ней (10-12 предложе́ний).

**11-43. Интерне́т.**

1. Найди́те в Интерне́те ру́сские реце́пты и пригото́вьте одно́ из блюд.
2. Найди́те рестора́н в Москве́ и́ли Петербу́рге и расскажи́те о нём в кла́ссе: где нахо́дится, меню́, це́ны…

## Разгово́ры

**11-44. Слу́шайте и чита́йте разгово́р.** Insert the missing words and phrases.

**В како́й рестора́н пойти́?**

— Куда́ пойдём?
— Это …………………… того́, что вы хоти́те есть.
— Пойдёмте в кита́йский рестора́н.
— Прекра́сная иде́я. Я *обожа́ю* …………………… *to adore*
— А я не о́чень …………………………
— *На вкус и цвет това́рищей нет.* *To each his own*
— Что э́то зна́чит?
— Это посло́вица. Зна́чит, у ка́ждого своё мне́ние.
— Тут в гре́ческом рестора́не прекра́сный …………………
— Там ма́ло вегетариа́нских ………………………
— А за угло́м есть инди́йский ……………
— Я не ………………………………………
— А я на дие́те. Мне не́льзя ………………… еду́.
— У тебя́ что, ……………… на *спе́ции?* *spices*
— Что же де́лать?
— Как насчёт ………………………… рестора́на?
— Отли́чно! ……………………………!

**11-45. Поговори́м немно́го.** Read the following conversations and compose similar ones.

**A.** — Пойдём обе́дать!
— Куда́ ты хо́чешь пойти́?
— В кита́йский рестора́н.
— Нет, лу́чше инди́йский.
— А я ду́маю, что лу́чше всего́…

**А тепе́рь ваш разгово́р…** Continue till you agree on a restaurant.

**Б.** — Здесь есть вегетариа́нский рестора́н?

— Ка́жется есть, но я там не́ был/не была́.

— Дава́й схо́дим…

— Ну, ла́дно, хотя́ я не о́чень люблю́ вегетариа́нскую еду́.

**А тепе́рь ваш разгово́р…** You're looking for a particular kind of a restaurant. Discuss it with your friend.

**Complete exercises 11-28 through 11-34 in the S.A.M.**

## Грамма́тика. Говори́те пра́вильно!

### Wanting to do something vs. wanting someone else to do something

- If you want to do something, use **хоте́ть** + infinitive

| | |
|---|---|
| Я **хочу́ сказа́ть** тебе́ пра́вду. | *I want to tell you the truth.* |
| Она́ **хоте́ла пригото́вить** обе́д. | *She wanted to fix dinner.* |

- If you want another person(s) to do something, use **хоте́ть** + **что́бы** + subject noun (or pronoun) + past tense verb

| | |
|---|---|
| Я **хочу́, что́бы** вы мне **сказа́ли** пра́вду. | *I want you to tell me the truth.* |
| Я **хочу́, что́бы** она́ **пригото́вила** обе́д. | *I want her to fix dinner.* |

**11-46. Расскажи́те всем.** Я хочу́…

1. cook fish and potatoes tonight;
2. wish a friend "Happy Birthday";
3. go out for dinner;
4. bake a chocolate cake;
5. buy groceries;
6. learn to cook well.

**11-47. Скажи́те свои́м друзья́м.** Я хочу́, что́бы ты/вы…

*Приме́р:* set the table (накры́ть) → *Я хочу́, что́бы ты накры́л/а на стол.*

1. clear the table (убра́ть);
2. buy meat and vegetables (купи́ть);
3. give me a piece of cake (переда́ть);
4. come over after supper (прийти́);
5. fix dinner tonight (пригото́вить);
6. do the dishes (вы́мыть).

### Expressing indirect commands, suggestions, and wishes

Indirect commands can be expressed in Russian either by an infinitive after the verbs **проси́ть/попроси́ть, говори́ть/сказа́ть,** and **сове́товать/посове́товать** or by a **что́бы**-construction (**что́бы** + subject noun (or pronoun) + **past tense verb.**) Constructions with **что́бы** are used more frequently in formal and written Russian.

| | |
|---|---|
| Мы их **попроси́ли прийти́** пора́ньше. | *We asked them to come over a bit earlier.* |
| Мы **попроси́ли, что́бы** они́ пришли́ пора́ньше. | *We asked them if they would come over a bit earlier.* |

**11-48. Чтóбы...** Change the infinitives to **чтóбы**-constructions. Translate the sentences into English.

1. Роди́тели **проси́ли** меня́ **писа́ть** поча́ще. Роди́тели **проси́ли, ...**
2. Она́ меня́ **проси́ла найти́** реце́пт. Она́ меня́ **проси́ла, ...**
3. Я **попроси́л/а** бра́та **накры́ть** на стол. Я **попроси́л/а** бра́та, ...
4. Та́ня **попроси́ла** сестру́ **сходи́ть** за проду́ктами. Та́ня **попроси́ла, ...**
5. Он **попроси́л** меня́ **наре́зать** лук и **почи́стить** карто́шку. Он **попроси́л, ...**

## Ру́сские эквивале́нты глаго́ла *"to ask"*

| **проси́ть/попроси́ть** — to request; to ask someone to do something; to ask for something | **спра́шивать/спроси́ть** — to ask for information; to inquire; to ask a question |
|---|---|
| **кого́?** + *infinitive*<br>Она́ попроси́ла **Та́ню купи́ть** хле́ба.<br>*She asked Tanya to buy some bread.*<br><br>**кого́ о чём?**<br>Я не хочу́ **их** ни **о чём** проси́ть.<br>*I don't want them to do anything for me.*<br><br>**что/чего́ у кого́?**<br>**Я** попрошу́ **у роди́телей де́нег.**<br>*I'll ask my parents for some money.* | **кого́?/у кого́?**<br>Спроси́те **Та́ню/у Та́ни,** что она́ об э́том ду́мает.<br>*Ask Tanya what she thinks about it.*<br><br>**кого́ о чём?**<br>Мы спроси́ли **Та́ню о её пла́нах.**<br>*We asked Tanya what she was planning to do.* |

**11-49. Как ещё мо́жно э́то сказа́ть?** Use **чтóбы.**

*Приме́р:* Ка́тя хо́чет меня́ ви́деть. → *Ка́тя проси́ла, чтóбы я пришёл/пришла́.*

1. Ни́на хо́чет поговори́ть с тобо́й по телефо́ну. (позвони́ть)
2. Серёжа пригласи́л нас в го́сти. (прие́хать)
3. Анна Влади́мировна проси́ла меня́ купи́ть хлеб и соль. (купи́ть)
4. Та́ня проси́ла нас не покупа́ть ей пода́рки ко дню рожде́ния. (дари́ть)
5. Я прошу́ тебя́ ничего́ не гото́вить сего́дня. (гото́вить) Лу́чше пойдём в рестора́н.
6. Я прошу́ тебя́ почи́стить о́вощи. (почи́стить)

**Complete exercises 11-35 and 11-36 in the S.A.M.**

# Культу́ра и исто́рия

## Ру́сские пра́здники: Ма́сленица

**11-50.** Прочита́йте о Ма́сленице — весёлом пра́зднике, кото́рый лю́бят в Росси́и и взро́слые, и де́ти. Найди́те в те́ксте отве́ты на сле́дующие вопро́сы.

1. Что тако́е Ма́сленица?
2. Пра́зднуют ли Ма́сленицу в Росси́и в на́ши дни?
3. Когда́ пра́зднуют Ма́сленицу?
4. Что гото́вят во вре́мя Ма́сленицы?
5. Что означа́ет погово́рка «Пе́рвый блин ко́мом»?

**Ма́сленица**

Ма́сленица — оди́н из са́мых дре́вних *язы́ческих* (*pagan*) ру́сских пра́здников, кото́рый пра́зднуют в Росси́и и сего́дня.

До 14-го ве́ка ру́сские встреча́ли Но́вый год в ма́рте. А в конце́ февраля́ *пра́здновали* (*celebrated*) Ма́сленицу — так они́ *провожа́ли* (*said good-bye*) зи́му и ста́рый год. Да́же когда́ Но́вый год ста́ли встреча́ть в сентябре́, а пото́м в январе́, Ма́сленица оста́лась. По́сле приня́тия христиа́нства э́тот пра́здник был *приуро́чен* (*timed*) правосла́вной це́рковью к неде́ле пе́ред *Вели́ким посто́м* (*Lent, the "Great Fast"*).

Ма́сленица пра́зднуется це́лую неде́лю, начина́я с понеде́льника. Во вре́мя Ма́сленицы пеку́т блины́, больши́е и *кру́глые* (*round*), похо́жие на со́лнце. Иногда́ пе́рвый блин получа́ется некраси́вым, потому́ что сковорода́ ещё недоста́точно горя́чая. Тогда́ говоря́т: «Пе́рвый блин *ко́мом*» (*lump, blob*). Э́то выраже́ние ста́ло погово́ркой, кото́рая означа́ет, что в нача́ле ка́ждого де́ла быва́ют *тру́дности* (*difficulties*), но пото́м всё бу́дет хорошо́.

**11-51. Структу́ра предложе́ния.** Read each sentence in 11-50. Pay attention to the word order. Find the subject and the predicate.

**Complete exercises 11-37 through 11-40 in the S.A.M.**

## Слова́рь

### Существи́тельные

| | |
|---|---|
| блю́до | *dish* |
| блю́дце | *saucer* |
| бока́л | *wine glass* |
| ви́лка | *fork* |
| д\|е\|нь рожде́ния | *birthday* |
| еда́ | *food* |
| заку́ска | *appetizer* |
| кастрю́ля | *pot* |
| ку́хня | *cuisine* |
| л\|ё\|д (льда) | *ice* |
| ло́жка | *spoon* |
| новосе́лье | *housewarming party* |
| нож | *knife* |
| по́вар | *chef* |
| реце́пт | *recipe* |
| салфе́тка | *napkin* |
| свеча́ | *candle* |
| сковоро́дка (сковорода́) | *frying pan* |
| стака́н | *glass* |
| таре́лка | *plate* |
|    супова́я таре́лка | *soup bowl* |
| ча́йник | *teapot, tea kettle* |
| ча́шка | *cup* |

### Глаго́лы

| | |
|---|---|
| вари́ть/свари́ть | *to cook in water, boil* |
| включа́ть/включи́ть | *to include* |
| встава́ть/встать из-за стола́ | *to get up from the table* |
| гото́вить/пригото́вить | *to cook* |
| добавля́ть/доба́вить | *to add* |
| жа́рить/зажа́рить (в духо́вке) | *to roast (in oven)* |
| жа́рить/поджа́рить (на сковоро́дке) | *to fry* |
| жа́рить/поджа́рить на гри́ле (гриль) | *to barbecue, grill* |
| зава́ривать/завари́ть чай | *to make tea* |
| кипяти́ть/вскипяти́ть во́ду (кипячу́, кипятя́т) | *to boil water* |
| меша́ть/помеша́ть | *to stir* |
| мыть/помы́ть | *to wash* |
| нае́сться (*pfv.*) | *to be full, have eaten one's fill* |
| накрыва́ть/накры́ть на стол | *to set the table* |
| передава́ть/переда́ть кому́? что? | *to pass* |

| | |
|---|---|
| печь/испéчь (пекý, печёшь, пекýт) | *to bake* |
| подавáть/подáть комý? что? | *to serve (food)* |
| прóбовать/попрóбовать | *to taste, try* |
| рéзать/нарéзать (рéжу, рéжут) | *to slice, cut* |
| рекомендовáть (*impf.*) | *to recommend* |
| садиться/сесть за стол | *to sit down to eat* |
| смéшивать/смешáть | *to mix, toss* |
| состоять (*impf.*) из чегó? | *to consist (of)* |
| тушить/потушить | *cook on low heat; stew* |
| убирáть/убрáть со столá | *to clear the table* |
| угощáть/угостить когó? чем? | *to serve* |
| устрáивать/устрóить что? | *to organize* |
| чистить/почистить | *to clean, peel, scrub* |

## Прилагáтельные

| | |
|---|---|
| (не) вкýсный | *(not) tasty* |
| гóрький | *bitter* |
| жёсткий | *tough* |
| жирный | *rich; greasy* |
| кислый | *sour* |
| лёгкий | *light* |
| мягкий | *tender* |
| настоящий | *real* |
| óстрый | *spicy, hot* |
| потрясáющий | *incredible* |
| слáдкий | *sweet* |
| солёный | *salty* |
| сырóй | *raw, not well cooked* |
| тяжёлый | *rich, heavy* |

## Выражéния

| | |
|---|---|
| (Кýшайте) на здорóвье. | *You're welcome. (In response to* «Спасибо» *during/after a meal.)* |
| За вáше здорóвье! | *To your health!* |
| на вторóе | *for the main course* |
| на закýску | *as an appetizer* |
| на пéрвое | *for the first course (soup)* |
| на трéтье | *for dessert* |
| Я гóлоден/голоднá. | *I'm hungry.* |
| Я наéлся/наéлась. | *I'm full.* |
| Я сыт/сытá. | *I'm full.* |

## Что мы еди́м и пьём?

| **Мя́со** | ***Meat*** |
|---|---|
| бара́нина | *lamb* |
| беко́н | *bacon* |
| бифште́кс | *steak* |
| ветчина́ | *ham* |
| га́мбургер | *hamburger* |
| говя́дина | *beef* |
| инде́йка | *turkey* |
| ку́рица | *chicken* |
| ро́стбиф | *roast beef* |
| свини́на | *pork* |
| соси́ски | *hot dogs* |
| теля́тина | *veal* |

| **Ры́ба** | ***Fish*** |
|---|---|
| лосо́сь (*m.*) | *salmon* |
| сельдь (селёдка) | *herring* |

| **Гарни́ры** | ***Side dishes*** |
|---|---|
| карто́фель (карто́шка) | *potatoes* |
| жа́реная | *hash brown or French fries (fried potatoes)* |
| варёная | *boiled* |
| печёная | *baked* |
| карто́фельное пюре́ | *mashed potatoes* |
| карто́фельные чи́псы | *potato chips* |
| кукуру́за | *corn* |
| о́вощи | *vegetables* |
| рис | *rice* |
| сала́т | *salad* |

| **Мучны́е изде́лия** | ***Bread, Pancakes, etc.*** |
|---|---|
| ола́дьи, блины́ | *pancakes, crepes* |
| сла́дкие бу́лочки | *Danish pastries* |
| тост (*pl.* то́сты) | *toast* |
| хлеб (бе́лый, чёрный) | *bread (white, dark)* |

| **Напи́тки** | ***Beverages*** |
|---|---|
| кака́о | *cocoa, hot chocolate* |
| ко́фе | *coffee* |
| молоко́ | *milk* |
| сли́вки (*pl. only*) | *cream* (нет сли́вок) |
| чай | *tea* |

| **Сок** | ***juice*** |
|---|---|
| апельси́новый | *orange* |
| овощно́й | *vegetable* |
| тома́тный | *tomato* |
| фрукто́вый | *fruit* |
| я́блочный | *apple* |

| **Десе́рт/Сла́дкое** | ***Dessert*** |
|---|---|
| конфе́ты | *candy* |
| моро́женое | *ice cream* |
| пече́нье (*sg. only*) | *cookie, cookies* |
| пиро́г | *pie* |
| пиро́жное | *any kind of pastry* |
| по́нчик\|и | *doughnut/s* |
| торт | *cake* |
| фру́кты | *fruit* |
| шокола́д (*sg. only*) | *chocolate* |

## Фру́кты

| | |
|---|---|
| абрико́с/ы | *apricot/s* |
| авока́до (*not declined*) | *avocado* |
| анана́с | *pineapple* |
| апельси́н/ы | *orange/s* |
| арбу́з | *watermelon* |
| бана́н/ы | *banana/s* |
| виногра́д (*sg. only*) | *grapes* |
| грейпфру́т/ы | *grapefruit* |
| гру́ши (одна́ гру́ша) | *pears* |
| ды́ня | *melon (canteloupe, honeydew)* |
| ки́ви (*not declined*) | *kiwi fruit* |
| клубни́ка | *strawberries* |
| ла́йм/ы | *lime/s* |
| лимо́н/ы | *lemon/s* |
| ма́нго (*not declined*) | *mango* |
| мандари́н/ы | *tangerine/s* |
| пе́рсик\|и | *peaches/nectarines* |
| сли́вы (одна́ сли́ва) | *plums* |
| чере́шня (*sg. only*) | *cherries* |
| я́блоки (одно́ я́блоко) | *apples* |

## Овощи

| | |
|---|---|
| баклажа́н/ы | *eggplant/s* |
| бро́кколи (*not declined*) | *broccoli* |
| горо́х | *peas* |
| гриб/ы́ | *mushroom/s* |
| кабачки́ (оди́н кабач\|о́\|к) | *squash* |
| капу́ста (*sg. only*) | *cabbage* |
| цветна́я капу́ста | *cauliflower* |
| карто́фель (*m.*) (карто́шка) (*sg. only*) | *potatoes* |
| лук | *onions* |
| морко́вь (*f.*) (*sg. only*) | *carrots* |
| огурцы́ (оди́н огур\|е́\|ц) | *cucumbers; pickles* |
| пе́р\|е\|ц | *pepper* |
| помидо́р/ы | *tomato/es* |
| реди́ска | *radishes* |
| сала́т | *lettuce, salad greens* |
| свёкла | *beet(s)* |
| чесно́к | *garlic* |

## Припра́вы и спе́ции — *Dressings and Spices*

| | |
|---|---|
| горчи́ца | *mustard* |
| майоне́з | *mayonnaise* |
| оли́вковое ма́сло | *olive oil* |
| пе́р\|е\|ц | *pepper* |
| подли́вка | *sauce, gravy, dressing* |
| са́хар | *sugar* |
| соль (*f.*) | *salt* |
| со́ус | *sauce, dressing* |
| тома́тный со́ус, ке́тчуп | *ketchup* |
| укро́п | *dill* |
| у́ксус | *vinegar* |
| хрен | *horseradish* |

## Что едя́т америка́нцы

| | |
|---|---|
| ара́хисовое ма́сло | *peanut butter* |
| бифште́кс | *steak* |
| га́мбургер | *hamburger* |
| карто́фельные чи́псы | *potato chips* |
| кукуру́за | *corn* |
| кукуру́зные хло́пья | *cornflakes or other dry cereal* |
| моло́чный кокте́йль | *milkshake* |
| по́нчики | *doughnuts* |
| ро́стбиф | *roast beef* |
| тун\|е́\|ц | *tuna* |
| сэ́ндвич (с чем?) | *sandwich* |
| яи́чница | *fried egg* |

## Что едя́т ру́сские

| | |
|---|---|
| борщ | *beet soup* |
| бутербро́д (с чем?) | *open-faced sandwich* |
| с сы́ром, с колбасо́й | *cheese; salami, pepperoni, etc.* |
| икра́ | *caviar* |
| ка́ша | *cooked cereal* |
| компо́т | *stewed fruit* |
| пельме́ни | *meat dumplings* |
| пирож\|о́\|к | *a small pie (with meat, rice, potatoes, etc.)* |
| смета́на | *sour cream* |
| творо́г | *cottage cheese* |
| щи *(pl.)* | *cabbage soup* |
| яи́чница | *fried egg* |

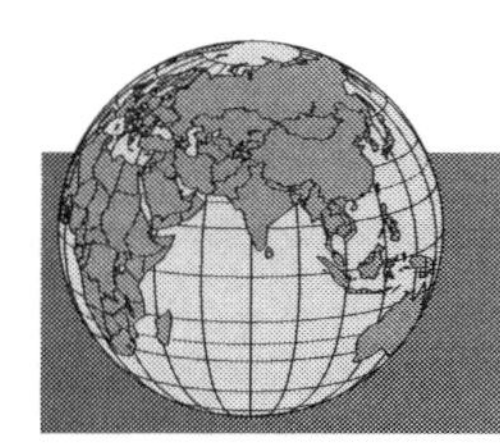

# Глава́ 12

# Чем мы увлека́емся? Спорт, литерату́ра, кино́ и телеви́дение, иску́сство.

## В э́той главе́…

**In this chapter you will**

- ❖ learn to talk about sports, literature, film, and television
- ❖ review or learn how to decline Russian last names
- ❖ practice using -**то** and -**нибудь**
- ❖ read about Russian art and artists
- ❖ read about Russian and American history

# Те́ма 1. Спорт

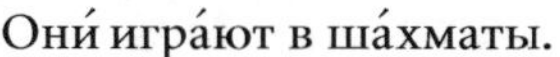

## Подгото́вка

Они́ игра́ют в ша́хматы.

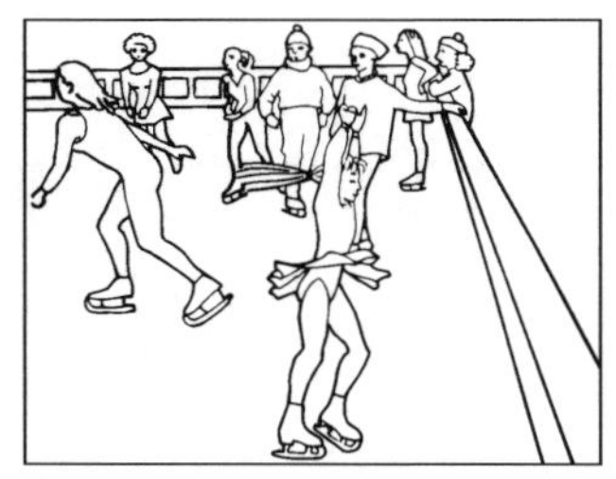

Они́ ката́ются на конька́х.

Они́ ката́ются на лы́жах.

**12-1. Каки́е ви́ды спо́рта популя́рны в Росси́и?** Read about the sports in Russia and discuss what sports are popular in the United States or another country you've lived in.

**Спорт в Росси́и**

Са́мый популя́рный вид спо́рта в Росси́и — э́то футбо́л. Так называ́ют в Росси́и *soccer.* А вот футбо́л, в кото́рый игра́ют в Аме́рике, америка́нский футбо́л, практи́чески неизве́стен. Друга́я о́чень популя́рная игра́ в Росси́и — э́то хокке́й на льду́. Уже́ в де́тстве мно́гие начина́ют ката́ться на конька́х и игра́ть в хокке́й во дворе́ до́ма и в де́тских кома́ндах спорти́вных клу́бов.

В Аме́рике ша́хматы не счита́ются спо́ртом, а в Росси́и э́то спорт, за кото́рым боле́льщики[1] следя́т с таки́м же интере́сом, как америка́нские боле́льщики за турни́рами по го́льфу и́ли чемпиона́тами по бейсбо́лу.

Е́сли ва́ши друзья́ в Росси́и хотя́т знать, каки́е ви́ды спо́рта популя́рны в Аме́рике, что вы им расска́жете?

**12-2. Вы зна́ете э́ти слова́?**

турни́р — *tournament*
соревнова́ние — *competition*
чемпиона́т — *championship*
матч — *match*
игра́ — *game*

**12-3. Словообразова́ние.** Form adjectives according to the model and combine them with the words on the right.

*Приме́р:* те́ннис → те́ннис + н + ый → *те́ннисный* → *те́ннисный матч*
футбо́л → футбо́л + ь + н + ый → *футбо́льный* → *футбо́льный боле́льщик*

| | |
|---|---|
| баскетбо́л … | соревнова́ние |
| волейбо́л … | турни́р |
| хокке́й … | матч |
| бейсбо́л … | игра́ |
| билья́рд | |

[1]fans

**12-4. Соревнова́ние по...** Combine the two columns and give English equivalents of the resulting phrases.

*Приме́р:* соревнова́ние бег → *соревнова́ние по бе́гу (dative case)*

| | | |
|---|---|---|
| соревнова́ние по... | пла́ванье | велоспо́рт |
| турни́р по... | гольф | борьба́ |
| чемпиона́т по... | подво́дное пла́ванье | бокс |
| | альпини́зм | гимна́стика |
| | ша́хматы | |

**12-5. Чемпиона́т Евро́пы по футбо́лу.**

***Фина́л***

| Матч | Счёт |
|---|---|
| Португа́лия - Гре́ция | 0 - 1 |

***Полуфина́л***

| Матч | Счёт |
|---|---|
| Португа́лия - Голла́ндия | 2 - 1 |
| Гре́ция - Че́хия | 1 - 0 |

***Четвертьфина́л***

| Матч | Счёт |
|---|---|
| Португа́лия - Англия | 2 - 1 |
| Фра́нция - Гре́ция | 0 - 1 |
| Шве́ция - Голла́ндия | 0 - 2 |
| Че́хия - Да́ния | 3 - 0 |

1. Как вы ду́маете, что зна́чит «фина́л», «полуфина́л», «четвертьфина́л»?
2. Каки́е *кома́нды* игра́ли в фина́ле Чемпиона́та Евро́пы по футбо́лу?
3. Кома́нда како́й страны́ *вы́играла?*
4. *С каки́м счётом* зако́нчились футбо́льные ма́тчи ме́жду кома́ндами в полуфина́ле? Кто вы́играл? Кто *проигра́л?*
5. С каки́м счётом зако́нчились футбо́льные ма́тчи ме́жду кома́ндами в четвертьфина́ле? Кто вы́играл? Кто проигра́л?
6. Если бы вы смотре́ли Чемпиона́т Евро́пы по футбо́лу, за кома́нду како́й страны́ вы бы *боле́ли?*

*боле́ть (impf.) за кого́ (боле́ю, боле́ешь, боле́ют) — to be a sports fan*
*выи́грывать/вы́играть у кого́? — to win from someone*
*кома́нда — team*
*проигрывать/проигра́ть кому́? — to lose to someone*
*счёт — score*
*Како́й счёт?/С каки́м счётом зако́нчилась игра́? — What's the score?*

**Запо́мните!**

— Како́й счёт?/С каки́м счётом зако́нчилась игра́?

— Игра́ зако́нчилась со счётом 6-5 (шесть-пять).

— 1-0 (оди́н-ноль); 3-2 (три-два); 0-0 (ноль-ноль, ничья́); 1-1 (оди́н-оди́н, ничья́)

**12-6. Словообразова́ние.** Form Russian words that mean "a player of ..."

*Приме́р:* те́ннис → *те́ннис + ист* → *теннис́ист* (*masc.*) tennis-player
*теннис́ист + к(а)* → *теннис́истка* (*fem.*)
*Мужчи́на, кото́рый игра́ет в те́ннис, — теннис́ист.*
*Же́нщина, кото́рая игра́ет в те́ннис, — теннис́истка.*

баскетбо́л — ...
футбо́л — ...
бейсбо́л — ...
волейбо́л — ...
ша́хмат(ы) — ...
хокке́(й ) — ...

**Complete exercise 12-1 in the S.A.M.**

## Язы́к в жи́зни

**12-7. Те́ннисный турни́р.**

**Пе́ред чте́нием.** Как вы ду́маете, что э́то зна́чит:

1. Спортсме́н в хоро́шей фо́рме.
2. Плох тот солда́т, кото́рый не мечта́ет стать генера́лом.

**Во вре́мя чте́ния.** Найди́те отве́ты на сле́дующие вопро́сы:

1. С кем бу́дет игра́ть Ле́на Деме́нтьева?
2. С каки́м счётом она́ вы́играла у Ве́нус Уи́льямс?
3. Что говори́т о Ле́не её тре́нер?

**Те́ннисный турни́р в Майа́ми**

На те́ннисном турни́ре в Майа́ми россия́нка Еле́на Деме́нтьева встре́тится с америка́нской теннис́исткой Сере́ной Уи́льямс. Мо́жет ли Ле́на *одержа́ть побе́ду?*

Деме́нтьева вы́шла в фина́л *благодаря́ тому́, что* в полуфина́льном ма́тче она́ вы́играла у Ве́нус Уи́льямс со счётом 6:3, 5:7, 7:5. Боле́льщики Ле́ны бы́ли в восто́рге!

— В како́й фо́рме нахо́дится сейча́с Деме́нтьева?

*благодаря́ тому́, что — thanks to*
*боро́ться (impf.) — to fight*
*борьба́ — struggle, fight*
*оде́рживать/одержа́ть побе́ду над кем? — to win*

— В хоро́шей, потому́ что она́ мно́го *тренирова́лась.* Но, коне́чно, Ле́на мо́жет игра́ть ещё лу́чше, — сказа́ла *тре́нер* Еле́ны Ольга Моро́зова.

— Психологи́чески Деме́нтьева гото́ва *боро́ться* с Уи́льямс?

— Хоро́ший вопро́с. Из-за того́ что сёстры Уи́льямс в ми́ре те́нниса счита́ются сильне́йшими, психологи́чески с ни́ми тру́дно боро́ться. Но я ещё никогда́ не встреча́ла ру́сских теннис́истов, кото́рые не *стреми́лись* бы к побе́де. Как говоря́т, плох тот солда́т, кото́рый не мечта́ет стать генера́лом. А о Ле́не я могу́ уве́ренно сказа́ть, что она́ к *борьбе́* гото́ва.

*побе́да* — *victory*
*стреми́ться (impf.) к чему́?* — *to strive for*
*тре́нер* — *coach*
*тренирова́ться (impf.)* — *to train, practice*

**12-8. «Но́вый чемпиона́т — но́вые наде́жды!»**

**Пе́ред чте́нием.** Как вы ду́маете, что зна́чит «чемпиона́т старту́ет»?

**Во вре́мя чте́ния.** Найди́те отве́ты на сле́дующие вопро́сы:

1. Когда́ хокке́йная кома́нда Росси́и вы́играла чемпиона́т ми́ра?
2. Каки́е меда́ли кома́нда получи́ла и когда́?
3. Почему́ росси́йские хоккеи́сты ду́мают, что они́ мо́гут вы́играть чемпиона́т ми́ра в э́том году́?

**Но́вый чемпиона́т — но́вые наде́жды!**

В Пра́ге старту́ет чемпиона́т ми́ра по хокке́ю. Оди́ннадцать лет наза́д *сбо́рная* кома́нда Росси́и в после́дний раз *завоева́ла золоты́е меда́ли,* и то́лько два го́да наза́д росси́йской кома́нде удало́сь получи́ть *серебря́ные* меда́ли.

Но́вый чемпиона́т — но́вые *наде́жды.* Во-пе́рвых, наде́жда на тре́нера Ви́ктора Ти́хонова, кото́рый верну́лся в кома́нду. Во-вторы́х, наде́жда на тех хоккеи́стов, кото́рых вы́берет Ти́хонов. В-тре́тьих — на то́, что в э́том году́ на́шим[1] повезёт!

*меда́ль (f.)* — *a medal*
*завоёвывать/завоева́ть меда́ль* — *to win a medal*
*золота́я меда́ль* — *gold medal*
*серёбряная меда́ль* — *silver medal*
*наде́жда* — *hope*
*сбо́рная (кома́нда)* — *national team*

[1]кома́нда из университе́та, где мы у́чимся, го́рода и́ли страны́, где мы живём.

**12-9. Структу́ра предложе́ния.** Read each sentence in 12-7 and 12-8, paying careful attention to word order. Find the subject and the predicate.

**12-10. Поговори́м о спо́рте.**

1. **Вы — спорти́вный коммента́тор на ра́дио.** Расскажи́те после́дние но́вости о те́ннисном турни́ре в Майа́ми и́ли о чемпиона́те по хокке́ю.
2. **Вы — радиослу́шатель.** Зада́йте вопро́сы спорти́вному обозрева́телю о те́ннисном турни́ре в Майа́ми и́ли о чемпиона́те по хокке́ю.

**12-11. Интерне́т.** Найди́те информа́цию о росси́йских спорти́вных кома́ндах и́ли спортсме́нах и расскажи́те в кла́ссе.

## Разгово́ры

**12-12. Слу́шайте и чита́йте разгово́р.** Insert the missing words and phrases.

**На́ша кома́нда вы́играла**

— Ну, что слы́шно?

— На́ша кома́нда вчера́ ....................................

— Ра́зве ты ...................................................?

— Я то́лько боле́ю за университе́тскую ...................

— Како́й был ................................................?

— Я слы́шала, что была́ ...................................

— А мне сказа́ли, что опя́ть ................................

— Да нет. Я была́ на .........................................

— Ра́ньше они́ никогда́ не ..................................

— У них но́вый ................................................

— Они́ трениру́ются с утра́ ..................................

**Notes:**

1. A question with **ра́зве** expresses surprise.
2. **Да нет** means "No, on the contrary."

**12-13. Поговори́м немно́го...** Read the following conversations and compose similar ones.

**А.**

— За кого́ ты боле́ешь?

— За на́ших, коне́чно.

— Ты ду́маешь, они́ вы́играют?

— Нет, наве́рное. Они́ всё вре́мя прои́грывают.

**А тепéрь ваш разговóр...** Ask a friend whether he/she is a fan (тéннис, футбóл, баскетбóл, бейсбóл) and who would win in his/her opinion.

**Б.**

— Ты смотрéл/а баскетбóл?

— Смотрéл/а, но не до концá.

— Не знáешь, какóй счёт?

— Кáжется, 88-68.

**А тепéрь ваш разговóр...** Ask a friend whether he/she watched a game (тéннис, футбóл, баскетбóл, бейсбóл) and what the score was.

**Complete exercises 12-2 through 12-6 in the S.A.M.**

## Граммáтика. Говори́те прáвильно!

### Declension of surnames/last names ◆ Склонéние фами́лий

1. **Фами́лии.** Surnames of Russian origin end in either **-ин (Пýшкин, Бороди́н)** or **-ов/ев (Козлóв, Дми́триев, Соловьёв).** These last names have masculine and feminine forms as well as plural forms. The instrumental case of masculine surnames has the adjectival ending **-ым.** Feminine surnames have adjectival endings in all cases except the nominative and accusative. Plural forms have adjectival endings in all cases except the nominative.

| | Masc. | Fem. | Plural | Masc. | Fem. | Plural |
|---|---|---|---|---|---|---|
| **N** | Бороди́н[1] | Бороди**нá** | Бороди**ны́** | Соловьёв | Соловьёв**а** | Соловьёв**ы** |
| **A** | Бороди**нá** | Бороди**нý** | **Бородиных** | Соловьёв**а** | Соловьёв**у** | **Соловьёвых** |
| **G** | Бороди**нá** | **Бородинóй** | **Бородиных** | Соловьёв**а** | **Соловьёвой** | **Соловьёвых** |
| **P** | Бороди**нé** | **Бородинóй** | **Бородиных** | Соловьёв**е** | **Соловьёвой** | **Соловьёвых** |
| **D** | Бороди**нý** | **Бородинóй** | **Бородины́м** | Соловьёв**у** | **Соловьёвой** | **Соловьёвым** |
| **I** | **Бородины́м** | **Бородинóй** | **Бородины́ми** | **Соловьёвым** | **Соловьёвой** | **Соловьёвыми** |

[1]If the stress is on **-ин** in the masculine form, the stress shifts to the ending in all other forms.

2. Some Russian surnames have adjectival endings and decline like adjectives (e.g., Пётр Ильи́ч Чайко́вский. Мы слу́шали му́зыку Петра́ Ильича́ Чайко́вского. Мы говори́ли о Петре́ Ильиче́ Чайко́вском.) For the table of declensions see the Appendix, p. 347.
3. Surnames ending in a consonant (e.g., **Шостако́вич, Пастерна́к, Го́голь**) decline only when pertaining to male persons (e.g., Я зна́ю Евге́ния Пастерна́ка и Алёну Пастерна́к.). Surnames ending in a vowel (including those of Slavic origin, i.e. **Франко́, Шевче́нко**) do not decline.

| **Обрати́те внима́ние!** | **English** | **Russian** |
|---|---|---|
| | *Ivan and Anna Petrov* | Ива́н и Анна Петро́вы |
| | *the Petrov brothers* | бра́тья Петро́вы |
| | *the Williams sisters* | сёстры Уи́льямс |

**12-14. Склоне́ние фами́лий.** Read the sentences and determine the case of the last names.

1. Ио́сиф Бро́дск**ий.** Мы чита́ем поэ́зию Ио́сифа Бро́дск**ого.**
2. Лев Толст**о́й.** Рома́н «Война́ и мир» напи́сан Льво́м Толст**ы́м.**
3. Со́фья Толст**а́я.** Я чита́л/а о жене́ Толст**о́го,** Со́фье Толст**о́й.**
4. Фёдор Достое́вск**ий.** Мы слу́шали ле́кцию о Фёдоре Достое́вск**ом.**
5. Со́фья Ковале́вск**ая.** Со́фье Ковале́вск**ой** не разреша́ли преподава́ть в университе́тах в Росси́и.

**12-15. Но́вости те́нниса.** Read the article below, paying attention to the forms of the first and last names. Identify the case and give the nominative. Explain the case ending.

Еле́на Деме́нтьева вы́играла пе́рвый в своёй карье́ре профессиона́льный те́ннисный турни́р. В фина́ле кру́пного же́нского турни́ра в Аме́лия Айленд она́ победи́ла америка́нку Ли́ндсей Дэ́венпорт. На пути́ к фина́лу россия́нка вы́играла у своёй сооте́чественницы Ли́ны Красноруцкой и южноафрика́нки Ама́нды Ке́тцер, а та́кже одержа́ла побе́ду над слова́чкой Даниэ́лой Гантухо́вой и бельги́йкой Жюсти́н Эне́н-Арде́нн.

С Ли́ндсей Дэ́венпорт Еле́на за свою́ карье́ру успе́ла сыгра́ть семь раз и в пяти́ встре́чах проигра́ла. Восьма́я встре́ча заверши́лась побе́дой Деме́нтьевой! Пе́рвую па́ртию вы́играла Дэ́венпорт со счётом 6-4. Во второ́й па́ртии америка́нка была́ о́чень близка́ к побе́де, выи́грывая со счётом 4-2. Но и́менно в э́тот моме́нт Деме́нтьева начала́ выи́грывать и вы́играла втору́ю па́ртию 7-5. В тре́тьем се́те ра́вная игра́ продолжа́лась лишь до счёта 3-3. Пото́м Ли́ндсей Дэ́венпорт уста́ла и факти́чески прекрати́ла сопротивле́ние. Ма́ма Ле́ны Деме́нтьевой, Ве́ра Деме́нтьева, пе́рвой вы́бежала на корт, что́бы поздра́вить дочь и её тре́нера Еле́ну Моро́зову.

**12-16. Но́вости футбо́ла.** Read the article below, paying attention to the forms of the last names. Identify the case and give the nominative. Explain the case ending.

### ЦСКА (Центра́льный клуб Кра́сной а́рмии)

Клуб уже́ сейча́с гото́в к чемпиона́ту — ку́плены сильне́йшие футболи́сты! Гла́вная роль в оборо́не тепе́рь бу́дет отводи́ться Игнаше́вичу, футболи́сту, чей перехо́д из футбо́льного клу́ба «Локомоти́в» стал са́мым больши́м собы́тием го́да. Нигери́ец Одиа вполне́ спосо́бен нача́ть игра́ть уже́ в э́том сезо́не, по кра́йней ме́ре, на трениро́вках он игра́ет не ху́же бра́тьев Березу́цких. Кома́нда подписа́ла контра́кт с Алдо́ниным, кото́рого хоте́ли ви́деть в свои́х ряда́х мно́гие веду́щие клу́бы Премье́р-Ли́ги. Он вы́глядит гора́здо сильне́е игра́вшего в про́шлом сезо́не Яно́вского, уше́дшего из клу́ба. Клуб ЦСКА купи́л та́кже Чемпио́на Ми́ра по футбо́лу напада́ющего Карва́льо. Именно тако́го игрока́ не хвата́ло арме́йцам в про́шлом сезо́не. Веду́тся та́кже перегово́ры[1] с хорва́тским игроко́м Брни́чом, кото́рый до́лгое вре́мя игра́л вме́сте с Оличом.

**Complete exercise 12-7 in the S.A.M.**

# Те́ма 2. Литерату́ра

## Подгото́вка

**12-17. Поду́майте.** Ру́сские всегда́ о́чень мно́го чита́ли. А сейча́с? Компью́терные и́гры, путеше́ствия, возмо́жность зарабо́тать де́ньги… А америка́нцы мно́го чита́ют?

**12-18. Словообразова́ние.** Using the prefix **пере-**, which has the meaning of "repeating an action," form new verbs, translate them, and complete the sentences.

*Приме́р:* чита́ть → ***перечита́ть*** (*reread*) ***Перечита́й*** *э́тот текст!*

| | |
|---|---|
| писа́ть- ...................................... | Вы не мо́жете..................... контро́льную рабо́ту. |
| спроси́ть- .................................... | Если вам что́-нибудь непоня́тно, .......................! |
| звони́ть- ..................................... | Пло́хо слы́шно, я тебе́ ....................................! |

[1]negotiations

**12-19. Словообразова́ние.** Using the prefix **по-,** which can have the meaning of "doing something for a short time," form the new verbs, translate them, and complete the sentences.

*Приме́р:* чита́ть → ***почита́ть*** (*read a little*) *Я хочу́ что́-нибудь* ***почита́ть!***

| | |
|---|---|
| говори́ть- ................................ | Мы должны́ с тобо́й .................................. |
| сиде́ть- .................................... | Куда́ ты спеши́шь? ........................ и отдохни́! |
| рабо́тать- ................................ | Я должна́ ..............., а пото́м мо́жно отдыха́ть. |
| бе́гать- .................................... | Ка́тя ..................... немно́го и вернётся домо́й. |

**12-20. Что вы лю́бите чита́ть и почему́?** Отве́тьте на вопро́сы анке́ты.

1. Что вы бо́льше лю́бите чита́ть?

   ☐ публици́стика (*non-fiction*)
   ☐ худо́жественная литерату́ра (*fiction*)

2. Если вы лю́бите публици́стику, то что вы предпочита́ете:

   ☐ автобиогра́фия
   ☐ биогра́фия
   ☐ исто́рия
   ☐ путеше́ствия
   ☐ поли́тика
   ☐ друго́е

3. Если вы лю́бите худо́жественную литерату́ру:

   ☐ про́за
   - ☐ кла́ссика
   - ☐ совреме́нная литерату́ра
   - ☐ детекти́в (*mystery, thriller*)
   - ☐ нау́чная фанта́стика (*science fiction*)
   - ☐ приключе́нческий расска́з (*adventure story*)
   - ☐ истори́ческий рома́н (*historical novel*)

   ☐ поэ́зия

4. Кака́я книга произвела́ на вас большо́е впечатле́ние?

   производи́ть/произвести́ впечатле́ние — *to make an impression*

5. По-ва́шему мне́нию, каку́ю кни́гу сто́ит прочита́ть?

   сто́ит + *infinitive* — *to be worth doing*

6. Каку́ю кни́гу вы хоте́ли бы обсуди́ть в кла́ссе?

   обсужда́ть/обсуди́ть что? с кем? — *to discuss*

**Complete exercise 12-8 in the S.A.M.**

## Язы́к в жи́зни

### 12-21. Фо́рум в Интерне́те «Что вы чита́ете?»

**Прочита́йте сове́ты и мне́ния уча́стников Фо́рума.** Соста́вьте спи́сок книг, кото́рые ребя́та сове́туют Ири́не прочита́ть.

| Автор | Сообще́ние | |
|---|---|---|
| **Ири́на** | Что вы чита́ете сейча́с? Хочу́ почита́ть что́-нибудь интере́сное. Посове́туйте. | |
| **Степа́н** | Почита́й Булга́кова «Ма́стер и Маргари́та». Отли́чный рома́н! И обяза́тельно прочита́й биогра́фию Булга́кова. | |
| **Ники́та** | «Ма́стер и Маргари́та» — э́то, коне́чно же, гениа́льно! Но мне интере́сно, а вам нра́вятся други́е его́ рома́ны и́ли *по́вести?* Наприме́р, «Соба́чье се́рдце»? | *novella* |
| **Оле́г** | Это была́ моя́ люби́мая кни́га в 11 кла́ссе. Перечи́тывал сто раз, могу́ до сих по́р[1] цити́ровать … Но э́то бы́ло давно́. А сейча́с есть Пеле́вин. Почита́й Пеле́вина! | |
| **Ви́ктор** | Тех, кто лю́бит Пеле́вина, прошу́ писа́ть сюда́! Кто что чита́л? У Пеле́вина прочита́л почти́ всё, кро́ме «Жи́зни *насеко́мых*». | *insects* |
| **На́дя** | В 10-м кла́ссе чита́ла «Жёлтую *стрелу́*». Произвела́ са́мое си́льное впечатле́ние. | *arrow* |
| **Ле́на** | Почита́й Да́рью Донцо́ву! Хоть и детекти́в, а сто́ит почита́ть!!! | |
| **Сла́ва** | Ни в ко́ем слу́чае[2] не чита́йте Донцо́ву… э́то же *кошма́р!* Если хо́чется почита́ть что́-то *сто́ящее,* на́до чита́ть Достое́вского, Турге́нева, Толсто́го… Чита́й ру́сскую поэ́зию — Пу́шкина, Бло́ка, Ахма́тову. Хотя́ я слы́шал, что по ре́йтингу Донцо́ва популя́рнее Достое́вского! Как э́то мо́жет быть??? Я не понима́ю, как мо́жно э́то чита́ть! | *nightmare* *worthwhile* |
| **Стас** | Прочита́й Га́рри По́ттера! Пото́м обсу́дим! До́брая ска́зка… | |
| **Ни́на** | Интере́сно, есть ли где́-то в Интерне́те ме́сто, где НЕ обсужда́ют Га́рри По́ттера? | |

**12-22. Уча́стники фо́рума счита́ют, что…** Reread the messages in the Forum and be ready to say what opinions the Forum participants have expressed about:

1. Булга́ков …
2. Пеле́вин …
3. Донцо́ва …
4. Ру́сская кла́ссика …
5. Га́рри По́ттер …

---

[1]до сих пор — *until now, still*
[2]at all, in no way

**12-23. Опро́с.** Read the survey below and think of the reasons Americans could give for reading or not reading.

**В Росси́и провели́ опро́с: «Вы чита́ете кни́ги и́ли нет?»**

■ 30 проце́нтов россия́н **не чита́ют** кни́ги по сле́дующим причи́нам:

1. рабо́таю без выходны́х, нет вре́мени чита́ть;
2. боля́т глаза́, голова́ боли́т, боле́ю о́чень;
3. не люблю́ кни́ги с де́тства, чита́ть неинтере́сно;
4. нет де́нег;
5. я смотрю́ телеви́зор и хожу́ в кино́.

■ 70 проце́нтов россия́н **чита́ют** по сле́дующим причи́нам:

1. привы́к чита́ть с де́тства, роди́тели чита́ли вслух;
2. по телеви́зору не́чего смотре́ть, поэ́тому чита́ю;
3. все мои́ друзья́ чита́ют;
4. потеря́ла рабо́ту, сижу́ чита́ю;
5. ра́зве мо́жно не люби́ть ру́сскую кла́ссику?

**12-24. Что вы сейча́с чита́ете?** Расскажи́те, что вы чита́ете и́ли чита́ли неда́вно.

1. Кни́га, кото́рую я чита́л/а, называ́ется…
2. Это … (рома́н, расска́з, по́весть, биогра́фия, автобиогра́фия и т. д.).
3. Жанр: … (истори́ческий рома́н, детекти́в, нау́чная фанта́стика, приключе́нческий рома́н и т.д.).
4. Де́йствие происхо́дит … (где?) и … (когда́?: в на́ше вре́мя, в 19-м ве́ке, в нача́ле 20-го ве́ка, в 50-ые го́ды … ве́ка, в сре́дние века́, в дре́вние времена́).
5. Эта кни́га о …
6. Начина́ется с того́, что …
7. Гла́вный геро́й/гла́вная герои́ня …
8. Ко́ротко расскажи́те о том, что происхо́дит.
9. Кни́га зака́нчивается тем, что …
10. Объясни́те, почему́ кни́га вам понра́вилась и́ли не понра́вилась.
11. Кни́га (не) произвела́ на меня́ си́льное впечатле́ние.
12. Эту кни́гу (не) сто́ит чита́ть.

## Разгово́ры

**12-25. Поговори́м немно́го.** Read the following conversations and compose similar ones.

**А.** — Ты чита́л/а э́тот детекти́в?
— Я не люблю́ детекти́вы.
— А что ты лю́бишь чита́ть?
— Нау́чную фанта́стику.

**А тепе́рь ваш разгово́р…** Узна́йте друг у дру́га, кто каки́е кни́ги лю́бит чита́ть.

**Б.** — Мне ужа́сно понра́вился э́тот рома́н. Его́ сто́ит прочита́ть.
— О чём он?
— О совреме́нной молодёжи, о её пробле́мах.

**А тепе́рь ваш разгово́р…** Посове́туйте дру́гу прочита́ть кни́гу, кото́рая вам понра́вилась. Расскажи́те, о чём она́.

**Complete exercises 12-9 through 12-13 in the S.A.M.**

## Грамма́тика. Говори́те пра́вильно!

### Using particles -то and -нибудь ◆ Употребле́ние части́ц -то и -нибудь

1. The **specific** particle **-ТО** and **non-specific** particle **-НИБУДЬ** are used with a number of pronouns, adjectives, and adverbs. The English equivalents are "someone," "anyone," etc. Compare the Russian sentences below and their English equivalents.

**кто́-то** *someone*

**Кто́-то** из мои́х друзе́й чита́л э́тот расска́з.
*Some (One) of my friends read this short story.*

**что́-то** *something*

Я чита́л/а **что́-то** интере́сное об э́том.
*I've read something interesting about it.*

**где́-то** *somewhere*

Они́ живу́т **где́-то** недалеко́.
*They live somewhere around here.*

**кто́-нибудь** *anyone, someone*

**Кто́-нибудь** чита́л э́тот рома́н Пеле́вина?
*Has anyone read this novel by Pelevin?*

**что́-нибудь** *anything, something*

Дай мне **что́-нибудь** почита́ть.
*Could you give me something to read?*

**где́-нибудь** *anywhere, somewhere*

Вы **где́-нибудь** их встреча́ли?
*Have you met them anywhere?*

**Translate the sentences below into English.**

**когда́-то** *once, a while ago*

**Я когда́-то** чита́ла об э́том.

**куда́-то** *somewhere*

Они́ **куда́-то** уе́хали.

**како́й-то** *some (adj.)*

Он занима́ется **каки́м-то** спо́ртом,
но я не по́мню каки́м.

**почему́-то** *for some reason*

Они́ **почему́-то** всегда́ беспоко́ятся.

**когда́-нибудь** *ever, some time in the future*

Вы **когда́-нибудь** чита́ли Че́хова?

Вы **когда́-нибудь** пое́дете в Росси́ю?

**куда́-нибудь** *anywhere, somewhere*

Вы **куда́-нибудь** пое́дете на кани́кулы?

**како́й-нибудь** *any, some (adj.)*

Их де́ти занима́ются **каки́м-нибудь**
спо́ртом?

2. The particle **-то** is used most often in **declarative sentences** with present and past-tense verbs to indicate the existence of a particular **кто, когда́, куда́,** etc.

Он **куда́-то** ушёл и бу́дет ве́чером. — *He is out (he went somewhere) and will be back in the evening.*

3. The particle **-нибудь** is used most often in **questions** to establish the existence of a particular **кто, когда́, куда́,** etc.

Ты **когда́-нибудь** чита́ла Достое́вского? — *Have you ever read Dostoyevsky?*

4. The particle **-нибудь** is also used **with imperatives and future tense** in reference to a non-specific **кто, когда́,** etc.

| | |
|---|---|
| — Принеси́ мне **что́-нибудь** почита́ть! | *"Bring me something to read!"* |
| — Хорошо́, я принесу́ **како́й-нибудь** детекти́в. | *"Sure, I'll bring you a detective story."* |

5. **Do not** use the particle **-нибудь** or **-то** in negative constructions.

| | |
|---|---|
| — Он **что́-нибудь** сказа́л? | *"Did he say anything?"* |
| — Нет, он **ничего́** не сказа́л. | *"No, he didn't say anything."* |

**12-26. -то и́ли -нибудь.** Compare the sentences below. Translate them into English and explain the use of **-то** and **-нибудь.** The first one is done for you.

1. **Кто́-нибудь** приходи́л, когда́ меня́ не́ было? — *Did anyone come by while I was out? (non specific)*

   **Кто́-то** приходи́л, когда́ тебя́ не́ было. — *Someone came by while you were out. (specific but "I don't know who?")*
2. Они́ **куда́-нибудь** е́дут ле́том? Они́ **куда́-то** е́дут ле́том.
3. Вы **когда́-нибудь** жи́ли в Росси́и? Они́ **когда́-то** жи́ли в Росси́и.
4. Ты купи́ла **каки́е-нибудь** но́вые кни́ги? Они́ купи́ли **каки́е-то** но́вые кни́ги.
5. Я **когда́-нибудь** расскажу́ тебе́ об э́том. Ты мне об э́том **что́-то** уже́ расска́зывала.
6. Если **кто́-нибудь** позвони́т, скажи́, что я ско́ро верну́сь. **Кто́-то** звони́л, когда́ тебя́ не́ было.
7. Я привезу́ тебе́ **каки́е-нибудь** ру́сские рома́ны. Привези́ **что́-нибудь** Пеле́вина.

**12-27. Да и́ли нет.** Answer the questions in the affirmative or in the negative.

*Приме́р:* — Вы где́-нибудь бы́ли вчера́? →
— *Да, мы где́-то бы́ли. — Нет, мы нигде́ не́ были.*

1. Вы сейча́с чита́ете что́-нибудь интере́сное?
2. Вы чита́ли како́й-нибудь рома́н Достое́вского?
3. Вы куда́-нибудь е́здили в выходны́е дни?
4. Вы что́-нибудь зна́ете о росси́йской поли́тике?
5. Сего́дня в газе́тах есть кака́я-нибудь статья́ об эколо́гии?
6. Вы с ке́м-нибудь встреча́лись на про́шлой неде́ле?

**Complete exercise 12-14 in the S.A.M.**

# Тема 3. Кинó и телеви́дение

## Подготóвка

Класс **12-28. Чтó вы лю́бите смотрéть?** What film genres do you like best?

| | |
|---|---|
| ☐ худóжественный фильм | *feature film* |
| ☐ документáльный фильм | *documentary* |
| ☐ нау́чно-популя́рный фильм | *educational film* |
| ☐ мультфи́льм | *cartoon* |

**12-29. Каки́е фи́льмы сейчáс популя́рны среди́ молодёжи?** Как вы ду́маете, почему́?

| | |
|---|---|
| ☐ вéстерн | *western* |
| ☐ детекти́в | *mystery* |
| ☐ комéдия | *comedy* |
| ☐ мю́зикл | *musical* |
| ☐ приключéнческий фильм | *adventure movie* |
| ☐ фильм у́жасов | *horror movie* |
| ☐ экранизáция чегó?/фильм по чему́? (ромáну, расскáзу) | *the screen version (of a novel, story, etc.)* |

**12-30. Телевизиóнные передáчи: что идёт по телеви́зору?** Read the list of TV programs below and rate them from 1 to 10 according to your interests.

**передáча** — *program*

- ☐ виктори́на — *game show*
- ☐ документáльная дрáма
- ☐ музыкáльная передáча
- ☐ мультфи́льмы
- ☐ нóвости
- ☐ передáча о культу́ре, об иску́сстве
- ☐ передáча о прирóде и живóтных
- ☐ передáча о путешéствиях
- ☐ полити́ческая диску́ссия
- ☐ сериáл
- ☐ спорти́вная передáча

**12-31. Спроси́те друг дру́га.** Using the list in 12-30, discuss the questions below:

- каки́е передáчи вы лю́бите смотрéть;
- каки́е передáчи смóтрят вáши роди́тели;
- каки́е передáчи лю́бят смотрéть вáши дéдушка и бáбушка;
- каки́е передáчи смóтрят вáши друзья́?

**Complete exercise 12-15 in the S.A.M.**

## Язы́к в жи́зни

**12-32. Прочита́йте о переда́чах на ра́зных кана́лах росси́йского телеви́дения.** Что бы вы хоте́ли посмотре́ть?

**НТВ**

**Сего́дня**

Телекомпа́ния НТВ, Росси́я
«Сего́дня» — информацио́нная програ́мма о полити́ческих, культу́рных и экономи́ческих новостя́х дня. В програ́мме есть не́сколько информацио́нных бло́ков: «Сего́дня в Росси́и», «Сего́дня в ми́ре», «Специа́льный репорта́ж» и «Без коммента́рия».

*веду́щий/веду́щая* — TV host, anchor
*вести́ переда́чу* — to host a TV program
*звезда́ (pl. звёзды)* — star
*зри́тель (m.)* — viewer
*открове́нно* — frankly, openly
*подро́бно* — in detail
*существова́ть (impf.)* — to exist

**Же́нский взгляд**[1]

В переда́че «Же́нский взгляд Окса́ны Пу́шкиной» знамени́тые же́нщины Росси́и (изве́стные арти́сты, спортсме́ны, поли́тики, бизнесме́ны) *открове́нно* расска́зывают о свое́й семе́йной жи́зни, рабо́те и любви́. Веду́щая — Окса́на Пу́шкина.

**Ра́мблер ТелеСе́ть**

**Меню́ Бе́рта Ву́льфа**

Берт Вульф вновь путеше́ствует по ми́ру, что́бы найти́ но́вые кулина́рные реце́пты для свои́х *зри́телей.* Он пока́зывает насто́лько *подро́бно,* как гото́вить ра́зные блю́да, что тру́дно не попро́бовать пригото́вить что́-нибудь самостоя́тельно…

**Пе́рвый канал**

**Споко́йной но́чи, малыши́**[2]**!**

Переда́ча «Споко́йной но́чи, малыши́!» *существу́ет* с сентября́ 1964 го́да и всегда́ была́ популя́рной. Всё населе́ние страны́ в во́зрасте до семи́ лет (а вме́сте с ни́ми ма́мы, па́пы, де́душки и ба́бушки) в 20 ч.45 мин. собира́ются о́коло телеви́зора, что́бы смотре́ть э́ту переда́чу. *Веду́щий* програ́ммы поросёнок Хрю́ша[3] стал настоя́щим национа́льным геро́ем.

---

[1] A Woman's View
[2] children of preschool age
[3] Oink-oink — *a popular TV puppet.*

**ТВЦ**

**Очеви́дное — невероя́тное**[1]

«Очеви́дное — невероя́тное» — одна́ из са́мых ста́рых и люби́мых телезри́телями програ́мм — продолжа́ет свою́ жизнь на ТВЦ. Её *ведёт* до́ктор фи́зико-математи́ческих нау́к, акаде́мик Серге́й Петро́вич Капи́ца.

В програ́мме обсужда́ются пробле́мы биоло́гии, медици́ны, фи́зики, хи́мии.

**Телемагази́н**

Что́бы вы купи́ли всё, что вам ну́жно, не встава́я с люби́мого ую́тного дива́на, телемагази́н прихо́дит к вам в дом ка́ждый ве́чер в 10 часо́в!

**MTV**

**По дома́м!**

Что́бы вы зна́ли о них всё, са́мые изве́стные *звёзды* мирово́й му́зыки и шо́у-би́знеса открыва́ют пе́ред Ва́ми две́ри свои́х домо́в, две́рцы всех шкафо́в и холоди́льников! Ли́чные автопа́рки, бассе́йны, гости́ные, спа́льни, кабине́ты… Это на́до ви́деть!

**12-33. Что вы узна́ли…**

1. В програ́мме «Сего́дня» мо́жно узна́ть о …
2. Переда́чу «Очеви́дное-невероя́тное» ведёт … , кото́рый говори́т о …
3. Переда́чу «Споко́йной но́чи, малыши́» смо́трят…
4. В програ́мме «По дома́м!» вы мо́жете уви́деть…
5. Смотри́те переда́чу «Телемагази́н», е́сли вы хоти́те …
6. Переда́ча «Меню́ Бе́рта Ву́льфа» для тех, кто …
7. Переда́ча «Же́нский взгляд» о …

**12-34. Америка́нское ТВ.** Расскажи́те о переда́чах на америка́нском телеви́дении, кото́рые похо́жи на сле́дующие переда́чи росси́йского телеви́дения:

«Сего́дня»
«Споко́йной но́чи, малыши́»
«Же́нский взгляд»
«Меню́ Бе́рта Ву́льфа»
«По дома́м!»
«Телемагази́н»

[1]The Evident and the Unbelievable.

**12-35. Что бу́дем смотре́ть?** В одно́ и то же вре́мя, но по ра́зным кана́лам, иду́т две переда́чи. Реши́те, каку́ю переда́чу вы бу́дете смотре́ть вме́сте.

**«Же́нская ло́гика»** — детекти́вный сериа́л

Хотя́ же́нщины ху́же мужчи́н игра́ют в ша́хматы, они́ ча́сто лу́чше мужчи́н в ро́ли *сле́дователя.* В до́ме, где живёт ми́лая интеллиге́нтная О́льга Петро́вна Тума́нова, происхо́дит *уби́йство*… Кто *уби́л?* Пока́ мили́ция *ведёт сле́дствие,* у Тума́новой, *стра́стной* чита́тельницы детекти́вных рома́нов, появля́ется своя́ тео́рия. В фи́льме вы не уви́дите *наси́лия* и кро́ви, они́ остаю́тся за *экра́ном.* На экра́не же у́мная и краси́вая же́нщина, у кото́рой своя́ осо́бая ло́гика. Же́нская ло́гика.

*Гла́вные ро́ли* игра́ют Али́са Фре́йндлих и Станисла́в Говору́хин. Детекти́вный сериа́л *снят* по рома́ну Ви́ктора Про́нина «Же́нская ло́гика».

**«Патриа́рх. Михаи́л Ботви́нник»** — документа́льный фильм
*Режиссёры* — Серге́й и Мари́на Мака́рычевы.

Его́ называ́ли *уби́йцей,* потому́ что он всегда́ у всех выи́грывал. Он научи́лся игра́ть в ша́хматы двенадцатиле́тним ма́льчиком. В 1925 году́ он одержа́л побе́ду над чемпио́ном ми́ра Касабла́нкой. В 1948 году́ Михаи́л Ботви́нник стал пе́рвым сове́тским чемпио́ном ми́ра. Он со́здал знамени́тую сове́тскую ша́хматную шко́лу. *Несмотря́ на то что* други́е шахмати́сты *уважа́ли* Ботви́нника и называ́ли его́ Патриа́рхом, его́ не люби́ли и боя́лись…

*вести́ рассле́дование — to investigate*
*несмотря́ на то что — in spite of, despite*
*ро́ль (f.) — role, part*
*гла́вная ро́ль — main part*
*игра́ть роль — to play a role*
*наси́лие — violence*
*режиссёр — film director*
*сле́дователь — detective, investigator*
*сле́дствие — investigation*
*снят<снима́ть/снять фильм — to shoot, make a film*
*стра́стный (чита́тель) — voracious*
*убива́ть/уби́ть кого́? — to kill*
*уби́йство — murder*
*уби́йца (m. or f.) — murderer*
*уважа́ть (impf.) кого́? — to respect*
*экра́н — screen*

**12-36. Структу́ра предложе́ния.** Read each sentence in 12-35 carefully. Pay attention to the word order. Find the subject and the predicate.

**12-37. Что вы смотре́ли?** Расскажи́те о фи́льме, кото́рый вы неда́вно ви́дели.

1. Како́й жанр фи́льма? (коме́дия, приключе́нческий фильм, детекти́в, фильм у́жасов и т.д.)
2. Кто режиссёр? Каки́е ещё фи́льмы он/а́ снима́л/а?
3. Какие актёры игра́ют гла́вные ро́ли?
4. Где происхо́дит де́йствие?
5. С чего́ фильм начина́ется?
6. Чем он зака́нчивается? У фи́льма счастли́вый коне́ц?
7. Есть ли в фи́льме трю́ки[1] и специа́льные эффе́кты (спецэффе́кты)?
8. Како́е впечатле́ние фильм произвёл на вас?

[1]stunt

## Разговóры

**12-38. Слýшайте и читáйте разговóр.** Insert the missing words and phrases.

**Кинó**

— Мы вам звони́ли весь вéчер.

— Нас нé было дóма. Мы с Лéной ходи́ли .....................

— Что смотрéли?

— Это совсéм нóвая .....................

— Как называ́ется?

— Назвáние *вы́летело из головы́*. Сейчáс вспóмню. — *I can't remember*

— Ну и как?

— Потрясáющие ................., но óчень мнóго наси́лия и крóви.

— В концé все убивáют ...........................

— Я прóсто не моглá смотрéть на .................

— Зачéм же вы пошли́?

— В газéте былá *рецéнзия*, что э́то лýчший ............ гóда. — *(movie) review*

— Он получи́л *прéмию* на .................. в Кáннах. — *prize, award*

— Снимáл óчень извéстный ..............................

**12-39. Поговори́м немнóго.** Read the following conversations and compose similar ones.

**А.**

— Когдá сегóдня футбóл?

— В семь часóв вéчера.

— А по какóму канáлу?

— По пéрвому.

**А тепéрь ваш разговóр...** Узнáйте друг у дрýга, в котóром часý и по какóму канáлу бýдут покáзывать нóвости, прогнóз погóды, сериáл, худóжественный фильм, бокс, мультфи́льмы и т.д.

**Б.**

— Ты смотрéл фильм «Спартáк»?

— Нет, а кто егó снял?

— Режиссёр — Петрóв, а глáвную роль игрáет Николáй Тарáсов.

— Ну и как?

— Потрясáющая карти́на!

**А тепéрь ваш разговóр...** Узнáйте друг у дрýга, какóй фильм вы смотрéли, кто режиссёр, кто игрáет глáвную роль, понрáвился ли фильм.

**Complete exercises 12-16 through 12-20 in the S.A.M.**

# Культу́ра и исто́рия

## Имена́, кото́рые зна́ют во всём ми́ре

### Васи́лий Канди́нский, Казими́р Мале́вич, Марк Шага́л

**12-40. Ру́сские худо́жники.** В нача́ле XX ве́ка в Росси́и бы́ло мно́го замеча́тельных худо́жников. Прочита́йте об одно́м из худо́жников и расскажи́те о нём в кла́ссе. Найди́те дополни́тельную информа́цию в Интерне́те.

**Васи́лий Канди́нский**

Роди́лся в Москве́ в 1866 году́, у́мер во Фра́нции в 1944 году́.

Оди́н из *основополо́жников* абстракциони́зма. Учи́лся в Мю́нхене. В 1903–1907 года́х путеше́ствовал по Се́верной Африке, Ита́лии и Фра́нции. В 1910 году́ на́чал писа́ть пе́рвые абстра́ктные компози́ции.

*founder, initiator*

В 1915 году́ верну́лся в Москву́. *Принима́л уча́стие* в организа́ции Музе́я *живопи́сной* культу́ры (1919) и Институ́та *худо́жественной* культу́ры (1920). С 1921 го́да жил в Герма́нии, с 1922 по 1933 преподава́л в знамени́той шко́ле диза́йна в Герма́нии, кото́рая называ́лась Ба́ухауз. С 1933 го́да жил в Пари́же. Одна́ из основны́х теорети́ческих рабо́т — «О *духо́вном в иску́сстве*».

*participated*
*pictorial; art (adj.)*
*the spiritual; art*

**Казими́р Мале́вич**

Роди́лся в 1878 году́ недалеко́ от Ки́ева, у́мер в 1935 году́ в Ленингра́де. В 1895–1896 года́х учи́лся в Ки́евской *рисова́льной* шко́ле, в 1904–1910 года́х в Моско́вском учи́лище *жи́вописи,* скульпту́ры и архитекту́ры.

*drawing (adj.)*
*painting*

В 1919 году́ откры́лась пе́рвая персона́льная вы́ставка Мале́вича. С 1923 по 1926 год *руководи́л* Ленингра́дским институ́том худо́жественной культу́ры. В 1927 году́ е́здил в Варша́ву и Берли́н с персона́льной *вы́ставкой*. Основна́я теорети́ческая рабо́та: «От куби́зма к супремати́зму».

*was in charge*
*exhibition*

**Спра́вка**
**СУПРЕМАТИ́ЗМ** (от лат. supremus — наивы́сший). Разнови́дность абстра́ктного иску́сства: сочета́ние просте́йших окра́шенных геометри́ческих фигу́р (квадра́т, круг, треуго́льник).

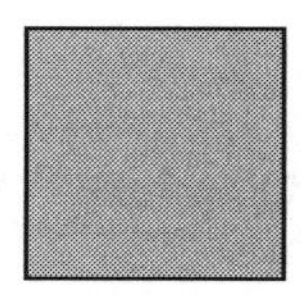
квадра́т

круг

треуго́льник

**Марк Шага́л**

Марк Заха́рович Шага́л роди́лся 6 ию́ля 1887 го́да в Ви́тебске в бе́дной евре́йской семье́. В де́тстве он получи́л традицио́нное евре́йское образова́ние, а в трина́дцать лет поступи́л в тре́тий класс ру́сской шко́лы. В э́то вре́мя он мечта́л стать *то* певцо́м, *то* скрипачо́м, *то* танцо́ром, *то* поэ́том. — *now…now*

Зимо́й 1906–1907 го́да Шага́л *отпра́вился* в Петербу́рг учи́ться жи́вописи. По́зже Шага́л вспомина́л, что чита́л в Петербу́рге рестора́нные меню́, как стихи́. Де́нег у него́ не́ было да́же на свою́ ко́мнату. Одна́жды он попа́л в *тюрьму́* из-за того́, что у него́ не́ было па́спорта. Шага́л ско́ро по́нял, что он не мо́жет учи́ться у други́х худо́жников. «Я был плохи́м ученико́м ещё в шко́ле, — писа́л он в автобиогра́фии «Моя́ жизнь», — я мог сле́довать то́лько своему́ инсти́нкту. И шко́льная тео́рия для меня́ ничего́ не зна́чила.» — *поéхал*; *jail*

Из Петербу́рга Шага́л уезжа́ет в Пари́ж. В 1912 году́ он впервы́е принима́ет уча́стие в вы́ставке «Осе́нний Сало́н». В 1914 году́ Шага́л верну́лся в Ви́тебск, и в э́то вре́мя начала́сь Пе́рвая мирова́я война́. То́лько в 1923 году́ он смог верну́ться во Фра́нцию, где и жил до конца́ свое́й жи́зни.

В 1933 году́ в наци́стской Герма́нии публи́чно жгли карти́ны Шага́ла. Он был одни́м из пе́рвых худо́жников, чьи карти́ны бы́ли *уничто́жены* фаши́стами, как приме́р *так называ́емого* «дегенерати́вного иску́сства». По́сле Второ́й мирово́й войны́ Шага́л *приобрета́ет* мирову́ю *сла́ву.* Он *распи́сывает* це́ркви, синаго́ги и теа́тры во мно́гих города́х ми́ра. Среди́ них зда́ние Оперы в Пари́же и «Метропо́литен-о́пера» в Ли́нкольновском це́нтре в Нью-Йо́рке. — *destroyed; so called*; *acquires; fame; decorates*

Шага́л у́мер 28 ма́рта 1985 го́да, не дожи́в двух лет до своего́ столе́тия.

**Complete exercises 12-21 through 12-25 in the S.A.M.**

Умо́м[1] Росси́ю не поня́ть,
Арши́ном[2] о́бщим не изме́рить:
У ней осо́бенная стать[3] —
В Росси́ю мо́жно то́лько ве́рить.

Фёдор Тю́тчев (1866)

## Исто́рия Росси́и и США

**12-41. Ру́сская исто́рия.** Просмотри́те табли́цу. Найди́те отве́ты на вопро́сы пе́ред ка́ждой ча́стью те́кста. The words in boldface are on pages 338–339.

1. Кто был после́дним ру́сским импера́тором?
2. Когда́ начала́сь Пе́рвая мирова́я война́?
3. Кто захвати́л в Росси́и власть в ноябре́ 1917 го́да?
4. Когда́ был образо́ван Сове́тский Сою́з?
5. В како́м году́ Ста́лин пришёл к вла́сти?

| *Ру́сская исто́рия* | | *Америка́нская исто́рия* |
|---|---|---|
| Правле́ние после́днего росси́йского импера́тора Никола́я II. 1914 год — нача́ло Пе́рвой мирово́й войны́. | ← 1894–1917 | |
| | 1917 → | Конгре́сс **объяви́л** войну́ Герма́нии. |
| **Захва́т вла́сти** в Росси́и большевика́ми во главе́ с Влади́миром Ильичо́м Ле́ниным. **Установле́ние** тоталита́рной вла́сти, кото́рая официа́льно называ́лась «диктату́ра пролетариа́та». | ← ноя́брь 1917 | |
| **Образова́ние** Сове́тского Сою́за. | ← 1922 | |
| **Смерть** Ле́нина. | ← 1924 | |
| Прихо́д к вла́сти Ио́сифа Виссарио́новича Ста́лина (Джугашви́ли). | ← 1926 | |
| | 1927 → | Чарльз Ли́ндберг соверши́л пе́рвый **беспоса́дочный** одино́чный перелёт из Нью-Йо́рка в Пари́ж. |
| | 1929 → | **Крах би́ржи.** Нача́ло «вели́кой депре́ссии». |

[1] mind
[2] old Russian measure of length
[3] character, nature

6. Почему́ в 30-ые го́ды в Росси́и поги́бли миллио́ны люде́й?
7. Когда́ начала́сь Втора́я мирова́я война́?
8. Когда́ Втора́я мирова́я война́ начала́сь для Сове́тского Сою́за?
9. Когда́ зако́нчилась Втора́я мирова́я война́?
10. Когда́ в Росси́и пра́зднуют День Побе́ды?
11. В како́м году́ у́мер Ста́лин?

| *Ру́сская исто́рия* | | *Америка́нская исто́рия* |
|---|---|---|
| Го́ды ма́ссового терро́ра, аре́стов. Миллио́ны люде́й бы́ли **поса́жены** в **тю́рьмы,** со́сланы в **лагеря́.** По да́нным америка́нского исто́рика Ро́берта Ко́нквиста, за э́ти го́ды поги́бло 20 миллио́нов челове́к. В э́ти же го́ды прово́дится коллективиза́ция в дере́вне — крестья́н заставля́ют вступа́ть в колхо́зы (коллекти́вные хозя́йства). Во вре́мя коллективиза́ции **поги́бли** миллио́ны крестья́н. | **30-ые го́ды** | |
| | 1932 → | Демокра́т Фра́нклин Д. Ру́звельт был и́збран три́дцать вторы́м президе́нтом Соединённых Шта́тов. |
| Для Сове́тского Сою́за э́та война́ начала́сь 22 ию́ня 1941 го́да, когда́ неме́цкие войска́ перешли́ сове́тскую грани́цу. В СССР получи́ла назва́ние Вели́кой Оте́чественной войны́. Война́ зако́нчилась в ма́е 1945 го́да побе́дой Сове́тского Сою́за и **сою́зников** (США, Англия, Фра́нция). В Росси́и День Побе́ды **пра́зднуется** 9 ма́я. | 1939–1945 Втора́я мирова́я война́ | |
| | 1941 → | 7 декабря́ Япо́ния **напа́ла** на Пёрл-Ха́рбор, и в э́тот же день Конгре́сс **объяви́л** войну́ Япо́нии. |
| | 1945 → | 12 апре́ля у́мер президе́нт Фра́нклин Д. Ру́звельт. Президе́нтом стал ви́це-президе́нт Га́рри Тру́мэн. |
| | 1945 → | 7 ма́я Герма́ния подписа́ла капитуля́цию. |
| | 1945 → | 14 а́вгуста, по́сле того́ как на япо́нские города́ Хироси́ма и Нагаса́ки бы́ли сбро́шены а́томные бо́мбы, Япо́ния капитули́ровала. |

| *Ру́сская исто́рия* | | *Америка́нская исто́рия* |
|---|---|---|
| Нача́ло так называ́емой «холо́дной войны́» ме́жду СССР и США. | ← 1945 | |
| | 1950–1953 → | Война́ в Коре́е. |
| | 1952 → | Дуа́йт Эйзенха́уер стал пе́рвым по́сле 1928 го́да президе́нтом-республика́нцем. |
| | 1952 → | **Верхо́вный** Суд вы́нес истори́ческое реше́ние по де́лу «Бра́ун про́тив шко́льного сове́та го́рода Топе́ка», согла́сно кото́рому ра́совая сегрега́ция в госуда́рственных шко́лах **объявля́лась вне зако́на.** |
| **Смерть** Ста́лина. | ← 1953 | |

12. В каки́е го́ды Хрущёв стоя́л во главе́ СССР?
13. Каки́е собы́тия произошли́ в э́ти го́ды?
14. Почему́ сове́тские войска́ вошли́ в Чехослова́кию в 1968 году́?
15. Когда́ начался́ дета́нт ме́жду СССР и США?

| *Ру́сская исто́рия* | | *Америка́нская исто́рия* |
|---|---|---|
| Ники́та Серге́евич Хрущёв стал пе́рвым секретарём Центра́льного Комите́та Коммунисти́ческой па́ртии Сове́тского Сою́за (ЦК КПСС). В 1956 году́ на 20-м **съе́зде** па́ртии Хрущёв вы́ступил с ре́чью про́тив Ста́лина и сталини́зма. Из лагере́й на́чали выходи́ть полити́ческие **заключённые.** Наступи́ла **«о́ттепель»** — вре́мя бо́льшей полити́ческой свобо́ды. | ← 1954–64 | |
| | 1960 → | Джон Ф. Ке́ннеди победи́л на вы́борах и стал 35-ым президе́нтом США. Он был пе́рвым като́ликом, и́збранным на пост президе́нта. |
| | 1961 → | Алан Ше́пард стал пе́рвым америка́нцем, побыва́вшим в ко́смосе. |
| | 1962 → | 22 ноября́ в Да́лласе был уби́т Джон Ке́ннеди. |
| В 1956 году́ сове́тские войска́ жесто́ко **подави́ли** восста́ние в Ве́нгрии. 1957 год — **за́пуск** пе́рвого иску́сственного спу́тника земли́. 1960 год — полёт в ко́смос Юрия Гага́рина — пе́рвый в исто́рии пилоти́руемый косми́ческий полёт. | | |
| Хрущёв был **вы́нужден** уйти́ в **отста́вку.** Леони́д Ильи́ч Бре́жнев стал главо́й коммунисти́ческой па́ртии. | ← 1964 | |
| | 1964–1975 → | Война́ во Вьетна́ме. |

| *Ру́сская исто́рия* | | *Америка́нская исто́рия* |
|---|---|---|
| Сове́тские войска́ вошли́ в Чехослова́кию, что́бы **подави́ть** демократи́ческое **движе́ние.** | ← 1968 → | 18 января́ в Ме́мфисе был уби́т Ма́ртин Лю́тер Кинг. |
| | 1969 → | Астрона́вты Нил Армстронг и Эдвин Олдрин ступи́ли на **пове́рхность** Луны́. |
| В Москве́ состоя́лась встре́ча ме́жду Бре́жневым и Ни́ксоном, положи́вшая нача́ло дета́нту ме́жду СССР и США. | ← 1972 → | В вашинто́нском оте́ле «Уотерге́йт», в **штаб-кварти́ре** Демократи́ческой па́ртии, бы́ли по́йманы «уотерге́йтские **взло́мщики**». Разрази́вшийся по́сле э́того «уотерге́йтский сканда́л» привёл к тому́, что в а́вгусте 1974 го́да президе́нт Р. Ни́ксон ушёл в **отста́вку.** |
| Война́ в Афганиста́не<br>Бре́жнев у́мер в 1982 году́. | ← 1979–1989 | |

16. Когда́ к вла́сти пришёл Горбачёв?
17. Когда́ па́ли коммунисти́ческие прави́тельства в Восто́чной Евро́пе?
18. Когда́ переста́л существова́ть Сове́тский Сою́з?

| *Ру́сская исто́рия* | | *Америка́нская исто́рия* |
|---|---|---|
| Михаи́л Серге́евич Горбачёв стал **главо́й** коммунисти́ческой па́ртии. Он повёл поли́тику на **улучше́ние отноше́ний** с За́падной Евро́пой и США. | ← 1985 | |
| Коммунисти́ческие прави́тельства в Восто́чной Евро́пе **па́ли.** | ← 1988–89 | |
| **Неуда́чная** попы́тка вое́нного **переворо́та** (пу́тча) в Москве́. Президе́нтом Росси́и стано́вится Бори́с Никола́евич Ельцин, кото́рый **объявля́ет** коммунисти́ческую па́ртию **вне зако́на.** | ← 23.VIII.1991 | |
| СССР перестаёт существова́ть. Бы́вшие сове́тские респу́блики **провозглаша́ют** незави́симость. | ← 31.XII.1991 | |
| Нача́ло войны́ в Чечне́. | ← 1994 | |

| *Ру́сская исто́рия* | | *Америка́нская исто́рия* |
|---|---|---|
| Влади́мир Пу́тин **и́збран** президе́нтом Росси́йской Федера́ции (РФ). 2004 год — Пу́тин сно́ва победи́л на вы́борах. | ← 2000 → | Джордж Буш (мла́дший) и́збран президе́нтом, переи́збран на второ́й срок в 2004 году́. |
| | 2001 → | 11 сентября́<br>Террористи́ческие а́кты в США. **Угнано** четы́ре пассажи́рских самолёта, три из кото́рых спики́ровали на зда́ние Пентаго́на в Вашингто́не и на два зда́ния междунаро́дного торго́вого це́нтра в Нью-Йо́рке. Ты́сячи жертв. |
| | 2003 → | Нача́ло войны́ в Ира́ке. |

**12-42. Исто́рия Аме́рики.** Ва́ши ру́сские друзья́ про́сят вас рассказа́ть об исто́рии Аме́рики. Каки́е собы́тия америка́нской исто́рии вы счита́ете са́мыми ва́жными?

**12-43. Исто́рию како́й страны́ вы хорошо́ зна́ете?**

1. Каки́е ва́жные собы́тия в исто́рии э́той страны́ вы назовёте?
2. Каки́е лю́ди игра́ли са́мую большу́ю роль в исто́рии э́той страны́?

**12-44. Докла́д.** Подгото́вьте выступле́ние в кла́ссе.

1. Докла́д по ру́сской исто́рии. Расскажи́те о пери́оде и́ли о ва́жном собы́тии в ру́сской исто́рии.
2. Докла́д по ру́сской культу́ре. Расскажи́те о ру́сском писа́теле, учёном, худо́жнике и.т.д.

## Special vocabulary for history reading

## Существи́тельные

взло́мщик — *burglar*
власть (*f.*) — *power*
глава́ — *head (of government, company)*
движе́ние — *movement*
заключённый — *prisoner*
зако́н — *law*
  вне зако́на — *outside of the law, lawless*

| | |
|---|---|
| за́пуск | *launching* |
| захва́т (вла́сти) | *seizing power* |
| крах | *collapse* |
| ла́герь (*m.*) | *camp (here: prison camp)* |
| образова́ние | *here: formation* |
| отста́вка | *retirement, resignation* |
| отноше́ния (*pl. only*) | *relationship, relations* |
| о́ттепель (*f.*) | *thaw* |
| переворо́т | *coup* |
| пове́рхность | *surface* |
| смерть (*f.*) | *death* |
| сою́зник | *ally* |
| съе́зд | *congress* |
| тюрьма́ | *prison* |
| установле́ние | *establishment* |
| улучше́ние | *improvement* |
| штаб-кварти́ра | *headquarters* |

## Глаго́лы

| | |
|---|---|
| вынужда́ть/вы́нудить кого́? | *to force* |
| избира́ть/избра́ть кого́? | *to elect* |
| напада́ть/напа́сть на кого́? | *to attack* |
| объявля́ть/объяви́ть что? кому́? | *to declare* |
| поги́бнуть (*impf.* погиба́ть) | *to die (tragically), to perish* |
| подавля́ть/подави́ть что? | *to suppress* |
| посади́ть (*impf.* сажа́ть) | *to imprison* |
| пра́здновать (*impf.*) | *to celebrate* |
| провозглаша́ть что? | *to declare* |
| сосла́ть (*impf.* ссыла́ть) | *to exile* |
| угоня́ть/угна́ть | *to highjack* |

## Прилага́тельные

| | |
|---|---|
| беспоса́дочной | *nonstop* |
| верхо́вный | *supreme* |
| жесто́кий | *cruel* |
| неуда́чный | *unsuccessful* |

# Слова́рь

## Имена́ существи́тельные

| | |
|---|---|
| автобиогра́фия | *autobiography* |
| биогра́фия | *biography* |
| борьба́ | *struggle, fight* |
| веду́щий/веду́щая | *TV host, anchor* |
| ве́стерн | *western* |
| виктори́на | *game show* |
| впечатле́ние | *impression* |
| производи́ть/произвести́ впечатле́ние на кого́? | *to make an impression* |
| детекти́в | *mystery, thriller* |
| звезда́ (*pl.* звёзды) | *star* |
| зри́тель | *viewer, theater goer* |
| игра́ | *game* |
| кома́нда | *team* |
| коме́дия | *comedy* |
| матч | *match* |
| меда́ль (*f.*) | *medal* |
| завоёвывать/завоева́ть меда́ль | *to win a medal* |
| золота́я меда́ль | *gold medal* |
| серебряная меда́ль | *silver medal* |
| мультфи́льм | *cartoon* |
| мю́зикл | *musical* |
| литерату́ра | *literature* |
| худо́жественная литерату́ра | *fiction* |
| наде́жда | *hope* |
| наси́лие | *violence* |
| ничья́ | *draw (in a game)* |
| переда́ча | *program, broadcast (TV, radio)* |
| вести́ переда́чу | *to host a TV show* |
| побе́да | *victory* |
| поэ́зия | *poetry* |
| публици́стика | *non-fiction* |
| расска́з | *short story* |
| рассле́дование | *(criminal) investigation* |
| вести́ рассле́дование | *to investigate (a crime)* |
| режиссёр | *film director* |
| рома́н | *novel* |
| роль (*f.*) | *role, part* |
| гла́вная роль | *main part* |
| игра́ть роль | *to play a role* |

| | |
|---|---|
| сбо́рная (кома́нда) | *national team* |
| сле́дователь | *police detective* |
| сле́дствие | *police investigation* |
| вести́ сле́дствие | *to investigate* |
| соревнова́ние | *competition, race* |
| счёт | *score* |
| тре́нер | *coach* |
| турни́р | *tournament* |
| уби́йство | *murder* |
| уби́йца | *murderer* |
| фанта́стика/нау́чная фанта́стика | *science fiction* |
| фильм | *film, movie* |
| документа́льный фильм | *documentary* |
| нау́чно-популя́рный фильм | *educational film* |
| приключе́нческий фильм | *adventure movie* |
| фильм у́жасов | *horror movie* |
| худо́жественный фильм | *feature film* |
| чемпиона́т | *championship* |
| экра́н | *screen* |
| экраниза́ция чего́? | *screen version* |

## Глаго́лы

| | |
|---|---|
| боле́ть (*impf.*) за кого́? (боле́ю, боле́ешь, боле́ют) | *to be a sports fan* |
| боро́ться (*impf.*) | *to fight* |
| выи́грывать/вы́играть у кого́? | *to win* |
| обсужда́ть/обсуди́ть что? с кем? | *to discuss* |
| оде́рживать/одержа́ть побе́ду над кем? | *to be victorious* |
| прои́грывать/проигра́ть кому́? | *to lose, be defeated* |
| снима́ть/снять (фильм) | *to shoot, make a film* |
| стреми́ться (*impf.*) к чему́? | *to strive for* |
| существова́ть (*impf.*) | *to exist* |
| тренирова́ться (*impf.*) | *to train, practice* |
| убива́ть/уби́ть кого́? | *to kill* |
| уважа́ть (*impf.*) кого́? за что? | *to respect* |

## Прилага́тельные

| | |
|---|---|
| стра́стный | *passionate, voracious* |

## Наре́чия

| | |
|---|---|
| открове́нно | *frankly, openly* |
| подро́бно | *in detail* |

## Союзы

| | |
|---|---|
| благодаря́ тому́ что | *thanks to* |
| несмотря́ на то что | *in spite of, despite* |

## Выраже́ния

| | |
|---|---|
| Како́й счёт?/С каки́м счётом зако́нчилась игра́? | *What's the score?* |
| фильм по чему́? (рома́ну, расска́зу) | *screen version (of a novel, story, etc.)* |
| сто́ит + *infinitive* | *to be worth doing* |

# Гла́вы 10–12

## В о́бщем…

## Chapters 10–12 Review

The following exercises are based on an unscripted video-taped interview. They will help you practice and develop the language skills you have acquired in chapters 10–12. You will find the interview on the Video Supplement to the textbook.

### Эдуа́рд Захаря́н. Армя́нский худо́жник в Голливу́де

**Зада́ние 1. Что вы узна́ли?** Посмотри́те фильм. О ком расска́зывается в фи́льме?

**Зада́ние 2. Что пра́вильно?** Посмотри́те фильм ещё раз и отме́тьте фра́зы, кото́рые Захаря́н говори́т в интервью́.

☐ Я прие́хал тури́стом.

☐ Я путеше́ствовал по Аме́рике и прие́хал в Калифо́рнию.

☐ Я всегда́ хоте́л жить в Голливу́де.

☐ Я совсе́м не наме́рен был остава́ться.

☐ Пе́ред вы́ездом был большо́й ко́нкурс на па́мятник Андро́нику.

☐ Это был национа́льный геро́й.

☐ Он геро́й Ру́сско-япо́нской войны́.

☐ Он в Ру́сско-туре́цкой войне́ то́же уча́ствовал.

☐ И был ко́нкурс, и я вы́играл э́тот ко́нкурс.

☐ Я выи́грывал мно́го ко́нкурсов.

☐ Я до́лжен был э́ту рабо́ту поста́вить.

☐ Ну, э́то мечта́ для ка́ждого ску́льптора …

☐ Я о́чень хоте́л сде́лать э́тот па́мятник.

**Зада́ние 3. Жи́вопись и́ли скульпту́ра?** Посмотри́те фильм ещё раз. Что говори́т Захаря́н о свои́х профессиона́льных интере́сах? Что он предпочита́ет, скульпту́ру и́ли жи́вопись?

**Зада́ние 4. Чте́ние.** Как вы э́то по́няли? Прочита́йте и скажи́те свои́ми слова́ми.

Журнали́ст. В це́лом, бо́льше *поте́рь* и́ли *приобрете́ний* у вас произошло́ *в связи́ с* перее́здом в Аме́рику?
Захаря́н. В *духо́вном* пла́не — поте́ри. А в пла́не профессиона́льном, я ду́маю, приобрете́ния, потому́ что я бы не име́л возмо́жность сто́лько рабо́т де́лать материа́льно.

*loss; gain*
*in connection with*
*spiritual*

**Зада́ние 5. Вы — журнали́ст.** Вы хоти́те взять интервью́ у Эдуа́рда Захаря́на. Что́бы подгото́виться к интервью́, напиши́те де́сять вопро́сов, кото́рые вы ему́ задади́те.

**Зада́ние 6. Расскажи́те об Эдуа́рде Захаря́не.** Испо́льзуйте в расска́зе сле́дующие слова́: армя́нский, худо́жник, ску́льптор, прие́хать, остава́ться, па́мятник, ко́нкурс, вы́играть, поте́ри, приобрете́ния.

**Зада́ние 7. Напиши́те.**

1. Опиши́те пого́ду в Голливу́де в день интервью́. Испо́льзуйте слова́ из главы́ 10.
2. Напиши́те заме́тку «Из Ерева́на в Голливу́д».

# Appendix

## Contents:



## I. Граммати́ческие те́рмины

| I-1. Word (parts of the word) | Сло́во (ча́сти сло́ва) |
|---|---|
| ending | оконча́ние |
| prefix | приста́вка |
| root | ко́р\|е\|нь *(m.)* |
| stem (hard, soft) | осно́ва (твёрдая, мя́гкая) |
| suffix | су́ффикс |

| I-2. Parts of speech | Ча́сти ре́чи |
|---|---|
| adjective | (и́мя) прилага́тельное |
| adverb | наре́чие |
| conjunction | сою́з |
| noun | (и́мя) существи́тельное |
| number | числи́тельное |
| preposition | предло́г |
| pronoun | местоиме́ние |
| verb | глаго́л |
| verbal adjective (participle) | прича́стие |
| verbal adverb (gerund) | дееприча́стие |

| I-3. Noun | Существи́тельное |
|---|---|
| declension | склоне́ние |
| to decline | склоня́ть/просклоня́ть |

| **I-4. Case** | **Паде́ж** |
|---|---|
| accusative | вини́тельный |
| dative | да́тельный |
| genitive | роди́тельный |
| instrumental | твори́тельный |
| nominative | имени́тельный |
| prepositional | предло́жный |

| **I-5. Adjective** | **Прилага́тельное** |
|---|---|
| comparative degree | сравни́тельная сте́пень |
| long-form adjective | по́лная фо́рма |
| short-form adjective | кра́ткая фо́рма |
| superlative degree | превосхо́дная сте́пень |

| **I-6. Verb** | **Глаго́л** |
|---|---|
| aspect (perfective, imperfective) | вид (соверше́нный, несоверше́нный) |
| to conjugate | спряга́ть/проспряга́ть |
| conjugation | спряже́ние |
| person (first, second, third) | лицо́ (пе́рвое, второ́е, тре́тье) |
| tense (present, past, future) | вре́мя (настоя́щее, проше́дшее, бу́дущее) |

### I-7. Grammatical terms used for nouns, pronouns, adjectives, and verbs

| | |
|---|---|
| exception, irregularity | исключе́ние |
| gender | род |
| masculine, feminine, neuter | мужско́й род, же́нский род, сре́дний род |
| number | число́ |
| singular, plural | еди́нственное число́, мно́жественное число́ |

| **I-8. Sentence** | **Предложе́ние** |
|---|---|
| object (complement) | дополне́ние |
| direct object/indirect object | прямо́е дополне́ние/ко́свенное дополне́ние |
| predicate | сказу́емое |
| subject | подлежа́щее |

| **I-9. Punctuation** | **Зна́ки препина́ния** |
|---|---|
| comma | запята́я |
| dash | тире́ |
| exclamation mark | восклица́тельный знак |
| hyphen | дефи́с |
| parentheses | ско́бки (одна́ ско́бка) |
| period | то́чка |
| question mark | вопроси́тельный знак |
| quotation marks | кавы́чки |
| semicolon | то́чка с запято́й |

## II. Declension of nouns, adjectives, and pronouns

### Nouns Имена́ существи́тельные

### II-1. Еди́нственное число́

| | мужско́й род | | | сре́дний род | | же́нский род | | | |
|---|---|---|---|---|---|---|---|---|---|
| **N** | стол | студе́нт | писа́тель | ме́сто | зда́ние | газе́т**а** | неде́л**я** | ле́кци**я** | дверь |
| **A** | стол | студе́нт**а** | писа́тел**я** | ме́сто | зда́ние | газе́т**у** | неде́л**ю** | ле́кци**ю** | дверь |
| **G** | стол**а́** | студе́нт**а** | писа́тел**я** | ме́ст**а** | зда́ни**я** | газе́т**ы** | неде́л**и** | ле́кци**и** | две́р**и** |
| **P** | стол**е́** | студе́нт**е** | писа́тел**е** | ме́ст**е** | зда́ни**и** | газе́т**е** | неде́л**е** | ле́кци**и** | две́р**и** |
| **D** | стол**у́** | студе́нт**у** | писа́тел**ю** | ме́ст**у** | зда́ни**ю** | газе́т**е** | неде́л**е** | ле́кци**и** | две́р**и** |
| **I** | стол**о́м** | студе́нт**ом** | писа́тел**ем** | ме́ст**ом** | зда́ни**ем** | газе́т**ой** | неде́л**ей** | ле́кци**ей** | две́р**ью** |

### II-2. Мно́жественное число́

| | | | | | | | | | |
|---|---|---|---|---|---|---|---|---|---|
| **N** | стол**ы́** | студе́нт**ы** | писа́тел**и** | мест**а́** | зда́ни**я** | газе́т**ы** | неде́л**и** | ле́кци**и** | две́р**и** |
| **A** | стол**ы́** | студе́нт**ов** | писа́тел**ей** | мест**а́** | зда́ни**я** | газе́т**ы** | неде́л**и** | ле́кци**и** | две́р**и** |
| **G** | стол**о́в** | студе́нт**ов** | писа́тел**ей** | мест | зда́ни**й** | газе́т | неде́ль | ле́кци**й** | двер**е́й** |
| **P** | стол**а́х** | студе́нт**ах** | писа́тел**ях** | мест**а́х** | зда́ни**ях** | газе́т**ах** | неде́л**ях** | ле́кци**ях** | двер**я́х** |
| **D** | стол**а́м** | студе́нт**ам** | писа́тел**ям** | мест**а́м** | зда́ни**ям** | газе́т**ам** | неде́л**ям** | ле́кци**ям** | двер**я́м** |
| **I** | стол**а́ми** | студе́нт**ами** | писа́тел**ями** | мест**а́ми** | зда́ни**ями** | газе́т**ами** | неде́л**ями** | ле́кци**ями** | двер**я́ми** |

### II-3. Interrogative and personal pronouns Вопроси́тельные и ли́чные местоиме́ния

| | | | | | | | | | |
|---|---|---|---|---|---|---|---|---|---|
| **N** | кто? | что? | я | ты | он/оно́ | она́ | мы | вы | они́ |
| **A** | кого́? | что? | меня́ | тебя́ | его́ | её | нас | вас | их |
| **G** | кого́? | чего́? | меня́ | тебя́ | его́ | её | нас | вас | их |
| **P** | ком? | чём? | мне | тебе́ | нём | ней | нас | вас | них |
| **D** | кому́? | чему́? | мне | тебе́ | ему́ | ей | нам | вам | им |
| **I** | кем? | чем? | мной | тобо́й | им | ей/е́ю | на́ми | ва́ми | и́ми |

Remember that the forms of **он, она́,** and **они́** can refer to both animate and inanimate nouns.

## II-4. Special modifiers Местоиме́ния-прилага́тельные

| N | мой, моё | моя́ | мои́ | твой, твоё | твоя́ | твои́ |
|---|---|---|---|---|---|---|
| A | N or G | мою́ | N or G | N or G | твою́ | N or G |
| G | моего́ | мое́й | мои́х | твоего́ | твое́й | твои́х |
| P | моём | мое́й | мои́х | твоём | твое́й | твои́х |
| D | моему́ | мое́й | мои́м | твоему́ | твое́й | твои́м |
| I | мои́м | мое́й | мои́ми | твои́м | твое́й | твои́ми |

| N | наш, на́ше | на́ша | на́ши | ваш, ва́ше | ва́ша | ва́ши |
|---|---|---|---|---|---|---|
| A | N or G | на́шу | N or G | N or G | ва́шу | N or G |
| G | на́шего | на́шей | на́ших | ва́шего | ва́шей | ва́ших |
| P | на́шем | на́шей | на́ших | ва́шем | ва́шей | ва́ших |
| D | на́шему | на́шей | на́шим | ва́шему | ва́шей | ва́шим |
| I | на́шим | на́шей | на́шими | ва́шим | ва́шей | ва́шими |

| N | э́тот, э́то | э́та | э́ти | од\|и́\|н, одно́ | одна́ | одни́ |
|---|---|---|---|---|---|---|
| A | N or G | э́ту | N or G | N or G | одну́ | N or G |
| G | э́того | э́той | э́тих | одного́ | одно́й | одни́х |
| P | э́том | э́той | э́тих | одно́м | одно́й | одни́х |
| D | э́тому | э́той | э́тим | одному́ | одно́й | одни́м |
| I | э́тим | э́той | э́тими | одни́м | одно́й | одни́ми |

| N | в\|е\|сь, всё | вся | все | тот, то | та | те |
|---|---|---|---|---|---|---|
| A | N or G | всю | N or G | N or G | ту | N or G |
| G | всего́ | всей | всех | того́ | той | тех |
| P | всём | всей | всех | том | той | тех |
| D | всему́ | всей | всем | тому́ | той | тем |
| I | всем | всей | все́ми | тем | той | те́ми |

| | | | |
|---|---|---|---|
| N | ч\|е\|й, чьё | чья | чьи |
| A | N or G | чью | N or G |
| G | чьегó | чьей | чьих |
| P | чьём | чьей | чьих |
| D | чьемý | чьей | чьим |
| I | чьим | чьей | чьи́ми |

## II-5. Adjectives Именá прилагáтельные

### II-5.1. Regular-stem adjectives

| | Masc. | Neut. | Fem. | Pl. | Masc. | Neut. | Fem. | Pl. |
|---|---|---|---|---|---|---|---|---|
| N | нóвый<br>молодóй<br>рýсский | нóвое<br>молодóе<br>рýсское | нóвая<br>молодáя<br>рýсская | нóвые<br>молоды́е<br>рýсские | большóй<br>хорóший | большóе<br>хорóшее | большáя<br>хорóшая | больши́е<br>хорóшие |
| A | N or G | | нóвую<br>молодýю<br>рýсскую | N or G | N or G | | большýю<br>хорóшую | N or G |
| G | нóвого<br>рýсского | | нóвой<br>рýсской | нóвых<br>рýсских | большóго<br>хорóшего | | большóй<br>хорóшей | больши́х<br>хорóших |
| P | нóвом<br>рýсском | | нóвой<br>рýсской | нóвых<br>рýсских | большóм<br>хорóшем | | большóй<br>хорóшей | больши́х<br>хорóших |
| D | нóвому<br>рýсскому | | нóвой<br>рýсской | нóвым<br>рýсским | большóму<br>хорóшему | | большóй<br>хорóшей | больши́м<br>хорóшим |
| I | нóвым<br>рýсским | | нóвой<br>рýсской | нóвыми<br>рýсскими | больши́м<br>хорóшим | | большóй<br>хорóшей | больши́ми<br>хорóшими |

### II-5.2. Soft-stem adjectives

Adjectives with stems ending in a soft **-н-** (**послéдний, вечéрний**). Note that the first vowel spelled in the ending indicates that the **-н-** is soft.

| | Masc. Neut. | Fem. | Pl. |
|---|---|---|---|
| N | вечéрний, вечéрнее | вечéрняя | вечéрние |
| A | N or G | вечéрнюю | N or G |
| G | вечéрнего | вечéрней | вечéрних |
| P | вечéрнем | вечéрней | вечéрних |
| D | вечéрнему | вечéрней | вечéрним |
| I | вечéрним | вечéрней | вечéрними |

## III. Nouns with irregularities in their declension

**III-1.** The noun **путь** is masculine, but it has **дверь**-type endings in the genitive, dative, and prepositional forms. It is stressed on the endings.

| | Singular | Plural |
|---|---|---|
| **N** | путь | пути́ |
| **A** | путь | пути́ |
| **G** | пути́ | путе́й |
| **P** | пути́ | путя́х |
| **D** | пути́ | путя́м |
| **I** | путём | путя́ми |

**III-2.** The feminine nouns **мать** and **дочь** add the infix **-ер-** before all endings.

| | Singular | | Plural | |
|---|---|---|---|---|
| **N** | мать | дочь | ма́тери | до́чери |
| **A** | мать | дочь | матере́й | дочере́й |
| **G** | ма́тери | до́чери | матере́й | дочере́й |
| **P** | ма́тери | до́чери | матеря́х | дочеря́х |
| **D** | ма́тери | до́чери | матеря́м | дочеря́м |
| **I** | ма́терью | до́черью | матеря́ми | дочеря́ми (дочерьми́) |

**III-3.** The neuter nouns **вре́мя** and **и́мя** add the infix **-ен-** before all endings.

| | Singular | | Plural | |
|---|---|---|---|---|
| **N** | вре́мя | и́мя | времена́ | имена́ |
| **A** | вре́мя | и́мя | времена́ | имена́ |
| **G** | вре́мени | и́мени | времён | имён |
| **P** | вре́мени | и́мени | времена́х | имена́х |
| **D** | вре́мени | и́мени | времена́м | имена́м |
| **I** | вре́менем | и́менем | времена́ми | имена́ми |

**III-4.** Masculine nouns with the suffixes **-ан-ин-/-ян-ин-** drop the suffix **-ин-** in all plural forms. The nominative plural forms have the ending **-е,** and the genitive/accusative forms have "zero" endings.

| | | | | |
|---|---|---|---|---|
| **N** | англича́нин | граждани́н | англича́**не** | гра́жда**не** |
| **A** | англича́нин**а** | граждани́н**а** | англича́н | гра́ждан |
| **G** | англича́нин**а** | граждани́н**а** | англича́н | гра́ждан |
| **P** | англича́нин**е** | граждани́н**е** | англича́н**ах** | гра́ждан**ах** |
| **D** | англича́нин**у** | граждани́н**у** | англича́н**ам** | гра́ждан**ам** |
| **I** | англича́нин**ом** | граждани́н**ом** | англича́н**ами** | гра́ждан**ами** |

**Note:** The suffix **-ан-/-ян-** denotes members of ethnic or social groups. The suffix **-ин-** combines with the suffix **-ан-/-ян-** to indicate a single individual of such a group. Some other nouns of this type are **горожа́нин-горожа́не** (*city dweller/s*), **датча́нин-датча́не** (*Dane/s*), **дворяни́н-дворя́не** (*aristocrat/s*), **крестья́нин-крестья́не** (*peasant/s*), **мусульма́нин-мусульма́не** (*Muslim/s*), **северя́нин-северя́не** (*northerner/s*), **славяни́н-славя́не** (*Slav/s*), **христиани́н-христиа́не** (*Christian/s*), **южа́нин-южа́не** (*southerner/s*).

**III-5.** The nouns **господи́н** and **хозя́ин**

| | **Singular** | | **Plural** | |
|---|---|---|---|---|
| **N** | господи́н | хозя́ин | господ**а́** | хозя́ев**а** |
| **A** | господи́н**а** | хозя́ин**а** | госпо́д | хозя́ев |
| **G** | господи́н**а** | хозя́ин**а** | госпо́д | хозя́ев |
| **P** | господи́н**е** | хозя́ин**е** | господ**а́х** | хозя́ев**ах** |
| **D** | господи́н**у** | хозя́ин**у** | господ**а́м** | хозя́ев**ам** |
| **I** | господи́н**ом** | хозя́ин**ом** | господ**а́ми** | хозя́ев**ами** |

**Notes**

- The feminine equivalents of the nouns are **госпожа́** and **хозя́йка.** They follow a regular feminine declension pattern.
- The address **Да́мы и господа́!** means "*Ladies and gentlemen!*"

**III-6.** Nouns that have nominative singular forms with the suffix **-ён|о|к** (**-он|о|к** after hushers) denote young animals or persons (i.e., **котён|о|к** — *kitten*, **медвежо́н|о|к** — *bear cub*). The plural forms of these nouns end in **-а** and are formed with the suffix **-ят-а** (**-ат-а** after hushers). In the plural, the genitive/accusative forms have "zero" endings.

| | **Singular** | | **Plural** | |
|---|---|---|---|---|
| **N** | котёнок | медвежо́нок | котя́т**а** | медвежа́т**а** |
| **A** | котёнк**а** | медвежо́нк**а** | котя́т | медвежа́т |
| **G** | котёнк**а** | медвежо́нк**а** | котя́т | медвежа́т |
| **P** | котёнк**е** | медвежо́нк**е** | котя́т**ах** | медвежа́т**ах** |
| **D** | котёнк**у** | медвежо́нк**у** | котя́т**ам** | медвежа́т**ам** |
| **I** | котёнк**ом** | медвежо́нк**ом** | котя́т**ами** | медвежа́т**ами** |

**Note.** Remember that the noun **ребён|о|к** (*child, baby*) has the plural form **де́ти.** The noun **ребя́та** (*fellows, guys, lads*) is often used by young people.

# IV. Declension of Russian names

## IV-1. Фами́лии

Surnames of Russian origin end in either **-ин (Пу́шкин, Бороди́н)** or **-ов/-ев (Ле́рмонтов, Дми́триев, Соловьёв).** These names have masculine and feminine forms as well as plural forms. The instrumental case of masculine surnames has the adjective ending **-ым.** Feminine surnames have adjectival endings in all cases except the nominative and accusative. Plural forms have adjectival endings in all cases except the nominative.

| | **Masc.** | **Fem.** | **Plural** | **Masc.** | **Fem.** | **Plural** |
|---|---|---|---|---|---|---|
| **N** | Бороди́н[1] | Бородин**а́** | Бородин**ы́** | Соловьёв | Соловьёв**а** | Соловьёв**ы** |
| **A** | Бородин**а́** | Бородин**у́** | Бородин**ы́х** | Соловьёв**а** | Соловьёв**у** | Соловьёв**ых** |
| **G** | Бородин**а́** | Бородин**о́й** | Бородин**ы́х** | Соловьёв**а** | Соловьёв**ой** | Соловьёв**ых** |
| **P** | Бородин**е́** | Бородин**о́й** | Бородин**ы́х** | Соловьёв**е** | Соловьёв**ой** | Соловьёв**ых** |
| **D** | Бородин**у́** | Бородин**о́й** | Бородин**ы́м** | Соловьёв**у** | Соловьёв**ой** | Соловьёв**ым** |
| **I** | Бородин**ы́м** | Бородин**о́й** | Бородин**ы́ми** | Соловьёв**ым** | Соловьёв**ой** | Соловьёв**ыми** |

[1]If the stress is on **-ин** in the masculine form, the stress shifts to the ending in all other forms.

**IV-2.** Some Russian last names look and decline like adjectives.

| | | | | | | |
|---|---|---|---|---|---|---|
| N | Толст**óй** | Толст**áя** | Толст**ы́е** | Брóдск**ий** | Брóдск**ая** | Брóдск**ие** |
| A | Толст**óго** | Толст**ýю** | Толст**ы́х** | Брóдск**ого** | Брóдск**ую** | Брóдск**их** |
| G | Толст**óго** | Толст**óй** | Толст**ы́х** | Брóдск**ого** | Брóдск**ой** | Брóдск**их** |
| P | Толст**óм** | Толст**óй** | Толст**ы́х** | Брóдск**ом** | Брóдск**ой** | Брóдск**их** |
| D | Толст**óму** | Толст**óй** | Толст**ы́м** | Брóдск**ому** | Брóдск**ой** | Брóдск**им** |
| I | Толст**ы́м** | Толст**óй** | Толст**ы́ми** | Брóдск**им** | Брóдск**ой** | Брóдск**ими** |

**IV-3.** Surnames ending in a consonant (i.e., **Шостакóвич**) decline only when pertaining to male persons. Surnames ending in a vowel (i.e., **Шевчéнко**) do not decline.

## IV-4. Именá и óтчества

### IV-4.1. Russian first names, nicknames, and patronymics decline like nouns.

| | Names for men | | | Names for women | | | |
|---|---|---|---|---|---|---|---|
| N | Пётр | Игорь | Дмитрий | Анна | Мари́я | Натáлья | Любóвь |
| A | Петр**á** | Игор**я** | Дми́три**я** | Анн**у** | Мари́**ю** | Натáль**ю** | Любóвь |
| G | Петр**á** | Игор**я** | Дми́три**я** | Анн**ы** | Мари́**и** | Натáль**и** | Любóв**и** |
| P | Петр**é** | Игор**е** | Дми́три**и** | Анн**е** | Мари́**и** | Натáль**е** | Любóв**и** |
| D | Петр**ý** | Игор**ю** | Дми́три**ю** | Анн**е** | Мари́**и** | Натáль**е** | Любóв**и** |
| I | Петр**óм** | Игор**ем** | Дми́три**ем** | Анн**ой** | Мари́**ей** | Натáль**ей** | Любóвь**ю** |

| | Nicknames for men and women | | | Patronymics for men and women | | | |
|---|---|---|---|---|---|---|---|
| N | Жéн**я** | Сáш**а** | Вáл**я** | Петрóвич | Петрóвн**а** | Ильи́ч | Ильи́нична |
| A | Жéн**ю** | Сáш**у** | Вáл**ю** | Петрóвич**а** | Петрóвн**у** | Ильич**á** | Ильи́ничн**у** |
| G | Жéн**и** | Сáш**и** | Вáл**и** | Петрóвич**а** | Петрóвн**ы** | Ильич**á** | Ильи́ничн**ы** |
| P | Жéн**е** | Сáш**е** | Вáл**е** | Петрóвич**е** | Петрóвн**е** | Ильич**é** | Ильи́ничн**е** |
| D | Жéн**е** | Сáш**е** | Вáл**е** | Петрóвич**у** | Петрóвн**е** | Ильич**ý** | Ильи́ничн**е** |
| I | Жéн**ей** | Сáш**ей** | Вáл**ей** | Петрóвич**ем** | Петрóвн**ой** | Ильич**óм** | Ильи́ничн**ой** |

### IV-4.2. Possessive adjectives

**Declension of possessive adjectives formed from names ending in -а/-я**

| | | | | |
|---|---|---|---|---|
| **N** | Ма́шин оте́ц | Ма́шино письм**о́** | Ма́шин**а** соба́к**а** | Ма́шин**ы** де́т**и** |
| **A** | Ма́шин**ого** отц**а́** | Ма́шин**о** письм**о́** | Ма́шин**у** соба́к**у** | Ма́шин**ых** дет**е́й** |
| **G** | Ма́шин**ого** отц**а́**/письм**а́** | | Ма́шин**ой** соба́к**и** | Ма́шин**ых** дет**е́й** |
| **P** | о Ма́шин**ом** отц**е́**/письм**е́** | | Ма́шин**ой** соба́к**е** | Ма́шин**ых** де́т**ях** |
| **D** | Ма́шин**ому** отц**у́**/письм**у́** | | Ма́шин**ой** соба́к**е** | Ма́шин**ым** де́т**ям** |
| **I** | Ма́шин**ым** отц**о́м**/письм**о́м** | | Ма́шин**ой** соба́к**ой** | Ма́шин**ыми** деть**ми́** |

# V. The use of Russian cases

## V-1. The nominative case

**N.1.** Nouns and pronouns in the nominative case answer the questions **кто?** or **что?** and denote the subject of a sentence or a clause.

**Бо́ря** нам мно́го расска́зывал о тебе́. — *Boris has told us a lot about you.*
**Твоя́ маши́на** стои́т на у́лице. — *Your car is parked on the street.*

**N.2.** Nouns, pronouns, and adjectives after the unexpressed present tense of the verb **быть** and after the introductory word **э́то** *(this is, that is, these are, those are)* are also in the nominative case.

Его́ мать — **юри́ст,** а е́го оте́ц — **врач**. — *His mother's a lawyer, and his father's a physician.*
Их дом о́чень **большо́й.** — *Their house is really big.*
Это не **мои́ кни́ги.** — *Those aren't my books.*

## V-2. The accusative case

**A.1.** The accusative case is used with nouns and pronouns without a preposition to:

A.1.1. denote the direct object of a transitive verb

На ве́чере я ви́дел/а **Ма́рка и Ка́тю.** — *I saw Mark and Katya at the party.*
Они́ хотя́т купи́ть **но́вую маши́ну.** — *They want to buy a new car.*

A.1.2. indicate the amount of time doing (or not doing) something

Я **всю ночь** не спал/спала́. — *I didn't (couldn't) sleep all night.*
Мы **це́лый год** учи́лись в Москве́. — *We spent a whole year studying in Moscow.*

A.1.3. indicate frequency with the adjective **ка́ждый**

**Ка́ждую пя́тницу** он е́дет домо́й. — *He goes home every Friday.*
Они́ спра́шивают о тебе́ **ка́ждый день.** — *They ask about you every single day.*

**A.2.** The following prepositions are used with nouns and pronouns in the accusative case.

A.2.1. **В (ВО)** and **НА** indicate the destination of a motion

| | |
|---|---|
| Мы идём **на но́вый фильм.** | *We're going to see a new movie.* |
| Я уже ходи́л/а **в магази́н.** | *I've already been to the store.* |

A.2.2. **В (ВО)** indicates the time of an action with days of the week or time on the hour

| | |
|---|---|
| Они́ прие́дут **во вто́рник** и́ли **в сре́ду?** | *Are they getting here on Tuesday or Wednesday?* |
| Ле́кция начина́ется **в два часа́.** | *The lecture starts at 2 o'clock.* |

A.2.3. **В + a "time word"** after the noun **раз** indicates the frequency of an action

| | |
|---|---|
| Я хожу́ в бассе́йн **раз в неде́лю.** | *I go to the pool once a week.* |
| Я обы́чно е́зжу домо́й **два ра́за в ме́сяц.** | *I usually go home twice a month.* |

A.2.4. **НА + a "time word"** indicates the duration of the result of an action

| | |
|---|---|
| Мы е́дем в Росси́ю **на год.** | *We're going to Russia for a year.* |
| Роди́тели уезжа́ли на **две неде́ли.** | *My (our) parents were gone for two weeks.* |

A.2.5. **ЗА + a "time word"** + a **perfective verb** indicates the time necessary to achieve the result of an action

| | |
|---|---|
| Вы хорошо́ отдохнёте **за неде́лю.** | *You'll get a good rest in a week's time.* |

A.2.6. **ЧЕ́РЕЗ + a "time word"** indicates time that lapses before an action occurs

| | |
|---|---|
| Они́ приду́т **че́рез полчаса́.** | *They'll get here in half an hour.* |

A.2.7. **ЧЕ́РЕЗ** indicates motion over and across or motion through

| | |
|---|---|
| Мы шли **че́рез парк.** | *We walked through (crossed) the park.* |
| Мы лете́ли **че́рез океа́н.** | *We flew across (over) the ocean.* |

A.2.8. **ЗА** and **ПОД** indicate the destination of a motion

| | |
|---|---|
| Все се́ли **за стол.** | *Everyone sat down at the table.* |
| Поста́вь ту́фли **под крова́ть!** | *Put your shoes under your bed!* |

## V-3. The genitive case

**G.1.** The genitive case of nouns and pronouns is used without a preposition:

G.1.1. to show possession

| | |
|---|---|
| Где маши́на **Ма́рка?** | *Where's Mark's car?* |

G.1.2. to qualify other nouns

| | |
|---|---|
| Ты не ви́дел/а мой учё́бник **ру́сского языка́?** | *Have you seen my Russian textbook?* |
| Ты зна́ешь её преподава́теля **ру́сского языка́?** | *Do you know her Russian instructor?* |

G.1.3. to denote a direct object that is part of a larger amount

| | |
|---|---|
| Положи́те Ма́рку **то́рта!** | *Give Mark some cake!* |

G.1.4. to indicate size and color

Я никогда́ не ви́дел/а **челове́ка тако́го высо́кого ро́ста.** — *I've never seen such a tall person.*

G.1.5. to indicate absence or lack of something or someone

Сего́дня **нет (не́ было, не бу́дет) заня́тий.** — *There aren't (weren't, won't be) any classes today.*

**Меня́ не бу́дет** до́ма сего́дня ве́чером. — *I won't be home tonight.*

G.1.6. to indicate the precise date of an occurrence

Они́ уе́хали **тре́тьего а́вгуста.** — *They left on the third of August.*

G.1.7. with the verbs **боя́ться** and **жела́ть**

Я бою́сь **войны́.** — *I'm afraid of war.*
Жела́ю вам **здоро́вья.** — *I wish you good health.*

G.1.8. for abstract complements — **мир** (*peace*), **поко́й** (*peace and quiet*), **сча́стье** (*happiness*) — after the verb **хоте́ть**

Я то́лько хочу́ **поко́я.** — *I only want peace and quiet.*

G.1.9. with words denoting quantity and with numerals other than **оди́н (одна́, одно́)**

У меня́ мно́го **рабо́ты.** — *I have lots to do.*

**G.2.** Nouns and pronouns in the genitive case with prepositions

G.2.1. **ОТ (ОТО)** *from, away from*

Ка́тя получи́ла письмо́ **от ма́мы.** — *Katya received a letter from her mother.*

G.2.2. **ИЗ (ИЗО)** *from, out of*

Они́ то́лько что верну́лись **из Росси́и.** — *They just got back from Russia.*

G.2.3. **С (СО)** *from, off of, since*

Во ско́лько ты вернёшься **с рабо́ты?** — *What time will you get back from work?*
Переведи́те **с англи́йского на ру́сский!** — *Translate from English to Russian.*
Я жду тебя́ **с трёх часо́в.** — *I've been waiting for you since 3 o'clock.*
Возьми́ кни́ги **со стола́.** — *Take the books from the table.*

G.2.4. **У** *at, nearby; at the home/place of; "to have" constructions*

Марк, **у тебя́** ключи́ от моёй маши́ны? — *Mark, do you have the keys to my car?*
Мы бы́ли **у дру́га.** — *We were at a friend's place.*
Я бу́ду **у себя́.** — *I'll be in my room (home, in my office).*
Мы бу́дем тебя́ ждать **у бассе́йна.** — *We'll wait for you by the pool.*

G.2.5. **ДО** *until, up to, before*

Мы бу́дем до́ма **до двух.** — *We'll be home until 2 o'clock.*
У нас бы́ли го́сти со среды́ **до воскресе́нья.** — *We had company from Wednesday to Sunday.*

G.2.6. **ПО́СЛЕ** *after*

Мы бу́дем до́ма **по́сле двух.** — *We'll be home after 2 o'clock.*

G.2.7. **БЕЗ** *without*

Мне бы́ло ску́чно **без тебя́.** — *I missed you (I was bored without you).*

G.2.8. **О́КОЛО** *near, close to, next to; about*

Они́ живу́т **о́коло меня́.** — *They live close to me.*
Мы их жда́ли **о́коло ча́са.** — *We waited for them for about an hour.*

G.2.9. **ВМЕ́СТО** *instead of*

Что ты хо́чешь **вме́сто моро́женого?** — *What would you like instead of ice cream?*

G.2.10. **ИЗ-ЗА** *because of, on account of; from behind (of)*

Это всё **из-за тебя́.** — *It's all your fault (It's all on account of you)*
Мы не пошли́ на стадио́н **из-за дождя́.** — *We didn't go to the stadium because of the r*
Все вы́шли **из-за стола́.** — *Everyone left the table.*

G.2.11. **ДЛЯ** *for (whose benefit, what purpose)*

Он повтори́л вопро́с **для меня́.** — *He repeated the question for me.*
Мне ну́жно купи́ть стол **для компью́тера.** — *I have to buy a desk for my computer.*
**Для чего́** ты у́чишь ру́сский язы́к? — *Why (for what purpose) are you studying Russian?*

## V-4. The prepositional case

**P.1.** The prepositional case is used with the prepositions:

P.1.1. **О (ОБ, ОБО)** *about*

Расскажи́ нам **обо всём!** — *Tell us about everything!*

P.1.2. **В (ВО)** *in, at* and **НА** *on, at*

**В э́том до́ме** живу́т Ка́тя и Та́ня. — *Katya and Tanya live in that building over t*
Кни́ги стоя́т **на по́лке.** — *The books are on the shelf.*

## V-5. The dative case

**D.1.** The dative case is used with nouns and pronouns without a preposition:

D.1.1. to denote an indirect object (to show to whom or for whom something is done)

Роди́тели купи́ли **ему́/ей** но́вую маши́ну. — *His/her parents bought him/her a new car.*

D.1.2. to express age

| | |
|---|---|
| — Ско́лько **ему́/ей** лет? | *"How old is he/she?"* |
| — **Ему́** (был) год, два́дцать оди́н год. | *"He is (was) one year old, 21."* |
| — **Ей** (бы́ло) два, два́дцать два го́да. | *"She is (was) two years old, 22."* |
| — **Ей** (бы́ло) пять, два́дцать пять лет. | *"She is (was) five years old, 25."* |

D.1.3. to indicate the person who likes someone or something with the verb **нра́виться/понра́виться**

| | |
|---|---|
| Вы **им понра́вились.** | *They liked you.* |
| **Ей** не **нра́вится** така́я му́зыка. | *She doesn't like that kind of music.* |

D.1.4. with short forms of the adjective **ну́жный** to indicate the person who needs something. The thing needed is in the nominative case.

| | |
|---|---|
| **Вам** ещё **нужны́** э́ти кни́ги? | *Do you still need these books?* |
| **Мне** бо́льше не **ну́жен** э́тот слова́рь. | *I don't need this dictionary anymore.* |
| **Тебе́** ещё **нужна́** газе́та? | *Do you still need the paper?* |
| Вчера́ **мне ну́жен** был твой сове́т. | *I needed your advice yesterday.* |
| **Нам нужна́** бу́дет твоя́ по́мощь. | *We'll need your help.* |

D.1.5. after the following verbs:

**звони́ть/позвони́ть**

| | |
|---|---|
| **Позвони́ мне** по́сле обе́да. | *Give me a call after lunch.* |

**отвеча́ть/отве́тить**

| | |
|---|---|
| Когда́ вы **отве́тите Ни́не?** | *When will you answer Nina?* |

**помога́ть/помо́чь**

| | |
|---|---|
| Кто **нам помо́жет?** | *Who will help us?* |

**сове́товать/посове́товать**

| | |
|---|---|
| **Сове́тую тебе́** не броса́ть му́зыку. | *I advise you not to drop music.* |

D.1.6. in impersonal constructions with the following adverbs and verbs. Remember that impersonal constructions do not have a subject in the nominative case. The logical subject in the following sentences is in the dative case.

D.1.6.1. **мо́жно**

| | |
|---|---|
| **Мо́жно Пе́те** зайти́ к вам за́втра? | *Could (May) Peter come and see you tomorrow?* |

D.1.6.2. **на́до, ну́жно** (*synonymous and interchangeable*)

| | |
|---|---|
| **Ни́не на́до/ну́жно** бо́льше занима́ться. | *Nina has to study more.* |

D.1.6.3. **нельзя́** (+ *impf. inf.*)

| | |
|---|---|
| **Вам нельзя́** кури́ть. | *You're not supposed to smoke.* |

D.1.6.4. **порá**

**Нам порá** (бы́ло) идти́ домóй. *It's time (It was time) for us to go home.*

D.1.6.5. **хотéться/захотéться**

**Мне хóчется** спать. *I'm sleepy.*
**Ей** вдруг **захотéлось** уйти́. *All of a sudden she felt like leaving.*

D.1.6.6. **не хóчется (не хотéлось)** (+ *impf. inf.*)

**Мне не хотéлось** идти́ в кинó. *I didn't feel like going to the movies.*

D.1.6.7. **приходи́ться/прийти́сь**

Мáрку **пришлóсь** звони́ть в автосéрвис. *Mark had to call for road service.*

D.1.6.8. **нéгде, нéкуда, нéкогда, нéчего**

**Мне нéкогда.** *I don't have any time. I have no time.*
**Мне нéчего** (бы́ло) сказáть. *I have (had) nothing to say.*
**Нам нéчего** (бы́ло) есть. *We have (had) nothing to eat.*
**Им нéгде** жить. *They don't have any place to live.*

D.1.6.9. **хóлодно, жáрко, скýчно, вéсело,** *etc.*

**Мне хóлодно (жáрко).** *I'm cold (hot).*
**Всем** бы́ло **вéсело.** *Everyone had a good time.*
**Тебé** всегдá **скýчно.** *You're always bored.*

**D.2.** The following prepositions are used with nouns and pronouns in the dative case:

D.2.1. **К** *to*

D.2.1.1. **К** is used with animate nouns to indicate the person(s) whose place of residence (or office) is the destination of motion

Я идý **к себé.** *I'm going (back) to my room.*
Ты чáсто éздишь **к роди́телям?** *Do you often go to see your parents?*

D.2.1.2. **К** is used with inanimate nouns to indicate direction

Как пройти́ **к музéю?** *How do I get to the museum?*

D.2.1.3. **К** is used after the verbs **привыкáть/привы́кнуть** and **готóвиться/подготóвиться** and after the short-form adjective **готóв (готóва, готóвы)**

Кáтя ещё привыкáет **к жи́зни** в США. *Katya is still getting used to life in the USA.*

Мы всю ночь готóвились **к контрóльной.** *We spent the whole night studying for our test.*

Мы ещё не готóвы **к контрóльной.** *We're still not ready for our test.*

D.2.2. **ПО**
Some English equivalents for the preposition are *according to, along, around, about, on,* and *by.* Precise English equivalents for the preposition depend on context.

| | |
|---|---|
| Куда́ они́ хо́дят по **вечера́м?** | *Where do they go in the evenings?* |
| **По вто́рникам** и **четверга́м** она́ занята́. | *She's busy on Tuesdays and Thursdays.* |
| Мы смотре́ли э́тот фильм **по телеви́зору.** | *We saw that movie on TV.* |
| Та́ня взяла́ твою́ кни́гу **по оши́бке.** | *Tanya took your book by mistake.* |
| Кто твои́ сосе́ди **по ко́мнате?** | *Who are your roommates?* |
| Мы шесть часо́в подря́д **ходи́ли по музе́ю.** | *We wandered around the museum for six straight hours.* |
| Семина́р (заня́тие, ле́кция) **по исто́рии** | *A history seminar (class, lecture)* |
| Контро́льная рабо́та (экза́мен) **по ру́сскому языку́** | *A Russian test (exam)* |

## V-6. The instrumental case

**I.1.** The instrumental case is used with nouns and pronouns without a preposition:

I.1.1. to indicate what instrument you use to do something

| | |
|---|---|
| Не пиши́те **карандашо́м.** Пиши́те **ру́чкой.** | *Don't use a pencil. Use a pen.* |

I.1.2. after the verbs **быть** or **станови́ться/стать** to show one's occupation

| | |
|---|---|
| Я хочу́ быть **врачо́м.** | *I want to be a physician.* |
| Она́ ста́нет **адвока́том.** | *She will become a lawyer.* |

I.1.3. after the verb **рабо́тать** to show what someone's job is

| | |
|---|---|
| **Кем** рабо́тает твоя́ мать? | *What kind of work does your mother do?* |

I.1.4. after the verb **интересова́ться/заинтересова́ться** to show what you're interested in

| | |
|---|---|
| Они́ интересу́ются **исто́рией.** | *They're interested in history.* |

I.1.5. after the verb **боле́ть/заболе́ть** to show what you are sick with or what illness you have caught

| | |
|---|---|
| Я боле́л/а **гри́ппом.** | *I had the flu.* |
| Марк заболе́л **гри́ппом.** | *Mark's caught the flu.* |

I.1.6. after the verb **занима́ться** to show how you are spending your time or what sports you engage in. In an academic context, the English equivalents of **занима́ться** can be *to study, to prepare for classes, to do one's homework, to be in class.*

| | |
|---|---|
| Они́ занима́ются **медици́ной.** | *They're studying medicine.* |
| Чем ты сейча́с **занима́ешься?** | *What are you up to right now?* |
| Вы занима́етесь **спо́ртом?** | *Do you go in for (any) sports?* |

I.1.7. after the short-form adjective **дово́лен (дово́льна, дово́льны)** to indicate the object of your satisfaction

| | |
|---|---|
| Вы дово́льны **свои́ми заня́тиями и профессора́ми?** | *Are you happy with your courses and professors?* |

**I.2.** The following prepositions are used with nouns and pronouns in the instrumental case:

I.2.1. **С (СО)** to show accompaniment:

| | |
|---|---|
| Мно́гие пьют ко́фе **с молоко́м** и́ли **со сли́вками.** | *A lot of people take milk or cream with their coffee.* |
| Вчера́ мы **с Ка́тей** ходи́ли в кино́. | *Katya and I went to see a movie yesterday.* |

I.2.2. **С (СО)** after the following verbs:

**говори́ть/поговори́ть** ***с кем? о ком/о чём?***

| | |
|---|---|
| Почему́ ты не **поговори́шь с преподава́телем** об э́том? | *Why don't you speak to your instructor about that?* |

**знако́миться/познако́миться** ***с кем?***

| | |
|---|---|
| Мы познако́мились **с но́выми стажёрами.** | *We met (got acquainted with) the new exchange students.* |

**знако́мить/познако́мить** ***кого́? с кем?***

| | |
|---|---|
| **Познако́мь** меня́ **с ни́ми!** | *Introduce me to them!* |

**здоро́ваться/поздоро́ваться** ***с кем?***

| | |
|---|---|
| Она́ **со мной** не **здоро́вается.** | *She doesn't say hello to me.* |

**поздравля́ть/поздра́вить** ***кого́? с чем?***

| | |
|---|---|
| Вы **поздра́вили** её **с днём рожде́ния?** | *Have you wished her a happy birthday?* |
| **Поздравля́ю** тебя́ **с оконча́нием** университе́та! | *Congratulations on your graduation!* |

**проща́ться/попроща́ться** ***с кем/с чем?***

| | |
|---|---|
| Мы **попроща́лись с ни́ми** и уе́хали домо́й. | *We said good-bye to them and left for home.* |

**случа́ться/случи́ться** ***с кем/с чем?***

| | |
|---|---|
| Наде́юсь, что **с Ма́рком** ничего́ не **случи́лось.** | *I hope nothing has happened to Mark.* |

I.2.3. **С (СО)** after the following short-form adjectives:

**знако́м (знако́ма, знако́мы)** ***с кем/с чем?***

| | |
|---|---|
| Вы **знако́мы с Анной?** | *Do you know Anna?* |
| Он не **знако́м с ру́сской поэ́зией.** | *He is not familiar with (has no knowledge of) Russian poetry.* |

**согла́сен (согла́сна, согла́сны)** ***с кем/с чем?***

| | |
|---|---|
| Почему́ вы **со мной** не **согла́сны?** | *Why don't you agree with me?* |

I.2.4. **НАД** after the following verbs:

**рабóтать** ***над чем?***

| | |
|---|---|
| Я рабóтаю **над э́тим доклáдом** уже́ недéлю. | *I've been working on this report for a week already.* |

**смея́ться** ***над кем/чем?***

| | |
|---|---|
| Почему́ вы так смеётесь **нáдо мной?** | *Why are you laughing at me like that?* |

I.2.5. **ЗА** after a verb of motion to indicate the person or thing to be picked up or fetched

| | |
|---|---|
| Хóчешь, мы заéдем **за тобóй?** | *Do you want us to pick you up?* |
| Марк вернýлся домóй **за кни́гами.** | *Mark went back home for his books.* |

I.2.6. **ЗА, ПÉРЕД, НАД, ПОД, МÉЖДУ,** and **РЯ́ДОМ С** in answer to the question **где?**

| | |
|---|---|
| Я тебя́ встрéчу **пéред кафетéрием.** | *I'll meet you in front of the cafeteria.* |
| Мы сейчáс лети́м **над пусты́ней.** | *Right now we're flying over the desert.* |
| Все сидéли за **столóм.** | *Everyone was sitting at the table.* |
| Тýфли стоя́т **под кровáтью.** | *(My) shoes are under the bed.* |
| Кто э́то сиди́т **мéжду Джи́мом и Кáтей?** | *Who's that person sitting between Jim and Katya?* |
| **Ря́дом с дóмом** был парк. | *There was a park next to the house.* |

I.2.7. **ПÉРЕД** and **НАД** in answer to the question **где?**

| | |
|---|---|
| Постáвь маши́ну **пéред дóмом.** | *Park the car in front of the house.* |
| Я повéшу лáмпу **над кровáтью.** | *I'm going to hang a lamp above the bed.* |

# VI. Prepositions

## VI-1. Russian prepositions and their English equivalents

**БЕЗ (БÉЗО)** without
**В (ВО)** in, into; at
**ДЛЯ** for, for the purpose of
**ДО** up to
**ЗА** behind; for (to get)
**ИЗ** out of, from
**ИЗ-ЗА** from behind; because of
**ИЗ-ПОД** from under
**К (КО)** to, toward
**МÉЖДУ** between
**НА** on, onto; at; for (in time expressions)
**НАД (НАДО)** above
**ÓКОЛО** close, nearby
**О (ОБ, ОБО)** about
**ОТ (ОТО)** from, from the side of, away from
**ПÉРЕД (ПЕРЕДО)** in front of
**ПО** according to, on, along, by, across
**ПОД (ПОДО)** under, underneath, close to
**ПРИ** in the presence of; in the time of
**ПРО** about *(colloquial)*
**РÁДИ** for the sake of
**С (СО)** with; from, away from, off of; since
**У** at the home of, close, nearby; to express possession
**ЧÉРЕЗ** through, across, over; in (in time expressions)

**Note.** The English equivalent of a Russian preposition most often depends on the English equivalent of that preposition's complement.

### VI-2. Prepositions governing one case

БЕЗ + *GEN*
ДЛЯ + *GEN*
ДО + *GEN*
ИЗ + *GEN*
ИЗ-ЗА + *GEN*
ИЗ-ПОД + *GEN*
К + *DAT*
МЕ́ЖДУ + *INSTR*
НАД + *INSTR*
О (ОБО) + *PREP*
О́КОЛО + *GEN*
ОТ + *GEN*
ПЕ́РЕД + *INSTR*
ПО́СЛЕ + *GEN*
ПРИ + *PREP*
ПРО + *ACC*
РА́ДИ + *GEN*
У + *GEN*
ЧЕ́РЕЗ + *ACC*

### VI-3. Prepositions governing more than one case

В + *ACC/PREP*
ЗА + *ACC/INSTR*
НА + *ACC/PREP*
ПО + *DAT/ACC/PREP*
ПОД + *ACC/INSTR*
С + *GEN/INSTR*

## VII. Time expressions

**VII-1.** Answering the question **когда́?**

**Week: НА** + prepositional case

*Questions:* Когда́? *or*
На како́й неде́ле?

*Answers:* На про́шлой неде́ле.
На бу́дущей (сле́дующей) неде́ле.
На э́той неде́ле.

**Month/year/semester/quarter: В** + prepositional case

*Questions:* Когда́? *or*
В како́м ме́сяце?

*Answers:* В э́том ме́сяце.
В э́том году́.
В э́том семе́стре.
В э́той че́тверти.

**Day of the week: В** + accusative case

*Questions:* Когда́? *or*
В како́й день?

*Answers:* В сре́ду.
В (э́ту) суббо́ту.
В э́тот день.

**Days of the week** (in plural contexts): **В** + accusative case or **ПО** + dative case

*Questions:* Когда́? *or*
В каки́е дни?
По каки́м дням?

*Answers:* В понеде́льник и сре́ду.
По понеде́льникам и сре́дам.

**Specific date:** Genitive case, no preposition.

| *Questions:* | Когда́? *or* Како́го числа́? | *Answer:* | Тре́тьего ма́рта. Пя́того апре́ля. |
|---|---|---|---|

**Seasons:** Instrumental case, no preposition

| *Question:* | Когда́? | *Answer:* | Ле́том. Этим ле́том. Осенью. Про́шлой о́сенью. Весно́й. Зимо́й. |
|---|---|---|---|

## VII-2. Answering **когда́**-questions with the preposition **ЧЕ́РЕЗ**

The preposition **ЧЕ́РЕЗ** + a time word in the accusative indicates the time that lapses before an action takes place:

*Question:* — Когда́ вы придёте? — *"When will you be here?"*
*Answer:* — Че́рез час. — *"In an hour."*

## VII-3. Answering the question **ско́лько вре́мени?** to indicate the duration of an action

*Question:* — **Ско́лько вре́мени** вы там жи́ли (рабо́тали, бы́ли)?
*Answer:* — Мы там жи́ли (рабо́тали, бы́ли) **2 го́да.**

> **Note.** If you can leave out the preposition "for" in English, there is no preposition in the Russian equivalent.

**С** + genitive case ... **ДО** + genitive case *from ... until*

*Question:* — Ско́лько вре́мени вы там бу́дете (рабо́тали)?
*Answers:* — Мы там бу́дем (рабо́тали) **с ча́са до четырёх.**
**со среды́ до пя́тницы.**
**с ма́я до а́вгуста.**

## VII-4. Answering the question **на ско́лько вре́мени?** to indicate the duration of the result of an action: **НА** + accusative case

*Question:* — **На ско́лько вре́мени** вы туда́ е́дете?
*Answer:* — Мы е́дем в Росси́ю **на год.**

*Question:* — **На ско́лько вре́мени** вы уезжа́ли?
*Answer:* — Мы уезжа́ли **на три ме́сяца.**

> **Note.** This construction is used with verbs denoting "reversible" actions:
> Я **выходи́л/а** то́лько на пять мину́т.

## VIII. Verbs

### VIII-1. First conjugation

Most first-conjugation verbs have an infinitive that ends in **-АТЬ** or **-ЯТЬ** and are conjugated like:

| **чита́ть** | | **гуля́ть** | |
|---|---|---|---|
| чита́-**ю** | чита́-**ем** | гуля́-**ю** | гуля́-**ем** |
| чита́-**ешь** | чита́-**ете** | гуля́-**ешь** | гуля́-**ете** |
| чита́-**ет** | чита́-**ют** | гуля́-**ет** | гуля́-**ют** |

### VIII-2. First-conjugation verbs: special types

**ПИСА́ТЬ**-TYPE VERBS

These verbs have a consonant alternation before all present-future endings and a stress shift back one syllable if stressed on the first-person singular ending.

писа́ть [с > ш]

| | |
|---|---|
| пишу́ | пи́шем |
| пи́шешь | пи́шете |
| пи́шет | пи́шут |

Other verbs of this type:

иска́ть [ск > щ] — *to look for, search*
показа́ть *(pfv.)* [з > ж] — *to show*
сказа́ть *(pfv.)* [з > ж] — *to say*
пла́кать [к > ч] — *to cry*
ре́зать [з > ж] — *to cut, slice*

**ПИТЬ**-TYPE VERBS

| | |
|---|---|
| пью | пьём |
| пьёшь | пьёте |
| пьёт | пьют |

Other verbs of this type:

бить — *to beat, hit, strike*
лить — *to pour*
шить — *to sew*

**МЫТЬ**-TYPE VERBS

| | |
|---|---|
| мо́ю | мо́ем |
| мо́ешь | мо́ете |
| мо́ет | мо́ют |

Other verbs of this type:

закры́ть *(pfv.)* — *to close*
откры́ть *(pfv.)* — *to open*

### **ЖИТЬ**-TYPE VERBS

| | |
|---|---|
| живу́ | живём |
| живёшь | живёте |
| живёт | живу́т |

Other verb of this type:

плыть — *to swim, sail, float*

### **ЖДАТЬ**-TYPE VERBS

| | |
|---|---|
| жду | ждём |
| ждёшь | ждёте |
| ждёт | ждут |

Other verbs of this type:

брать [бр > бер] — *to take*
врать — *to fib, lie*
звать [зв > зов] — *to call, invite*

### **КЛАСТЬ**-TYPE VERBS

| | |
|---|---|
| кладу́ | кладём |
| кладёшь | кладёте |
| кладёт | кладу́т |

Other verbs of this type:

красть — *to steal*
упа́сть *(pfv.)* — *to fall down*
вести́ — *to lead;* PAST: вёл, вела́, вели́
сесть [е > я: ся́ду, ся́дешь, ся́дут] *(pfv.)* — *to sit down*

### **НАЧА́ТЬ/СТАТЬ**-TYPE VERBS

| | | | |
|---|---|---|---|
| начну́ | начнём | ста́ну | ста́нем |
| начнёшь | начнёте | ста́нешь | ста́нете |
| начнёт | начну́т | ста́нет | ста́нут |

Other verbs of this type:

встать *(pfv.)* — *to get up*
доста́ть *(pfv.)* — *to obtain, get*
уста́ть *(pfv.)* — *to get tired*

### **СНЯТЬ**-TYPE VERBS

| | |
|---|---|
| сниму́ | сни́мем |
| сни́мешь | сни́мете |
| сни́мет | сни́мут |

Other verbs of this type:

поня́ть *(pfv.)* [пойму́, поймёшь] — *to understand*
заня́ть *(pfv.)* [займу́, займёшь] — *to occupy, borrow*
приня́ть *(pfv.)* [приму́, при́мешь] — *to accept, take*
подня́ть *(pfv.)* [подниму́, подни́мешь] — *to lift, raise*
взять [вз > воз] *(pfv.)* [возьму́, возьмёшь] — *to take*

**ДАВА́ТЬ**-TYPE VERBS (**ава** > **а** before P/F endings):

| | |
|---|---|
| даю́ | даём |
| даёшь | даёте |
| даёт | даю́т |

Other verbs of this type:

встава́ть — *to get up*
преподава́ть — *to teach*
устава́ть — *to get tired*

**СОВЕ́ТОВАТЬ**-TYPE VERBS (**ова** > **у** before P/F endings):

| | |
|---|---|
| сове́тую | сове́туем |
| сове́туешь | сове́туете |
| сове́тует | сове́туют |

Other verbs of this type:

интересова́ть/ся — *to interest/to be interested in*
танцева́ть — *to dance*
чу́вствовать (себя́) — *to feel*

**МОЧЬ**-TYPE VERBS

| | |
|---|---|
| могу́ | мо́жем |
| мо́жешь | мо́жете |
| мо́жет | мо́гут |

Other verbs of this type:

помо́чь *(pfv.)* — *to help*
печь [пеку́, печёшь, пеку́т] — *to bake*
стричь [стригу́, стрижёшь, стригу́т] — *to cut, mow*
лечь *(pfv.)* [е > я: ля́гу, ля́жешь, ля́гут] — *to lie down*

**ВЕРНУ́ТЬ**-TYPE VERBS

| | |
|---|---|
| верну́ | вернём |
| вернёшь | вернёте |
| вернёт | верну́т |

Other verbs of this type:

привы́кнуть *(pfv.)* — *to get used to; PAST:* привы́к, привы́кла
отдохну́ть *(pfv.)* — *to rest, relax*
улыбну́ться *(pfv.)* — *to smile*

## VIII-3. VERBS WITH INFINITIVES ENDING IN -СТИ, -ЗТИ

**нес|ти́** — *to carry;* несу́, несёшь, несу́т; *PAST:* нёс, несла́, несли́
**вез|ти́** — *to transport;* везу́, везёшь, везу́т; *PAST:* вёз, везла́, везли́

## VIII-4. OTHER FIRST-CONJUGATION VERBS THAT ARE "ONE OF A KIND":

быть [бу́ду, бу́дут] — *to be (also:* забы́ть *pfv.)*
е́хать [е́ду, е́дут; *imperative:* поезжа́й/те] — *to ride, drive*
идти́ [иду́, иду́т; *past:* шёл, шла, шли] — *to walk, go*
петь [пою́, поёшь, пою́т] — *to sing*

## VIII-5. Second conjugation

Most second-conjugation verbs have infinitives ending in **-ИТЬ** and are conjugated like **говори́ть:**

| | |
|---|---|
| говор-**ю́** | говор-**и́м** |
| говор-**и́шь** | говор-**и́те** |
| говор-**и́т** | говор-**я́т** |

## VIII-6. Second-conjugation verbs: special types

### VERBS WITH INFINITIVES ENDING IN -АТЬ/-ЯТЬ

| **держа́ть** | | **стоя́ть** | |
|---|---|---|---|
| держу́ | де́ржим | стою́ | стои́м |
| де́ржишь | де́ржите | стои́шь | стои́те |
| де́ржит | де́ржат | стои́т | стоя́т |

Other verbs of this type:

боя́ться — *to be afraid, to fear*
дрожа́ть — *to tremble, quiver*
дыша́ть — *to breathe*
крича́ть — *to shout, scream*
лежа́ть — *to lie*
молча́ть — *to be silent, quiet*
слы́шать — *to hear*
стуча́ть — *to knock*
спать [сплю́, спишь, спя́т] — *to sleep*

## VIII-7. Verbs with irregularities in their conjugations:

бежа́ть [бегу́, бежи́шь, бегу́т] — *to run*
дать [дам, дашь, даст, дади́м, дади́те, даду́т] (*pfv.*) — *to give*
есть [ем, ешь, ест, еди́м, еди́те, едя́т] — *to eat*
хоте́ть [хочу́, хо́чешь, хо́чет, хоти́м, хоти́те, хотя́т] — *to want*

# IX. Numerals

## IX-1. The numerals 2, 3, 4.

| | Masc./Neut. | Fem. | | |
|---|---|---|---|---|
| N | **два** | **две** | **три** | **четы́ре** |
| A | N or G | | N or G | N or G |
| G | двух | | трёх | четырёх |
| P | двух | | трёх | четырёх |
| D | двум | | трём | четырём |
| I | двумя́ | | тремя́ | четырьмя́ |

## IX-2. The numerals 5–20.

The numerals 5–10 are end-stressed; 20 and 30 are end-stressed. The numerals 11–19 are stem-stressed. These numerals have only three forms:

a. a nominative-accusative form;
b. a genitive, prepositional, dative form;
c. an instrumental form.

| | | | |
|---|---|---|---|
| **N/A** | пять | во́семь | оди́ннадцать |
| **G/P/D** | пят**и́** | восьм**и́** | оди́ннадцат**и** |
| **I** | пят**ью́** | восьм**ью́** (also восем**ью́**) | оди́ннадцат**ью** |

## IX-3. The numerals 40, 90, 100.

These numerals have only two forms.

a. a nominative-accusative form;
b. a genitive, prepositional, dative, and instrumental form that ends in **-a.**

| | | | |
|---|---|---|---|
| **N/A** | со́рок | девяно́сто | сто |
| **G/P/D/I** | сорока́ | девяно́ст**а** | ст**а** |

**IX-4. The numerals 50, 60, 70, 80.** These numerals have only three forms:

a. a nominative-accusative form;
b. a genitive, prepositional, dative form;
c. an instrumental form.

| | | | |
|---|---|---|---|
| **N/A** | пятьдеся́т | се́мьдесят | во́семьдесят |
| **G/P/D** | пят**и́**десят**и** | сем**и́**десят**и** | восьм**и́**десят**и** |
| **I** | пять**ю́**десят**ью** | семь**ю́**десят**ью** | восьмь**ю́**десят**ью** |

**A handy rule.** The nominative forms of cardinal numerals are spelled with only one soft sign. In all numerals, including 30 and below, the soft sign is at the end; in numerals above 30, the soft sign is in the middle.

**IX-5. The numerals 200, 300, 400.**

| | | | |
|---|---|---|---|
| **N/A** | две́сти | три́ста | четы́реста |
| **G** | двухсо́т | трёхсо́т | четырёхсо́т |
| **P** | двухст**а́х** | трёхст**а́х** | четырёхст**а́х** |
| **D** | двумст**а́м** | трёмст**а́м** | четырёмст**а́м** |
| **I** | двумяст**а́ми** | тремяст**а́ми** | четырьмяст**а́ми** |

**IX-6. The numerals 500–900.**

| | | | |
|---|---|---|---|
| **N/A** | пятьсо́т | восемьсо́т | девятьсо́т |
| **G** | пятисо́т | восьмисо́т | девятисо́т |
| **P** | пятист**а́х** | восьмист**а́х** | девятист**а́х** |
| **D** | пятист**а́м** | восьмист**а́м** | девятист**а́м** |
| **I** | пятьюст**а́ми** | восьмьюст**а́ми** | девятьюст**а́ми** |

**IX-7. The numeral 1000.**

| | |
|---|---|
| **N** | ты́сяча |
| **A** | ты́сячу |
| **G** | ты́сячи |
| **P/D** | ты́сяче |
| **I** | ты́сяч**ей**/ты́сяч**ью** |

**Note.** The numerals **миллио́н** and **миллиа́рд** decline like ordinary masculine nouns. Nouns are in the genitive plural after any form of **ты́сяча, миллио́н,** and **миллиа́рд.**

**IX-8. Compound numerals.** All parts of compound numerals decline.

| | | |
|---|---|---|
| **N/A** | два́дцать три | четы́реста два́дцать три |
| **G** | двадцат**и́** тр**ёх** | четыр**ёхсо́т** двадцат**и́** тр**ёх** |
| **P** | двадцат**и́** тр**ёх** | четыр**ёхста́х** двадцат**и́** тр**ёх** |
| **D** | двадцат**и́** тр**ём** | четыр**ёмста́м** двадцат**и́** тр**ём** |
| **I** | двадцат**ью́** трем**я́** | четырь**мяста́ми** двадцат**ью́** трем**я́** |

**IX-9. The numeral** ***о́ба/о́бе.***

| | **Masc./Neut.** | **Fem.** |
|---|---|---|
| **N** | о́ба | о́бе |
| **A** | N or G | N or G |
| **G/P** | об**о́их** | об**е́их** |
| **D** | об**о́им** | об**е́им** |
| **I** | об**о́ими** | об**е́ими** |

**IX-10. Collective numerals** ***двóе, трóе.*** (**трóе** follows the pattern of **двóе**)

| | |
|---|---|
| **N** | двóе |
| **A** | N or G |
| **G/P** | дво**и́х** |
| **D** | дво**и́м** |
| **I** | дво**и́ми** |

**Note.** For **че́тверо, пя́теро, ше́стеро, се́меро, во́сьмеро, де́вятеро,** and **де́сятеро** the endings **-и́х, -и́м, -и́ми** become **-ы́х, -ы́м, -ы́ми.**

**IX-11. The numeral** ***полтора́/полторы́***

| | **Masc./Neut.** | **Fem.** |
|---|---|---|
| **N/A** | полтора́ | полторы́ |
| **G/P/D/I** | полу́тора | |

## IX-12. Ordinal numerals

| | | | |
|---|---|---|---|
| 1 | (оди́н) пе́рвый | 30 | (три́дцать) тридца́тый |
| 2 | (два) второ́й | 40 | (со́рок) сороково́й |
| 3 | (три) тре́тий | 50 | (пятьдеся́т) пятидеся́тый |
| 4 | (четы́ре) четвёртый | 60 | (шестьдеся́т) шестидеся́тый |
| 5 | (пять) пя́тый | 70 | (се́мьдесят) семидеся́тый |
| 6 | (шесть) шесто́й | 80 | (во́семьдесят) восьмидеся́тый |
| 7 | (семь) седьмо́й | 90 | (девяно́сто) девяно́стый |
| 8 | (во́семь) восьмо́й | 100 | (сто) со́тый |
| 9 | (де́вять) девя́тый | 200 | (две́сти) двухсо́тый |
| 10 | (де́сять) деся́тый | 300 | (три́ста) трёхсо́тый |
| 11 | (оди́ннадцать) оди́ннадцатый | 400 | (четы́реста) четырёхсо́тый |
| 12 | (двена́дцать) двена́дцатый | 500 | (пятьсо́т) пятисо́тый |
| 13 | (трина́дцать) трина́дцатый | 600 | (шестьсо́т) шестисо́тый |
| 14 | (четы́рнадцать) четы́рнадцатый | 700 | (семьсо́т) семисо́тый |
| 15 | (пятна́дцать) пятна́дцатый | 800 | (восемьсо́т) восьмисо́тый |
| 16 | (шестна́дцать) шестна́дцатый | 900 | (девятьсо́т) девятисо́тый |
| 17 | (семна́дцать) семна́дцатый | 1000 | (ты́сяча) ты́сячный |
| 18 | (восемна́дцать) восемна́дцатый | 2000 | (две ты́сячи) двухты́сячный |
| 19 | (девятна́дцать) девятна́дцатый | 1 000 000 | (миллио́н) миллио́нный |
| 20 | (два́дцать) двадца́тый | 1 000 000 000 | (миллиа́рд) миллиа́рдный |

**Note.** Remember that in compound ordinal numerals (e.g., 143rd, "one hundred forty-third") the first element of the numeral is a cardinal numeral; only the last part is an ordinal numeral.

| | |
|---|---|
| 25th | два́дцать **пя́тый** |
| 1999th | ты́сяча девятьсо́т девяно́сто **девя́тый** |
| в 2000 году | в **двухты́сячном** году́ |
| в 2006 году | в две ты́сячи **шесто́м** году́ |

# Ру́сско-англи́йский слова́рь

**Автоотве́тчик 6** answering machine
**ава́рия 9** accident
**акце́нт 7** accent
**аллерги́я на что? 10** allergy
**ана́лиз 10** medical test
**апте́ка 5** pharmacy
**аспира́нт/ка 1** graduate student
**аттеста́т 1** high school diploma
**аэропо́рт** (в аэропорту́) **6** airport

**Бе́дный 3** poor
**бе́дствие 10** disaster
**бе́рег** (на берегу́) **1** shore, seashore, coast
**бере́менная 3** pregnant
**беспоко́иться** (*impf.*) **3** to worry/to be nervous
**биле́т** (на по́езд, на самолёт) **8** ticket (train, plane)
**благодаря́ кому́?/чему́? 7** thanks to
**благодаря́ тому́ что 12** thanks to
**блоки́ровать/заблоки́ровать что? 1** to cancel (a credit card)
**блу́зка 10** blouse
**блю́до 11** dish
**блю́дце 11** saucer
**бога́тый 3** rich
**бока́л 11** wine glass
**боле́знь** (*f.*) **10** sickness, illness, disease
**бо́лен/больна́ 2** sick
**боле́ть** (*impf.*) **за кого́?** (боле́ю, боле́ют) **12** to be a fan of (sports team); to root for
**боле́ть** (боли́т, боля́т) (*third-person only*) **10** to hurt, to ache
**боле́ть/заболе́ть** (боле́ю, боле́ют) **2** to be sick/to get sick
**бо́льше всего́ 3** more than anything
**боро́ться** (*impf.*) **с кем?/с чем? 10, 12** to fight, struggle
**борьба́ 12** fight, struggle
**боя́ться кого́?/чего́? 3** to be afraid of
**брать/взять 2** to take
**броса́ть/бро́сить что? 2** to throw; to quit, cease, drop
**брошю́ра 8** brochure
**брю́ки 10** trousers, pants
**бу́дний день 2** weekday
**бума́жник 1** wallet
**быва́ть/побыва́ть где? 7** to attend, visit
**бюро́ нахо́док 1** Lost and Found

**Валю́та 8** currency
**ва́нная 5** bathroom (room for bathing)
**варёный 11** boiled
**вари́ть/свари́ть 11** to cook in water, boil
**вдова́ 3** widow
**вдов|е́|ц 3** widower
**вдруг 3** suddenly
**веду́щий/веду́щая 12** TV host, anchor
**ве́жливый 6** polite
**везти́ ~ вози́ть 8** to transport, take by vehicle
**век 7** century
**ве́рить/пове́рить кому́? 4** to believe
**весёлый 6** cheerful
**ве́стерн 12** western (film)
**вести́ ~ води́ть кого́? 8** to lead, take; **вести́ ~ води́ть маши́ну 9** to drive a car, **вести́ переда́чу 12** to host a program; **вести́ рассле́дование 12** to investigate (a crime); **вести́ сле́дствие 12** to investigate
**вести́/повести́ (вёл/вела́) себя́ 6** to behave
**ве́т|е|р 10** wind
**ве́треный/ве́трено 10** windy
**ве́шать/пове́сить 5** to hang, hang up
**взро́слый 3** grown-up, adult
**вид на что? 5** a view of
**ви́деться/уви́деться 1, 11** to see each other
**виктори́на 12** game show
**ви́лка 11** fork
**винова́т/винова́та 2** at fault

**висе́ть 5** to hang, be in a hanging position
**включа́ть/включи́ть 4, 11** to include, turn on
**вку́сный 11** tasty
**вла́жный/вла́жно 10** humid
**влюбля́ться/влюби́ться в кого́? 6** to fall in love with
**внима́тельный 6** considerate, attentive
**внук 3** grandson
**вну́чка 3** granddaughter
**вода́ 5** water
**води́тельские права́ 1** driver's license
**вожде́ние 9** driving
**возвраща́ть/верну́ть что? 1** to return, give back
**возвраща́ться/верну́ться 1** to come back, return
**во́здух 8, 10** air
**возмо́жность 6** opportunity
**возража́ть/возрази́ть кому́? на что? 5** to object
**вокза́л (железнодоро́жный) 9** railway station
**вокру́г чего́? 8** around; **вокру́г све́та 8** around the world
**волнова́ться** (*impf.*) **2, 3** to be upset; to worry; to be nervous
**во́лосы** (*always pl.*) **6** hair
**воспита́тель/воспита́тельница 8** camp counselor
**воспи́тывать/воспита́ть кого́? 3** to bring up, raise
**воспомина́ние 7** memory (about something)
**восто́к 1** east
**восто́рг 3** delight; **быть в восто́рге 3** to be delighted
**восто́чный 1** eastern
**впереди́ кого́? чего́? 9** straight ahead, in front of
**впечатле́ние 12** impression
**врать/совра́ть кому́? 6** to tell a lie
**вре́дно что кому́? 10** harmful for someone
**вре́мя 2** time; **во вре́мя чего́? 7** during
**всё-таки 1** still, nevertheless
**всеми́рный 4** worldwide; **всеми́рная паути́на 4** World Wide Web
**встава́ть/встать 2** to get up, stand up; **встава́ть/встать и́з-за стола́ 11** to get up from the table
**вставля́ть/вста́вить что? куда́?** (дискéту) **4** to insert (a diskette)
**встре́ча с кем? 6** appointment (official or business); meeting
**встреча́ть/встре́тить кого́? 3, 6** to meet
**встреча́ться** (*impf.*) **с кем? 6** to date
**входи́ть/войти́ в соста́в чего́? 8** to become part of
**выбира́ть/вы́брать что? 1** to choose, pick, select
**выдаю́щийся 7** prominent
**выезжа́ть/вы́ехать 6** to leave, drive out
**выздора́вливать/вы́здороветь 10** to get better, to regain one's health
**выи́грывать/вы́играть у кого́? 12** to win
**выключа́ть/вы́ключить 4** to turn off
**вынима́ть/вы́нуть что? отку́да?** (компа́кт диск) **4** to eject (a CD)
**выпускни́к 2** alumnus
**выпускни́ца 2** alumna
**высо́кий 5** high, tall
**выступа́ть/вы́ступить 2** to perform
**выходи́ть/вы́йти за́муж за кого́? 3** to get married (for a woman)
**выходны́е дни 3** weekend

**Гардеро́бная 5** walk-in closet
**гастро́ли** (*pl.*) **7** tour (referring to theater or musicians)
**где́-то 1** somewhere
**гениа́льный 7** brilliant
**глава́** chapter
**гла́дить/погла́дить 5** to iron
**глаз (глаза́,** *gen. pl.* **глаз) 6** eye
**глу́пый 6** stupid
**гляде́ть** (*impf.*) **7** to look
**голова́ 10** head; **У меня́ боли́т голова́** I have a headache
**го́лоден/голодна́ 11** hungry
**гора́** (*pl.* **го́ры) 8** mountain
**го́род 8** city; **за́ городом** in the country
**го́рький/го́рько 11** bitter
**горя́чий/горячо́ 5** hot (to the touch)
**гости́ная 5** living room
**гости́ница 8** hotel
**гость** (*m.*) **3** guest
**госуда́рственный 1** state, federal, governmental
**гото́вить/пригото́вить 5, 11** to cook; to prepare
**гото́виться/подгото́виться к чему́? 2** to prepare for, study for
**гра́дус 10** degree
**гражда́нство 3** citizenship

**грани́ца 8** border; **за грани́цей, за грани́цу** abroad
**грипп 2, 10** the flu
**гру́бый 6** rude
**грузови́к 9** truck
**гуля́ть 2** [*here:* to goof off, fool around]; to go for a walk

**Да́же 2** even
**дари́ть/подари́ть кому́? что? 6** to give a gift
**да́ча 3** summer house, dacha
**движе́ние 6, 9** traffic
**двор 5** yard
**двор|е́|ц 5** palace
**двою́родная сестра́ 3** female cousin
**двою́родный брат 3** male cousin
**де́вочка 3** little girl
**де́вушка 3, 6** teenage girl, young woman, girlfriend
**действи́тельно 6** really, truly
**де́лать/сде́лать ана́лиз чего́? кому́? 10** to run a test; **де́лать/сде́лать откры́тие 4** to make a discovery; **де́лать/сде́лать поку́пки 8** to shop
**д|е|нь рожде́ния 11** birthday
**де́ньги** (*pl. only*) **1** money
**дереве́нский 5** village (*adj.*)
**дере́вня 5, 8** village
**де́рево** (*pl.* **дере́вья**) **5** tree
**деревя́нный 5** wooden
**детекти́в 12** mystery, thriller
**де́тский 3** child's, children's; **де́тский ла́герь 8** summer camp
**де́тство 3** childhood
**джи́нсы 10** jeans
**дипло́м 1** diploma
**дневни́к 2** diary, journal
**до того́ как 3** before
**добавля́ть/доба́вить 11** to add
**до́брый 6** kind
**дове́рчивый 6** trusting
**дово́лен/дово́льна кем?/чем? 4, 5** pleased, happy with
**догово́р 4** contract
**дождь 10** rain; **Идёт дождь.** It's raining.
**докуме́нты 1** (official or identification) papers
**дома́шняя рабо́та 2** assigned homework
**дополни́тельный 8** additional
**доро́га 9** road
**дорого́й 1** dear; expensive
**доро́жное движе́ние 9** traffic
**доро́жный знак 9** traffic sign
**достопримеча́тельность 9** historic sight, point of interest
**до́ступ к чему́? 4** access to
**дочь** (*gen.* **до́чери**)**/до́чка 3** daughter
**дре́вний 8** ancient
**друг/подру́га по шко́ле 3** schoolmate
**друго́й 1** another, other
**дуть/поду́ть 10** to blow
**дыша́ть**(*impf.*) **10** to breathe
**дя́дя 3** uncle

**Еда́ 11** food

**Жа́дный 6** greedy
**жале́ть/пожале́ть 3** to be sorry
**жа́ловаться/пожа́ловаться на кого́?/что? 10** to complain
**жаль, что… 3** It's a pity, that…
**жа́реный 11** roasted; fried
**жа́рить/зажа́рить (в духо́вке) 11** to roast (in oven)
**жа́рить/поджа́рить (на сковоро́дке) 11** to fry
**жа́рить/поджа́рить на гри́ле (гриль) 11** to barbecue, grill
**жа́ркий/жа́рко 10** hot
**ждать/подожда́ть кого́? 2** to wait for
**жела́ть/пожела́ть кому́? чего́? 3** to wish; **жела́ть/пожела́ть** + *infinitive* **7** to want, desire
**жемчу́жина 8** a pearl
**жени́ться** (*impf. and pfv.*) **на ком? 3** to get married (for a man)
**жени́ться/пожени́ться 3** to get married (for a couple)
**жени́х 3** fiancé/groom
**же́нщина 3** woman
**же́ртва 10** victim, casualty
**жёсткий 11** tough
**живо́тное 3** animal, pet
**жизнь** (*f.*) **2** life
**жи́рный 11** (of food) rich; greasy

**За́ городом 8** in the country
**за грани́цей 8** abroad
**заблуди́ться** (*pfv. only*) **9** to get lost
**забыва́ть/забы́ть что? 1** to forget, to leave behind

**зава́ривать/завари́ть чай 11** to make, brew tea
**зави́сеть** (*impf.*) **от кого́? чего́? 7** to depend on
**завоёвывать/завоева́ть меда́ль 12** to win a medal
**загора́ть/загоре́ть 8** to suntan
**задава́ть/зада́ть (вопро́с) 4** to ask a question
**зака́зывать/заказа́ть 8** to order, book, make a reservation
**закрыва́ть/закры́ть 4** to close
**заку́ска 11** appetizer
**заме́тка 9** short newspaper article
**замеча́тельный/замеча́тельно 2, 8** great, wonderful
**занима́ть** (*impf.*) **8** to occupy
**занима́ться где? 2** to do one's homework, study
**занима́ться (спо́ртом) 1** to exercise, work out, play sports
**заня́тие 2** a (specific) class
**заня́тия 2** classes
**за́пад 1** west
**за́падный 1** western
**запи́сываться/записа́ться куда́? 2** to register for, sign up for, **запи́сываться/записа́ться на ле́тний семе́стр 8** to take summer classes
**зараба́тывать/зарабо́тать 3** to earn
**зарубе́жный 8** abroad (*adj.*)
**затопи́ть** (*pfv.*) **10** to flood
**заче́м 6** what for
**заявле́ние 1** application
**звать/позва́ть 1** to call (someone's name)
**звезда́** (*pl.* **звёзды) 12** star
**звони́ть/позвони́ть 1** to telephone
**зда́ние 5** building
**зе́лень** (*f.*) **5** vegetation
**землетрясе́ние 10** earthquake
**земля́ 3** land
**злой/зла́я/злы́е 6** mean, ill-spirited
**знамени́тый 7** famous
**зонт (зо́нтик) 10** umbrella
**зри́тель 12** viewer, theater goer

**Игра́ 12** game
**игра́ть во что? 2** to play a game
**игра́ть на чём? 2** to play a musical instrument
**изве́стный 7** famous
**извиня́ться/извини́ться за что? 2** to apologize
**изменя́ть/измени́ть кого́?/что? 6** to change
**изобрета́тель 4** inventor
**изобрета́ть/изобрести́ 4** to invent
**изобрете́ние 4** invention
**име́ть 3, 6** to have; **име́ть пра́во 3** to have the right
**иностра́нный 1** foreign
**интеллиге́нтный 6** well mannered, cultured
**интересова́ть/заинтересова́ть кого́/что? 1** to interest
**иска́ть/поиска́ть (ищу́, и́щут) 4** to search
**и́скренний 6** sincere
**исполне́ние 7** performance
**исполня́ть/испо́лнить что? 7** to perform

**Ка́бельное телеви́дение 5** cable TV
**кабине́т 5** study, office
**ка́ждый 2** every
**каза́ться/показа́ться 3** to seem, appear; **ка́жется кому́?** it seems
**как мо́жно скоре́е 10** as soon as possible
**ка́менный 5** stone (*adj.*)
**кана́л 12** channel
**кани́кулы 5** vacation
**ка́рта 5** map
**кастрю́ля 11** pot
**ка́шлять** (*impf.*) **10** to cough
**кварта́л 9** city block
**кипяти́ть/вскипяти́ть во́ду (кипячу́, кипятя́т) 11** to boil water
**кирпи́ч 5** brick
**ки́слый 11** sour
**класть/положи́ть 5** to put (horizontally), place
**ключ от чего́? 1** key to something
**князь 9** prince
**ков|ё|р** (*pl.* **ковры́) 5** rug
**коли́чество 10** amount, quantity
**кома́нда 12** team
**коме́дия 12** comedy
**компози́тор 7** composer
**кондиционе́р 5** air conditioner
**коне́чно 2** certainly
**ко́нсульство 8** consulate
**консульта́ция 2** office hour, appointment
**контро́льная рабо́та (по чему́?) 2** test, exam
**конце́ртный зал 2** concert hall
**конча́ться/ко́нчиться 1** to end
**копи́ровать/скопи́ровать (файл) 4** to copy (a file)
**кора́бль** (*m.*) **8** ship
**кост|ё|р** (*gen.* **костра́) 8** campfire
**костю́м 10** suit
**ко́фта 10** button-down sweater, cardigan

**кра́сить/покра́сить 5** to paint (a room, building, etc.)
**кра́сный (зелёный, жёлтый) свет 9** red (green, yellow) light
**кра́сть/укра́сть что? у кого́? 1** to steal
**креди́тная ка́рточка 1** credit card
**кре́сло 5** armchair
**крестья́нин/крестья́нка/крестья́не** (*pl.*) **3** peasant
**крова́ть** (*f.*) **5** bed
**кровь** (*f.*) **10** blood
**кро́ме того́ 2** also, besides
**кроссо́вки 10** running shoes
**круго́м 5** around
**кру́пный 8, 9** large, significant; large scale
**кто́-то 1** someone
**купа́льник 10** swimsuit
**кури́ть** (*impf.*) **10** to smoke
**курс 1** course; year in college
**курсова́я рабо́та 2** term paper
**ку́ртка 10** athletic jacket, windbreaker, anorak
**ку́хня 5** kitchen, cuisine

**Лаборато́рия 2** lab
**ла́зать** (*impf.*) **1** to climb; **ла́зать по ска́лам 8** to climb rocks
**ле́бедь** (*m.*) **7** swan
**лёгкий 11** light, easy
**л|ё|д** (*gen.* **льда**) **11** ice
**лежа́ть 5** to lie, be in a flat position
**лека́рство 10** medicine, medication
**лени́вый 6** lazy
**лентя́й 6** lazy person
**лес** (*pl.* **леса́**) **5** forest
**лете́ть ~ лета́ть (на самолёте) 8** to fly
**лечи́ть/вы́лечить что? 10** to treat, to cure
**лови́ть /пойма́ть ры́бу 8** to fish
**ложи́ться/лечь (спать) 2** to go to bed
**ло́жка 11** spoon
**лома́ться/слома́ться 2** to break (down)
**лу́чший 8** the best; **лу́чше всего́ 10** best of all
**лы́жи** (*pl.*) **5** skis
**люби́мый 2** favorite
**любо́й 4** any

**Мал/мала́/мало́/малы́ 10** too small
**ма́льчик 3** little boy
**маршру́т 8** itinerary
**матч 12** match
**мать** (*gen.* **ма́тери**) **3** mother
**ма́чеха 3** stepmother
**ме́бель** (*f.*) **5** furniture
**меда́ль** (*f.*) **12** medal
**меня́ться/измени́ться 10** to change
**мёрзнуть/замёрзнуть 10** to be/get cold, freeze
**мечта́ 7** (day) dream, desire
**меша́ть/помеша́ть 11** to stir
**микроволно́вая печь 5** microwave oven
**ми́лый 1** dear (informal)
**ми́нус 10** minus (below zero)
**мир 1** world
**мири́ться/помири́ться с кем? 6** to make up (after a quarrel)
**мла́дший 3** younger
**моро́з 10** cold, frost
**мост (на мосту́) 9** bridge
**мочь/смочь 1** to be able to
**муж** (*pl.* **мужья́**) **4** husband
**мужчи́на 3** man
**мультфи́льм 12** cartoon
**мыть/помы́ть** *and* **вы́мыть 5, 11** to wash
**мы́ться/помы́ться** *and* **вы́мыться 5** to wash (oneself)
**мя́гкий 11** soft, tender

**Наве́рное 2** probably
**наводне́ние 10** flood
**надева́ть/наде́ть что? 10** to put on
**наде́жда 12** hope
**надое́сть** (*pfv.*) **кому́? (Мне) надое́ло 5** I am sick and tired of
**нае́сться** (*pfv.*) **11** to eat until you're full
**нажима́ть/нажа́ть на что?/что? (на кно́пку, кла́вишу) 4** to press (a button, a key)
**называ́ть/назва́ть кого́? 6** to name, call
**наибо́лее** + adjective **8** the most
**накрыва́ть/накры́ть на стол 11** to set the table
**нале́во 9** to the left
**напра́во 9** to the right
**наприме́р 1** for example
**наро́дный та́н|е|ц 2** folk dance
**населе́ние 8** population
**наси́лие 12** violence
**на́сморк 10** head cold
**настоя́щий 6, 11** real
**настрое́ние 9** mood

**нау́ка 4** science
**находи́ть/найти́ что? 1** to find
**находи́ться** (*impf.*) **1, 7** to be located
**начина́ть/нача́ть** to start, begin (with animate subjects)
**начина́ться/нача́ться** to start, begin (with inanimate subjects)
**неве́ста 3** fiancée/bride
**незави́симость 8** independence
**ненави́деть** + *impf. infinitive* **2** to hate doing something
**неприя́тность** (*f.*) **1** trouble, problem, incident
**не́рвничать 2** to be nervous
**несмотря́ на то, что 12** in spite of, despite
**ни́зкий 5** low
**ничья́ 12** draw (in a game)
**новосе́лье 11** housewarming party
**но́вость** (*f.*) **1** news
**нож 11** knife
**но́мер** (*pl.* **номера́**) **8** hotel room
**носи́ть (оде́жду) 10** to wear

**О́ба/о́бе 3** both
**оби́дчивый 6** touchy, sensitive, easily offended
**обижа́ться/оби́деться на кого́? 6** to take offense, feel hurt
**обнима́ть/обня́ть кого́/что? 1** to hug
**обслу́живание 8** service
**обсужда́ть/обсуди́ть что? с кем? 12** to discuss
**обща́ться** (*impf.*) **с кем? 6** to speak with, deal with
**общежи́тие 1** dormitory
**о́бщество 4** association, society
**общи́тельный 6** sociable
**объединя́ть/объедини́ть 4** to join, unite
**объясня́ть/объясни́ть кому́? 6** to explain
**объясня́ться/объясни́ться в любви́ 4** to declare one's love
**обяза́тельно 5** without fail, necessary
**ограни́чивать/ограни́чить 7** to limit
**одева́ться/оде́ться 2, 10** to get dressed
**оде́жда** (*sg. only*) **10** clothing
**оде́рживать/одержа́ть побе́ду над кем? 12** to win, be victorious
**одина́ково 3** equally
**одна́жды 3** once, one day
**о́зеро** (*pl.* **озёра**) **5** lake
**ока́нчивать/око́нчить (шко́лу, университе́т) 1** to graduate from (high school, college)
**опа́здывать/опозда́ть куда́? 2** to be late, arrive late
**о́пера 7** opera
**описа́ние 8** description
**опи́сывать/описа́ть 8** to describe
**опя́ть 4** again
**организова́ть** (*impf.* and *pfv.*) **8** to organize, arrange also: организо́вывать (*impf.*)
**основно́й 10** main
**осно́вывать/основа́ть 9** to found, establish
**оставля́ть/оста́вить кого́?/что? 3** to leave behind, abandon
**остана́вливать/останови́ть кого́?/что? 9** to stop (someone, something)
**остана́вливаться/останови́ться 9** to stop, come to a stop
**о́стрый 11** spicy, hot
**отве́т 4** answer, response
**отвеча́ть/отве́тить кому́? 4** to answer
**отде́льно 3** separately, apart
**о́тдых 8** rest, relaxation
**от|е́|ц 3** father
**отдыха́ть/отдохну́ть 5** to rest, relax
**открове́нно 12** frankly, openly
**открыва́ть/откры́ть 4, 7** to open, discover
**откры́тие 4** discovery
**откры́тый 6** open
**отлича́ться** (*impf.*) **от кого́?/от чего́? 8** to differ
**отли́чие** contrast; **в отли́чие от 7** in contrast to
**отли́чно 3** very well, great
**отопле́ние 5** heating
**отправля́ть/отпра́вить что? кому́? 3, 4** to send
**о́тпуск 8** vacation (*cf.* кани́кулы)
**о́тчим 3** stepfather
**официа́нт/официа́нтка 8** waiter/waitress, server
**оце́нка 2** grade

**Пала́тка 8** tent
**па́мятник 9** monument
**па́ра 2** a two-hour class
**па́р|е|нь 6** teenager, young man, boyfriend
**паркова́ть/запаркова́ть маши́ну 9** to park
**па́ртия 7** part (in an opera)
**па́смурный/па́смурно 10** overcast
**пев|е́|ц/певи́ца 7** singer
**перево́д 2** translation
**переводи́ть/перевести́ 2** to translate

**перезагружа́ть/перезагрузи́ть (компью́тер) 4** to restart, to reboot (a computer)
**передава́ть/переда́ть кому́? что? 11** to pass
**передава́ть/переда́ть приве́т кому́? 1** to say hi to, give one's regards to
**переда́ча 12** program, broadcast (TV, radio)
**переезжа́ть/перее́хать куда́? 1** to move
**перекрёсток 9** crossing
**переспра́шивать/переспроси́ть кого́? 9** to ask again
**перестава́ть/переста́ть** + *impf. infinitive* **3, 4** to stop doing something
**петь/спеть 2** to sing
**печа́тать/напеча́тать 4** to type; to print
**печь/испе́чь (пеку́, печёшь, пеку́т) 11** to bake
**пиджа́к 10** dress jacket
**пи́сьменный 5** desk
**пита́ние 8** meals (*here* as part of a tour package)
**пла́вки 10** swimming trunks
**пла́кать/запла́кать (пла́чу, пла́чут) 3** to cry
**плати́ть/заплати́ть (плачу́, пла́тят) 5, 8** to pay
**пла́тье 10** dress
**плащ 10** raincoat
**племя́нник 3** nephew
**племя́нница 3** niece
**плита́ 5** range, stove
**пло́щадь** (*f.*) **1, 10** city square; area
**плыть ~ пла́вать (на корабле́) 8** to sail, go by ship
**плюс 10** plus (above zero)
**пляж 8** beach
**побе́да 12** victory
**по́вар** (*pl.* **повара́**) **11** chef
**повора́чивать/поверну́ть 9** to turn
**погиба́ть/поги́бнуть** (*past* **поги́б/ла**) **9** to perish
**пого́да 10** weather
**подава́ть/пода́ть (заявле́ние) куда́? 1** to apply, send in an application
**подава́ть/пода́ть кому́? что? 11** to serve (food)
**пода́р|о|к 3** gift
**подводи́ть/подвести́** (курсо́р) **4** to point, place (a cursor)
**подключа́ться/подключи́ться 4** to get connected (e.g., to Internet)
**по́длый 6** mean, dishonest
**подро́бно 12** in detail
**подро́ст|о|к 9** teenager, adolescent
**подходи́ть/подойти́ 6** to approach, walk up to
**по́езд** (*pl.* **поезда́**) **8** train
**пожа́р 10** fire
**пожа́рный 10** fireman
**позволя́ть/позво́лить что? 4** to allow, permit
**поздравле́ние 3** greetings
**поздравля́ть/поздра́вить кого́ с чем? 6** to congratulate, wish happy holidays
**по́зже 3** later
**поиско́вая систе́ма 4** search engine
**поку́пка 8** purchase
**пол 5** floor
**поле́зно кому́? 10** useful, good for someone
**получа́ть/получи́ть что? 1** to receive;
 **получа́ть/получи́ть оце́нку 2** to get a grade;
 **получа́ть/получи́ть штраф 9** to get a ticket
**по́мнить/запо́мнить кого́?/что? 2** to remember, commit to memory
**помога́ть/помо́чь кому́? 3** to help
**понима́ть/поня́ть что? 2** to understand, to realize
**попада́ть/попа́сть куда́? 4** to get somewhere
**поправля́ться/попра́виться 10** to gain weight; to recuperate, get well
**поро́да 3** breed
**после́дний 1** last
**посо́льство 8** embassy
**поступа́ть/поступи́ть куда́? 1** to apply, enroll
**посу́да 5** plates and dishes, china
**посудомо́ечная маши́на 5** dishwasher
**потепле́ние 10** warming
**потол|о́|к 5** ceiling
**пото́м 2** then, after that
**потряса́ющий 11** incredible
**похо́д 8** camping trip; hike
**похо́ж/а на 1, 3** similar to, resembling, looking like
**по́чта 4** mail, post office
**поэ́зия 12** poetry
**появля́ться/появи́ться 4** to appear
**пра́вила доро́жного движе́ния 9** traffic rules
**прави́тельство 3** government
**превыша́ть/превы́сить ско́рость 9** to speed
**пре́данный 6** devoted, faithful
**преда́тель 6** traitor
**предлага́ть/предложи́ть кому́? что? 8** to offer, suggest, propose
**предме́т 2** subject
**предска́зывать/предсказа́ть что? 4** to predict
**представля́ть/предста́вить 5** to imagine

**представля́ться/предста́виться 1** to introduce oneself
**премье́ра 7** opening night
**преподава́ть** (*impf. only*) **что? кому́? 2** to teach
**привести́** (*pfv.*) **к чему́? 10** to cause, lead to
**привлека́ть/привле́чь кого́? 7** to attract
**привыка́ть/привы́кнуть к чему́? 3** to get used to, accustomed to
**приглаша́ть/пригласи́ть кого́? куда́? 3** to invite
**приду́мывать/приду́мать что? 6** to make up, come up with (a story)
**приезжа́ть/прие́хать 1, 3** to arrive
**призва́ние 7** vocation
**признава́ть/призна́ть кого́?/что? 7** to recognize, acknowledge
**прикрепля́ть/прикрепи́ть (файл) 4** to attach (a file)
**прилета́ть/прилете́ть 6** to arrive by plane
**принадлежа́ть кому́? 9** to belong to
**принима́ть/приня́ть 1** to accept, take; **принима́ть/приня́ть душ 2** to take a shower; **принима́ть/приня́ть что? (лека́рство) 10** to take (medication); **принима́ть/приня́ть кого́? куда́? 7** to accept, admit
**приро́да 2, 10** nature
**присыла́ть/присла́ть (пришлю́, пришлю́т) 1** to send
**приходи́ться/прийти́сь** (*past* **пришло́сь**) **+ кому́? +** *infinitive* **2, 6** to have to do something
**прия́тный 6, 11** pleasant
**про́бка 9** traffic jam
**про́бовать/попро́бовать 4, 6, 11** to try; to taste
**прова́йдер 4** provider
**прова́ливать/провали́ть (экза́мен) 2** to fail (an exam)
**проводи́ть/провести́ что? (свобо́дное вре́мя) 2, 8** to spend (your free time); **проводи́ть/провести́ о́тпуск 8** to spend one's vacation
**прогно́з 10** forecast
**програ́мма 4** software
**продово́льственный магази́н 5** grocery store
**проездно́й биле́т 1** bus/metro pass
**прои́грывать/проигра́ть кому́? 12** to lose, be defeated
**произведе́ние 7** work (of art, literature, music)
**производи́ть/произвести́ впечатле́ние на кого́? 12** to make an impression
**происходи́ть/произойти́ 1** to happen
**происше́ствие 1** incident, occurrence
**проси́ть/попроси́ть кого́? +** *infinitive* **9** to request that someone do something
**про́сто 6** simply, just
**просто́рный 5** spacious
**просту́да 10** a cold
**простужа́ться/простуди́ться 10** to get a cold
**просыпа́ть/проспа́ть 2** to oversleep, miss, sleep through
**просыпа́ться/просну́ться 2** to wake up
**про́сьба 6** request
**прохла́дный/прохла́дно 10** cool
**прохо́жий/прохо́жая 9** passerby
**публици́стика 12** nonfiction
**пусты́ня 8** desert
**путеше́ствовать где? 1, 8** to travel
**пылесо́с 5** vacuum cleaner
**пылесо́сить 5** to vacuum
**пье́са 7** play

**Рад/ра́да 1** glad, happy
**раз 2** time, occasion
**разводи́ться/развести́сь 3** to get divorced
**разжига́ть/разже́чь костёр 8** to build a fire
**ра́зный 1** different, various
**разреша́ть/разреши́ть кому́? 3** to permit
**разруше́ние 10** destruction
**райо́н 5** neighborhood, area
**рак 10** cancer
**распа́д 8** collapse
**распеча́тывать/распеча́тать (файл) 4** to print (a file)
**расписа́ние 2** schedule
**располо́жен/а 8** [is] located
**расска́з 12** short story
**расска́зывать/рассказа́ть кому́? что? 3** to tell
**рассле́дование 12** (criminal) investigation
**растро́ен/а 1** upset
**расти́/вы́расти** (*past* **рос/росла́, вы́рос/ла**) **1** to grow, grow up
**ребён|о|к** (*pl.* **де́ти**) **3** baby, child (*pl.* children)
**ребя́та** (*pl. only*) **2** guys, kids, boys and girls
**режиссёр 12** film director, theater director
**ре́зать/наре́зать (ре́жу, ре́жут) 11** to slice, cut

**рекá 8** river
**реклáма 8** advertisement
**рекомендовáть** (*impf.*) **11** to recommend
**ремóнт 5** remodeling, renovation, repairs
**реферáт 2** paper, report
**рецéпт 11** recipe
**решáть/реши́ть** + *infinitive* **6** to decide
**рисовáть/нарисовáть 1** to draw, paint
**роди́тели** (*pl. only*) **3** parents
**роди́ться** (*pfv.*) **1** to be born
**роль** (*f.*) **12** role, part
**ромáн 12** novel
**рост 5, 6** height (about people)
**рубáшка 10** shirt
**рыбáлка 5** fishing
**ры́жий 6** red (hair color)
**ры́н|о|к 5** farmer's market
**рюкзáк 1** backpack

**Сади́ться/сесть за стол 11** to sit down to eat
**салфéтка 11** napkin
**самовлюблённый 6** self-centered
**сáмое глáвное 8** the most important thing
**сандáлии 10** sandals
**сапоги́ 10** high boots
**сбóрная (комáнда) 12** national team
**свáдьба 3** wedding
**свет 8** world; **вокрýг свéта** around the world
**свети́ть** (*impf.*) **10** to shine
**светофóр 9** traffic light
**свечá 11** candle
**свидáние 6** date, rendezvous
**сви́тер 10** sweater
**свобóдный 2** free, vacant, unoccupied
**свящéнник 4** priest, minister
**сдавáть/сдать 5** to rent
**сдавáть/сдать что? (экзáмен) 1** to take/pass an exam
**сéвер 1** north
**сéверный 1** northern
**сéкция 2** sports club
**семéстр 2** semester
**семья́** (*pl.* **сéмьи**) **1, 3** family
**сеть** (*f.*) **4** network
**сидéть с кем? 3** to stay at home with somebody
**си́ла 10** force, strength
**си́льный 6** strong
**симпати́чный 6** nice, pleasant
**скáзка 3** fairy tale
**скалолáзание 2** rock climbing
**скáчивать/скачáть 4** to download
**сковорóдка (сковородá) 11** frying pan
**скóрость 9** speed; **превышáть/превы́сить скóрость** to speed
**скрóмный 6** modest
**скучáть по комý? 2, 5** to miss someone
**скýчный 6** boring
**слáбый 6** weak
**слáдкий 11** sweet
**слéва 9** on the left
**слéдователь 12** police detective
**слéдствие 12** police investigation
**слéдующий 2** next
**слёзы 7** tears
**сли́шком 6** too much
**случáться/случи́ться 1** to happen
**смéшивать/смешáть 11** to mix, toss
**сначáла 3** at first, first; from the beginning
**СНГ (Союз Незави́симых Госудáрств ) 12** CIS (Commonwealth of Independent States)
**снег 10** snow **Идёт снег.** It's snowing.
**снегопáд 10** snowfall
**снимáть/снять кварти́ру, кóмнату 1** to rent an apartment, room
**снимáть/снять фильм 12** to shoot, make a film
**собáка 3** dog
**собирáться/собрáться где? 2, 3** to assemble, gather together; to pack up, get your things together; to intend, plan, get ready (to do something)
**соглáсен/соглáсна 5** agreed, in agreement
**создавáть/создáть 8** to develop, create
**солёный 11** salty
**сóлнечный/сóлнечно 10** sunny
**сóлнце 10** sun
**сообщéние 4** message
**соревновáние 12** competition, race
**составля́ть/состáвить (спи́с|о|к) 8** to compile (a list)
**состоя́ть** (*impf.*) **11** to consist (of)
**состоя́ться** (*pfv.*) **7** to be held, take place
**сохраня́ть/сохрани́ть (файл) 4** to save (a file)
**сочинéние 1** essay

**спа́льный меш|о́|к 8** sleeping bag
**спа́льня 5** bedroom
**спаси́бо (за что?) 3** thank you, thanks (for)
**спекта́кль** (*m.*) **7** theatrical performance, play
**СПИД (синдро́м приобретённого иммунодефици́та) 10** AIDS
**спи́с|о|к 7** list
**спо́рить/поспо́рить 10** to argue, disagree
**спорти́вный 2** sports (*adj.*)
**спосо́бный 6** smart
**спра́ва 9** on the right
**справедли́вый 6** fair
**спра́шивать/спроси́ть 4** to ask
**сра́зу 6** at once, right away
**Сре́дний За́пад 1** the Midwest
**ссо́риться/поссо́риться с кем? 6** to quarrel, fight, have a serious disagreement
**ссы́лка 4** link
**ста́вить/поста́вить 5** to put in an upright position; **ста́вить/поста́вить диа́гноз 10** to diagnose; **ста́вить/поста́вить пала́тку 8** to put up a tent; **ста́вить/поста́вить фильм, спекта́кль** (*m.*) **7** to stage, produce
**стажёр 8** intern, student worker, exchange student
**стака́н 11** drinking glass
**ста́лкиваться/столкну́ться с кем?/с чем? 9** to collide
**станови́ться/стать кем? 3** to become
**ста́рший 3** older
**стена́** (*pl.* **сте́ны**) **5** wall
**сте́пень бакала́вра, маги́стра, 1** B.A./B.S., M.A./ M.S.
**стипе́ндия 1** scholarship, fellowship
**стира́льная маши́на 5** washing machine
**стира́ть/постира́ть/вы́стирать 5** to do laundry
**сто́имость 8** cost, price
**сто́ить 12** to cost; **сто́ит** + *infinitive* to be worth doing
**столи́ца 8** capital
**столо́вая 5** dining room
**стоя́ть 5** to stand
**страна́ 1** country
**стра́стный 12** passionate, avid
**страхо́вка 1, 8** insurance
**стреми́ться к чему́? 12** to strive for
**стро́ить/постро́ить 5** to build
**студе́нческий биле́т 1** ID card, student card
**существова́ть 12** to exist
**сце́на 7** stage
**счёт 12** score
**сча́стлив/сча́стлива 3** happy
**счита́ть 3** to think, to consider
**США (Соединённые Шта́ты Аме́рики) 1** USA
**съе́здить** (*pfv.*) **7** to drive somewhere and back quickly
**сын** (*pl.* **сыновья́**) **4** son
**сыро́й/сы́ро 10, 11** damp; raw, not well cooked
**сыт/сыта́ 11** full, satiated

**Тёплый/тепло́ 10** warm
**таи́нственный 8** mysterious
**та́йна 8** secret, mystery
**так как 2** as, because
**танцева́ть (танцу́ю) 2** to dance
**таре́лка 11** plate
**та́ять/растая́ть 10** to melt
**тем не ме́нее 7** nevertheless
**температу́ра 10** temperature; **У меня́ температу́ра** I have a fever.
**тепе́рь 6** now, nowadays
**тепле́ть/потепле́ть 10** to get warm
**тёплый, тепло́ 10** warm
**теря́ть/потеря́ть кого́/что? 1** to lose
**теря́ться/потеря́ться где? 9** to get lost
**тётя 3** aunt
**ти́хий 5** quiet
**торна́до 10** tornado
**тра́нспорт 9** means of transportation
**тре́бовать/потре́бовать что? у кого́? 8** to demand, require
**тре́нер 8, 12** coach
**тренирова́ться** (*impf.*) **12** to train, practice
**трениро́вка 2** (sports) training, practice
**тру́дный 2** difficult
**туале́т 5** lavatory, bathroom, toilet
**турни́р 12** tournament
**тут же 4** at once
**ту́фли 10** shoes
**туши́ть/потуши́ть 11** cook on low heat; stew

**туши́ть/потуши́ть (пожа́р) 10** to extinguish (a fire)
**тяжёлый 2, 11** difficult, hard, heavy, grave; rich (about food)

**Убива́ть/уби́ть кого́? 12** to kill
**уби́йство 12** murder
**уби́йца 12** murderer
**убира́ть/убра́ть (ко́мнату, кварти́ру) 5** to clean, tidy up; **убира́ть/убра́ть со стола́ 11** to clear the table
**уважа́емый 1** dear (formal)
**уважа́ть** (*impf.*) **кого́? за что? 12** to respect
**уве́рен/а в чём? 10** (to be) sure, certain
**у́г|о|л (на углу́) 9** corner
**угоща́ть/угости́ть кого́? чем? 11** to serve
**удаля́ть/удали́ть (файл) 4** to delete, to trash (a file)
**уда́чный 2** successful
**удо́бный 5** comfortable, convenient
**удо́бства 5** amenities
**удочеря́ть/удочери́ть 3** to adopt a daughter
**уезжа́ть/уе́хать 3** to leave ( by vehicle)
**ужа́сный 2** horrible, terrible
**узнава́ть/узна́ть 2** to find out
**улыба́ться/улыбну́ться 6** to smile
**умира́ть/умере́ть** (*past* **у́мер/умерла́/у́мерли) 3** to die
**у́мный 6** smart, clever, bright, intelligent
**урага́н 10** hurricane
**ускоря́ть/уско́рить что? 4** to speed up
**успева́ть/успе́ть** + *pfv. infinitive* **2** to have time to do something
**устава́ть/уста́ть 2** to get/be tired **Я уста́л/уста́ла.** I'm tired.
**устана́вливать/установи́ть (шрифт) 4** to install (a font)
**устра́ивать/устро́ить что? 11** to organize
**усыновля́ть/усынови́ть 3** to adopt a son
**утю́г 5** iron (for clothes)
**у́хо (у́ши,** *gen. pl.* **уше́й) 6** ear
**уходи́ть/уйти́ 3** to leave (on foot)
**учёный 4** scientist, scholar
**учи́ть что? 1** to study something
**учи́ться** (*impf. only*) **где? 1** to be a student, study
**ую́тный 5** cozy

**Факульте́т 1** department; division
**фанта́стика/нау́чная фанта́стика 12** science fiction
**Фаренге́йт 10** Fahrenheit
**фе́рма 8** farm
**фильм 12** film, movie
**футбо́лка 10** T shirt

**Хозя́ин/хозя́йка** (*pl.* **хозя́ева) 5** landlord/landlady
**холл 5** hall, entryway
**холоди́льник 5** refrigerator
**холо́дный/хо́лодно 5, 10** cold
**хор 2** choir
**хоте́ться/захоте́ться 6** to feel like
**хотя́ 4** even though; **хотя́ бы 3** at least
**худе́ть/похуде́ть 10** to lose weight
**худо́жественная литерату́ра 12** fiction

**Цветы́** (*sg.* **цвет|о́|к) 5** flowers, potted plants
**целова́ть/поцелова́ть кого́/что? 1** to kiss
**Це́льсий 10** Centigrade
**цена́ 4** price, cost
**центр (го́рода) 9** downtown
**це́рк|о|вь** (*f.*) **9** church

**Ча́йник 11** teapot, tea kettle
**час пик 9** rush hour
**ча́стный 1** private
**ча́шка 11** cup
**че́ковая кни́жка 1** checkbook
**челове́к** (*pl.* **лю́ди) 6** person (people)
**чемпиона́т 12** championship
**че́стный, че́стно 6** honest; **че́стно говоря́** to tell you the truth
**че́тверть** (*f.*) **2** quarter
**чини́ть/почини́ть 2** to fix, repair
**чи́стить/почи́стить 11** to clean, peel, scrub; **чи́стить/почи́стить (зу́бы) 2** to brush one's teeth
**чи́стый 5** clean
**чиха́ть/чихну́ть 10** to sneeze
**что за?** + *nom.* **6** what kind of, what sort of
**чу́вствовать/почу́вствовать себя́ 10** to feel; **чу́вствовать себя́ как до́ма 8** to feel at home
**чуде́сный 5** wonderful

**Ша́пка 10** hat
**шка́ф(чик) 5** closet, kitchen cabinet
**шо́рты 10** shorts
**шоссе́ 6** highway, freeway
**шрифт 4** font
**штат 1** state (one of the fifty American states)
**штраф за что? 9** ticket, fine
**шу́ба 10** fur coat
**шу́тка 4** joke

**Ще́дрый 6** generous
**щен|о́|к 3** puppy

**Эгоисти́чный 6** egotistical
**экза́мен 1** exam
**экра́н 12** screen
**экраниза́ция чего́? 12** film version
**экску́рсия 8** excursion
**экстрема́льный спорт 3** extreme sports
**электро́нная по́чта 4** e-mail; **электро́нное сообще́ние 1** e-mail message
**эмигри́ровать 3** to emigrate

**Ю́бка 10** skirt
**юг 1** south
**ю́жный 1** southern

**Явля́ться чем?** (*impf.*) **5** to be, serve as

# Англо-ру́сский слова́рь

able, to be **мочь/смочь**
abroad **за грани́цей, за грани́цу**
abroad (*adj.*) **зарубе́жный**
accent **акце́нт**
access to **до́ступ к чему́?**
accident **ава́рия;** to be in an accident **попа́сть в ава́рию**
additional **дополни́тельный**
advertisement **рекла́ма**
afraid of, to be **боя́ться кого́?/чего́?**
again **опя́ть, ещё раз**
agree, to **(кто) согла́сен/согла́сна**
AIDS **СПИД (синдро́м приобретённого иммунодефици́та)**
air **во́здух**
air conditioner **кондиционе́р**
airport **аэропо́рт (в аэропорту́)**
allergy **аллерги́я на что?**
alumna **выпускни́ца**
alumnus **выпускни́к**
amenities **удо́бства** (*pl. only*)
amount, quantity **коли́чество**
ancient **дре́вний**
animal, pet **живо́тное**
another, other **друго́й**
answer, to, **отвеча́ть/отве́тить кому́? на что?**
answering machine **автоотве́тчик**
any **любо́й**
apologize, to **извиня́ться/извини́ться за что?**
appear, to **появля́ться/появи́ться**
appetizer **заку́ска**
application **заявле́ние**
apply, enroll, to **поступа́ть/поступи́ть куда́?**
apply, send in an application, to **подава́ть/пода́ть (заявле́ние) куда́?**
appointment (official or business) **встре́ча с кем?**
approach, walk up to, to **подходи́ть/подойти́**
area, public square **пло́щадь** (*f.*)
argue, to **спо́рить/поспо́рить**
arm **рука́** (*pl.* **ру́ки**)
armchair **кре́сло**
around **круго́м**
arrive, to **приезжа́ть/прие́хать** (*by vehicle*); **прилета́ть/прилете́ть** (*by plane*); **приходи́ть/прийти́** (*by foot*)
ask to, to inquire **спра́шивать/спроси́ть**
ask again, to **переспра́шивать/переспроси́ть кого́?**
ask a question, to **задава́ть/зада́ть (вопро́с)**
ask for something, request, to **проси́ть/попроси́ть кого́?** + *inf.*; **что, чего́**
association, society **о́бщество**
at first, first; from the beginning **снача́ла**
attach (a file), to **прикрепля́ть/прикрепи́ть (файл)**
attachment **приложе́ние**
attend, visit, to **быва́ть/побыва́ть где?**
attract, to **привлека́ть/привле́чь кого́? чем?**
aunt **тётя**
autobiography **автобиогра́фия**

baby **ребён|о|к** (*pl.* **де́ти**)
bachelor's degree (B.A./B.S.) **сте́пень бакала́вра**
back **спина́**
backpack **рюкза́к**
bake, to **печь/испе́чь (пеку́, печёшь, пеку́т)**
balcony **балко́н**
bald **лы́сый**
barbecue, grill, to **жа́рить/поджа́рить на гри́ле (гриль)**
bathroom (room for bathing) **ва́нная**
bathroom (toilet) **туале́т**
be held, take place, to **состоя́ться** (*pfv.*)
beach **пляж**
beard **борода́**
because **потому́ что, так как**

become, to **станови́ться/стать кем?**
become cold, freeze, to (*intrans.*) **мёрзнуть/замёрзнуть** (*past* **мёрз/ла)**
bed **крова́ть** (*f.*)
bedroom **спа́льня**
before **до того́ как**
behave, to **вести́/повести́** (*past* **вёл/вела́) себя́**
believe, to **ве́рить/пове́рить кому́? в кого́? во что?**
belong, to **принадлежа́ть** (*impf.*) **кому́?**
besides **кро́ме того́**
best **лу́чший;** best of all **лу́чше всего́**
biography **биогра́фия**
birthday **д|е|нь рожде́ния**
bitter **го́рький**
block (city) **кварта́л**
blood **кровь** (*f.*)
blouse **блу́зка**
blow, to **дуть/поду́ть**
boil water, to **кипяти́ть/вскипяти́ть во́ду (кипячу́, кипятя́т)**
book, make a reservation, to **зака́зывать/заказа́ть**
boots **сапоги́**
border **грани́ца**
boring **ску́чный/ску́чно**
born, to be **роди́ться** (*pfv.*)
both **о́ба/о́бе**
boy **ма́льчик**
break, to **лома́ть/слома́ть**
break (down), to **лома́ться/слома́ться**
breathe, to **дыша́ть** (*impf.*)
breed **поро́да**
brick **кирпи́ч**
bridge **мост (на мосту́)**
brilliant **гениа́льный**
bring up, raise, to **воспи́тывать/воспита́ть кого́?**
brochure **брошю́ра**
brown **ка́рий** (*color of eyes*)**; кашта́новый** (*color of hair*)**; кори́чневый**
brush one's teeth, to **чи́стить/почи́стить (зу́бы)**
build, to **стро́ить/постро́ить;** to build a fire **разжига́ть/разже́чь костёр**
building **зда́ние**

cable TV **ка́бельное телеви́дение**
camp counselor **воспита́тель (воспита́тельница)**
campfire **кост|ё|р** (*gen.* **костра́);** build a campfire, to **разжига́ть/разже́чь костёр**
camping trip; hike **похо́д**
cancel (a credit card), to **блоки́ровать/заблоки́ровать что?**
cancer **рак**
candle **свеча́**
capital **столи́ца**
cartoon **мультфи́льм**
cause, to **приводи́ть/привести́ к чему́?**
ceiling **потол|о́|к**
Centigrade, Celsius **Це́льсий;** in Centigrade **по Це́льсию**
century **век**
certainly **коне́чно**
championship **чемпиона́т**
change, alter, to **изменя́ть/измени́ть кого́?/что?**
change, become different, to **меня́ться/измени́ться**
channel **кана́л**
checkbook **че́ковая кни́жка**
cheek **щека́** (*pl.* **щёки)**
cheerful **весёлый**
chef **по́вар** (*pl.* **повара́)**
child, children **ребён|о|к, де́ти**
childhood **де́тство**
choir **хор**
choose, pick, select, to **выбира́ть/вы́брать что?**
church **це́рковь** (*f.*)
citizenship **гражда́нство**
class (a specific) **заня́тие, уро́к**
class (a two-hour block) **па́ра**
classes **заня́тия**
clean **чи́стый**
clean, peel, scrub, to **чи́стить/почи́стить**
clean, tidy up, to **убира́ть/убра́ть (ко́мнату, кварти́ру)**
clear the table, to **убира́ть/убра́ть со стола́**
climb rocks, to **ла́зать по ска́лам** (*impf.*)
close (a file), to **закрыва́ть/закры́ть (файл)**
closet, kitchen cabinet **шка́ф(чик)**
clothes **оде́жда** (*sg. only*)
coach **тре́нер**
cold **холо́дный/хо́лодно**
cold (head cold) **на́сморк**
collapse **распа́д**
comedy **коме́дия**
comfortable **удо́бный**

Commonwealth of Independent States (CIS) **Сою́з Незави́симых Госуда́рств (СНГ)**
competition, race **соревнова́ние**
compile (a list), to **составля́ть/соста́вить (спи́сок)**
complain, to **жа́ловаться/пожа́ловаться на кого́?/что?**
composer **компози́тор**
concert hall **конце́ртный зал**
congratulate, wish happy holidays, to **поздравля́ть/поздра́вить кого́ с чем?;** Congratulations! **Поздравля́ю**
considerate **внима́тельный**
consist (of), to **состоя́ть** (*impf.*)
consulate **ко́нсульство**
contract **догово́р**
cook in water, boil, to **вари́ть/свари́ть**
cook on low heat; stew **туши́ть/потуши́ть**
cook, to; prepare, to **гото́вить/пригото́вить**
cool **прохла́дный/прохла́дно**
copy **ко́пия**
copy (a file), to **копи́ровать/скопи́ровать (файл)**
corner **у́гол (на углу́)**
cost, price **сто́имость**
cough, to **ка́шлять** (*impf.*)
country **страна́**
country, in the **за́ городом**
course; year in college **курс**
cousin, female **двою́родная сестра́**
cousin, male **двою́родный брат**
cozy **ую́тный**
credit card **креди́тная ка́рта (ка́рточка)**
crossing **перекрёсток**
cry, to **пла́кать/запла́кать**
cultured **интеллиге́нтный**
cup **ча́шка**
currency **валю́та**

damp **сыро́й/сы́ро**
dance, to **танцева́ть (танцу́ю)**
date, rendezvous **свида́ние**
date, to **встреча́ться** (*impf.*) **с кем?**
daughter **дочь** [*gen.* **до́чери**], **до́чка**
daydream, to **мечта́ть** (*impf.*)
daydream, desire **мечта́**
dear (formal) **уважа́емый;**
dear (informal) **ми́лый;**
dear (neutral) **дорого́й**
decide, to **реша́ть/реши́ть** + *inf.*
declare one's love, to **объясня́ться/объясни́ться в любви́**
degree **гра́дус**
delete, trash (a file), to **удаля́ть/удали́ть (файл)**
delight **восто́рг;** delighted, to be **быть в восто́рге**
demand, require, to **тре́бовать/потре́бовать что? у кого́?**
department; division **факульте́т**
depend on, to **зави́сеть** (*impf.*) **от кого́?/чего́?**
describe, to **опи́сывать/описа́ть**
desert **пусты́ня**
desk **пи́сьменный стол**
dessert **десе́рт, тре́тье**
destruction **разруше́ние**
detail, in **подро́бно**
develop, create, to **создава́ть/созда́ть**
diagnose, to **ста́вить/поста́вить диа́гноз**
diary, journal **дневни́к**
die, to **умира́ть/умере́ть** (*past* **у́мер/умерла́/у́мерли);** die in a violent manner, perish, to **погиба́ть/ поги́бнуть** (*past* **поги́б/ла)**
differ, to **отлича́ться** (*impf.*) **от кого́?/от чего́? чем?**
different, various **друго́й, ра́зный**
difficult **тру́дный**
dining room **столо́вая**
diploma **аттеста́т** (high school)**; дипло́м** (university)
director (film) **режиссёр**
disaster **бе́дствие**
discover, to **открыва́ть/откры́ть**
discovery **откры́тие**
discuss, to **обсужда́ть/обсуди́ть что? с кем?**
dish (particular food) **блю́до**
dishwasher **посудомо́ечная маши́на**
do homework, study, to **занима́ться**
do laundry, to **стира́ть/постира́ть/вы́стирать**
do the dishes, to **мыть/вы́мыть посу́ду**
dog **соба́ка**
dormitory **общежи́тие**
download, to **ска́чивать/скача́ть**
downtown **центр (го́рода)**
draw (in a game) **ничья́**
draw, paint, to **рисова́ть/нарисова́ть**
dress **пла́тье**

drive a car, to **вести́ ~ води́ть маши́ну**
driver's license **води́тельские права́**
driving **вожде́ние**
drop, to **броса́ть/бро́сить + что?**
during **во вре́мя чего́?**

ear **у́хо (*pl.* у́ши, *gen. pl.* уше́й)**
earn, to **зараба́тывать/зарабо́тать**
earthquake **землетрясе́ние**
east **восто́к;** eastern **восто́чный**
egotistical **эгоисти́чный**
eject (a CD), to **вынима́ть/вы́нуть что? отку́да? (компа́кт диск)**
e-mail **электро́нная по́чта, электро́нное сообще́ние**
embassy **посо́льство**
emigrate, to **эмигри́ровать;** emigration **эмигра́ция**
end, to **конча́ться/ко́нчиться, ока́нчиваться/ око́нчиться, зака́нчиваться/зако́нчиться**
enroll, sign up for, to **запи́сываться/записа́ться во/на что?**
envelope **конве́рт**
equally **одина́ково**
essay **сочине́ние**
even **да́же**
even though **хотя́**
every **ка́ждый**
exam **экза́мен**
example **приме́р;** for example **наприме́р**
excellent **отли́чный, отли́чно**
excursion **экску́рсия**
exercise, work out, play sports, to **занима́ться (спо́ртом)**
explain, to **объясня́ть/объясни́ть кому́? что?**
extinguish (a fire), to **туши́ть/потуши́ть (пожа́р)**
extreme sports **экстрема́льный спорт**
eye **глаз (*pl.* глаза́, *gen. pl.* глаз)**
eyebrows **бро́ви**
eyelashes **ресни́цы**

face **лицо́**
Fahrenheit **Фаренге́йт;** in Fahrenheit **по Фаренге́йту**
fail (an exam), to **прова́ливать/провали́ть (экза́мен)**
fair **справедли́вый**
fairy tale **ска́зка**
fall in love, to **влюбля́ться/влюби́ться в кого́?**
family **семья́ (*pl.* се́мьи)**
famous **знамени́тый, изве́стный**
farm **фе́рма**
farmer's market **ры́н|о|к**
father **от|е́|ц**
fault, to be at **винова́т/винова́та**
favorite **люби́мый**
feel at home, to **чу́вствовать себя́ как до́ма**
feel like, to **хоте́ться/захоте́ться;** I don't feel like (watching TV) **Мне не хо́чется (смотре́ть телеви́зор)**
feel, to **чу́вствовать/почу́вствовать себя́**
fever **температу́ра**
fiancé/groom **жени́х**
fiancée/bride **неве́ста**
fiction **худо́жественная литерату́ра**
fight, struggle, to **боро́ться** (*impf.*) **с кем?/с чем?**
figure **фигу́ра**
film, movie **фильм**
film version **экраниза́ция чего́?**
find oneself, end up, to **попада́ть/попа́сть куда́?**
find out, to **узнава́ть/узна́ть**
find, to **находи́ть/найти́ что?**
finger **па́л|е|ц (па́льцы)**
finish, to **зака́нчивать/зако́нчить что?** or **конча́ть/ко́нчить что?**
fire **пожа́р**
fireman **пожа́рный**
fish, to **лови́ть/пойма́ть ры́бу**
fishing **рыба́лка**
fix, repair, to **чини́ть/почини́ть**
to flood **затопи́ть** (*pfv.*); flood **наводне́ние**
floor **пол**
flower **цвет|о́|к (*pl.* цветы́)**
flu **грипп**
fly, to **лета́ть ~ лете́ть (на самолёте)**
folk dance **наро́дный та́нец**
food **еда́**
foot **нога́ (*pl.* но́ги)**
force, strength **си́ла**
forecast **прогно́з**
forehead **л|о|б**

foreign **иностра́нный**
forest **лес**
forget, to **забыва́ть/забы́ть**
fork **ви́лка**
found, establish, to **осно́вывать/основа́ть**
frank (ly), open (ly) **открове́нный, открове́нно**
free, vacant, unoccupied **свобо́дный**
freeze, to (*intrans.*) **мёрзнуть/замёрзнуть** (*past* **мёрз/ла**)
fry, to **жа́рить/поджа́рить (на сковоро́дке)**
frying pan **сковоро́дка (сковорода́)**
full (not hungry) **сыт/сыта́, нае́лся/нае́лась**
full, to be, to eat one's fill **нае́сться** (*pfv.*)
fur coat **шу́ба**
furniture **ме́бель** (*f. sg. only*)

gain weight, to **поправля́ться/попра́виться**
game **игра́;** game show **виктори́на**
generous **ще́дрый**
get better, regain one's health, to **выздора́вливать/вы́здороветь; поправля́ться/попра́виться**
get connected, to (to the Internet) **подключа́ться/подключи́ться**
get divorced, to **разводи́ться/развести́сь**
get dressed, to **одева́ться/оде́ться**
get lost, to **заблуди́ться** (*pfv. only*); **теря́ться/потеря́ться где?**
get married (for a couple), to **жени́ться/пожени́ться**
get married (for a man), to **жени́ться** (*impf. and pfv.*) **на ком?**
get married (for a woman), to **выходи́ть/вы́йти за́муж за кого́?**
get a ticket, to **получа́ть/получи́ть штраф**
get up, to **встава́ть/встать;** get up from the table, to **встава́ть/встать из-за стола́**
get used to, to **привыка́ть/привы́кнуть к чему́?**
get warm, to **тепле́ть/потепле́ть**
get a cold, to **простужа́ться/простуди́ться**
get/be tired, to **устава́ть/уста́ть**
gift **пода́р|о|к**
girl, little **де́вочка**
girl, young/teenage **де́вушка**
give a present, to **дари́ть/подари́ть кому́? что?**
glass (drinking) **стака́н**
go to bed, to **ложи́ться/лечь (спать)**
goof off, fool around **гуля́ть**
government **прави́тельство**
grade **оце́нка;** to get, receive a grade **получа́ть/получи́ть оце́нку**
graduate from (high school, college), to **ока́нчивать/око́нчить (шко́лу, университе́т)**
graduate student **аспира́нт/ка**
granddaughter **вну́чка**
grandson **внук**
great, very well, excellent **отли́чно**
great, wonderful **замеча́тельный/замеча́тельно**
greedy **жа́дный**
gray **се́рый; седо́й** (color of hair)
grocery store **продово́льственный магази́н**
grow, grow up **расти́/вы́расти** (*past* **рос/росла́, вы́рос/ла**); grown-up, adult **взро́слый, взро́слая**
guest **гость** (*m.*)
guys, kids, boys and girls **ребя́та**

hair **во́лосы** (*pl. only*)
hall, entryway **холл**
hand **рука́** (*pl.* **ру́ки**)
hang, to **ве́шать/пове́сить**
hang, be in a hanging position, to **висе́ть**
happen, to **происходи́ть/произойти́**
happy **сча́стлив/сча́стлива**
harmful **вре́дный, вре́дно кому́?**
hat **ша́пка**
hate to do something, to **ненави́деть** + *impf. inf.*
have, to **име́ть**
have the right to **име́ть пра́во**
have time to do something, to **успева́ть/успе́ть** + *pfv. inf.*
have to do something, to **приходи́ться/прийти́сь + кому́?** + *inf.*
head **голова́**
heart **се́рдце**
heating **отопле́ние**
heavy, difficult **тяжёлый**
heavy, stout **по́лный**
height (of a person) **рост**
help, to **помога́ть/помо́чь кому́?**
high, tall **высо́кий**

highway, freeway **шоссе́**
historic sight **достопримеча́тельность**
homework **дома́шняя рабо́та**
housework **рабо́та по до́му**
honest **че́стный**
hope, to **наде́яться;** hope **наде́жда**
horrible, terrible **ужа́сный/ужа́сно**
host a TV show, to **вести́ переда́чу**
hot **жа́ркий/жа́рко**
hot (to the touch) **горя́чий/горячо́**
hotel **гости́ница;** hotel room **но́мер** (*pl.* **номера́**)
housewarming party **новосе́лье**
hug, to **обнима́ть/обня́ть кого́/что?**
humid **вла́жный/вла́жно**
hungry **го́лоден/голодна́**
hurricane **урага́н**
hurt, to ache, **боле́ть (боли́т)** (*third-person only*)
husband **муж (*pl.* мужья́)**

ice **л|ё|д (*gen.* льда)**
ID card, student card **студе́нческий биле́т**
imagine, to **представля́ть/предста́вить**
immediately, at once, right away **сра́зу, сейча́с (же)**
immigrate, to **иммигри́ровать куда́?**
impression **впечатле́ние;** to make an impression **производи́ть/произвести́ впечатле́ние на кого́?**
in spite of, despite **несмотря́ на то, что**
include, to **включа́ть/включи́ть**
incredible **потряса́ющий**
independence **незави́симость**
independent **незави́симый**
insert (a diskette), to **вставля́ть/вста́вить что? куда́? (диске́ту)**
install a font, to **устана́вливать/установи́ть шрифт**
insurance **страхо́вка**
intelligent **у́мный**
intend, to; to plan on doing something **собира́ться/собра́ться** + *inf.*
interest, to **интересова́ть/заинтересова́ть кого́/что?**
intern, student worker, exchange student **стажёр**
introduce oneself, to **представля́ться/предста́виться**
invent, to **изобрета́ть/изобрести́;** invention **изобрете́ние;** inventor **изобрета́тель**
investigate (a crime), to **вести́ рассле́дование**
invite, to **приглаша́ть/пригласи́ть кого́? куда́?**
iron **утю́г;** to iron **гла́дить/погла́дить**
itinerary **маршру́т**

jacket **пиджа́к** (*dress jacket*); **ку́ртка** (*windbreaker, athletic jacket, anorak*)
jeans **джи́нсы**
join, unite, to **объединя́ть/объедини́ть**
joke **шу́тка**

key **ключ (от чего́?)**
kill, to **убива́ть/уби́ть кого́?**
kind **до́брый**
kiss, to **целова́ть/поцелова́ть кого́/что?**
kitchen **ку́хня**
knife **нож**

laboratory **лаборато́рия**
lake **о́зеро**
land **земля́**
landlord/landlady **хозя́ин/хозя́йка** (*pl.* **хозя́ева)**
large, significant, major; large-scale **кру́пный**
last **после́дний**
late, to be; to arrive late **опа́здывать/опозда́ть куда́?**
late **по́здно;** later **по́зже**
lazy **лени́вый;** lazy person **лентя́й**
leave (by vehicle), to **уезжа́ть/уе́хать**
leave (on foot), to **уходи́ть/уйти́**
leave, drive out, to **выезжа́ть/вы́ехать**
leave behind, abandon, to **оставля́ть/оста́вить кого́?/что?**
lecture **ле́кция**
left, on the **сле́ва;** left, to the **нале́во**
leg **нога́ (*pl.* но́ги)**
lie, be in a flat position, to **лежа́ть**
light (weight), easy **лёгкий**
limit, to **ограни́чивать/ограни́чить**
link (WWW) **ссы́лка**
lips **гу́бы**

list **спи́с|о|к**
literature **литерату́ра**
living room **гости́ная**
located **располо́жен/а**
located, to be **находи́ться** (*impf.*)
long **дли́нный**
look, to **смотре́ть**
look like, to **вы́глядеть; похо́ж/а на кого́?/на что?**
lose, to **теря́ть/потеря́ть кого́/что?**
lose, to be defeated **прои́грывать/проигра́ть кому́?**
lost, to get **заблуди́ться** (*pfv. only*); **теря́ться/потеря́ться где?**
Lost and Found **бюро́ нахо́док**
low **ни́зкий**
loyal, devoted, faithful **пре́данный**
lungs **лёгкие**

mail **по́чта**
main **основно́й**
main course **второ́е**
make a discovery, to **де́лать/сде́лать откры́тие**
make an impression, to **производи́ть/произвести́ впечатле́ние на кого́?**
make sure, to **обяза́тельно**
make up (a story), to **приду́мывать/приду́мать что?**
make up (after a quarrel), to **мири́ться/помири́ться с кем?**
man **мужчи́на**
map **ка́рта**
master's degree (M.A./M.S.) **сте́пень маги́стра**
match (sports) **матч**
meals (*here:* as part of a tour package) **пита́ние**
mean, dishonest **по́длый**
mean, ill-spirited **злой/зла́я/злы́е**
medal **меда́ль** (*f.*)
medicine (as a field) **медици́на**
medicine (medication) **лека́рство**
meet, gather, to **собира́ться/собра́ться где?**
meet, encounter, to **встреча́ть/встре́тить кого́?**
meeting **встре́ча**
melt, to **та́ять/раста́ять**
memory, recollection **воспомина́ние**
message **сообще́ние**
microwave oven **микроволно́вая печь**
Midwest, the **Сре́дний За́пад**
minus (below zero) **ми́нус**
miss, to **скуча́ть** (*impf.*) **по кому́?**
mix, toss, to **сме́шивать/смеша́ть**
modest **скро́мный**
money **де́ньги** (*pl. only*)
mood **настрое́ние**
most of all **бо́льше всего́**
mother **мать** (*gen.* **ма́тери)**
mountain **гора́** (*pl.* **го́ры)**
moustache **усы́**
mouth **р|о|т** (*gen. sg.* **рта)**
move, to **переезжа́ть/перее́хать куда́?**
murder, to **убива́ть/уби́ть кого́?**; murder **уби́йство**
murderer **уби́йца**
mysterious **таи́нственный**
mystery, thriller **детекти́в**

name, call, to **называ́ть/назва́ть кого́?**
napkin **салфе́тка**
nature **приро́да**
neck **ше́я**
neighborhood, area **райо́н**
nephew **племя́нник**
nervous, to be **не́рвничать из-за чего́?**
network **сеть** (*f.*)
nevertheless **тем не ме́нее**
news **но́вость**
next **сле́дующий**
nice, pleasant **симпати́чный**
niece **племя́нница**
nonfiction **публици́стика**
nose **нос**
north **се́вер;** northern **се́верный**
novel **рома́н**
now **сейча́с, тепе́рь**

object, to **возража́ть/возрази́ть кому́? про́тив чего́?**
occupy, to **занима́ть** (*impf.*)
offer, suggest, propose, to **предлага́ть/предложи́ть кому́? что?**
office hour, appointment **консульта́ция**
old **ста́рый**
older **ста́рше; ста́рший**

once, one day **одна́жды**
open, to **открыва́ть/откры́ть;** open **откры́тый**
opening night **премье́ра**
opera **о́пера**
opportunity **возмо́жность**
organize, arrange, to **организо́вывать** (*impf.*); **организова́ть** (*impf. and pfv.*)
organize, to **устра́ивать/устро́ить что?**
overcast **па́смурный/па́смурно**
oversleep, sleep through, to **просыпа́ть/проспа́ть**

paint, to **кра́сить/покра́сить**
palace **двор|е́|ц**
paper, report **курсова́я рабо́та, рефера́т**
papers (official) **докуме́нты**
park, to **паркова́ть/запаркова́ть маши́ну**
part (in an opera) **па́ртия**
pass, transmit, to **передава́ть/переда́ть кому́? что?**
passerby **прохо́жий/прохо́жая**
passionate, avid **стра́стный**
pay, to **плати́ть/заплати́ть за что?**
pearl **жемчу́жина**
peasant **крестья́нин/крестья́нка/крестья́не** (*pl.*)
perform, to **выступа́ть/вы́ступить** (*intrans.*); **исполня́ть/испо́лнить что?** (*trans.*)
performance **исполне́ние, спекта́кль** (*m.*)
perish, to **погиба́ть/поги́бнуть** (*past* **поги́б/ла**)
permit, to **разреша́ть/разреши́ть кому́?**
pharmacy **апте́ка**
plate **таре́лка**
plates and dishes **посу́да**
play (theatrical) **пье́са, спекта́кль**
play a game, to **игра́ть во что?**
play a musical instrument, to **игра́ть на чём?**
pleasant **прия́тный**
pleased, happy with **дово́лен/дово́льна кем?/чем?**
plus **плюс**
poetry **поэ́зия**
point, place (a cursor), to **подводи́ть/подвести́ (курсо́р)**
police detective **сле́дователь**
police investigation **сле́дствие**
polite **ве́жливый**
poor **бе́дный**
popular **популя́рный**
population **населе́ние**
post office **по́чта**
pot **кастрю́ля**
predict, to **предска́зывать/предсказа́ть что?**
pregnant **бере́менная**
press (a button, a key), to **нажима́ть/нажа́ть что? на что? (на кно́пку, кла́вишу)**
price **цена́, сто́имость**
priest, minister **свяще́нник**
prince **князь**
print (a file), to **распеча́тывать/распеча́тать (файл)**
private **ча́стный**
probably **наве́рное**
program, broadcast (TV, radio) **переда́ча, програ́мма**
prominent **выдаю́щийся**
provider **прова́йдер**
puppy **щен|о́|к**
purchase **поку́пка**
put (horizontally), lay, to **класть/положи́ть**
put (vertically), stand, to **ста́вить/поста́вить**
put on, to **надева́ть/наде́ть что?**

quarrel, fight, to **ссо́риться/поссо́риться с кем?**
quarter **че́тверть** (*f.*)
quiet **ти́хий**

railway station **вокза́л (железнодоро́жный)**
rain **дождь;** It's raining. **Идёт дождь.**
raincoat **плащ**
range, stove **плита́**
raw, not well cooked **сыро́й**
real **настоя́щий**
really, truly **действи́тельно**
receive, to **получа́ть/получи́ть что?**
recipe **реце́пт**
recognize, acknowledge, to **признава́ть/призна́ть кого́?/что?**
recommend, to **рекомендова́ть** (*impf.*)
red **ры́жий** (hair color)
refrigerator **холоди́льник**
register for, sign up for, to **запи́сываться/записа́ться куда́?**

remember, commit to memory, to **по́мнить/запо́мнить кого́?/что?**
remember, recollect **вспомина́ть/вспо́мнить кого́?/что? о ком?/о чём?**
remodeling, renovation, repairs **ремо́нт**
rent from, to **снима́ть/снять что? у кого́?**
rent (out) to, to **сдава́ть/сдать что? кому́?**
request **про́сьба;** to have a request **у (кого́?) есть про́сьба**
respect, to **уважа́ть кого́? за что?**
rest, relax, to **отдыха́ть/отдохну́ть;** rest, relaxation **о́тдых**
restart, reboot (a computer) **перезагружа́ть/перезагрузи́ть (компью́тер)**
return, come back, to **возвраща́ться/верну́ться куда́? отку́да?**
return, give back, to **возвраща́ть/верну́ть что?**
rich **бога́тый**
rich, heavy **тяжёлый;** rich; greasy **жи́рный**
right, on the **спра́ва**
right, to the **напра́во**
river **река́ (*pl.* ре́ки)**
road **доро́га**
roast, to **жа́рить/зажа́рить (в духо́вке)**
role, part **роль** (*f.*)
root for, to **боле́ть** (*impf.*) **за кого́?**
rude **гру́бый**
rug **ков|ё|р (*pl.* ковры́)**
run a (medical) test, to **де́лать/сде́лать ана́лиз чего́? кому́?**
run, to **бе́гать ~ бежа́ть**
running shoes **кроссо́вки**
rural, country (*adj.*) **деревéнский**
rush hour **час пик**

sail, go by ship, to **пла́вать ~ плыть (на корабле́)**
salty **солёный**
sandals **санда́лии**
saucer **блю́дце**
save (a file), to **сохраня́ть/сохрани́ть (файл)**
schedule **расписа́ние**
scholarship, fellowship **стипе́ндия**
schoolmate **друг/подру́га по шко́ле**
science **нау́ка**
science fiction **фанта́стика, нау́чная фанта́стика**
scientist, scholar **учёный**
score **счёт**
screen **экра́н**
search engine **поиско́вая систе́ма**
search, to **иска́ть/поиска́ть**
secret, mystery **та́йна**
see each other, to **ви́деться/уви́деться**
seem, appear, to **каза́ться/показа́ться;** It seems to me... **Мне ка́жется ...**
self-centered **самовлюблённый**
semester **семе́стр**
send, to **отправля́ть/отпра́вить, посыла́ть/посла́ть что? кому́?**
sense of humor **чу́вство ю́мора**
separately, apart **отде́льно**
serve (food), to **подава́ть/пода́ть кому́? что?**
serve as, to; to be **явля́ться чем?** (*impf.*)
serve, to; to treat to **угоща́ть/угости́ть кого́? чем?**
server, waiter **официа́нт/официа́нтка**
service (restaurant/hotel) **обслу́живание**
set the table, to **накрыва́ть/накры́ть на стол**
set up a tent, to **ста́вить/поста́вить пала́тку**
shine, to **свети́ть;** The sun is shining. **Све́тит со́лнце.**
ship **кора́бль** (*m.*)
shirt **руба́шка**
shoes **ту́фли**
shoot, make a film, to **снима́ть/снять (фильм)**
shop, to **де́лать/сде́лать поку́пки**
shore, seashore, coast **бе́рег (на берегу́)**
short **коро́ткий, ни́зкий** (*about person's height*)
short story **расска́з**
shorts **шо́рты**
shoulder **плечо́ (*pl.* пле́чи)**
sick **бо́лен/больна́**
sick, to become **боле́ть/заболе́ть чем?**
sickness, illness, disease **боле́знь** (*f.*)
similar to **похо́ж/а на**
simply, just **про́сто**
sincere(ly) **и́скренний/и́скренне**
sing, to **петь/спеть (пою́, поёшь)**
singer **пев|е́|ц/певи́ца**
sit down, to **сади́ться/сесть**
skirt **ю́бка**
skis **лы́жи** (*pl.*)
sleeping bag **спа́льный мешо́|о́|к**
slice, cut, to **ре́зать/наре́зать (ре́жу, ре́жут)**
slim **худо́й**

smart **спосо́бный, у́мный**
smile, to **улыба́ться/улыбну́ться**
smoke, to **кури́ть** (*impf.*)
sneeze, to **чиха́ть/чихну́ть**
snow **снег;** It's snowing. **Идёт снег.**
snowfall **снегопа́д**
sociable **общи́тельный**
software **програ́мма**
somewhere **где́-то**
son **сын** (*pl.* **сыновья́**)
sorry, to be **жале́ть/пожале́ть**
sour **ки́слый**
south **юг;** southern **ю́жный**
spacious **просто́рный**
speak with, deal with, to **обща́ться** (*impf.*) **с кем?**
speed **ско́рость**
speed up, to **ускоря́ть/уско́рить что?**
spend (your free time), to **проводи́ть/провести́ что? (свобо́дное вре́мя)**
spend your vacation, to **проводи́ть/провести́ о́тпуск, кани́кулы**
spicy, hot **о́стрый**
spoon **ло́жка**
sports (*adj.*) **спорти́вный**
sports club **се́кция**
sports fan **боле́льщик, боле́льщица**
square, open space **пло́щадь** (*f.*)
stage **сце́на**
stage, produce, to **ста́вить/поста́вить что?**
stand, to **стоя́ть** (*impf.*)
stand up, to **встава́ть/встать**
star **звезда́** (*pl.* **звёзды**)
state **штат** (*one of the 50 American states*); **госуда́рство** (*country*); state, federal, governmental **госуда́рственный**
stay at home with somebody, to **сиде́ть с кем?**
steal, to **красть/укра́сть что? у кого́?**
stir, to **меша́ть/помеша́ть что?**
stomach **живо́т**
stone (*adj.*) **ка́менный**
stop (someone, something), to **остана́вливать/останови́ть кого́?/ что?;** to come to a stop **остана́вливаться/останови́ться**
stop doing something, to **перестава́ть/переста́ть** + *impf. infinitive*
stove, range **плита́**
straight ahead, in front of **впереди́ кого́? чего́?**
street **у́лица**
strive for, to **стреми́ться** (*impf.*) **к чему́?**
strong **си́льный**
struggle, fight **борьба́**
study, office **кабине́т**
study, to **учи́ть что?, занима́ться чем?** to study for, to prepare for **гото́виться/подгото́виться к чему́?**
study, to; to be a student **учи́ться** (*impf. only*) **где?**
stupid **глу́пый**
subject **предме́т**
successful **уда́чный**
suddenly **вдруг**
suit **костю́м**
summer camp **де́тский ла́герь**
summer house, dacha **да́ча**
sun **со́лнце;** sunny **со́лнечный/со́лнечно**
suntan, to **загора́ть/загоре́ть**
sure **уве́рен/а в чём?**
sweater **сви́тер, ко́фта** (*cardigan, button-down type*)
sweet **сла́дкий**
swim, to **пла́вать ~ плыть**
swimming trunks **пла́вки**
swimsuit **купа́льник**

take (medication), to **принима́ть/приня́ть что? (лека́рство)**
take a shower, to **принима́ть/приня́ть (душ)**
take courses **слу́шать ку́рсы**
take offense, feel hurt, to **обижа́ться/оби́деться на кого́?**
take/pass an exam, to **сдава́ть/сдать что? (экза́мен)**
tall **высо́кий**
taste, to; to try **про́бовать/попро́бовать что?**
tasty **вку́сный/вку́сно**
tea, to make **зава́ривать/завари́ть чай**
teach, to **преподава́ть** (*impf. only*) **что?**
team **кома́нда**
teapot, tea kettle **ча́йник**
tears **слёзы**
teenage girl **де́вушка**
teenager **подро́ст|о|к**
teenager, young man, boyfriend **па́р|е|нь**
teenager, young woman, girlfriend **де́вушка**
telephone, to **звони́ть/позвони́ть кому́?**

tell, to **расска́зывать/рассказа́ть кому́? что?**
tell a lie, to **врать/совра́ть кому́?**
tender **мя́гкий**
tent **пала́тка**
term paper **курсова́я рабо́та, рефера́т**
test (medical) **ана́лиз**
test, analyze, to (one's blood, etc.) **де́лать/сде́лать ана́лиз чего́? кому́?**
test, exam **контро́льная рабо́та (по чему́?)**
thank you, thanks (for) **спаси́бо (за что?);** thanks a lot, very much **большо́е спаси́бо**
thanks to **благодаря́ кому́?/чему́?**
theatrical performance **спекта́кль** (*m.*)
then, after that **пото́м**
thin, slim **худо́й**
think, consider, to **счита́ть** (*impf.*)
throat **го́рло**
ticket (train, plane) **биле́т (на по́езд, на самолёт)**
ticket, fine **штраф за что?**
time, occasion **раз**
tire (out), to **устава́ть/уста́ть;** I'm tired. **Я уста́л/а.**
toe **па́л|е|ц (па́льцы)**
too much **сли́шком**
tooth **зуб** (*pl.* **зу́бы)**
tough **жёсткий**
tour (referring to theater or musicians) **гастро́ли** (*pl.*)
tournament **турни́р**
traffic **движе́ние; доро́жное движе́ние**
traffic jam **про́бка**
traffic light **светофо́р**
traffic rules **пра́вила доро́жного (у́личного) движе́ния**
traffic sign **доро́жный знак**
train **по́езд**
train, practice, to **тренирова́ться** (*impf.*); training, practice (sports) **трениро́вка**
traitor **преда́тель**
translate, to **переводи́ть/перевести́;** translation **перево́д**
transportation, means of **тра́нспорт**
travel, to **путеше́ствовать где?**
treat, cure, to **лечи́ть/вы́лечить что? (просту́ду, грипп, зу́бы)**
trip, journey, voyage **путеше́ствие**
trouble, problem, incident **неприя́тность**
trousers, pants **брю́ки** (*pl. only*)
truck **грузови́к**
trusting **дове́рчивый**
try, to **про́бовать/попро́бовать** + *inf.*, **стара́ться/ постара́ться** + *inf.*
T-shirt **футбо́лка**
turn off, to **выключа́ть/вы́ключить**
turn on, to **включа́ть/включи́ть**
turn, to **повора́чивать/поверну́ть**
TV host, anchor **веду́щий/веду́щая**
type; print, to **печа́тать/напеча́тать**

umbrella **зонт (зо́нтик)**
uncle **дя́дя**
understand, realize, to **понима́ть/поня́ть что?**
upset, to be, to worry **волнова́ться** (*impf.*)
upset **расстро́ен/а**
USA **США (Соединённые Шта́ты Аме́рики)**
useful, good for someone **поле́зный/поле́зно что кому́?**

vacation **кани́кулы** (*from school*), **о́тпуск** (*from job*)
vacuum cleaner **пылесо́с**
vacuum, to **пылесо́сить**
victim, casualty **же́ртва**
victory **побе́да**
view (of) **вид на что?**
village **дере́вня**
violence **наси́лие**
vocation **призва́ние**
vulnerable **оби́дчивый**

wait for, to **ждать/подожда́ть кого́?**
waiter/waitress **официа́нт, официа́нтка**
wake up, to **просыпа́ться/просну́ться**
wall **стена́** (*pl.* **сте́ны)**
wallet **бума́жник**
want, desire, to **жела́ть/пожела́ть** + *inf.*
warm **тёплый/тепло́**
warm up, to **тепле́ть/потепле́ть**
warming **потепле́ние**
wash, to **мыть/помы́ть что?**
wash (oneself), to **мы́ться/помы́ться/вы́мыться**
washing machine **стира́льная маши́на**
water **вода́**
weak **сла́бый**
wear, to **носи́ть (оде́жду)**

weather **пого́да**
wedding **сва́дьба**
weekday **бу́дний день**
weekend **выходны́е дни**
weight, to lose **худе́ть/похуде́ть**
west **за́пад;** western **за́падный**
what for **заче́м**
widow **вдова́**
widower **вдове́ц**
win, to **выи́грывать/вы́играть у кого́?**
win a medal, to **завоёвывать/завоева́ть меда́ль**
win, be victorious, to **оде́рживать/одержа́ть побе́ду над кем?**
wind **ве́т|е|р**
windbreaker, athletic jacket **ку́ртка**
windy **ве́треный/ве́трено**
wine glass **бока́л**
wish, to **жела́ть/пожела́ть кому́? чего́?**
woman **же́нщина**
wonderful **чуде́сный**
wooden **деревя́нный**
work (of art, etc.) **произведе́ние**
world **мир, свет**
worry, be nervous, to **беспоко́иться** (*impf.*)
worth doing, to be **сто́ить** + *inf.*

yard **двор**
young **молодо́й**

# INDEX